Du même auteur

Montesquieu, la politique et l'histoire, PUF, 1959.

Pour Marx, Collection « Théorie », Maspero, 1965.

Lire « Le Capital », Collection « Théorie », Maspero, 1965 (en collaboration).

Lénine et la philosophie, Collection « Théorie », Maspero, 1968.

Réponse à John Lewis, Collection « Théorie », Maspero, 1972.

Philosophie et Philosophie spontanée des savants, Collection « Théorie », Maspero, 1973.

Éléments d'autocritique, Collection « Analyse », Hachette, 1973.

Positions, Éditions sociales, 1976.

Le 22ᵉ Congrès du Parti communiste français, Collection « Théorie », Maspero, 1977.

Ce qui ne peut plus durer dans le Parti communiste français, Collection « Théorie », Maspero, 1978.

Filosofia y marxismo, Mexico, Siglo XXI Editores, 1988 (entretiens avec Fernanda Navarro).

L'AVENIR DURE LONGTEMPS
suivi de
LES FAITS

Édition posthume d'œuvres de Louis Althusser

Le présent ouvrage s'inscrit dans un programme d'édition posthume de textes de Louis Althusser, en majeure partie totalement
inédits, qui proviennent des archives du philosophe qui ont été
confiées à l'Institut Mémoires de l'édition contemporaine (IMEC) en
juillet 1991 par sa famille.

La publication de ces textes s'effectuera sur plusieurs années dans
le cadre d'une coédition entre les Éditions Stock et l'IMEC, et
comprendra les volumes suivants :

1. Textes autobiographiques : *L'avenir dure longtemps,* suivi de
Les faits (1992).
2. Journal et textes de captivité.
3. Textes philosophiques.
4. Autres textes et correspondances.

La mise en valeur du Fonds Althusser et l'édition posthume de
ces textes sont placées sous la responsabilité scientifique de l'IMEC.

Louis Althusser

L'avenir dure longtemps

suivi de

Les faits

ÉDITION ÉTABLIE ET PRÉSENTÉE
PAR
OLIVIER CORPET ET YANN MOULIER BOUTANG

STOCK/IMEC

Présentation

Louis Althusser est mort le 22 octobre 1990. Les deux textes autobiographiques publiés dans ce volume ont été retrouvés soigneusement conservés dans ses archives lorsque celles-ci ont été confiées, en juillet 1991, à l'Institut Mémoires de l'édition contemporaine (IMEC) avec mission d'assurer la mise en valeur scientifique et éditoriale de ce fonds.

Dix années séparent la rédaction de ces deux textes. Dix années au milieu desquelles, le 16 novembre 1980, le destin de Louis Althusser bascule dans l'impensable et le tragique avec le meurtre de sa femme, Hélène, dans leur appartement de l'École normale supérieure, rue d'Ulm, à Paris.

La lecture de ces deux autobiographies – dont l'existence, surtout pour *L'avenir dure longtemps*, était presque devenue un mythe – conduisit François Boddaert, le neveu de Louis Althusser, et son seul héritier, à décider leur publication comme premier volume de l'édition posthume de nombreux inédits retrouvés dans le Fonds Althusser. Cette édition comprendra, outre ces textes, son *Journal de captivité* écrit lors de son internement dans un stalag en Allemagne entre 1940 et 1945, puis un volume d'œuvres plus strictement philosophiques, enfin un ensemble de textes divers (politiques, littéraires...) et de correspondances.

Pour préparer cette édition, nous avons recueilli plusieurs témoignages, parfois divergents, d'amis de Louis Althusser ayant à un moment ou un autre connu ou croisé l'histoire de ces manuscrits, certains d'entre eux les ayant lus, en totalité ou en partie, à un stade ou un autre de leur rédaction. Nous avons également réuni des

I

documents de toute nature (agendas, notes, coupures de presse, correspondances...) souvent dispersés dans les archives mais pouvant servir d'indices, voire de preuves ou de références sur les « sources » utilisées par Louis Althusser. L'intégralité du dossier préparatoire de cette édition, y compris, bien sûr, les manuscrits eux-mêmes et les différentes versions ou ajouts, pourra être consultée, ce qui permettra aux chercheurs spécialisés d'étudier la genèse de ces autobiographies. Nous nous bornerons donc à indiquer ici les principales données sur l'histoire de ces textes qui éclairent cette édition, les caractéristiques matérielles des manuscrits et les critères retenus pour leur transcription, sachant que les circonstances détaillées de leur rédaction seront longuement rapportées et analysées dans le second volume de la biographie de Louis Althusser [1].

L'analyse des documents et des témoignages recueillis jusqu'ici permet d'avancer avec certitude les points suivants : la rédaction de *L'avenir dure longtemps* a été déclenchée, même si le projet d'une autobiographie est bien antérieur, par la lecture, dans *Le Monde* du 14 mars 1985, d'un billet de Claude Sarraute intitulé « Petite faim ». Consacré essentiellement au meurtre anthropophagique d'une jeune Hollandaise par le Japonais Issei Sagawa et au succès que connut ensuite au Japon le livre où il racontait son crime, alors qu'il avait été renvoyé dans son pays à la suite d'un non-lieu et d'un bref séjour dans un hôpital psychiatrique français, l'article de Claude Sarraute évoquait au passage d'autres « cas » : « [...] Nous, dans les médias, dès qu'on voit un nom prestigieux mêlé à un procès juteux, Althusser, Thibault d'Orléans, on en fait tout un plat. La victime ? Elle ne mérite pas trois lignes. La vedette, c'est le coupable [...] »

A la suite de ce billet, plusieurs amis de Louis Althusser lui conseillèrent de protester auprès du journal contre cette allusion à un « procès juteux ». Il se rangea à l'avis d'autres amis qui, tout en critiquant le procédé, estimaient pourtant que, d'une certaine manière, Claude Sarraute mettait le doigt sur un point essentiel, et pour lui dramatique : en fait, son absence de « procès », due au non-lieu dont il avait « bénéficié ». Le 19 mars 1985, il écrit à l'un de ses plus proches amis, Dominique Lecourt — mais ne lui envoie pas la

---

1. Voir Yann Moulier Boutang, *Louis Althusser, une biographie*, tome I, Grasset, 1992.

lettre – qu'il ne pourra pas « réapparaître sur la scène publique »
sans s'être auparavant expliqué sur ce qui lui est arrivé, c'est-à-dire
en écrivant « [...] une espèce d'autobiographie, dans laquelle entre-
raient [ses] explications sur le drame et son "traitement" aussi bien
préfectoral, judiciaire et hospitalier, et naturellement son origine ».
Ce souci d'écrire son autobiographie n'est certes pas nouveau : déjà,
en 1982 par exemple, au sortir du premier internement consécutif
au meurtre, il rédige un texte théorique sur le « matérialisme de la
rencontre » qui commence ainsi : « J'écris ce livre en octobre 1982,
au sortir d'une atroce épreuve de trois ans dont, qui sait, je raconterai peut-être un jour l'histoire, si jamais elle peut en éclairer d'autres,
et sur ses circonstances et sur ce que j'ai subi (la psychiatrie, etc.).
Car j'ai étranglé ma femme, qui m'était tout au monde, au cours
d'une crise intense et imprévisible de confusion mentale, en
novembre 1980, elle qui m'aimait au point de ne vouloir que mourir faute de pouvoir vivre, et sans doute lui ai-je, dans ma confusion
et mon inconscience, "rendu ce service" dont elle ne s'est pas défendue, mais dont elle est morte. » Le texte se poursuit ensuite sur des
considérations philosophiques et politiques pour ne plus revenir sur
ces premières allusions autobiographiques.

En mars 1985, décidé cette fois à raconter cette « histoire », de
son point de vue, Louis Althusser écrit à plusieurs de ses amis à
l'étranger pour leur demander de lui envoyer toutes les coupures de
presse le concernant parues dans leur pays après novembre 1980. Il
fait de même pour la presse française et rassemble ou demande à ses
amis de lui fournir une abondante documentation aussi bien sur les
problèmes juridiques du non-lieu et sur l'article 64 du Code pénal
de 1838 que sur la question des expertises psychiatriques. Il
demande en outre à certains de ses proches de lui communiquer leur
« journal » correspondant à ces années, ou de lui raconter les événements dont, pour certains aspects, il a perdu le souvenir. Il interroge
son psychiatre et son psychanalyste sur les traitements qu'il a suivis,
les médicaments qu'il a dû prendre (parfois il retape « au propre »
leurs explications et interprétations), relève sur des feuilles volantes
ou des agendas tout un ensemble de faits, d'événements, de propos,
de réflexions, de citations, de mots épars, bref d'indices, tant factuels, personnels que politiques ou psychanalytiques. Ses archives ont
gardé la trace de tout ce travail d'élaboration qui servit à la rédaction
de *L'avenir dure longtemps*.

III

La rédaction même et la frappe de ce texte ont, selon toute probabilité, pris quelques semaines seulement, des derniers jours de mars à la fin d'avril ou au début de mai 1985. Le 11 mai, il donne un manuscrit, sans doute complet, à lire à Michelle Loi et, le 30 mai, il tape une version d'un nouveau texte théorique intitulé « Que faire ? ». Dès la deuxième page, il fait allusion à l'autobiographie qu'il vient d'achever : « Je retiendrai un premier principe fondamental de Machiavel que j'ai longuement commenté dans mon petit livre : *L'avenir dure longtemps*. [...] » « Petit » est une clause de style car ce texte est long de près de trois cents pages et constitue, à notre connaissance, le plus long manuscrit écrit par Louis Althusser dont l'œuvre publiée jusqu'ici se partage en opuscules et recueils d'articles. Le 15 juin, en proie à une profonde crise d'hypomanie, il est de nouveau hospitalisé à Soisy.

Tel paraît avoir été le calendrier de la rédaction de *L'avenir dure longtemps* — un calendrier qui correspond tout à fait aux datations de quelques faits ou événements rapportés dans le corps du texte (par exemple : « Il y a quatre ans, sous le gouvernement Mauroy », p. 15 ou « Voilà seulement six mois, en octobre 84 », p. 119, ou encore « j'ai soixante-sept ans », p. 272). Les retouches ultérieures semblent avoir été mineures.

Le nombre de personnes ayant pu lire l'intégralité ou une partie significative de ce manuscrit s'est limité à quelques proches dont, notamment, Stanislas Breton, Michelle Loi, Sandra Salomon, Paulette Taïeb, André Tosel, Hélène Troizier, Claudine Normand. On sait par ailleurs qu'il en a plusieurs fois évoqué l'existence devant quelques éditeurs et qu'il leur a exprimé son désir de le voir publier, sans pour autant leur montrer son manuscrit, ou du moins jamais dans sa totalité. Tout indique donc que Louis Althusser avait pris d'extrêmes précautions pour que ce manuscrit, contrairement à ce qu'il avait généralement l'habitude de faire avec ses textes, ne « circule » pas. Il n'en existait d'ailleurs dans ses archives aucune photocopie. Un de ses amis, André Tosel, raconte qu'il n'a pu le lire, en mai 1986, qu'en sa présence, à son domicile, et sans prendre de notes.

On ajoutera enfin que pour la rédaction de *L'avenir dure longtemps*, Louis Althusser s'est de toute évidence, surtout pour les premiers chapitres, largement inspiré de sa première autobiographie intitulée *Les faits*, dont il avait conservé deux versions très similaires.

IV

Ce texte, *Les faits*, que nous publions dans la seconde partie de ce volume, a été écrit en 1976 (l'indication de l'année figure sur la première page), et selon toute vraisemblance au cours du second semestre. Louis Althusser en a proposé et remis le texte à Régis Debray, qui le destinait à la seconde livraison d'une nouvelle revue, *Ça ira*, dont un numéro zéro avait été publié en janvier 1976 et qui ne verra finalement pas le jour. Connue par plusieurs proches de Louis Althusser, cette autobiographie est également restée jusqu'à ce jour totalement inédite.

Le manuscrit original de *L'avenir dure longtemps* se présente sous la forme de trois cent vingt-trois feuilles de format A4, de couleur verte ou blanche, dont une dizaine à en-tête de l'École normale supérieure. La plupart d'entre elles ont été regroupées en une série de « feuillets » agrafés et numérotés, correspondant le plus souvent aux différents chapitres. A l'exception de quelques pages entièrement manuscrites, toutes ces feuilles ont été — suivant son habitude — directement dactylographiées par Louis Althusser lui-même, à l'exception, semble-t-il, de la page de l'avertissement, dont la frappe originale — qui figurait dans le manuscrit — et l'élaboration définitive ont été effectuées par Paulette Taïeb sur une autre machine.

Sur la page de titre, manuscrite, Louis Althusser avait écrit : *L'avenir dure longtemps*, suivi d'un sous-titre rayé : *Brève histoire d'un meurtrier*, et d'un autre titre : *D'une nuit l'aube*, également rayé, qui correspond à une première tentative d'introduction dont subsistent les neuf premières feuilles dactylographiées, arrêtées au milieu d'une phrase.

Nombre de pages dactylographiées de *L'avenir dure longtemps* comportent de multiples corrections et ajouts entre les lignes ou dans les marges, parfois sur le verso des feuillets. Lorsque ces modifications rendaient le manuscrit par trop illisible, Louis Althusser a réalisé une nouvelle frappe portant de nouvelles corrections. Il avait conservé, dans une chemise à part, la première version corrigée des soixante et onze pages initiales, à l'exclusion de l'avertissement et des deux pages liminaires racontant le meurtre (chapitre I). Mais à cette exception près, qui permet d'examiner les variantes (en l'occurrence minimes) d'une dactylographie à l'autre, les archives de Louis Althusser ne contenaient qu'une seule version originale de ce texte.

On doit ajouter que Louis Althusser avait parfois glissé entre les pages de son manuscrit des feuillets blancs de petit format à en-tête de l'École normale supérieure avec, en référence à la page concernée, une question ou une remarque plus ou moins lapidaire indiquant sa volonté de reprendre ultérieurement la phrase ou le développement en question. En plusieurs autres endroits également, une indication graphique en marge, le plus souvent au feutre, témoigne que le texte ne le satisfaisait pas complètement et qu'il envisageait des corrections.

Ce manuscrit nous apprend également que l'auteur avait imaginé plusieurs agencements différents de son texte, jusqu'à quatre projets de pagination, qui affectent surtout la seconde partie, sans qu'il nous ait été possible de reconstituer complètement les différentes versions auxquelles ces paginations variées auraient donné lieu. Mais le manuscrit tel qu'il a été trouvé, et tel qu'il est publié ici, était ordonné en une suite suivie de chapitres numérotés en romain par l'auteur (avec un oubli sans conséquence au début qui nous a conduits à numéroter vingt-deux chapitres au lieu de vingt et un, correspondant, dans le dernier état du manuscrit, à une pagination de 1 à 276 qui ne tient pas compte de certaines interversions de pages et de plusieurs ajouts pour lesquels l'auteur a laissé des indications souvent précises). C'est cette version qui a été retenue pour cette édition.

On mentionnera enfin que ne figurent pas dans cette édition de *L'avenir dure longtemps* deux chapitres intitulés « Machiavel » et « Spinoza », que Louis Althusser avait finalement retirés et remplacés par le « résumé » qui figure ici pages 208 à 213 [1]. Il en va de même pour la dernière partie [2] du chapitre consacré à des analyses politiques sur l'avenir de la gauche en France et la situation du Parti communiste (ici le chapitre XIX). Il semble que Louis Althusser voulait utiliser ces pages pour un autre ouvrage sur *La véritable tradition matérialiste*. Mais, outre ces trois chapitres représentant soixante et un feuillets laissés dans une chemise portant ce titre, il n'existe pas d'autres éléments d'information plus précis sur ce projet de livre inachevé ; ces pages feront peut-être l'objet, notamment les

1. De « Mais avant d'en venir à Marx lui-même [...] » à « [...] Je crois que nous n'avons pas fini d'épuiser cette pensée sans précédent et malheureusement sans suite. »
2. Après « [...] dont on ne se serait pas fait faute de l'accabler » (p. 233).

deux chapitres sur Machiavel et sur Spinoza, d'une publication ultérieure.

En définitive, nous avons choisi de publier ce texte de *L'avenir dure longtemps*, quasiment sans indications de variantes, à l'exception de rares ajouts manuscrits en marge pour lesquels l'auteur n'avait pas fait les raccords indispensables et que nous donnons alors en note, renvoyant les chercheurs au dossier préparatoire et au manuscrit. Pour le reste, les indications d'édition très précises (soulignements, changements de paragraphes, insertions d'ajouts, etc.) laissées par Louis Althusser ont toutes été suivies et seules des corrections éditoriales mineures et courantes sur des accords de temps, la ponctuation et des précisions sur les prénoms de personnes citées ont été apportées. Les erreurs de faits ou de dates ont été laissées telles quelles : pour leur éventuelle « vérification », le lecteur pourra se reporter à la biographie de l'auteur qui paraît simultanément. En quelques endroits, toutefois, l'ajout d'un mot ou d'une locution, signalé entre crochets, s'est avéré indispensable pour la bonne lisibilité du texte.

Le manuscrit des *Faits*, quant à lui, se présente sous la forme d'une dactylographie avec très peu de corrections et d'ajouts, les variantes sont donc minimes et concernent surtout l'ordre des premiers paragraphes. Louis Althusser n'avait conservé dans ses archives que deux photocopies de ce manuscrit, correspondant à deux versions successives fort proches l'une de l'autre.

C'est la deuxième version qui est publiée ici, mais il est évident que le texte a dû connaître auparavant une ou plusieurs rédactions puisque dans une lettre à Sandra Salomon, au cours de l'été 1976, Louis Althusser lui annonce: « Je vais pouvoir [...] réécrire mon "autobiographie" que je vais considérablement engrosser de souvenirs réels, et d'autres imaginaires (mes rencontres avec Jean XXIII et avec de Gaulle) et surtout d'analyses des choses que je raconte, après quoi je foutrai en annexe toutes les pièces. Tu es d'accord ? ça sera la politique côté intérieur et extérieur à la fois et ça permettra de glisser des choses peu piquées des hannetons [...]. »

Ce choix éditorial de ne pas faire disparaître ces deux autobiographies sous les notes dites d'éclaircissement, sauf aux très rares endroits où la compréhension même de la lettre s'en trouvait compromise, tient pour l'essentiel à leur statut même. Pas plus que les *Confessions* de Jean-Jacques Rousseau ou les *Mémoires* du cardinal de Retz, elles ne doivent être lues comme une biographie. Dans un projet initial de préface à *L'avenir dure longtemps*, intitulé « Deux mots », Louis Althusser avait précisé qu'il n'entendait pas décrire son enfance telle qu'elle a été, ni les membres de sa famille dans leur réalité, mais restituer la représentation qu'il a été amené progressivement à s'en faire : « Je ne parle d'eux que tels que je les ai perçus, ressentis, sachant fort bien que, comme en toute perception psychique, ce qu'ils ont pu être a toujours-déjà été investi dans les projections fantasmatiques de mon angoisse. »

C'est donc bien une histoire de ses affects, de ses fantasmes qu'il a élaborée. Nous sommes en pleine fantaisie, au sens fort que ce mot avait encore au temps de Montaigne : celui d'une illusion, voire d'une hallucination. « Je tiens en effet tout au long de ces associations de souvenirs, écrit-il dans *L'avenir dure longtemps*, à m'en tenir strictement aux faits : mais les hallucinations sont aussi des faits. »

Et ce point nous conduit à la singularité la plus forte de ces textes. Ils se placent délibérément chacun dans deux registres différents, *Les faits* dans celui du mode comique, *L'avenir dure longtemps* dans celui du tragique, hors d'atteinte des critères binaires du vrai et du faux, dont la biographie a précisément pour obligation de délimiter les frontières [1]. Sommes-nous passés pour autant du côté de la fiction, donc d'un imaginaire, bouclé dans le système symbolique du texte, indice de lui-même ? En un sens oui, et le caractère hautement travaillé des manuscrits dont on dispose, avec leurs différentes étapes, conduira vraisemblablement, comme pour toute création littéraire, à donner ultérieurement, la priorité à la critique interne du texte. Et pourtant, on ne peut pas non plus les lire comme un roman de Céline ou une nouvelle de Borgès, pour citer deux auteurs auxquels Althusser aimait se référer.

Si nous entrons, avec ces deux textes, dans l'écriture de la fantaisie, de l'hallucination, c'est que la matière en est la folie, c'est-à-dire la seule possibilité pour le sujet de se décliner comme fou, puis

---

1. Pour une discussion sur les décalages, les lapsus, les blancs des deux autobiographies par rapport à la vie réelle, voir Yann Moulier Boutang, *Louis Althusser, une biographie*, tome I, *op. cit.*

meurtrier, et pourtant, toujours, philosophe et communiste. On est là en présence d'un prodigieux témoignage de la folie, au sens où, contrairement aux « documents nosographiques » tels le *Mémoire du Président Schreber* étudié par Freud ou celui de Pierre Rivière (*Moi, Pierre Rivière, ayant égorgé ma mère, ma sœur, ma femme*) présenté par Michel Foucault, on y comprend comment un intellectuel, supérieurement intelligent et philosophe de métier, habite sa folie, sa médicalisation en maladie mentale par l'institution psychiatrique, et les habits analytiques dont elle se pare. En ce sens, ce *bloc autobiographique*, avec son noyau constitutif présent dès *Les faits*, forme certainement l'indispensable corrélat à *L'Histoire de la folie* de Michel Foucault. Écrit par un sujet auquel le non-lieu avait ôté de fait la qualité de philosophe, et inextricable mélange de « faits » et de « fantasmes », *L'avenir dure longtemps* dégage sans doute expérimentalement, dans un être de chair et de sang, ce dont Foucault avait désigné la place : le vacillement du partage entre folie et raison. Comment la pensée peut-elle être adossée à la folie sans en être simplement l'otage ou le prurit monstrueux ? Comment l'histoire d'une vie peut-elle ainsi glisser dans la folie, et son narrateur en être à ce point conscient ? Comment penser l'auteur d'une telle œuvre ? Le « cas Althusser » peut-il être abandonné aux médecins, aux juges, aux bien-pensants du partage entre la pensée publique et le désir privé ? Par les deux textes de l'histoire de sa vie, il leur a sans doute échappé dans son destin posthume.

En ce sens, ces textes autobiographiques viennent tout naturellement et, disons le mot, d'autorité, prendre place, et une place essentielle, dans l'*œuvre* de Louis Althusser. Et seule la lecture — inévitablement plurielle, contradictoire, qui en sera faite — nous dira quels bouleversements ils auront provoqués dans l'œuvre elle-même, et dans le regard porté sur elle — sans qu'il soit encore possible de préjuger du sens et de l'ampleur de ces bouleversements.

Olivier Corpet
Yann Moulier Boutang

Nous tenons à remercier tous ceux qui nous ont permis de réaliser l'édition de ce volume, au premier rang desquels François Boddaert, héritier de Louis Althusser, qui a pris la décision de publier ces textes et nous a sans cesse témoigné sa confiance. Mais aussi : Régis Debray, Sandra Salomon, Paulette Taïeb, Michelle Loi, Dominique Lecourt, André Tosel, Stanislas Breton, Hélène Troizier, Fernanda Navarro, Gabriel Albiac, Jean-Pierre Salgas... pour les documents et les témoignages précieux qu'ils nous ont fournis, permettant d'effectuer l'édition de ces textes dans les meilleures conditions possibles. Ils ne sauraient toutefois être tenus responsables de celle-ci, que nous assumons complètement. Nos remerciements vont également aux collaborateurs de l'IMEC qui nous ont apporté leur aide, et tout particulièrement à Sandrine Samson qui a assuré une grande part du classement du Fonds Althusser.

L'avenir dure longtemps

1985

Un soir de décembre 46, ~~Lexèxxxw~~ Paris couvert de neige, Lesèvr

m'invita à rendre visite à sa mère, qui était rentrée/dans un triste

état ~~de déportation~~ dans son appartement du haut de la rue Lepic.

Je me revois encore aux côtés de Lesèvre ~~qui, parlait~~ _qui parlait_ pour deux, ~~tra-~~

~~versait~~ _traversé_ le pont enneigé de la ~~Co~~ncorde. ~~Xhxxxkxhxxqxwix~~ Il me parlait

de sa mère. Et ~~C~~'est là _alors_ qu'il me dit : "tu verras aussi Hélène, une

grande amie, elle est un peu folle mais elle est tout à fait ~~etonn~~

~~quali~~ Nous la ~~pxemxkwxxxxxxxi~~ _retournerons_ ~~rencontrerons~~ au ~~b~~as de la rue Lepic,

sortir du Métro."

très
extraordinaire _te_
par son intelligence
politique et ~~par~~
~~cœur~~ _.le genièssi_
té de son cœur. Un
peu folle ? Que
pouvait-il être
voulu dire après
de pareil éloges ?

Effectivemnt elle était là, nous attendant dans la neige~~.~~ Une

me toute petite emmitouflée dans une sorte de manteau qui la dissimu

lait preque entière. Présentations. ~~xxluxxxixxxx~~ Et aussitôt ~~en~~ mar

vers le haut de la rue Lepic, sur les trottoirs en ~~polle et glissant~~ _verglassés_

Mon pramier mouvement, tout d'instinct, fut de lui prendre le ~~b~~ras

pour le soutenir et
~~et de l'aider à~~ ~~monter~~ _grand l'ayant_ Mais ce fut aussi, sans que j'aie jamais su

~~(Ou plutôt je ne_
le sais que trop :
un appel d'amour
impossible, double
de mon goût pour
le pathos et l'exagé-
ration de Gestes.)

pourquoi/~~demander~~ aussitôt ~~xxxxxx~~ sous ~~txxhx~~ son ~~b~~ras ma main ver

la sienne, et de prandre sa main froide dans la chaleur de la mienne

Le silence se fit, nous montions.   _Un grand feu de Bois_
parke tzgun _flambait dans la cheminée_

Je garde un ~~xuxxxxihxx~~ ~~é~~souvenir ~~émouvant~~ de cette soirée ~~Madame~~

Lesèvre, ~~tant~~ heureuse de re~~v~~oir son fils, nous accueillit avec cha-

leur. C'était une haute femme(~~decharnée~~ _completement_ par ses épreuves, hâve et

elle ne souriait jamais. elle
presque une ombre~~; mais elle~~ parlait ~~xuxxwxixxx~~ lentement, cherchan

pour evoquer
ses mots ~~t~~es souvenis exaltants de la résistance et ~~xxx~~ "sinistres"

cauchemars

la condition de
la Résistance
qu'Hélène et
George avaient
vécues. Vrai-
ment on ne pouvait
même pas imaginer

de la déportation: ~~Xxixxxwxxxxxxxxxxxixxxxxxxxxx~~ Georges avait tou

~~sas aucun rapport avec les camps de prisonniers (où j'avais connu, et même avec~~

jours été discret sur ses exploits dans les ~~xuxtxgxuxxxwtxxxwxxixxxw~~

~~Lyxx~~ Alpes et la ville de Lyon. J'avais entendu parler des déportés,

de surcroît)
~~M~~ais pour la première fois j'en rencontrai un, et/c'était une femme

toute droite et ferme dans ses épreuves. Je me souvi~~e~~ns que je porta

alors (sens de l'économie, je n'en avais pas acheté d'autre) la vest

étroite et mal taillée, une veste marron qui m'allait à peine, qu'on

Fac-similé d'une page du manuscrit. (Fonds Althusser, IMEC.)

Il est probable qu'on trouvera choquant que je ne me résigne pas au silence après l'acte que j'ai commis, et aussi le non-lieu qui l'a sanctionné et dont j'ai, suivant l'expression spontanée, bénéficié.

Mais si je n'avais pas eu ce bénéfice, j'aurais dû comparaître. Et si j'avais dû comparaître, j'aurais eu à répondre.

Ce livre est cette réponse à laquelle autrement j'aurais été astreint.

Et tout ce que je demande, c'est qu'on me l'accorde; qu'on m'accorde maintenant ce qui aurait pu alors être une obligation.

Bien entendu, j'ai conscience que la réponse que je tente ici n'est ni dans les règles d'une comparution qui n'a pas eu lieu, ni dans la forme qu'elle y aurait prise. Je me demande toutefois si le manque, passé et à jamais, de cette comparution, de ses règles et de sa forme, n'expose pas finalement plus encore ce que je vais tâcher de dire à l'appréciation publique et à sa liberté. En tout cas je le souhaite. C'est mon sort de ne penser calmer une inquiétude qu'en en courant indéfiniment d'autres.

I

Tel que j'en ai conservé le souvenir intact et précis jusque dans ses moindres détails, gravé en moi au travers de toutes mes épreuves et à jamais – entre deux nuits, celle dont je sortais sans savoir laquelle, et celle où j'allais entrer, je vais dire quand et comment : voici la scène du meurtre telle que je l'ai vécue.

Soudain, je suis debout, en robe de chambre, au pied de mon lit dans mon appartement de l'École normale. Un jour gris de novembre – c'était le dimanche 16, vers neuf heures du matin – vient à gauche, de la très haute fenêtre, encadrée depuis très longtemps de très vieux rideaux rouge Empire lacérés par le temps et brûlés par le soleil, éclairer le pied de mon lit.

Devant moi : Hélène, couchée sur le dos, elle aussi en robe de chambre.

Son bassin repose sur le bord du lit, ses jambes abandonnées sur la moquette du sol.

Agenouillé tout près d'elle, penché sur son corps, je suis en train de lui masser le cou. Il m'est souvent advenu de la masser en silence, la nuque, le dos et les reins : j'en avais appris la technique d'un camarade de captivité, le petit Clerc, un footballeur professionnel, expert en tout.

Mais cette fois, c'est le devant de son cou que je masse. J'appuie mes deux pouces dans le creux de la chair qui borde le haut du sternum et, appuyant, je rejoins lentement, un pouce vers la droite un pouce vers la gauche en biais, la zone plus dure au-dessous des oreilles. Je masse en V. Je ressens une grande fatigue musculaire dans mes avant-bras : je sais, masser me fait toujours mal aux avant-bras.

11

Le visage d'Hélène est immobile et serein, ses yeux ouverts fixent le plafond.

Et soudain je suis frappé de terreur : ses yeux sont interminablement fixes et surtout voici qu'un bref bout de langue repose, insolite et paisible, entre ses dents et ses lèvres.

Certes j'ai déjà vu des morts, mais de ma vie je n'ai vu le visage d'une étranglée. Et pourtant je sais que c'est une étranglée. Mais comment? Je me redresse et hurle : j'ai étranglé Hélène!

Je me précipite, et dans un état de panique intense, courant à toute force, je traverse l'appartement, descends le petit escalier à rampe de fer qui conduit à la cour de la façade aux hautes grilles et me dirige, toujours courant, vers l'infirmerie où je sais trouver le Dr Étienne, qui loge au premier étage. Je ne croise personne, c'est dimanche, l'École est à demi vide et dort encore. Toujours hurlant je monte quatre à quatre l'escalier du médecin : « J'ai étranglé Hélène! »

Je frappe violemment à la porte du médecin, qui, lui aussi en robe de chambre, finit par m'ouvrir, égaré. Je hurle sans fin que j'ai étranglé Hélène, je tire le médecin par le col de sa robe de chambre : qu'il vienne de toute urgence la voir, sinon je vais mettre le feu à l'École. Étienne ne me croit pas, « c'est impossible ».

Nous redescendons en toute hâte et nous voici tous deux devant Hélène. Elle a toujours les mêmes yeux fixes et ce peu de langue entre les dents et les lèvres. Étienne l'ausculte : « Rien à faire, c'est trop tard. » Et moi : « Mais ne peut-on la réanimer? — Non. »

Là-dessus, Étienne me demande quelques minutes et me laisse seul. Plus tard je comprendrai qu'il a dû téléphoner, au Directeur, à l'hôpital, au commissariat, que sais-je? J'attends, tremblant interminablement.

Les longs rideaux rouges lacérés et en lambeaux pendent des deux côtés de la fenêtre, l'un d'eux, celui de droite, tout contre le bas du lit. Je revois notre ami Jacques Martin, qui un jour d'août 1964 a été trouvé mort dans sa minuscule chambre du XVIᵉ, allongé sur son lit depuis plusieurs jours et sur la poitrine la longue tige d'une rose écarlate : un message silencieux pour nous deux, qui l'aimions depuis vingt ans, en souvenir de Beloyannis, un message d'outre-tombe. Je saisis alors l'un des étroits pans déchirés du haut rideau rouge et, sans le rompre, le guide jusqu'à la poitrine d'Hélène, où il reposera en biais, de la saillie de l'épaule droite jusqu'au sein gauche.

Étienne revient. Ici tout se brouille. Il me fait, semble-t-il, une piqûre, je repasse avec lui par mon bureau et je vois quelqu'un (je ne sais qui) y prélever des livres empruntés à la bibliothèque de l'École. Étienne parle de l'hôpital. Et je sombre dans la nuit. Je devais me « réveiller », je ne sais quand, à Sainte-Anne.

II

Que mes lecteurs me pardonnent. Ce petit livre, je l'écris d'abord pour mes amis, et pour moi s'il se peut. On comprendra bientôt mes raisons.

Longtemps après le drame, j'ai su que deux de mes proches (qui ne furent sans doute pas les seuls) avaient souhaité que je ne fasse pas l'objet du non-lieu qui sanctionna les trois expertises médico-légales effectuées à Sainte-Anne dans la semaine qui suivit la mort d'Hélène, et que je comparaisse devant une cour d'assises. C'était malheureusement un vœu pieux.

Gravement atteint (confusion mentale, délire onirique), j'étais hors d'état de soutenir la comparution devant une instance publique ; le juge d'instruction qui me visita ne put tirer de moi une parole. De surcroît, placé d'office et mis sous tutelle par un décret du préfet de police, je ne disposais plus de la liberté ni de mes droits civiques. Privé de tout choix, j'étais en fait engagé dans une procédure officielle que je ne pouvais éluder, à laquelle je ne pouvais que me soumettre.

Cette procédure possède ses avantages évidents : elle protège le prévenu jugé non responsable de ses actes. Mais elle dissimule aussi de redoutables inconvénients, qui sont moins connus.

Certes, après l'expérience d'une aussi longue épreuve, comme je me surprends à comprendre mes amies ! Quand je parle d'épreuve, je parle non seulement de ce que j'ai vécu de mon internement, mais de ce que je vis depuis lors, et aussi, je le vois bien, de ce que je suis condamné à vivre jusqu'au terme de mes jours si je n'interviens pas *personnellement* et *publiquement* pour faire entendre mon propre témoignage. Tant de personnes dans les meilleurs ou les pires sentiments ont jusqu'ici pris le risque de parler ou de se taire à ma place ! Le destin du non-lieu, c'est en effet la pierre tombale du silence.

Cette ordonnance de non-lieu qui a été prononcée en ma faveur en février 1981 se résume en effet dans le fameux article 64 du code de procédure pénale, en sa version de 1838 : article toujours en vigueur malgré trente-deux tentatives de réforme qui n'ont pu aboutir. Il y a quatre ans, sous le gouvernement Mauroy, une commission s'est de nouveau saisie de cette délicate question, qui met en cause tout un appareil de pouvoirs administratifs, judiciaires et pénaux unis au savoir, aux pratiques et à l'idéologie psychiatrique de l'internement. Cette commission ne se réunit plus. Apparemment elle n'a pas trouvé mieux.

Le Code pénal oppose en effet depuis 1838 l'*état de non-responsabilité* d'un criminel ayant perpétré son acte en état de « démence » ou « sous la contrainte » à l'*état de responsabilité* pur et simple reconnu à tout homme dit « normal ».

L'état de responsabilité ouvre la voie à la procédure classique : comparution devant une cour d'assises, débat *public* où s'affrontent les interventions du *Ministère public* qui parle au nom des intérêts de la société, témoins, avocats de la défense et de la partie civile qui s'expriment *publiquement* et du prévenu qui présente lui-même son interprétation personnelle des faits. Toute cette procédure marquée par la publicité se clôt par la délibération secrète des jurés qui se prononcent publiquement soit pour l'acquittement, soit pour une peine d'emprisonnement, où le criminel reconnu tel est frappé d'une peine de prison définie, où il est « censé » payer sa dette à la société et donc se « laver » de son crime.

L'état de *non-responsabilité juridico-légale*, en revanche, coupe court à la procédure de comparution publique et contradictoire en cour d'assises. Elle voue préalablement et directement le meurtrier à l'internement dans un hôpital psychiatrique. Le criminel est alors lui aussi « mis hors d'état de nuire » à la société, mais pour un temps indéterminé, et il est censé recevoir les soins psychiatriques que requiert son état de « malade mental ».

Si le meurtrier est acquitté après son procès public, il peut rentrer chez lui la tête haute (en principe du moins : car l'opinion peut s'indigner de le voir acquitté, et peut le lui faire sentir. Il se trouve

15

toujours des voix averties dans ce genre de scandale pour prendre le relais de la mauvaise conscience publique).

S'il est condamné à l'emprisonnement ou à l'internement psychiatrique, le criminel ou le meurtrier disparaît de la vie sociale : pour un temps *défini* par la loi dans le cas d'emprisonnement (que des réductions de peine peuvent raccourcir) ; pour un temps *indéfini* dans le cas de l'internement psychiatrique, avec cette circonstance aggravante : considéré comme privé de son jugement sain et donc de sa liberté de décider, le meurtrier interné peut perdre la personnalité juridique, déléguée par le préfet à un « tuteur » (homme de loi), qui possède sa signature et agit en son nom et place – alors qu'un autre condamné ne la perd qu'en « matière criminelle ».

C'est parce que le meurtrier ou le criminel est considéré comme *dangereux*, tant à son égard (suicide) qu'à celui de la société (récidive), qu'il est mis hors d'état de nuire par l'enfermement soit carcéral, soit psychiatrique. Pour faire le point, notons que nombre d'hôpitaux psychiatriques sont encore restés, malgré des progrès récents, des sortes de prisons, et qu'il y existe même pour malades « dangereux » (agités et violents) des services de sécurité ou de force dont les profonds fossés et les barbelés, les camisoles de force physiques ou « chimiques » rappellent de mauvais souvenirs. Les services de force sont souvent pires que nombre de prisons.

Incarcération d'un côté, internement de l'autre : on ne s'étonnera pas de voir ce rapprochement de condition induire dans l'opinion commune, qui n'est pas éclairée, une sorte d'assimilation. De toute façon, l'incarcération ou l'internement demeure la sanction normale du meurtre. Hormis les cas d'urgences, dits aigus, qui ne font pas question, l'hospitalisation ne va pas sans dommage, tant sur le patient, qu'elle transforme souvent en chronique, que sur le médecin, contraint lui aussi de vivre dans un monde clos où il est censé tout « supposé savoir » sur le patient et qui vit souvent dans un tête à tête angoissant avec le malade qu'il maîtrise trop souvent par une insensibilité d'affectation et une agressivité accrue.

Mais ce n'est pas tout. L'opinion commune considère volontiers que le criminel ou le meurtrier, potentiellement récidiviste, et donc constamment « dangereux », doit ou devrait demeurer indéfiniment retranché de la vie sociale – *à la limite toute sa vie.* C'est pourquoi on entend s'élever tant d'indignations, dont certains, cultivant à des

16

fins partisanes l'angoisse et la culpabilité sociales, se font une spécialité, au nom de la sécurité des personnes et des biens, contre les permissions de sorties ou les libérations anticipées accordées à des condamnés de « bonne conduite » avant le terme de leur peine. C'est pourquoi le thème de la « détention à perpétuité » hante tant de commentaires, non seulement comme substitut de la peine de mort, mais aussi comme la sanction « naturelle » de toute une série de crimes tenus pour particulièrement odieux pour la sécurité des « enfants, vieillards et policiers ». Dans ces conditions, comment le « fou », jugé à la limite plus « dangereux » car beaucoup plus « imprévisible » que le criminel commun, pourrait-il échapper à la même réaction d'appréhension puisque son destin d'enfermé par nature le lie au destin du coupable « sain d'esprit »?

Pourtant il faut aller plus loin. La condition de non-lieu expose en effet le fou interné à bien d'autres préventions de la part de l'opinion commune.

Dans l'immense majorité des cas, en effet, le coupable reconnu qui comparaît devant une cour d'assises en sort condamné à une peine généralement limitée dans le temps, deux ans, cinq ans, vingt ans, et l'on sait que la détention à vie, jusqu'ici du moins, peut donner lieu à des réductions de peine dans le temps. Il est censé pendant le temps de son incarcération « payer sa dette à la société ». Une fois cette « dette » payée, il peut en toute conséquence rentrer normalement dans la vie sans plus avoir en principe de comptes à rendre à personne. Je dis « en principe », car la réalité n'est pas aussi simple, elle ne s'aligne pas immédiatement sur le droit – en témoignent par exemple la confusion si répandue entre l'*inculpé* (réputé innocent tant que la preuve de sa culpabilité n'a pas été fournie) et le *coupable*, les traces longtemps sensibles du scandale local ou national, les bruits de l'accusation, longuement et sans égards répercutés par la presse et les médias sous raison d'information, toutes rumeurs qui peuvent longtemps poursuivre de leur malfaisance non seulement le prévenu innocent acquitté, mais le criminel condamné qui a purgé « honnêtement » sa peine. Mais enfin, il faut aussi le dire, l'idéologie de la « dette », et de la « dette acquittée » à la société, joue malgré tout en faveur du condamné qui a purgé sa peine et, dans une certaine mesure, protège même le criminel libéré, et de surcroît la loi lui donne recours contre toute imputation contraire à la « chose jugée » : le criminel en règle avec la société ou l'amnistié peut intenter des procès en diffamation quand on ressort contre lui un passé infamant. On en connaît mille exemples. La peine « éteint » donc le crime et, le temps, l'isolement et le silence aidant, l'ancien criminel peut se reprendre à vivre. Là aussi les exemples ne manquent Dieu merci pas.

Il n'en va pas tout à fait de même dans le cas du « fou » meurtrier. Quand on l'interne, c'est évidemment *sans limite de temps prévisible*, même si l'on sait ou devrait savoir qu'*en principe tout état aigu est transitoire*. Mais il est vrai que les médecins sont le plus souvent, sinon toujours, bien incapables, même pour les aigus, de fixer un délai même approximatif pour un pronostic de guérison. Mieux, le « diagnostic » initialement arrêté ne cesse de varier, car en psychiatrie il n'est de diagnostic qu'*évolutif* : c'est l'évolution de l'état du patient qui permet seule de le fixer, donc de le modifier. Et avec le diagnostic, de fixer et modifier bien entendu le traitement et les perspectives de pronostic.

Or, pour l'opinion commune, qu'une certaine presse cultive sans jamais distinguer la « folie » des états aigus mais passagers de la « maladie mentale », qui est un destin, le fou est tenu d'emblée pour malade mental, et qui dit malade mental entend évidemment malade à vie, et, par voie de conséquence internable et interné à vie : « *Lebenstodt* » comme l'a si bien dit la presse allemande.

Tout le temps qu'il est interné, le malade mental, sauf s'il parvient à se tuer, continue évidemment de vivre, mais dans l'isolement et le silence de l'asile. Sous sa pierre tombale, il est comme mort pour ceux qui ne le visitent pas, mais qui le visite? Mais comme il n'est pas réellement mort, comme on n'a pas, s'il est connu, annoncé sa mort (la mort des inconnus ne compte pas), il devient lentement comme une sorte de mort-vivant, ou plutôt, ni mort ni vivant, et ne pouvant donner signe de vie, sauf à des proches ou à ceux qui se soucient de lui (cas rarissime, combien d'internés ne reçoivent pratiquement *jamais de visites* – je l'ai constaté de mes yeux et à Sainte-Anne et ailleurs!), ne pouvant de surcroît s'exprimer publiquement au-dehors, il figure en fait, je risque le terme, sous la rubrique des sinistres bilans de toutes les guerres et de toutes les catastrophes du monde : le bilan des *disparus*.

Si je parle de cette étrange condition, c'est que je l'ai vécue et d'une certaine manière la vis encore aujourd'hui. Même libéré depuis deux ans de l'internement psychiatrique, je suis, pour une opinion qui connaît mon nom, un *disparu*. Ni mort ni vivant, non encore enterré mais « sans œuvre » – le magnifique mot de Foucault pour désigner la folie : *disparu*.

Or, à la différence d'un mort, dont le décès met un point final à la vie d'un individu qu'on enfouit sous la terre d'une tombe, un *disparu* fait courir à l'opinion le risque singulier de pouvoir (comme aujourd'hui dans mon cas) réapparaître au grand jour de la vie (Foucault a écrit de lui : « au grand soleil de la liberté polonaise », quand il se sentit guéri). Or il faut bien savoir – et on le constate chaque jour – que ce statut singulier d'un *disparu qui peut réapparaître* entretient une sorte de malaise et de mauvaise conscience à son sujet, car l'opinion appréhende sourdement une disparition incapable de mettre définitivement fin à l'existence sociale d'un criminel ou d'un meurtrier interné. Il y va en effet de l'angoisse de mort et de sa menace, pulsion incontournable. Pour l'opinion commune, l'affaire devrait être définitivement réglée par l'internement, et la mauvaise conscience sourde mais diffuse, qui accompagne l'événement des coups au cœur de l'appréhension, se redouble de la crainte que ce ne soit pas à jamais. Et s'il advient que le « fou » interné réapparaisse au grand jour de la vie, même avec l'aval des médecins compétents, voici l'opinion contrainte de chercher et trouver un compromis entre cette évidence inattendue mais fort gênante et le premier scandale du meurtre que réveille le retour du criminel qu'on dit et qui se dit « guéri ». Or, cela est infiniment fréquent dans les cas de crise aiguë. Que va-t-il bien pouvoir faire? Récidiver? On en a tant d'exemples! Se peut-il, lui « fou », qu'il soit redevenu « normal »? Mais si c'est bien le cas, alors *ne l'était-il pas déjà au moment du crime?* Dans la conscience sourde et aveugle, car aveuglée par toute une idéologie spontanée (mais aussi cultivée) du crime, de la mort, de la « dette à vie », du « fou » dangereux et imprévisible, voici que le procès qui n'a jamais eu lieu est bien près de reprendre, voire de commencer enfin, sur la place publique, et sans que, pas plus qu'avant, le meurtrier fou ait le moindre droit de s'expliquer.

Il faut enfin en venir à ce point étrangement paradoxal. L'homme qu'on accuse d'un crime et qui ne bénéficie pas d'un non-lieu a certes dû subir la dure épreuve de la comparution publique devant

19

une cour d'assises. Mais du moins, tout y devient matière à accusation, défense et explications personnelles *publiques*. Dans cette procédure « contradictoire », le meurtrier accusé a du moins la possibilité, reconnue par la loi, de pouvoir compter sur des témoignages *publics*, sur les plaidoiries *publiques* de ses défenseurs, et sur les attendus *publics* de l'accusation ; et par-dessus tout il a le droit et le privilège sans prix de s'exprimer et s'expliquer *publiquement en son nom et en personne*, sur sa vie, son meurtre et son avenir. Qu'il soit condamné ou acquitté, il a du moins pu *s'expliquer lui-même publiquement*, et la presse est tenue, du moins en conscience, de reproduire publiquement ses explications et la conclusion du procès qui clôt légalement et publiquement l'affaire. S'il se juge injustement condamné, le meurtrier peut clamer son innocence, et l'on sait que cette clameur publique a fini, et dans des cas très importants, par emporter la reprise du procès et l'acquittement du prévenu. Des comités peuvent publiquement prendre sa défense. Par tous ces biais, il n'est ni seul ni sans recours publics : c'est l'institution de la publicité des procédures et débats que le légiste italien Beccaria, au XVIIIe siècle, considérait déjà, et Kant après lui, comme la garantie suprême pour tout inculpé.

Or, je regrette, ce n'est pas exactement le cas d'un meurtrier bénéficiant d'un non-lieu. Deux circonstances, inscrites avec la dernière rigueur dans le fait et le droit de la procédure, lui interdisent tout droit à une explication publique. L'internement et l'annulation corrélative de sa personnalité juridique d'une part et le secret médical d'autre part.

Qu'apprend le public ? Qu'un crime a été perpétré, il apprend par la presse le résultat de l'autopsie du cadavre (la victime est morte des suites d'une « strangulation », pas un mot de plus), il apprend ensuite l'énoncé du non-lieu, quelques mois plus tard, au nom de l'article 64, sans autre commentaire.

Mais le public ignorera tout des détails, attendus et résultats des expertises médico-légales secrètes, auxquelles des experts, désignés par l'autorité administrative, ont procédé entre-temps. Le public ignore tout du diagnostic (provisoire) qui ressort et de ces expertises et des premières observations cliniques des médecins. Il ne saura rien de leurs appréciations, de leur diagnostic et pronostic au cours de l'internement du patient, rien des traitements prescrits au patient interné, rien des difficultés parfois terribles que les médecins doivent affronter et des impasses angoissantes dans lesquelles il leur advient parfois de tomber, tout en continuant à faire bonne figure. Et naturellement il ignorera tout des réactions du meurtrier « non coupable », des efforts désespérés qu'il poursuit pour tenter de comprendre et de s'expliquer les raisons, proches ou lointaines, d'un drame dans lequel il a été littéralement jeté sous l'inconscience et le délire. Et lorsqu'il sortira de l'hôpital (s'il en sort...) le public ignorera tout de son nouvel état, des raisons de sa liberté recouvrée, de la terrible période de « transition » à laquelle il doit faire face, le plus souvent seul, même s'il n'est pas isolé, et des lents et douloureux progrès qui, pas à pas, insensiblement, vont le conduire au seuil de la survie et de la vie.

Je parle de l'opinion publique (c'est-à-dire de son idéologie) et du public : les deux termes ne recouvrent peut-être pas le même contenu. Mais peu importe ici. Car rare est un public qui ne soit pas contaminé par l'opinion publique, c'est-à-dire par une certaine idéologie régnante en ces affaires de crime, de mort, de disparition, et d'étrange résurrection : une idéologie qui met en jeu tout un appareil médico-légal et pénal, leurs institutions et leurs principes.

Mais je voudrais aussi parler des proches, des familles et amis, et au-delà, quand c'est le cas, des connaissances. Les proches, quand ils ont vécu de leur côté et à leur manière un drame qui leur reste sans explication, s'il les a bouleversés, se voient déchirés entre le fait d'un drame atroce et de l'exploitation qu'en tire une certaine presse, qui vend du scandale, d'une part, et leur affection pour le meurtrier, d'autre part, qu'ils connaissent bien et souvent aiment (pas toujours). Déchirés, ils ne parviennent pas à faire coïncider l'image de leur parent ou ami et la figure de ce même homme devenu un meurtrier. Eux aussi, désemparés, ils cherchent une explication qu'on ne leur donne pas ou qui leur semble bien dérisoire quand un médecin s'enhardit à leur confier une hypothèse : « des mots, des mots »! Et à qui pourraient-ils bien s'adresser sinon aux médecins soignants pour se faire une première idée de l'incompréhensible? Ils tombent alors sous la figure du « savoir psychiatrique », doublé du secret professionnel, sur des hommes tenus pour l'essentiel au silence de leur déontologie, et qui ne se font souvent sûrs d'eux-mêmes que pour surmonter leur propre incertitude, voire leur angoisse, et pour endiguer sur autrui les effets de leur propre détresse intérieure (c'est souvent le cas).

Très souvent une étrange « dialectique » se met alors à jouer entre l'angoisse du patient qui, dans les cas les plus graves et les plus intenses, les plus lourds aussi de menaces et de conséquences (comme ce fut mon cas), gagne très vite le médecin et les infirmiers — et l'angoisse des proches. Pour le médecin, il faut « tenir » *et* contre sa propre angoisse *et* contre l'angoisse de l'« équipe soignante » *et* contre celle des proches. Mais « tenir » ne se dissimule pas aisément : rien n'est moins rassurant pour le patient et les proches que cette lutte trop sensible et perceptible que le médecin poursuit contre ce qui, bien souvent, peut lui paraître comme un destin irréversible possible. Oui, à l'horizon de la pensée du médecin et de l'attente des proches se dessine aussi, mais pour d'autres raisons, le destin d'un *internement à vie* pour le patient.

Que le malade réapparaisse à la vie, s'y réinstalle au prix d'efforts gigantesques et sur lui-même et sur tous les obstacles réels ou fantasmatiques qui l'entravent, même si les proches l'assistent réellement, constamment, indéfectiblement (ce fut mon cas), il n'empêche qu'ils vivent dans la même angoisse : pourra-t-il jamais en sortir ? Il advient par instants qu'on n'y croie plus. Et si jamais, à l'hôpital même, il allait « recommencer » ? A tuer peut-être, malgré les protections, mais surtout à retomber dans la maladie ? Et si on devait de nouveau l'hospitaliser pour faire face à une rechute dans la crise aiguë, en ressortira-t-il jamais ? Et s'il parvenait malgré tout à survivre, à quel prix ? Ne sera-t-il pas à jamais marqué par le drame et ses suites ? Restera-t-il à jamais un homme prostré (on en connaît tant !) ou se précipitera-t-il dans la folie d'une manie irrépressible aux initiatives périlleuses que ni lui ni personne ne peut contrôler ?

Et, plus gravement encore, comment donc accorder les explications que chacun a ébauchées de son côté (autant de proches, autant d'explications ; chacun a son « après coup » à soi pour tenter de comprendre et de supporter l'insupportable) pour voir tant soit peu clair dans le drame du meurtre d'une femme qu'ils ne connaissaient pas toujours bien, mais sur qui, au vu de quelques indices et apparences de surface et d'humeur, ils s'étaient — bien obligés — forgé tout de même une idée à eux, et pas toujours favorable (l'amie d'un ami, ça ne se supporte pas toujours aisément), comment donc accorder

22

leurs idées à eux sur le drame avec les « explications » que leur ami se propose et leur propose, explications privées, confidences, qui ne sont le plus souvent que déconcertantes recherches à tâtons, en tous cas dans la nuit de la « folie », d'une impossible clarté? Les voici, ces amis, dans une bien singulière position. Sur la période qui a précédé le drame et l'interminable temps de l'hospitalisation, ils détiennent souvent des observations et des détails que le malade, pris dans la profonde amnésie qui le protège comme une défense, a oubliés. Ils en savent donc plus que lui sur bien des épisodes, sauf sur le moment du drame même. Ils hésitent à livrer à leur ami ce qu'ils savent, de peur de réveiller en lui la terrible angoisse du drame et de ses suites, surtout les allusions malignes d'une certaine presse (surtout quand c'est le cas d'un homme « connu »), les réactions des uns et des autres, et peut-être surtout le silence de certains, pourtant eux aussi très proches. Ils savent bien que chacun d'entre eux a cherché de son côté, ou tout fait pour oublier (cette impossible tentative) et que leurs confidences risquent d'entamer, du fait des réactions de leur ami, leur solidarité fraternelle : non seulement la fraternité qui les lie à leur ami, mais la fraternité même qui les liait entre eux. Ce qui se joue en eux n'est en effet pas seulement le sort de leur ami, mais aussi, peut-être, sans doute, sûrement, le sort de leur propre amitié entre eux.

Voilà pourquoi, puisque chacun jusqu'ici a pu parler à ma place et que la procédure juridique m'a interdit toute explication publique, j'ai résolu de m'expliquer publiquement.

Je le fais d'abord pour mes amis et si possible pour moi : pour soulever cette pesante pierre tombale qui repose sur moi. Oui, pour me libérer tout seul, par moi-même, sans le conseil ni la consultation de quiconque. Oui, pour me libérer de la condition dans laquelle l'extrême gravité de mon état [m'avait placé] (mes médecins me crurent physiquement mourant à deux reprises), de mon meurtre, et aussi et surtout, des effets équivoques de l'ordonnance de non-lieu dont j'ai bénéficié, sans pouvoir ni en fait ni en droit m'opposer à sa procédure. Car c'est sous la pierre tombale du non-lieu, du silence et de la mort publique que j'ai été contraint de survivre et d'apprendre à vivre.

Voilà quelques-uns des effets néfastes du non-lieu et voilà pourquoi j'ai résolu de m'expliquer publiquement sur le drame que j'ai vécu. Je n'entends rien d'autre par là que lever la pierre tombale sous laquelle la procédure du non-lieu m'a enfoui à vie pour donner à chacun les informations dont je dispose.

Bien entendu, on me fera la faveur de considérer que j'interviens avec le maximum humain de garanties *objectives* : je n'entends pas livrer au public les seuls éléments de ma subjectivité. J'ai donc longuement et soigneusement consulté tous les médecins qui m'ont soigné, non seulement durant mon internement, mais bien avant et même après. J'ai aussi consulté soigneusement tous les très nombreux amis qui ont suivi de près tout ce qui m'est advenu, non seulement durant mon internement mais bien avant (deux d'entre eux ont tenu jour après jour un journal de bord depuis juillet 1980 jusqu'à juillet 1982). J'ai consulté aussi des spécialistes en pharmacologie et biologie médicale sur des points importants. J'ai naturellement compulsé la plupart des articles de presse parus à l'occasion du meurtre de ma femme, non seulement en France mais dans plusieurs pays étrangers où je suis connu. J'ai d'ailleurs pu constater qu'à part de rares exceptions (d'inspiration manifestement politique) la presse avait été très « correcte ». Et j'ai fait ce que personne n'avait soit voulu soit pu faire jusqu'ici : j'ai rassemblé et confronté, comme s'il s'agissait du cas d'un tiers, toute la « documentation » disponible, à la lumière de ce que j'ai vécu − et inversement. Et j'ai décidé en toute lucidité et responsabilité de prendre à mon tour enfin la parole pour m'expliquer publiquement.

Délibérément je me garderai de toute polémique. Je prends maintenant la parole : naturellement on voudra bien croire que je n'engage que moi.

On m'a dit : « Tu vas faire rebondir toute l'affaire. Mieux vaut te taire et ne pas " faire de vagues ". » On m'a dit : « Il n'y a qu'une solution, le silence et la résignation, le poids de la société est tel que ton explication n'y peut rien changer. » Je ne crois pas à ces précautions. Je ne crois nullement que mes « explications » vont relancer la polémique sur mon affaire. Je crois au contraire que je suis en état non seulement de m'expliquer un peu clairement sur moi-même, mais aussi d'engager les autres à réfléchir sur une expérience concrète dont la « confession » critique n'a guère de précédent (à part l'admirable confession de Pierre Rivière que Michel Foucault a publiée, et sans doute d'autres qu'aucun éditeur n'a jamais voulu retenir pour des raisons philosophiques ou politiques) − une expérience vécue

24

dans les formes les plus aiguës et les plus atroces, qui me dépasse certainement car elle met en cause et en jeu nombre de questions juridiques, pénales, médicales, analytiques, institutionnelles et en définitive idéologiques et sociales, et pour tout dire des appareils qui intéresseront peut-être certains de nos contemporains, et peuvent les aider à voir un peu plus clair dans les grands débats récents sur le droit pénal, la psychanalyse, la psychiatrie, l'enfermement psychiatrique, et leurs rapports jusque dans la conscience des médecins qui n'échappent pas aux conditions et effets des institutions sociales de tous ordres.

Hélas, je ne suis pas Rousseau. Mais formant ce projet d'écrire sur moi et le drame que j'ai vécu et vis encore, j'ai souvent pensé à son audace inouïe. Non que je prétende jamais dire avec lui, comme au début des *Confessions* : « Je forme une entreprise qui jamais n'eut d'exemple. » Non. Mais je pense pouvoir honnêtement souscrire à sa déclaration : « Je dirai hautement : voilà ce que j'ai fait, ce que j'ai pensé, ce que je fus. » Et j'ajouterai simplement : « Ce que j'ai compris ou cru comprendre, ce dont je ne suis plus tout à fait le maître mais ce que je suis devenu. »

J'avertis : ce qui suit n'est ni journal, ni mémoires, ni autobiographie. Sacrifiant tout le reste, j'ai seulement voulu retenir l'impact des affects émotifs qui ont marqué mon existence et lui ont donné sa forme : celle où je me reconnais et où je pense l'on pourra me reconnaître.

Ce relevé suit parfois l'ordre du temps, tantôt l'anticipe et tantôt le rappelle en mémoire : non pour confondre les moments, mais au contraire pour faire ressortir au travers de la rencontre des temps ce qui constitue durablement les affinités maîtresses et distinctes des affects autour desquels je me suis pour ainsi dire constitué.

Cette méthode s'est imposée à moi naturellement : chacun la jugera à ses effets. Tout comme il pourra juger à ses effets la puissance dans ma vie de certaines formations violentes que j'ai naguère appelées Appareils idéologiques d'État (AIE) et dont je n'ai pu, à ma propre surprise, faire l'économie pour comprendre ce qui m'est advenu.

III

Je suis né le 16 octobre 1918, à quatre heures et demie du matin, dans la maison forestière du « Bois de Boulogne », commune de Birmandreïs, à quinze kilomètres d'Alger.

On m'a dit que mon grand-père, Pierre Berger, descendit en courant pour prévenir dans les hauts de la ville une doctoresse russe, connue de ma grand-mère; que cette femme, brutale, joviale et chaleureuse, grimpa jusqu'à la maison, accoucha ma mère et, apercevant ma grosse tête, assura : « Celui-là, pas comme les autres! » Ce mot, transformé, devait me poursuivre longtemps. Je me rappelle ma cousine germaine et ma sœur répétant de moi, quand j'abordai l'adolescence : « Louis est un typapart. » Les trois mots n'en faisaient qu'un.

Quand je vins au monde, mon père était absent depuis neuf mois : au front d'abord, puis retenu en France jusqu'à sa démobilisation. Pendant six mois, je n'eus donc pas de père à mon chevet, et jusqu'en mars 1919 vécus avec ma seule mère, en compagnie de mon grand-père et de ma grand-mère maternels.

Ils étaient tous deux fils et fille de paysans pauvres de la région de Fours, dans le Morvan (Nièvre). Jeunes gens, ils chantaient tous les deux le dimanche à l'église, mon grand-père, le jeune Pierre Berger, au fond de l'église dans la stalle qui surmonte la grande porte d'entrée près de la corde qui tire la cloche, avec les garçons du village. Ma grand-mère, la jeune Madeleine Nectoux, près du chœur, avec les filles. La Madeleine allait à l'école des sœurs, qui firent le mariage. Elles décidèrent que le Pierre Berger était un honnête garçon et qu'il chantait bien. Il était râblé et petit, un peu renfermé mais sous sa jeune moustache, beau gars. Le mariage se fit, comme alors, en ce pays : sans histoire. Mais ni du côté des parents de mon grand-père, ni du côté des parents de ma gand-mère, il n'y avait assez de terre pour installer et nourrir le jeune couple. Il fallait trouver une situation ailleurs. C'était le temps de Jules Ferry et de l'épopée coloniale de la France. Mon grand-père, né près des forêts et n'en voulant pas sortir, rêvait d'une carrière de garde forestier à Madagascar ! La Madeleine ne l'avait pas entendu de cette oreille. Dès avant le mariage, elle avait précisé ses vues impératives : « Garde forestier, d'accord, mais pas plus loin que l'Algérie, sinon je ne te marie pas ! » Mon grand-père dut céder, ce fut la première, mais pas la dernière fois. Ma grand-mère était une femme de tête, elle savait ce qu'elle voulait, mais toujours sereine et mesurée dans ses décisions et propos. Toute la vie elle fut dans le couple l'élément d'équilibre.

C'est ainsi que les Berger s'expatrièrent en Algérie et que mon grand-père y accomplit une carrière de garde forestier dans les montagnes les plus reculées et sauvages d'Algérie, dont les noms me sont revenus à la mémoire lorsqu'ils devinrent, dans les années 1960, les hauts lieux des refuges et combats de la Résistance algérienne.

Mon grand-père ruina sa santé en interminables courses diurnes et nocturnes à cheval. Il était aimé des Arabes et des Berbères. Il avait pour tâche de protéger les forêts contre les chèvres qui grimpaient aux arbres et dévoraient les jeunes pousses, mais surtout de combattre les feux, qui pouvaient embraser les bois. Mais il était aussi chargé de tracer des routes dans les accidents d'un relief difficile, et de surveiller les travaux. Une nuit, la neige couvrant tout le massif de Chréa, il partit seul à pied dans la montagne au secours d'une équipe de Suédois qui s'y étaient aventurés et perdus. Mon grand-père parvint, nul ne sut jamais comment, à les retrouver et les ramena, trois jours et nuits plus tard, exténués, à la maison forestière. Il fut décoré pour cet acte de dévouement : je conserve encore sa croix.

Pendant tout le temps de ses courses et travaux, ma grand-mère restait seule, jour et nuit, dans la maison forestière isolée dans les bois. J'insiste sur ce point, qui n'est pas sans importance. Jetés sans transition de la campagne morvandelle, où régnait la convivialité paysanne traditionnelle, dans les forêts les plus reculées et sauvages d'Algérie, mes grands-parents vécurent près de quarante ans pratiquement *seuls*, même quand plus tard leur vinrent leurs deux filles. L'unique société dont ils pouvaient jouir était celle des Arabes et des Berbères de l'endroit, jamais le même, et de l'inspection irrégulière (une fois tous les ans) des « patrons » des Bois et Forêts d'Algérie, dont un M. de Peyrimoff, pour qui mon grand-père alimentait et étrillait avec soin un beau cheval de race, qui ne servait qu'à ce Monsieur. A part cela, quelques très rares visites dans les bourgades proches ou les villes lointaines. C'est tout.

Mon grand-père ne tenait jamais en place, toujours inquiet en diable, maugréant sans cesse, ne s'accordant jamais un seul instant de répit, toujours en course ou s'y préparant. Quand il partait, souvent pour plusieurs jours et nuits, ma grand-mère restait seule. Elle m'a souvent parlé de l'insurrection de « Marguerite ». Elle était seule à la maison forestière avec ses deux filles et les troupes d'Arabes exaltés risquaient de passer dans les environs immédiats, et, dans leur fureur, bien que mon grand-père et ma grand-mère fussent aimés des indigènes de l'endroit, comme ces troupes venaient d'ailleurs et de fort loin, on pouvait craindre le pire. La nuit du plus grand risque, ma grand-mère la passa sans dormir, ses deux petites filles (dont ma future mère) reposant sans crainte auprès d'elle dans le sommeil. Mais elle garda toute la nuit un fusil de chasse chargé sur les genoux. Elle m'a dit : deux balles dans le canon pour mes deux filles, et une troisième à portée de main pour moi. Jusqu'au matin. L'insurrection était passée dans le lointain.

Je rapporte ce souvenir-écran car raconté par ma grand-mère très longtemps après, parce qu'il m'est resté comme une de mes terreurs d'enfant.

J'en ai conservé un autre, lui aussi raconté par ma grand-mère, qui me fit frémir. C'était dans une autre maison forestière, dans le massif du Zaccar, à une longue distance de Blida, la ville la plus proche. Ma future mère et sa sœur, six et quatre ans à peu près, jouaient dans l'eau d'une large et rapide rigole d'eau fraîche qui coulait à l'air libre entre deux rives de ciment. Un peu plus loin l'eau s'engouffrait dans un siphon : on ne la voyait plus reparaître. Ma future mère tomba dans l'eau, fut entraînée par le courant et allait disparaître dans le siphon, lorsque ma grand-mère accourut pour la sauver à l'ultime seconde en l'attrapant par les cheveux.

Il y avait ainsi des menaces de mort dans ma tête d'enfant, et quand ma grand-mère me racontait ces épisodes dramatiques, il s'agissait de ma propre mère, de sa mort. J'en ai longtemps tremblé, naturellement (ambivalence), comme si je l'eusse inconsciemment désirée.

Isolés comme ils l'étaient, je ne sais comment ma future mère et sa jeune sœur purent faire leurs études. J'imagine que ma grand-mère y pourvut. La guerre survint. Mon grand-père fut mobilisé sur place et pour la fin de sa carrière M. de Peyrimoff le fit nommer au poste de la belle maison forestière du Bois de Boulogne qui dominait toute la ville d'Alger. C'était beaucoup moins isolé, et le travail moins dur. La ville était pourtant à quinze kilomètres, et il fallait parcourir quatre kilomètres à pied pour atteindre le tramway (à la station de la Colonne-Voirol) qui conduisait jusqu'à la place du Gouvernement, en pleine ville, tout près de Bab-el-Oued, aux rues bruyantes et grouillantes de petits Blancs (Français, Espagnols, Maltais, Libanais et autres Méditerranéens parlant le « sabir »). Mais mon grand-père et ma grand-mère ne descendaient jamais en ville, sauf en de très rares occasions. En l'une d'entre elles, ils firent la connaissance, dans les bureaux des Bois et Forêts locaux, d'un petit fonctionnaire, nommé Althusser, marié et père de deux garçons, Charles l'aîné et Louis.

Encore une famille d'émigrés récents! Je n'ai pas connu le grand-père Althusser, mais la mère oui, une extraordinaire femme raide comme un manche de pioche, au parler rude et au caractère sans appel. Je l'ai vue rarement, mon père ne l'aimait guère, lui rendant les sentiments qu'elle lui portait et qu'elle nous portait à tous.

Encore un souvenir cuisant. Les Althusser avaient, en 1871, choisi la France, après la guerre de Napoléon III et de Bismarck, et comme beaucoup d'Alsaciens qui voulaient rester français, ils avaient été proprement « déportés » en Algérie par le gouvernement du temps.

Une fois le père Berger muté au Bois de Boulogne, ma future mère (Lucienne) et sa jeune sœur (Juliette) purent fréquenter l'école de la Colonne-Voirol. Ma mère y fut une élève exemplaire, sage, vertueuse comme on ne le fait plus, et aussi disciplinée envers ses maîtres qu'elle l'était avec sa propre mère. Ma tante, en revanche, était la fantaisiste de la famille, la seule, Dieu sait pourquoi.

Les Berger et les Althusser se virent de temps en temps, les

Althusser « montaient » parfois le dimanche à la maison forestière et les enfants respectifs grandissant et se trouvant relativement accordés en âge (c'est-à-dire les filles beaucoup plus jeunes que les garçons, détail dont on saisira plus tard l'importance), les parents s'accordèrent pour les marier. Je ne sais pourquoi Louis, le cadet, avec la Lucienne et l'aîné, Charles, avec la Juliette. Ou plutôt *je sais très bien* : pour respecter les affinités qui s'étaient d'emblée manifestées et imposées. Car Louis était lui aussi un très bon élève, très sage et très pur, porté sur la littérature et la poésie : il devait préparer le concours d'entrée à Normale supérieure de Saint-Cloud. Mon père, l'aîné, venait tout juste de passer son certificat d'études que ma grand-mère paternelle le mit d'autorité au travail comme coursier dans une banque : mon grand-père paternel n'eut pas son mot à dire. Il n'y avait en effet dans le ménage pas assez d'argent pour payer les études des deux garçons, et ma grand-mère paternelle détestait Charles son aîné. Quand elle le mit au travail, il avait treize ans.

J'ai conservé deux souvenirs de cette grand-mère impossible. L'un, plutôt drôle mais plein de sens, me vient de mon père qui m'a souvent raconté l'affaire de Fachoda. A l'annonce de la menace d'une guerre entre la France et l'Angleterre pour un bout de forteresse en Afrique, ma grand-mère paternelle ne balança pas : elle ordonna dans l'instant à mon père de courir acheter sur-le-champ trente kilos de haricots secs, bonne recette contre la famine, les haricots ça se conserve sauf les charençons et ça nourrit comme la viande. Et vingt kilos de sucre. J'ai souvent pensé à ces haricots secs depuis que j'ai su qu'ils constituaient la base de la nourriture des pays misérables d'Amérique latine, je les ai toujours adorés à m'en gaver (mais ça me venait de mon grand-père maternel dans le Morvan), ces gros haricots secs rouges italiens dont je tendis un plat à Franca, cette splendide jeune femme sicilienne dont je devais plus tard tomber très amoureux, carrément, alors qu'elle se taisait, pour l'emporter dans son cœur.

Une autre fois (ce ne fut pas drôle du tout et cette fois, c'est un souvenir à moi) je vis cette terrible grand-mère dans un appartement qui dominait l'avenue du bord de mer, où avait lieu à Alger le grand défilé des troupes du 14 Juillet sous un soleil de plomb, devant tous les bateaux oriflammés du port. Je ne sais pas pourquoi nous étions dans cet appartement beaucoup trop riche pour nous. Après le défilé des troupes, cette grand-mère que je répugnais à embrasser, car elle avait, cette femme-homme, des moustaches sous le nez et des poils partout sur le visage, qui « piquaient », et ne présentait rien d'avenant, pas même un sourire, tira de l'ombre une raquette bon marché (je commençais alors à jouer au tennis en famille) : c'était un cadeau pour moi. Je ne vis que la raideur de pioche de ma grand-mère et la raideur du mauvais manche de ma raquette. Une répulsion. Décidément je ne pouvais supporter les femmes-hommes incapables d'un simple geste d'amour et de don.

Vint donc la guerre. Ma mère (encore adolescente ou presque quand elle le rencontra, seize ans quand elle le connut, mais elle ne connut avant lui jamais aucun autre homme, même pour l'amitié) se sentait bien en compagnie de Louis. Elle adorait comme lui les études où tout se passe dans la tête, surtout pas dans le corps, et sous l'enseignement et la protection de bons maîtres pleins de vertu et de certitudes. De quoi s'entendre en profondeur. Aussi sages et purs – surtout purs – l'un que l'autre, vivant dans le même monde de spéculations et de perspectives éthérées, sans conséquence aucune pour le corps, cette « chose » périlleuse, ils devinrent vite complices pour échanger leurs passions pures et leurs rêves désincarnés. Plus tard, je devais prononcer devant un ami qui me l'a rapportée cette phrase terrible : « *L'ennui c'est qu'il y a des corps, et pis encore, des sexes.* »

Dans la famille, on considérait Lucienne et Louis comme fiancés, et bientôt on les fiança. Lorsque Charles et Louis partirent pour la guerre, Charles dans l'artillerie, Louis dans ce qui devait devenir l'aviation, ma mère entretint une interminable correspondance pure avec Louis. Ma mère a toujours conservé une liasse de lettres closes qui m'intriguait. De temps en temps les frères, à tour de rôle ou ensemble, arrivaient en permission. Mon père montrait à tous les photos de ses gigantesques canons à longue portée, et lui devant eux, toujours debout.

Un jour, c'était à peu près début 1917, mon père se présenta seul à la maison forestière du Bois de Boulogne, et il annonça à la famille Berger que son frère Louis était mort dans le ciel de Verdun, dans un aréoplane où il servait comme observateur. Puis Charles prend ma mère à part dans le grand jardin et finit par lui proposer (ces mots m'ont été maintes fois rapportés par ma tante, la Juliette) de

« prendre auprès d'elle la place de Louis ». Après tout, ma mère était belle, jeune et désirable et mon père aimait vraiment son frère Louis. Il mit sûrement dans ses propos toute la délicatesse possible. Ma mère fut sans doute bouleversée par l'annonce de la mort de Louis, qu'elle aimait profondément à sa manière, mais interdite et déconcertée par l'inattendu de la proposition de Charles. Mais après tout ça ne sortait pas de la famille, des familles, et les parents ne pouvaient qu'être d'accord. Telle qu'elle était et que je l'ai connue, sage, vertueuse, soumise et respectueuse, sans autres idées à elle que celles qu'elle échangeait avec Louis, elle accepta.

Le mariage dut être célébré à l'église en février 1918, au cours d'une permission de Charles. Entre-temps, ma mère était devenue depuis un an institutrice à Alger, dans une école primaire proche du parc de Galland où, à défaut de Louis, elle avait rencontré des hommes qu'elle pouvait écouter, et avec qui elle pouvait s'entretenir de thèmes toujours aussi purs : des instituteurs de la grande époque, des consciences, responsables de leur métier et de leur mission, sensiblement plus âgés qu'elle (certains auraient pu être son père), respectueux jusqu'au bout des ongles de la jeune fille qu'elle était. Pour la première fois elle s'était composé un monde à elle, qu'elle était heureuse de connaître et de fréquenter, mais jamais en dehors des classes. Là-dessus mon père arrive un beau jour du front, et le mariage est célébré.

Ma mère m'a toujours caché les détails de cet horrible mariage, dont je ne puis évidemment détenir aucun souvenir personnel, mais dont ma tante, la jeune sœur de ma mère, m'a, très longtemps après et à maintes reprises, entretenu. Si ces récits tardifs m'ont tant frappé, ce n'est assurément pas sans raison : j'ai dû les revêtir d'une horreur bien à moi pour les inscrire dans la lignée répétitive d'autres chocs affectifs de la même tonalité et violence. On verra bientôt lesquels.

La cérémonie célébrée, mon père passa quelques jours avec ma mère avant de repartir pour le front. Ma mère en conserva, paraît-il, un triple souvenir atroce : celui d'avoir été violée dans son corps par la violence sexuelle de son mari, celui de voir dilapidées par lui, en une soirée de bombance, toutes ses économies de jeune fille (qui n'eût compris mon père, qui allait repartir pour le front, Dieu sait peut-être pour y mourir?, mais c'était aussi un homme très sensuel, qui, avant ma mère avait eu — horreur ! — des aventures de garçon et même une maîtresse nommée Louise (ce prénom...) qu'il avait abandonnée sans retour ni un mot une fois marié, une mystérieuse jeune fille pauvre dont ma tante m'a aussi parlé comme de la personne dont personne ne devait prononcer le nom en famille). Pour tout achever mon père décide sans appel que ma mère doit abandonner sur-le-champ son métier d'institutrice, donc son monde d'élection, car elle aurait des enfants et il la veut pour lui seul au foyer.

Là-dessus il repart pour le front, laissant ma mère bouleversée, volée et violée, déchirée dans son corps, dépouillée des quelques sous qu'elle avait patiemment économisés (une réserve, on ne sait jamais — sexe et argent sont ici étroitement associés), coupée sans appel d'une vie qu'elle avait appris à se faire et à aimer. Si je donne ces détails, c'est parce qu'ils ont sûrement dû concourir à former *après coup,* donc à confirmer et renforcer dans l'inconscient de mon « esprit », l'image d'une *mère martyre et sanglante comme une plaie.* Cette mère associée à des souvenirs (rapportés eux aussi longtemps après), des épisodes d'une menace de mort précoce (évitée par miracle), allait devenir la mère souffrante, vouée à une douleur affichée et pleine de reproche, martyrisée à son domicile par son propre mari, toutes blessures ouvertes : masochiste mais pour cela aussi terriblement sadique, et à l'endroit de mon père qui avait pris la place de Louis (donc faisait partie de sa mort), et à mon endroit (puisqu'elle ne pouvait pas ne pas vouloir ma mort, comme ce Louis, qu'elle aimait, était mort). Devant cette douloureuse horreur, je devais sans cesse ressentir une immense angoisse sans fond, et la compulsion de me dévouer corps et âme pour elle, de me porter oblativement à son secours pour me sauver d'une culpabilité imaginaire et la sauver de son martyre et de son mari, et la conviction indéracinable que c'était là ma mission suprême et ma suprême raison de vivre.

De surcroît, ma mère se trouvait jetée, cette fois par son mari, dans une nouvelle solitude sans recours possible, et avec moi dans une solitude à deux.

Lorsque je vins au monde, on me baptisa du nom de Louis. Je ne le sais que trop. Louis : un prénom que très longtemps j'eus littéralement en horreur. Je le trouvais trop court, d'une seule voyelle, et la dernière, le *i,* finissait en un aigu qui me blessait (cf. plus loin le fantasme du pal). Sans doute il disait aussi un peu trop, à ma place : *oui*, et je me révoltais contre ce « oui » qui était le « oui » au désir de ma mère, pas au mien. Et surtout il disait : *lui*, ce pronom de la troisième personne, qui, sonnant comme l'appel d'un tiers anonyme, me dépouillait de toute personnalité propre, et faisait allusion à cet homme derrière mon dos : *Lui, c'était Louis,* mon oncle, que ma mère aimait, pas moi.

Ce prénom avait été voulu par mon père, en souvenir du frère Louis mort dans le ciel de Verdun, mais surtout par ma mère, en souvenir de ce Louis qu'elle avait aimé et ne cessa, toute sa vie, d'aimer.

IV

De tout le temps que nous passâmes à Alger (jusqu'en 1930), je garde deux ordres de souvenirs insoutenablement et heureusement contrastés. Ceux de mes parents dont je partageais la vie en famille et de l'école où j'allais, et ceux de mes grands-parents maternels tout le temps qu'ils vécurent dans la maison forestière du Bois de Boulogne.

Le plus lointain souvenir que je conserve de mon père (mais il est si « précoce » qu'il n'est sûrement qu'un souvenir-écran recomposé après coup), c'est l'instant même de son retour de France, six mois après la fin de la guerre. Voici ce que je vois ou crois voir. Ma mère dont l'obscénité des seins presque découverts me fait honte, épanouie, me tient sur le genoux, lorsque la porte du rez-de-chaussée, qui donne sur le grand jardin, jusqu'à l'infini de la mer et du ciel, s'ouvre : dans son encadrement, sur le fond de l'air de printemps, surgit une très haute et mince silhouette avec, derrière elle, au-dessus de sa tête, dans les hauteurs des nuées, le long cigare noir du *Dixmude*, ce dirigeable allemand cédé à la France au titre des réparations, qui allait dans un instant sombrer dans l'incendie et la mer. Je ne sais ni quand, ni surtout comment, je dus, après coup, composer ou recomposer cette image, où mon père m'apparut sur le fond d'un symbole trop clair, sexe et mort dans la catastrophe. Mais cette association, même si elle est l'effet d'un après coup, a sans doute son importance, comme on le verra, dans le cortège de mes marques inaugurales.

Mon père était un homme de haute taille (un mètre quatre-vingt-quatre), portant un beau visage long, marqué d'un nez fin et beau de dessin (« un empereur romain »), adorné d'une moustache fine qu'il garda jusqu'à la mort inchangée, le front haut et respirant l'intelligence et la malice. De fait, il était vraiment extrêmement intelligent et pas seulement d'une intelligence pratique. Il fit d'ailleurs ses preuves dans son métier, puisque, entré dans la banque comme simple coursier et muni de son seul certificat d'études, il gravit tout le cours des échelons de la Compagnie Algérienne, absorbée sur le tard par la Banque de l'Union parisienne, puis par le Crédit du Nord. Il finit comme directeur général des succursales marocaines de la Compagnie Algérienne, puis comme directeur de l'importante place de Marseille, après une double étape, d'abord à Marseille comme fondé de pouvoir, puis à Lyon comme sous-directeur. Sa compétence et son intelligence des questions financières et des affaires, sans parler des techniques et de l'organisation de la production (il adorait aller sur place se faire expliquer la marche de toutes les affaires où sa banque intervenait) furent très appréciées de ses supérieurs de Paris, d'où ses avancements et déplacements successifs et les pérégrinations (entre Alger, Marseille, Casablanca et Lyon) qu'il imposa à notre petite famille et les innombrables déménagements dont ma mère ne cessait de gémir ouvertement à qui voulait l'entendre : sur ce chapitre aussi, elle n'était qu'une plainte perpétuelle dont je souffrais horriblement.

Mon père, très autoritaire au fond, et à tous égards très indépendant, même et peut-être surtout à l'endroit des siens, avait une fois pour toutes séparé les domaines et les pouvoirs : à sa femme le seul foyer et les enfants, à lui son métier, l'argent et le monde extérieur. Sur ce partage il fut toujours intraitable. Jamais il ne prit la moindre initiative concernant notre intérieur ni notre éducation. Dans ce domaine, ma mère avait tous pouvoirs. En revanche, jamais il ne parla en famille de son métier ni de ses relations extérieures (à part *deux* de ses amis que nous connûmes par lui, dont l'un avait une voiture qui nous conduisit un jour jusqu'aux neiges de Chréa). Ce n'est que six mois avant sa mort, dans le petit pavillon de Viroflay où il avait pris sa retraite, que mon père parla. Il faut dire que c'est moi qui avais eu, mais si tard !, l'audace de le questionner, et de surcroît il sentait la fin venir, la « décrépitude », disait-il. Il m'apprit d'abord qu'il avait su de longue date ce qui l'attendait dans la banque.

Lorsqu'il était à Lyon pendant les débuts du gouvernement de Vichy (jusqu'en 1942), il avait refusé de prendre part à une association de banquiers qui prônaient la Révolution nationale. De même au Maroc, quand le général Juin jura de « faire bouffer de la paille » à Mohammed V, mon père, qui était le personnage le plus important de la banque marocaine, et alors que la gent des directeurs de banque faisait sa cour au Résident général, resta ostensiblement, au vu et su de tous, sur une réserve déclarée. Quand il prit sa retraite, il avait assez de compétence, d'expérience et de titres pour que la Direction générale de Paris prît, comme c'était la coutume et son intérêt, la décision de l'associer à son groupe. « Je savais que jamais ils ne le feraient, je n'étais pas de la famille, ni polytechnicien, ni protestant, ni marié à une de leurs filles. » On l'avait remercié sans un mot. Pourtant quelle compétence et quelle largeur de vues! Quand je l'interrogeai, ce jour-là, sur la conjoncture économique et financière, cet homme fort âgé, très diminué en son corps mais l'esprit net, me fit un exposé remarquable sur la situation non seulement financière et économique, mais aussi politique, qui me stupéfia par son intelligence, son acuité, son sens des problèmes et des conflits sociaux. Auprès de quel homme j'étais donc passé, sans le soupçonner! Mais il s'était tu toute sa vie sur lui-même, et jamais je n'avais osé l'interroger, le faire parler sur lui-même. D'ailleurs m'aurait-il répondu? Il me faut surtout avouer que j'ai très longtemps haï mon père de faire souffrir à ma mère ce que je vivais comme un martyre pour elle, et donc aussi pour moi.

Pourtant à Marseille après la guerre, je me trouvai une fois avec lui que j'étais venu chercher dans son bureau, lorsque des collaborateurs y entrèrent pour lui soumettre des dossiers. Il avait la réputation de toujours trancher avec décision. En silence il parcourut lentement les dossiers, leva la tête et adressa quelques mots aux deux hommes qui attendaient devant lui. Quelques mots entre ses dents, à demi baragouinés et pour moi totalement inintelligibles. Ses collaborateurs quittèrent la pièce, sans rien demander. « Mais ils n'ont rien compris! – Ne t'inquiète pas; ils comprendront. » C'est ainsi que, par hasard, j'appris comment mon père dirigeait sa banque. Je fus confirmé plus tard dans cette impression par un de ses anciens collaborateurs que je rencontrai à Paris : « Votre père, c'est à peine si nous le comprenions, bien souvent nous repartions sans avoir osé lui demander de répéter sa phrase. – Et ensuite? – Ensuite à nous de jouer! » Mon père « gouvernait » ainsi : sans jamais se faire vraiment entendre, façon peut-être de laisser ses collaborateurs devant une responsabilité qu'ils savaient sanctionnée, mais non définie explicitement. Sans doute connaissaient-ils leur métier, sans doute les avait-il depuis longtemps formés à son école, sans doute connaissaient-ils assez bien mon père pour comprendre en quel sens il inclinait. Son chauffeur même ne le comprenait pas toujours quand il s'agissait d'un nouvel itinéraire! Mon père s'était ainsi fait un personnage, bonhomme mais autoritaire et à ce point énigmatique en ses borborygmes, que ses employés avaient appris, quitte à être rudement redressés, à anticiper ses décisions qui étaient presque inintelligibles. Dure école du « gouvernement des hommes », que même Machiavel n'eût pas imaginée, et dont la réussite fut étonnante. D'anciens collaborateurs de mon père que je rencontrai après sa mort me confirmèrent dans son étrange conduite et ses effets. Ils ne l'avaient pas oublié et parlaient de lui avec une admiration qui touchait à la dévotion : personne n'était comme lui. Un « typapart ».

Je n'ai jamais su quelle part de conscience délibérée ou d'indécision interne, voire de malaise intérieur, entrait dans le comportement de mon père dans ses rapports avec autrui, sinon avec lui-même. Toute sa compétence et son intelligence devaient composer avec une profonde gêne à s'exprimer nettement devant autrui, avec une réserve, non tant de principe que de fait, que sous-tendait une réticence ancrée dans l'âme. Cet homme autoritaire, emporté lui-même parfois dans des éclats violents, était en même temps et sans doute au fond paralysé dans son expression par une sorte d'impuissance à paraître devant autrui, crainte qui le jetait dans la réserve et le rendait inapte aux décisions clairement exprimées. Outre sans doute une autre conviction silencieuse à elle-même, qui devait lui venir de ses origines pauvres. C'est sans doute cette réserve sans expression manifeste qui fit de lui à Lyon comme à Casablanca le seul personnage à ne pas entrer dans le jeu des gens de caste et des autorités de l'époque. Voyez où les conflits et oppositions de classe peuvent en définitive se loger.

Si j'en parle aussi longuement, c'est qu'à la maison mon père nous réservait exactement le même sort. Il avait certes exclusivement prescrit et abandonné à ma mère le domaine du foyer, de l'éducation, de la vie quotidienne des enfants et de toutes les questions annexes : habillement, vacances, théâtre, musique, que sais-je ? Jamais il n'intervenait — et c'était rarissime - qu'en bredouillements brefs et uniquement pour marquer sa mauvaise humeur. On savait du moins qu'il était furieux, mais pourquoi ? jamais. Il avait une véritable adoration pour ma mère telle qu'il l'avait confinée dans ses devoirs : « La vibrante Mme Althusser ! » aimait-il à répéter à l'occasion, surtout devant des tiers, reprenant le mot de son directeur d'Alger qui avait su le distinguer, ce M. Rongier, qu'il avait en vénération. Contrairement à lui, ma mère ne cessait de parler sans retenue ni contrôle, avec une spontanéité inconsciente et infantile, et à ma grande surprise (et à ma honte), mon père lui passait tout en public. A ma sœur et moi il ne disait jamais rien. Mais au lieu de nous libérer dans nos désirs, il nous terrifiait par ses silences indécidables, en tout cas il me terrifiait moi.

Il m'impressionnait d'abord par sa puissance. Grand et fort, je savais qu'il gardait dans son armoire son revolver d'ordonnance, et tremblais qu'il n'en fît un jour usage. Comme cette nuit à Alger où, pour répondre au tapage des voisins du palier, il se jeta en pleine fureur dans des hurlements déments accompagnés d'un tintamarre de casseroles et sortit son arme. Je tremblai que cela ne finît par un affrontement physique et des coups de feu. Par chance ou peur, le silence se fit aussitôt.

La nuit, très souvent, il émettait en dormant de terribles hurlements de loup en chasse ou aux abois, interminables, d'une violence insoutenable, qui nous jetaient au bas du lit. Ma mère ne parvenait pas à le réveiller de ses cauchemars. Pour nous, pour moi du moins, la nuit devenait terreur et je vivais sans cesse dans l'appréhension de ses cris de bête insoutenables que jamais je n'ai pu oublier. Lorsque plus tard, quand je pris avec la dernière agressivité la défense de ma mère martyre contre lui, quand je l'avais à son goût suffisamment provoqué, il se levait tout droit, quittant la table avant d'avoir fini son repas, lâchait son seul mot « Fautré ! », claquait la porte et disparaissait dans la nuit. Une atroce angoisse nous saisissait, du moins me saisissait : il avait abandonné ma mère, il nous avait abandonnés (ma mère semblait indifférente) : était-il parti à jamais ? allait-il revenir ou disparaître pour toujours ? Jamais je n'appris ce qu'il faisait dans ce cas, sans doute errait-il dans la nuit des rues. Mais chaque fois, au bout d'un temps qui me paraissait interminable, il rentrait, et sans dire un mot passait au lit, seul. Je me suis toujours demandé ce qu'il pouvait bien ensuite dire à ma mère, la martyre, et si seulement il lui disait quelque chose. Je le pensais incapable de lui dire quoi que ce soit. Et avant comme après son éclat, nous avions droit au même homme, incapable de nous traiter autrement qu'en nous faisant silencieusement et ostensiblement « la tête ». Puis cela passait.

Mais ce n'était qu'un aspect du personnage. Quand il se trouvait avec des amis (les rares que nous connûmes), loin des préoccupations du travail, il devenait d'une ironie mordante irrésistible. Il jouait avec les gens et s'en jouait, accumulait les tours d'esprit et les taquineries provocatrices, toujours plus ou moins chargées d'allusions sexuelles, avec une incroyable invention, coinçant ses interlocuteurs dans son rire, rire complice et aussi malaise : il était trop fort et personne n'avait alors le dernier mot devant lui. Personne, et surtout pas ma mère, ne pouvait entrer dans son jeu ni soutenir ses assauts. C'était sans doute encore une défense, pour éviter d'avoir à dire ce qu'il pensait ou voulait, peut-être parce qu'il ne savait pas vraiment ce qu'il voulait, mais ne voulait, sous le voile transparent d'une ironie débridée, que dissimuler un malaise et une indécision profonds. Il aimait par-dessus tout jouer ainsi avec les femmes de ses amis, quel spectacle ! Et je souffrais pour ma mère de le voir leur faire ainsi une cour aussi « scandaleuse ». Il était particulièrement excité par la femme d'un de ses collègues de bureau, un des rares amis que nous connaissions. Elle s'appelait Suzy, c'était une fort belle femme épanouie, sûre de ses charmes et ravie d'être ainsi provoquée. Mon père montait à l'assaut devant nous, et c'était une joute érotique interminable qui faisait fondre Suzy dans la confusion, le rire et le plaisir. En silence je souffrais pour ma mère et pour l'idée que j'aurais *dû* me faire de mon père.

En fait, cet homme puissant était profondément sensuel, il aimait le vin et les viandes saignantes, aussi fort qu'il aimait les femmes. Lorsqu'un beau jour, à Marseille, ma mère s'enticha d'un certain Dr Omo — encore un esprit pur qui capta sa naïveté. Il possédait une belle maison de campagne dans les jardins fleuris du nord de la ville, où il cultivait ses légumes pour son régime, et prêchait le végétarisme strict (sous de petits bocaux à son nom qu'il vendait passablement cher). Ma mère nous mit alors, d'autorité, ma sœur et moi en même temps qu'elle, au régime purement végétarien – et cela dura six années pleines ! Mon père ne fit aucune objection, mais exigea chaque jour son bifteck saignant. Nous mangions alors des choux, des châtaignes et un mélange de miel et d'amandes compilées ostensiblement devant lui, qui coupait tranquillement sa viande, pour lui manifester clairement notre réprobation commune. Il m'arrivait alors de le narguer et de l'attaquer avec une extrême violence : il ne répondit jamais, mais il arrivait qu'il partît : « Fautré ! »

Certes, mon père recherchait parfois ma complicité. Il m'emmena à l'occasion au stade, où il adorait pénétrer sans rien payer, sous l'œil entendu d'un employé de sa banque qui arrondissait un peu ses revenus en contrôlant les entrées. J'étais fasciné par son art de « resquiller ». Je n'eusse jamais osé même y penser, instruit comme je l'étais par ma mère et mes maîtres dans les grands principes d'honnêteté et de vertu. Mauvais exemple qui m'a laissé un affreux souvenir, à l'entrée d'un stade de tennis. Mon père entra sans payer comme d'habitude. Moi, derrière lui, je ne pus entrer. Il me laissa seul. Mais je devais plus tard m'inspirer sérieusement de son art de « resquiller ». Il entrait, je le suivais, on assistait au match, qui se déroulait dans une ambiance tumultueuse. Je me souviens qu'à deux reprises, à Saint-Eugène, il y eut dans le public des coups de feu. Toujours des coups de feu ! (Quel symbole...) Je tremblais comme s'ils m'étaient destinés.

C'est d'ailleurs de ce temps que je conserve un souvenir horrible. On nous enseignait alors en classe les Croisades, et les villes pillées et incendiées, leurs habitants passés au fil de l'épée : le sang coulait dans les ruisseaux des rues. On empalait aussi nombre d'indigènes. J'en voyais toujours un, reposant sans aucun appui sur le pal qui s'enfonçait lentement par l'anus jusqu'au-dedans de son ventre et jusqu'à son cœur, et alors seulement il mourait dans d'atroces souffrances. Son sang coulait le long du pal et des jambes jusqu'à terre. Quelle terreur ! C'est moi qui étais alors transpercé par le pal (peut-être par ce Louis mort qui était toujours *derrière* moi). J'ai gardé de ce temps un autre souvenir que je dus trouver dans un livre. Une victime était enfermée dans une vierge d'acier munie de haut en bas de longues pointes fines et dures qui lui transperçaient lentement les yeux, le crâne et le cœur. C'est moi qui étais enfermé dans la vierge d'acier. Quelle atroce façon de mourir lentement! J'en tremblais longuement et en rêvais la nuit. On me croira si on veut, mais je ne fais pas plus ici qu'ailleurs d'« autoanalyse », laissant cette affaire à tous les petits malins d'une « théorie analytique » à la mesure de leurs obsessions et de leurs fantasmes à eux. Je rapporte seulement les divers « affects » qui m'ont marqué à vie, dans leur forme inaugurale et leur filiation après coup.

Une autre fois, une seule, mon père, cet homme revenu de la guerre avec d'innombrables photos de sa division d'artillerie, où on le voyait toujours dressé devant de gigantesques canons, des pièces à longue portée, m'entraîna dans un stand de tir militaire à Kouba. Il me fit épauler le lourd fusil de guerre. Je ressentis un terrible choc à l'épaule et tombai à la renverse dans l'insoutenable bruit de la détonation. Au loin des drapeaux s'agitèrent pour signifier que j'avais raté le but. J'avais peut-être neuf ans. Mon père était fier de moi. Moi toujours terrifié.

Mais lorsque, plus tard, je fus reçu (très loin de liste, moi si bon élève) au concours des « bourses » en 1929, mon père me demanda ce que je désirais en cadeau. Je répondis sans hésiter « une carabine 9 mm de la Manufacture des armes et cycles de Saint-Étienne », dont je dévorais alors le catalogue (tant de choses que je n'avais jamais ni eues ni vues, à portée de désir...), Et j'obtins sans histoire ma carabine avec cartouches et balles, sous la réprobation de ma mère, mais sans que mon père eût discuté une seconde mon choix — cette carabine dont je devais un jour faire un bien étrange usage.

J'étais depuis très tôt devenu très fort à toutes sortes de tirs : au lancer de pierres sur des boîtes de conserve vides, à la fronde aussi. Je m'essayai à tirer des oiseaux, mais les ratais toujours. Sauf un jour, dans le champ de mon grand-père à Bois-de-Velle, où je me mis en chasse de poulets qui venaient picorer ses semis. D'assez loin (une vingtaine de mètres) j'avisai un beau coq rouge près de la haie. Je le tirai avec ma fronde, et avec terreur je vis le coq, atteint en plein œil, bondir de douleur, piquer violemment la tête sur le sol et s'enfuir en hoquetant. Mon cœur battit la chamade pendant des heures.

Quant à cette carabine, voici ce qu'il m'advint. Je ne l'utilisai d'abord que pour m'éprouver sur des cibles en carton, où je réussissais bien. Mais un jour que nous nous trouvions dans une petite propriété, Les Raves, que mon père avait cru bon d'acheter sur d'inaccessibles hauteurs, je parcourus les bois ma carabine à la main à la recherche de quelque proie volatile. J'aperçus soudain une tourterelle et la tirai : elle tomba, je la cherchai en vain dans les fougères sèches, au fond j'étais persuadé de l'avoir ratée, elle n'était tombée que par ruse, pour m'échapper. Je continuai mon chemin et il me vint soudain, sans que j'y eusse réfléchi ni à plus forte raison sans que je susse pourquoi, l'idée qu'après tout je pourrais essayer de me tuer. Je dirigeai alors le canon de l'arme contre mon ventre et allai appuyer sur la gâchette lorsqu'une sorte de scrupule me retint, je n'ai jamais su pourquoi. J'ouvris alors la culasse : une balle se trouvait dedans. Comment pouvait-elle s'y trouver ? Je ne l'y avais pourtant pas glissée. Jamais je ne le sus. Mais je fus brusquement recouvert de sueur panique, je tremblais de tous mes membres et dus longuement m'allonger sur le sol avant de rentrer à la ferme, plus que songeur. Il s'était encore agi de la mort : mais cette fois directement de la mienne.

Je ne sais pourquoi je rapproche ce souvenir d'un autre, ultérieur, qui déclencha en moi la même terreur panique. A Marseille, ma mère et moi, sortis de notre appartement de la rue Sébastopol, avions emprunté pour couper court une large rue de traverse bordée de hauts murs. Nous aperçûmes alors, à distance sur le trottoir de droite, deux femmes et un homme. Les deux femmes, déchaînées et hurlant, se battaient violemment. L'une était à terre, l'autre la traînait par les cheveux. L'homme, tout à côté, immobile, contemplait la scène sans intervenir. Lorsque nous passâmes près du groupe il lâcha à notre intention un avertissement parfaitement serein : « Faites attention, " elle " a un revolver ! » Ma mère continua son chemin, raide, le regard droit devant elle, ne voulant rien voir ni entendre, complètement insensible. Aucune émotion. Jamais elle ne me dit mot de cet incident dramatique. Il était clair pour moi que j'eusse dû intervenir. Mais j'étais un lâche. Il devait régner de singuliers rapports entre ma mère et moi, ma mère et la mort, mon père et la mort, moi et la mort. Je ne les compris qu'infiniment plus tard, dans mon analyse.

Ai-je eu vraiment un père ? Sans doute, je portais son nom et il était là. Mais en un autre sens : non. Car jamais il n'intervint dans ma vie pour l'orienter le moins du monde, jamais il ne m'initia à la sienne qui eût pu me servir d'introduction soit à la défense physique, au combat des gosses, puis plus tard à la virilité. Sur ce dernier chapitre ce fut encore ma mère qui y pourvut par devoir, malgré l'horreur que tout ce qui touchait au sexe lui inspirait. En même temps, mon père recherchait manifestement mais toujours silencieusement ma complicité : dans sa pratique de resquilleur comme plus tard dans ses allusions à mes relations féminines. Naturellement il ne voulait jamais entendre parler des femmes que je pouvais connaître, ni de ce que j'en faisais, mais chaque fois que je le quittais, il lançait à mon intention, devant ma mère silencieuse, un simple mot qui n'exigeait ni commentaire ni réponse : « Rends-la heureuse ! » *La ?*

Sans doute pensait-il avoir rendu ma mère heureuse ! On aura compris que ce n'était guère le cas : au fond mon père était trop intelligent pour se faire sur ce point *la moindre illusion.* Ma mère était dans sa jeunesse une très belle femme, de onze ans plus jeune que mon père, une éternelle enfant passée sans transition de la tutelle de ses parents à celle de son mari, sans aucune expérience de la vie, des hommes comme des femmes : avec pour unique et éternelle nostalgie au cœur le souvenir de Louis, ce long fiancé mort dans le ciel, et des instituteurs qu'elle avait côtoyés dans son métier éphémère dont mon père l'avait brutalement coupée. Elle avait eu aussi, à Alger, une unique amie jeune fille de son âge, aussi pure qu'elle, devenue médecin, mais brutalement arrachée à la vie par une tuberculose. Elle s'appelait de son prénom Georgette. Quand ma sœur naquit, tout naturellement ma mère lui donna le prénom de son amie morte : Georgette. Un nouveau prénom de mort.

Ma mère, plutôt petite, blonde, visage régulier, de très beaux seins que je revois avec une sorte de répulsion dans ma mémoire, c'est-à-dire sur ses photos, m'a certainement profondément aimé. J'étais le premier enfant de son corps, et un garçon, sa fierté. Quand ma sœur naquit, je me vis confier le soin de veiller à tout instant sur elle, de la cajoler et plus tard de la tenir par la main pour traverser les rues avec toutes les précautions d'usage, et plus tard encore de veiller sur elle dans la vie en toutes occasions. Je me suis acquitté fidèlement, de mon mieux, de cette mission d'enfant et d'adolescent promu à une tâche d'homme, voire de père (mon père avait pour ma sœur des faiblesses qui me révoltaient, je le soupçonnais ouvertement de tentatives incestueuses quand il la prenait sur ses genoux d'une façon qui me paraissait obscène), mission qui, par la gravité solennelle dont elle était revêtue, devait être écrasante pour le jeune enfant que j'étais et même pour un adolescent comme moi.

Ma mère ne cessait de m'expliquer que ma sœur était fragile (comme elle sans doute) parce que femme, et je garde encore à l'esprit un autre souvenir obscène qui m'a horrifié et scandalisé. Nous étions à Marseille, ma mère baignait ma sœur nue dans la baignoire de l'appartement. Nu aussi, j'attendais mon tour. J'entends encore ma mère me dire : « Tu vois, ta sœur est un être fragile, elle est bien plus exposée qu'un garçon aux microbes » – et elle joignait le geste à la parole pour bien montrer les choses – « tu as seulement *deux trous* dans le corps, elle, *elle en a trois* ». Je me sentis couvert de honte pour cette brutale intrusion de ma mère dans le domaine de la sexualité comparée.

Je vois bien maintenant que ma mère était littéralement assaillie de phobies : elle avait peur de tout, d'être en retard, peur de n'avoir plus (assez) d'argent, peur des courants d'air (elle avait toujours mal à la gorge, moi aussi, jusqu'à mon service militaire où je la quittai), une peur intense des microbes et de leur contagion, peur de la foule et de son bruit, peur des voisins, peur des accidents dans la rue et ailleurs, et par-dessus tout peur des mauvaises rencontres et des fréquentations douteuses qui peuvent mal tourner : disons-le, par-dessus tout peur du sexe, du vol et du viol, c'est-à-dire peur d'être agressée dans son intégrité corporelle et d'y perdre l'intégrité problématique d'un corps encore morcelé.

J'ai conservé un autre souvenir d'elle, qui pour moi a tout dépassé en horreur et en obscénité. Ce n'est en rien un souvenir-écran, recouvert d'affects ultérieurs, mais un souvenir de l'âge de treize ou quatorze ans, extrêmement précis et isolé comme tel, sans qu'aucun détail lui ait été surajouté. Que son affect ait été renforcé après coup par d'autres incidents de la même teneur, c'est possible et vraisemblable, mais ils n'ont alors fait qu'accentuer dans son propre sens la honte atroce que j'ai ressentie alors et ma révolte indignée.

Nous étions à Marseille, et j'allais sur mes treize ans. Depuis quelques semaines j'observe avec une intense satisfaction que la nuit de vifs et brûlants plaisirs me viennent de mon sexe, suivis d'un agréable apaisement – et le matin de larges taches opaques sur mes draps. Ai-je su qu'il s'agissait de pollutions nocturnes ? Peu importe : de toute façon je sais fort bien qu'il s'agit de mon sexe. Or un matin, m'étant levé comme à l'accoutumée et prenant mon café dans la cuisine, voici que ma mère arrive, grave et solennelle et me dit : « Viens, mon fils. » Elle m'entraîne dans ma chambre. Devant moi elle ouvre les draps de mon lit, me montre du doigt sans les toucher les larges taches opaques et durcies dans mes draps, me contemple un instant avec une fierté contrainte mêlée de la conviction qu'un instant suprême est arrivé, qu'elle doit être à la hauteur de son devoir, et me déclare : « Maintenant, mon fils, tu es un homme ! »

Je fus accablé de honte et contre elle d'une insoutenable révolte en moi. Que ma mère se permît de fouiller dans mes propres draps, dans mon intimité la plus reculée, dans le recueil intime de mon corps nu, c'est-à-dire dans le lieu de mon sexe comme elle eût fait dans mon caleçon, entre mes cuisses pour se saisir de mon sexe entre ses mains et le brandir (comme s'il lui appartenait !), elle qui avait tout sexe en horreur, que de surcroît elle se contraignait comme par devoir (je le sentais bien) à ce geste et cette déclaration *obscènes* – à ma place, en tout cas à la place de l'homme que j'étais devenu bien avant qu'elle ne s'en avisât et sans rien lui devoir –, voilà qui me parut, du moins le ressentis-je ainsi et le ressens-je encore aujourd'hui, comme le comble de la dégradation morale et de l'obscénité. Proprement un viol et une castration. J'étais ainsi violé et châtré par ma mère, qui s'était, elle, sentie violée par mon père (mais c'était son affaire à elle, pas la mienne). On ne sortait décidément pas d'un *destin familial*. Et que cette obscénité et ce viol fussent le fait de ma mère, qui se faisait trop évidemment violence contre nature pour accomplir ce qu'elle tenait pour son devoir (alors que c'eût été le rôle de mon père que d'y pourvoir) achevait le tableau d'horreur. Je ne profère pas un mot, sors en claquant la porte, erre dans les rues, désemparé et rongeant une haine sans mesure.

Je subissais dans mon corps et ma liberté la loi des phobies de ma mère. Moi qui rêvais de jouer au football avec les garnements pauvres que je voyais s'ébattre, du haut des quatre étages de notre appartement de la rue Sébastopol, dans un immense champ vague, j'étais interdit de football : « Gare aux mauvaises fréquentations et tu pourrais te casser la jambe ! » Moi qui étais fasciné par la compagnie des enfants de mon âge, avec qui je voulais me lier, pour ne plus être seul, pour être admis et reconnu par eux comme un des leurs, pour échanger avec eux des mots, des billes, même des coups, apprendre d'eux tout ce que j'ignorais de la vie, pour m'en faire des amis (je n'en avais alors aucun)... quel rêve! Interdit.

Quand nous étions à Alger, ma mère me faisait toujours accompagner à l'école communale, éloignée de notre demeure (rue Station-Sanitaire) de seulement trois cents mètres et une seule rue paisible à traverser, par une bonne indigène, dont elle s'était assuré les services. Pour ne pas être en retard (cette phobie de ma mère), nous arrivions bien en avance en vue de l'école. Les garçons, français et indigènes, jouaient aux billes contre les murs ou couraient à qui mieux mieux dans la liberté de l'enfance à grands cris. Moi, j'arrivai raide comme le devoir subi, accompagné de ma « Mauresque » toujours silencieuse, méprisable et honteux au fond de l'âme de ce privilège de riche (alors que nous étions pauvres en ce temps), et au lieu d'attendre au-dehors que s'ouvre la porte de l'école, j'avais, par protection des anciens collègues de ma mère, le privilège d'entrer seul et avant tous les autres et d'attendre dans la cour l'arrivée des maîtres. Invariablement, l'un d'eux, un grand homme sec et doux, s'arrêtait devant moi et me demandait, je n'ai jamais su pourquoi : « Louis, quel est le fruit du hêtre? – La faîne » (comme il me l'avait appris). Il me tapotait la joue et s'en allait. Dix bonnes minutes après, ma solitude cessait : tous les gosses entraient en courant et criant, mais pour se précipiter dans les classes : c'en était fini de mon espoir de me mêler à eux. Je supportais, si je puis dire, dans la honte qui m'accablait d'être ainsi désigné comme un « chouchou » des maîtres, cette cérémonie insupportable, qui avait pour seul usage de rassurer ma mère contre tous les dangers de la rue : les mauvaises fréquentations, la contagion des microbes, etc.

Encore un souvenir violent. Un jour je suis dans la cour, c'est la récréation, je joue aux billes avec un garçon beaucoup plus petit que moi. Je suis fort habile au jeu de billes et gagne toujours. Voilà que je rafle toutes les billes du petit garçon. Mais il veut à tout prix en garder une. Ce n'est pas de jeu! Et d'un coup, sans que j'aie su d'où me venait cette impulsion violente, je lui envoie une forte gifle sur la joue. Il s'enfuit. Et moi aussitôt je lui cours après, indéfiniment, pour réparer l'irréparable : le mal que je lui ai fait. Décidément me battre m'était intolérable.

Et puisque j'en suis aux souvenirs marquants de ce temps, en voici encore un. Je suis dans la classe avec le très bon maître qui m'aime entre tous. Le maître est au tableau nous tournant le dos. A cet instant le garçon qui se trouve juste derrière moi lâche un pet. Le maître se tourne alors et me regarde d'un air désolé plein de reproches : « Toi, Louis... » Je ne dis rien, tant je me convaincs que c'est moi qui ai pété. Je suis couvert de honte, comme tout vrai coupable. En désespoir de cause, je conte l'affaire à ma mère, qui connaissait très bien le maître qui l'avait formée à l'enseignement, et qu'elle aimait : « Es-tu bien sûr que ce n'est pas toi qui as » (elle n'osa pas prononcer le mot) « fait cette chose affreuse? C'est un homme si bon, il ne peut pas se tromper. » Sans commentaires.

Ma mère m'aimait profondément, mais ce n'est que beaucoup plus tard, à la lumière de mon analyse, que je compris comment. En face d'elle et hors d'elle je me sentais toujours accablé de ne pas exister par moi-même et pour moi-même. J'ai toujours eu le sentiment qu'il y avait eu maldonne, et que ce n'était pas vraiment moi qu'elle aimait ni même regardait. Je ne l'accable nullement, notant ce trait : la malheureuse, elle vivait comme elle le pouvait ce qui lui était advenu : d'avoir un enfant qu'elle n'avait pu se retenir de baptiser Louis, du nom de l'homme mort qu'elle avait aimé et aimait toujours en son âme. Quand elle me regardait, ce n'était sans doute pas moi qu'elle voyait, mais, derrière mon dos, à l'infini d'un ciel imaginaire à jamais marqué par la mort, *un autre*, cet *autre* Louis dont je portais le nom, mais que je n'étais pas, ce mort dans le ciel de Verdun et le pur ciel d'un passé toujours présent. J'étais ainsi comme traversé par son regard, je disparaissais pour moi dans ce regard qui me survolait pour rejoindre dans le lointain de la mort le visage d'un Louis qui n'était pas moi, qui ne serait jamais moi. Je recompose ici ce que j'ai vécu et ce que j'en ai compris. On peut faire toute la littérature et la philosophie qu'on voudra sur la mort : la mort, qui circule partout dans la réalité sociale où elle est « investie », tout comme la monnaie, n'est pas toujours présente dans les mêmes formes dans la réalité et dans les fantasmes. Dans mon cas, la mort était la mort d'un homme que ma mère aimait par-dessus tout, au-delà de moi. Dans son « amour » pour moi, quelque chose m'a transi et marqué dès la première enfance, fixant pour très longtemps ce qui devait être mon destin. Il ne s'agissait plus d'un fantasme, mais de la *réalité* même de ma vie. C'est ainsi que pour chacun un fantasme devient vie.

Plus tard, adolescent, quand je vécus à Larochemillay avec mes grands-parents maternels, je rêvais de porter le prénom de Jacques : celui de mon filleul, le fils de la sensuelle Suzy Pascal. C'est peut-être un peu trop jouer avec les phonèmes du signifiant – mais le J de Jacques était un jet (celui du sperme), l'a profond (Jacques) le même que celui de Charles le prénom de mon père, le *ques* trop évidemment la *queue*, et le Jacques comme la Jacquerie, celui de la sourde révolte paysanne dont j'apprenais alors l'existence par mon grand-père.

De toute façon, dès la prime enfance, j'eus droit au nom d'un homme qui ne cessa de vivre d'amour dans la tête de ma mère : *le nom d'un mort.*

V

On peut alors reconstituer et peut-être comprendre la contradiction ou plutôt l'ambivalence dans laquelle j'étais dès les commencements condamné à vivre.

D'un côté, comme tout enfant nourri au sein, et vivant du contact
physique, physiologique et érotique du corps de la mère, qui donne
le sein, la chaleur du ventre, de la peau, des mains, du visage, de la
voix, j'ai été viscéralement et érotiquement attaché à ma mère,
l'aimant comme un bel enfant plein de santé et de vie peut aimer sa
mère.

Mais j'ai su très tôt (les enfants perçoivent incroyablement ce qui
échappe aux adultes, mais certes ce n'est pas « au niveau » de la
conscience que cette perception s'opère) que cette mère que j'aimais
de tout mon corps en aimait un autre à travers et au-delà de moi, un
être absent en personne à travers ma présence en personne, c'est-à-
dire un être présent en personne à travers mon absence en personne —
un être dont je devais *plus tard* seulement apprendre qu'il était
depuis longtemps *mort*. Qui dira quand cette « résolution en acte »
put se produire? Il est clair que j'en juge « après coup » par ses
effets, inscrits tant et tant de fois en des affects répétés et brûlants
dans ma vie : autant de figures immuables et incontournables. Comment alors me faire aimer d'une mère qui ne m'aimait pas en personne, et me condamnait ainsi à n'être que le pâle reflet, l'autre d'un
mort, un mort même ? Pour sortir de cette « contradiction » ou plutôt de cette ambivalence, je n'avais évidemment d'autre ressource
que de tenter de *séduire* ma mère (comme on séduit une personne de
rencontre, une étrangère) pour qu'elle consente à me regarder et

m'aimer pour moi-même. Non seulement au sens courant où le petit garçon veut, comme le disait déjà Diderot, « coucher avec sa mère », mais au sens plus profond à quoi je devais nécessairement me résoudre, pour me gagner l'amour de ma mère, pour devenir moi-même l'homme qu'elle aimait derrière moi, dans le ciel à jamais pur de la mort : *la séduire en réalisant son désir.*

Tâche possible et impossible ! Car je n'étais pas cet autre, je n'étais au fond de moi pas cet être si sage et si pur que ma mère rêvait de moi. Plus je suis allé, plus j'ai en effet ressenti les formes, même violentes, de mon propre désir, avant tout cette forme élémentaire : ne pas vivre dans l'élément ni le fantasme de la mort, mais exister pour moi-même, oui, simplement exister et avant tout dans mon corps, que ma mère méprisait tant, car elle en avait (comme le Louis qu'elle aimait toujours) horreur.

De moi, petit garçon, j'ai conservé l'image d'un être mince et mou aux épaules étroites, qui ne seraient jamais celles d'un homme, au visage blanc, accablé d'un front trop lourd et perdu dans la solitude des allées blanches d'un parc immense et vide. Je n'étais même pas un garçon, mais une faible petite fille.

Cette image, qui m'a si longtemps hanté, et dont on découvrira par la suite les effets, nette comme un souvenir-écran, j'en ai retrouvé par miracle la trace matérielle dans une petite photographie, recueillie dans ses papiers après la mort de mon père.

C'est bien moi, me voici. Je suis debout, dans une des immenses allées du parc de Galland, à Alger, près de chez nous. Je suis effectivement ce mince garçon blanc et frêle, sans épaules, la tête au front trop grand coiffée d'un chapeau pâle, lui aussi. A bout de bras, un minuscule chien (celui de M. Pascal, le mari de Suzy), très vivant lui et qui tire sur sa laisse. Sur la photo, hors le petit chien, je suis seul : personne dans les allées vides. On dira que cette solitude peut ne rien signifier du tout, que M. Pascal avait attendu que les promeneurs disparaissent. Le fait est : cette solitude, peut-être voulue par le photographe, a rejoint dans mon souvenir la réalité et le fantasme de ma solitude et de ma fragilité.

Car je suis *absolument seul* à Alger, comme je serai très longtemps seul à Marseille et Lyon, et plus tard terriblement seul après la mort d'Hélène. Je n'ai *aucun* vrai camarade de jeu, même parmi ceux que je côtoie sous surveillance dans la cour de récréation, Arabes, Français, Espagnols, Libanais, tant ma mère entend nous (se) garder de toute fréquentation douteuse, c'est-à-dire des microbes et des entraînements Dieu sait où! Je dis bien *aucun camarade*, et a fortiori *aucun ami*. Et lorsque après l'école communale je serais admis au lycée Lyautey d'Alger, en sixième, aucun camarade, même dans la cour. Pire, je garde en effet le souvenir de garçons riches parfaitement délurés, hautains, méprisants et cyniques, qui ne voulaient ni me voir ni me parler, et des magnifiques voitures de sport qui les attendaient à la sortie, chauffeur au volant (entre autres une splendide Voisin). Ma seule compagnie était en famille, ma mère volubile et mon père silencieux. Tout le reste était repas, sommeil, travaux scolaires en classe et à la maison : en toute obéissance « librement consentie ».

A l'école primaire j'étais un élève exemplaire, aimé de mes maîtres. Mais en sixième, au lycée d'Alger, je fus perdu et parfaitement médiocre, malgré mes efforts. Ce n'est qu'à Marseille (1930-1936), puis à Lyon (1936-1939, préparatoire à Ulm) que je devins le premier de ma classe. Par ma mère je devins à Marseille scout de France et naturellement chef de patrouille, sacré par un aumônier trop avisé pour être honnête : il avait bien senti en moi la culpabilité qui me portait à prendre en charge la première responsabilité venue. J'étais donc sage, trop sage, et pur, trop pur, comme le désirait ma mère. Je puis le dire sans risque d'erreur : oui, j'ai ainsi – et combien de temps! jusqu'à vingt-neuf ans!! – réalisé le désir de ma mère : la pureté absolue.

Oui, j'ai réalisé ce que ma mère désirait et attendait de toute éternité (l'inconscient est éternel) de la personne de l'autre Louis – *et je l'ai fait pour la séduire* : la sagesse, la pureté, la vertu, l'intellect pur, la désincarnation, la réussite scolaire, et pour tout achever une carrière « littéraire » (mon père eût préféré Polytechnique, je l'ai su plus tard, mais jamais il ne le fit paraître) et, pour tout accomplir, l'accès à une École normale supérieure, non pas Saint-Cloud, celle de mon oncle Louis, mais mieux encore, celle de la rue d'Ulm. Puis je devins l'intellectuel que l'on sait, qui refusa farouchement de se « salir les mains » dans les médias (ô pureté!) et, mon nom sur la première page de quelques livres que ma mère lisait avec fierté, un philosophe connu.

Étais-je ainsi vraiment parvenu à séduire ma mère? Oui et non.

Oui, parce que reconnaissant en moi la réalisation de son désir, elle était heureuse de moi, et extrêmement fière. Non, parce qu'en cette séduction j'avais toujours l'impression de ne pas être moi, de ne pas vraiment exister, mais d'exister seulement *par des artifices* et dans des artifices, justement les artifices de la séduction pris par des *impostures* (de l'artifice à l'imposture la voie est courte) et donc de ne pas avoir vraiment conquis ma mère, mais de l'avoir artificiellement et artificieusement séduite.

Artifices : car j'avais aussi *mes* désirs, ou si l'on veut, simplifiant à l'extrême, *mon* désir à moi : alors l'impossible. Le désir de vivre pour mon compte, de rejoindre les gosses jouant au football sur le terrain vague, de me mêler aux petits Français et Arabes de l'école primaire, de jouer dans les parcs et les bois avec des gosses de rencontre, garçons *et filles*, que ma mère nous *interdisait toujours* de rejoindre car « on ne connaissait pas leurs parents », même s'ils étaient à deux pas, ou assis sur le même banc : pas question de leur adresser la parole, on ne sait jamais à qui on peut avoir affaire!! J'avais beau rechigner en moi : je marchais toujours. Je n'existais que dans le désir de ma mère, jamais dans le mien, inaccessible.

Encore un souvenir de marque. Nous sommes, ma mère, ma sœur et moi dans la forêt du Bois de Boulogne, près d'un aloès à l'immense dard (encore une sorte de pal). Vient une dame avec deux petits enfants : un garçon et une fille. Je ne sais comment ma mère s'y résigna, mais on commença à jouer. Pas longtemps! Je ne sus jamais ce qui me prit, mais à un moment je giflai la petite fille en lui disant : « Tu n'es qu'une Tourtecuisse! » (J'avais lu ce mot qui me paraissait lourd de sens dans un livre, sans savoir ce qu'il pouvait bien signifier.) On voit d'ici ma mère : elle nous entraîna aussitôt loin des gosses et de la mère sans un seul mot. Encore un geste de violence subit qui m'avait échappé, comme dans la cour de l'école. Mais cette fois c'était sur une petite fille. Je me souviens de n'en avoir éprouvé aucune honte ni aucun désir de réparation. Toujours « ça » de gagné!

Déchiré, je l'étais, mais sans recours contre le désir de ma mère et mon déchirement. Je faisais tout ce qu'elle voulait, j'aidais ma sœur à traverser les rues, si dangereuses, en la tenant ferme par la main, j'achetai au retour de l'école les deux petits pains au chocolat, avec la somme exacte qu'elle m'avait donnée, n'ayant jamais un sou à moi en poche (jusqu'à dix-huit ans!), car on peut toujours *se faire voler* et on ne sait jamais ce qu'un enfant peut s'acheter de néfaste ou de superflu : sens de l'économie à outrance qui rejoignait la peur d'une contamination alimentaire et du danger de vol. Je faisais sagement mes devoirs à la maison et attendais les repas. Seule sortie, celle qui plus tard à Alger me conduisit, toujours avec ma sœur à la main, jusqu'à l'appartement d'un couple alangui, maigre, désincarné et illuminé, non un couple conjugal, mais un couple composé d'un frère ou d'une sœur (comme nous) célibataires et accouplés à vie, à qui ma mère (sur leur pureté manifeste) avait accordé son entière confiance : ma sœur pour le piano, moi pour le violon, afin que nous puissions plus tard jouer entre frère et sœur, nous aussi. Je ne pus rien contre ces contraintes. Et comment l'aurais-je pu, fait comme je l'étais? Il en résulta chez moi une solide haine de la musique, encore renforcée plus tard par l'obligation hebdomadaire maternelle (mon père n'y assistait jamais) des concerts classiques de Marseille! Que l'on se rassure : je joue maintenant pour mon plus grand plaisir du piano (où faute d'y avoir été formé, j'improvise, on verra comment plus tard). Oui, qu'aurais-je pu contre ces contraintes musicales et autres? Je n'avais nul recours au-dehors, et surtout nul recours au-dedans, du côté de mon père. Les seuls amis que je connaissais étaient les très rares amis que nous montrait mon père. A dire vrai, un seul : ce M. Pascal, son collègue de bureau, sous ses ordres, le cheveu rare, doux comme un melon, sans aucune volonté devant sa femme, la pétulante Suzy.

Une année que ma sœur avait contracté la varicelle (cette enfant était toujours malade) ma mère, pour éviter la contagion (une fois de plus) demanda aux Pascal de m'héberger chez eux. Je connus alors leur nid douillet de couple sans enfant et leurs manies, la splendeur de Suzy, voluptueuse, toujours les seins à l'air, et sa chaleureuse autorité, et le petit train-train de M. Pascal, qui la suivait en tout comme le petit chien qu'il tenait en laisse dans le grand jardin du parc. Dans mon lit je faisais toujours le même cauchemar : du haut du placard une longue bête sortait, lentement, un long serpent sans tête (châtré?), une sorte de ver de terre gigantesque qui descendait vers moi. Je me réveillais en criant. Suzy accourait et me pressait longuement contre sa généreuse poitrine. Je m'apaisais.

Un matin, je me réveillai tard. Je compris que M. Pascal était parti à son travail. Je me levai et, m'approchant avec précaution j'entendis, derrière la porte de la cuisine, Suzy qui s'affairait (le café ou la vaisselle?). Je ne sais comment je le sus, mais *je sus qu'elle était nue* dans la cuisine. Poussé par un désir irrésistible et assuré, allez savoir comment?, que je ne courais aucun risque, j'ouvre la porte et la contemple longuement : jamais je n'avais vu un corps de femme nu, les seins, le ventre et sa toison et des fesses fascinantes! L'attrait du fruit défendu (je devais avoir dix ans)? la splendeur sensuelle de ses formes débordantes? je jouis longuement de mon plaisir. Puis elle m'aperçoit et, loin de me gronder, elle m'attire vers elle et me retient longuement à m'embrasser contre ses seins et entre ses cuisses chaudes. Il n'en fut jamais question entre nous par la suite. Mais jamais je n'ai oublié ce moment de « fusion » intense et sans égal.

L'année suivante, ma sœur ayant contracté la scarlatine (toujours malade, la sœur), ma mère, pour derechef éviter la « contagion », m'envoya chez mes grands-parents maternels, alors « retirés » dans leur Morvan natal.

VI

Les chers grands-parents! Cette grand-mère droite et mince, aux yeux bleu clair et francs, toujours active mais à son rythme et toujours généreuse à tous, surtout pour moi qu'elle adorait mais sans démonstration, pour tous refuge de la sérénité et de la paix. Sans elle, mon grand-père n'eût jamais survécu à ses travaux exténuants dans les forêts d'Algérie. Ses filles... elle dut les éduquer dans ses principes de santé et de vertu, qui en firent de belles jeunes filles droites et pures. Ce grand-père nerveux, inquiet, toujours maugréant et râlant sous sa casquette et sa moustache, mais bon comme personne : à eux deux ils composaient ma vraie famille, ma seule famille, mes seuls amis au monde.

Il faut reconnaître que les vastes lieux où je vécus près d'eux, ou les rejoignis, avaient de quoi exalter un enfant, jusque-là cloîtré dans la solitude d'étroits appartements urbains – à moins et plus vraisemblablement que ce fût leur présence et l'amour qu'ils me portaient et que je leur rendais qui ne transformât en paradis d'enfant les maisons, les bois et les champs où ils vécurent.

Ce fut d'abord, avant que mon grand-père ne prît sa retraite pour rejoindre son Morvan natal, la grande maison forestière du Bois de Boulogne, dominant tout Alger, puis enfin la petite maison de Larochemillay (Nièvre) avec son jardin et ses champs du Bois-de-Velle.

Le Bois de Boulogne! Je conserve un souvenir éblouissant de sa maison forestière tapie au centre d'un immense jardin. Les pièces étaient basses et fraîches. J'y trouvai une buanderie obscure et mystérieuse où coulait une eau éternelle; une écurie où l'on sentait la paille blonde de la litière, le merveilleux crottin de cheval et l'odeur luisante de deux splendides chevaux de race palpitant de vie sous leurs flancs lisses : les belles bêtes de monte que mon grand-père soignait avec moi pour ces Messieurs de la Direction. Je tiens toujours les chevaux pour les plus belles bêtes au monde, infiniment plus belles que les plus beaux des êtres humains. Une nuit, ces bêtes menèrent un grand tapage qui ne me fit pas peur : des voleurs de poules sans doute, mais ils furent effrayés par les chevaux, plus vigilants que des chiens.

A vingt mètres de la maison se dressait un long bassin haut et, quand on me hissait à bout de bras, j'y apercevais d'étranges poissons pâles, rouges, verts et violets, s'enfoncer lentement sous de longues herbes noires et souples qui bougeaient. Plus tard, lisant Lorca, je devais les retrouver, ces souples cuisses de truite de la femme adultère qui s'en va vers la rivière : poissons au travers des roseaux qui s'écartent.

Je trouvai à la maison forestière des parterres de fleurs fabuleux (ces anémones, ô ces freesias au parfum érotique et violent, ces cyclamens timides et roses, comme le rose féminin du sexe de la Simone de Bandol plus tard dans leur feuillage vert-noir), où, à Pâques, nous venions ma sœur et moi chercher les œufs de sucre, souvent déjà rongés des fourmis, que l'on avait dissimulés à notre intention ; et ces gigantesques glaïeuls multicolores, dont mon père rapportait chaque dimanche un grand bouquet pour les apporter hors de notre présence à une « très belle jeune femme », belge de nom, que nous ne vîmes jamais. Et cet immense potager peuplé de néfliers du Japon ! Ces néfliers ! Ils donnaient des fruits ovales jaune pâle qui contenaient un couple accolé de noyaux marron durs, lisses et brillants comme des couilles d'homme (mais alors je n'en savais *consciemment* rien, de toute évidence !), que je caressais longuement dans mes mains avec une joie étrange. Lorsque ma jeune tante Juliette, la fantaisiste de la famille, grimpait pour moi aux arbres comme une chèvre pour les cueillir sur les branches et me les tendre, moi qui attendais sous elle en reluquant les dessous intéressants de ses jupes, leur eau tendre et sucrée fondant dans la bouche et libérant le couple des noyaux glissants, quelle saveur et quel plaisir ! Mais ces mêmes nèfles étaient encore bien meilleures lorsque je les ramassais à même la terre, où brûlées de soleil elles avaient commencé de pourrir dans le parfum rude et acide de la terre ! Plus loin, il y avait encore un petit bassin, à ma hauteur cette fois, plein d'une eau claire et ruisselante (une source?) et tout au fond, derrière de hauts cyprès noirs, une douzaine de ruches en rang qu'un ancien instituteur breton, M. Kerruet, venait souvent visiter, son chapeau de paille sur la tête, mais sans voile ni gants, car les abeilles étaient ses amies. Certes elles ne l'étaient pas pour tout le monde, car un jour qu'il s'en était un peu trop approché, rendues nerveuses et inquiètes par la nervosité et l'inquiétude de mon grand-père, elles lui sautèrent en masse au visage et il ne dut son salut qu'à une course folle et à un plongeon dans le grand bassin. Mais curieusement cette fois je n'en avais conçu aucune frayeur.

Mais surtout, tout au fond du jardin à gauche, se dressait un immense et rond caroubier dont les longues et lisses cosses sombres (auxquelles j'aurais voulu goûter – mais ma mère avait bien dit : interdit!) me fascinaient. C'était là un observatoire imprévu d'où, seul, je découvrais à mes pieds, alanguie sous le soleil, minuscule et interminable, l'immense ville, ses rues, places, immeubles et port, où reposaient de grands bateaux immobiles à cheminées, et fourmillaient des centaines de barques en un lent mouvement perpétuel. De très loin, sur la mer toujours lisse et pâle, je pouvais apercevoir d'abord une minuscule fumée à l'horizon, puis peu à peu des mâts et une coque, comme immobiles car désespérément lents : les navires de la ligne Marseille-Alger qui finissaient, si j'en avais la patience, par accoster avec d'infinies précautions et manœuvres le long des rares quais libres du port. Je savais que l'un d'entre eux (après tant de *Général-Chanzy* et autres) s'appelait le *Charles-Roux*. Charles comme mon père (je croyais alors fermement que tous les enfants, devenus adultes, changeaient de prénom pour s'appeler Charles, rien que des Charles!). J'imaginais qu'il avançait par le jeu de roues sous sa coque, m'étonnant que personne ne s'en fût avisé.

Puis je sortais en compagnie de mon grand-père dans les bois. Quelle liberté! Avec lui, jamais de danger ni d'interdit. Quel bonheur! Lui, si « râleur », au caractère que tout le monde disait impossible (comme plus tard Hélène), il me parlait sans éclat comme à son égal. Il me montrait et m'expliquait tous les arbres et toutes les plantes. Les interminables eucalyptus surtout me fascinaient : j'aimais à sentir sous ma main l'écaille de leurs longues écorces tubulaires qui soudain dégringolaient à grand fracas du haut des sommets et pendaient alors sans fin comme des bras sans usage, ou des haillons (les haillons, plus tard, dont j'aimais à me vêtir, les haillons des grands rideaux rouges de ma chambre à coucher à l'École normale) – leurs feuilles si lisses, si longues, recourbées et pointues, qui avec la saison passaient du vert sombre au rouge sanglant, et leur fruit-fleur au pollen délicat et au parfum envoûtant de « remède pharmaceutique ». Il y avait aussi la découverte toujours nouvelle des cyclamens roses sauvages toujours cachés sous leurs feuilles sombres et dont il fallait relever le vêtement pour découvir leur rose de chair intime ; des asperges sauvages, drues comme des sexes érigés, que je pouvais croquer crues quand elles sortaient de terre. Puis ces terribles aloès bardés de piquants et de piques, et parfois (une fois tous les dix ans ?) jetant au ciel un immense dard lentement couronné d'une fleur inaccessible !

Je vivais un intense bonheur, libre et plein, dans la compagnie de mon grand-père et de ma grand-mère, même quand mes parents m'y accompagnaient, dans le paradis de la maison forestière, son jardin et son immense bois.

Il y avait bien parfois du drame avant d'y parvenir. Sur le haut du bois se dressait, tout contre le chemin de terre que nous empruntions à pied (quatre kilomètres), une haute maison blanche habitée par un capitaine en service, M. Lemaître (ce nom...), sa femme, son grand fils de vingt ans, et leur petite fille. C'était toujours le dimanche : le jour de congé de mon père et aussi le jour de repos de M. Lemaître. Quand nous montions à la maison forestière, il était toujours là en famille, mais très souvent éclataient d'horribles scènes entre le père et le fils. Le fils devait travailler sur ses livres dans sa chambre, et quand il s'y refusait, son père l'y enfermait à clé. C'était le cas, ce dimanche. Le capitaine, en belle fureur, nous explique les raisons de l'absence du fils. Tout à coup nous entendons de grands bruits de bois fracassé : le fils défonçait la porte de sa chambre, il sort en hurlant et disparaît dans les bois. Le père rentre alors en hâte dans la maison, en ressort un revolver au poing et court après le fils. Encore un père violent, des hurlements et un revolver ! Mais cette fois c'était un fils violent contre la violence du père. La mère se taisait. A l'écart, sur la première marche du second escalier de la maison, la petite fille, Madeleine, est assise le visage en larmes. J'en suis profondément ému. Je viens m'asseoir à son côté, la prends entre mes bras et me mets à la consoler. J'ai l'impression d'un immense acte de pitié et d'abnégation de ma part comme si je trouvais une nouvelle fois (après ma mère) une nouvelle et définitive raison d'être et la mission oblative de toute ma vie : sauver cette petite martyre. Hors moi d'ailleurs, personne ne s'occupe d'elle, ce qui accroît mon exaltation. Le fils revient, le père dans son dos, le revolver au poing, il l'enferme de nouveau à clé dans une chambre, et nous quittons cette scène de violence et de désolation familiale pour la paix de la maison forestière, toute proche. Cette fois, j'avais encore eu très peur, mais comment dire, j'y avais trouvé une sorte de bonheur joyeux en prenant dans mes bras la toute petite Madeleine (le nom de ma grand-mère. Ah! ces noms... Lacan a bien raison d'insister sur le rôle des « signifiants », après Freud parlant des hallucinations de *noms*).

J'étais frappé comme mon grand-père, qui ne cessait de maugréer et de râler devant tous et à tout propos sous sa moustache mais à demi-voix, était tout autre avec moi. Jamais je n'eus pour tout dire peur qu'il pût m'abandonner. S'il lui advenait de demeurer silencieux avec moi, jamais je n'en éprouvai aucune angoisse (quelle différence avec ma mère et mon père!). Car il ne se taisait que pour me parler. Et, chaque fois, c'était pour me montrer et m'expliquer les merveilles de la forêt que je ne connaissais pas encore : sans jamais rien me demander, mais tout au contraire en ne cessant de me combler de dons et de surprises. C'est là que je dus me faire une première idée de ce qui se passe quand on aime. Je l'entendais ainsi : chaque fois un don sans échange, qui me prouvait que j'existais bien. Il me montrait aussi, limitrophes de l'enceinte de la maison forestière, les hauts murs de brique de sûreté de la Résidence de la Reine-Ranavalo, qu'on n'apercevait jamais. Je sus plus tard que les troupes françaises envahissant Madagascar aux beaux jours de la campagne coloniale avaient capturé la Reine du pays et l'avaient recluse dans cette résidence forcée et étroitement surveillée sur les hauts lieux d'Alger. Plus tard, à Blida, je rencontrai de la même façon un énorme Noir à lunettes, toujours protégé d'un immense parapluie (on en vendait des cartes postales) qui accostait toutes les personnes de rencontre en leur tendant la main, et leur disant « Amis, tous amis! ». C'était Béhanzin, l'ancien Empereur du Dahomey, relégué aussi en Algérie. Cette condition me parut étrange : ce fut sans doute ma première leçon de politique.

VII

Lorque mon grand-père prit sa retraite, en 1925 je crois, c'en fut fini de la maison forestière (je ne l'ai jamais revue) et de ses merveilles.

Mes grands-parents se retirèrent alors dans leur pays d'origine, le Morvan, ils y acquirent une petite maison à Larochemillay, petit village à quinze kilomètres de Château-Chinon et onze kilomètres de Luzy, dans une région accidentée et boisée. Ce me fut une autre merveille. Certes, c'était loin d'Alger, mais nous allions y passer de vastes étés, le plus souvent sans mon père qui restait à son travail à Alger. Il fallait d'abord franchir la mer, sur un des *Gouverneur Général X...* qui assuraient la ligne, navires lents et inconfortables, dont la seule odeur des couloirs et cabines encrassés d'une sorte de graisse épaisse sentant le vomi me donnait le mal de mer, même avant le départ. J'y ai toujours été malade, comme ma mère et ma sœur, jamais mon père.

C'était alors la découverte rapide du port de Marseille, la Joliette, les bagages, les inquiétudes de ma mère (si on allait nous les voler!), puis le train. Ah! le train! L'odeur des grands jets de fumée des locomotives à vapeur, le bruit souple de ses bielles, les longs appels de sifflet en cours de route (savoir pourquoi? les passages à niveau sans doute), puis à l'arrivée aux gares et à leur départ l'infini et sécurisant glissement sur les rails, scandé par le choc régulier et apaisant des raccords. Quand on est bien raccordé, bien d'accord, tout va. Ma mère appréhendait constamment un accident. Moi pas. Le paysage, cet inconnu, défilait derrière les vitres. Nous mangions sur nos genoux, après que ma mère avait tiré les provisions préparées à

61

l'avance, à Alger, de son cabas. Jamais nous ne connûmes les splendeurs du wagon-restaurant : économies !

A Chagny, nous prenions une voie secondaire : Chagny-Nevers. Nous changions de train (attention aux bagages !) et montions dans des wagons autrement rustiques tirés par une lente machine poussive. Mais nous approchions alors de « chez nous ». Très vite je connus et reconnus les gares, et sur les talus tout proches de la ligne du train (il allait d'une allure poussive) je tentais d'apercevoir à tout prix au milieu des herbes folles les premières fraises des bois dont j'entendais me régaler : étaient-elles déjà mûres ? Enfin nous arrivions au terme : à Millay, petite gare insignifiante, mais là commençait la véritable aventure.

Derrière la gare, une carriole à cheval nous attendait. La première fois ce fut sous une pluie intense, qui empêchait de rien voir, mais nous étions à l'abri de la capote de toile, recroquevillés contre le froid — mais presque toujours ce fut sous un grand soleil. M. Ducreux, qui devait devenir maire de Laroche en 1936 contre M. le comte, conduisait paisiblement une belle jument baie à la forte croupe devenue rapidement mousseuse, et dont la longue fente pulpeuse que j'avais sous les yeux m'intéressait prodigieusement. Six kilomètres de montée, puis les hauteurs du Bois-de-Velle d'où l'on découvrait un immense paysage de montagnes touffues (chênes, châtaigniers, hêtres, frênes, charmes, sans parler des noisetiers et saules), puis une légère mais assez longue descente où la jument prenait son trot de famille, et enfin le village. La pente très abrupte d'un fort mauvais chemin : on passait devant l'école communale (du granit), puis aussitôt c'était « la maison », ma grand-mère toute droite nous attendait sur le seuil.

Cette fois, la maison n'était pas très grande, mais elle avait deux grandes caves fraîches, un grand grenier à peu près aménagé bourré de romans de Delly découpés dans *Le Petit Écho de la mode* que ma grand-mère avait toujours lu, des appentis pour les lapins et un grand poulailler grillagé où se baladaient des volailles pleines de leur lente suffisance, mais l'œil toujours aux aguets. On trouvait une belle citerne en ciment (où parfois les chats tombaient et à ma terreur (encore des morts) se noyaient — drame !) pour y recueillir les eaux de pluie. Et surtout un beau jardin en pente avec très belle vue sur une des plus hautes montagnes du Morvan : le Touleur. A ce moment-là, ni eau courante ni bien entendu électricité : on allait chercher l'eau par seau chez deux vieilles filles en face, on s'éclairait au pétrole, ah! la belle lumière que cela faisait, surtout quand pour changer de chambre on *emportait la lumière avec soi* et des ombres passaient sur les murs, mouvantes et souvent déconcertantes : quelle sécurité que d'emporter la lumière avec soi!

Plus tard mon grand-père fit creuser un vrai puits après consultation du sourcier qui, baguette à la main, décida que c'était ici, près du grand poirier, et à telle profondeur. On creusa le puits à la main, on se rend compte, en pleine couche de granit rose! Quel travail de force et de précision : on y creusait des mines, qui explosaient, puis il fallait retirer les blocs et de nouveau creuser les trous de mine à la barre. On trouva l'eau à l'exacte profondeur prédite par le sourcier. De ce temps me vint une véritable considération pour l'art des hommes à la baguette de coudrier, que je devais reporter bien plus tard sur le « père Rocard », directeur du Laboratoire de physique à l'École normale et père de Michel Rocard (un étranger pour moi et apparemment aussi pour son « père »), qui faisait sur le magnétisme physique des expériences étranges, à pied avec sa baguette dans les jardins de l'École le dimanche (il n'y avait personne pour l'observer), à vélo, en voiture et même en avion! Cet homme fabuleux, qui avait pourvu d'autorité les laboratoires de physique de 1936, sans équipements, au lendemain de la pénétration des premières troupes françaises en Allemagne, en affrétant de son chef des camions militaires et allant chercher dans les laboratoires allemands et les grandes usines tout le matériel dont il avait besoin. Ce qui fournit à son Laboratoire de physique, un des premiers de France (où travailla Louis Kastler qui devint prix Nobel), de quoi travailler. Le même père Rocard passait pour le « père de la bombe atomique française », ce qui ne fut jamais confirmé ni démenti; mais ce titre ou pseudo-titre lui valait l'hostilité politique de la plupart des normaliens. Le premier au monde, Rocard mit au point un système de détection des explosions atomiques sur la base de la propagation par la croûte terrestre et triangulation (il avait construit nombre de petites maisons assez confortables en une vingtaine d'endroits, le plus souvent inaccessibles en France; il y invita une fois le Dr Étienne qui en fut estomaqué – pas moi) qui enregistrait l'instant d'arrivée des ondes. En ce temps il était informé de l'explosion d'une bombe, même souterraine, un quart d'heure avant les Américains et n'en était (modestement) pas peu fier... J'admirais ses capacités de « piraterie » : il savait tourner la plupart des contraintes de l'administration qu'il méprisait, et au grand scandale des directions de l'École, détenait ainsi une caisse noire sur laquelle, lui physicien, accepta de me payer une année entière une dactylo à mi-temps qui tapa mon cours pour scientifiques en 1967! Cela non plus, cette véritable ruse, ingéniosité, audace, absence totale de préjugé et cette générosité, je ne les ai jamais oubliées. Le père Rocard, sourd ou faisant semblant de l'être à l'occasion, imité (lui aussi!) de tous ses assistants en ses moindres gestes et accents, baragouinait comme mon père pour donner ses ordres et était un maître « resquilleur » bien au-delà des timides audaces de mon père : il fut pour moi, après mon grand-père, sans qu'il le sût jamais, mon véritable second père.

Le puits creusé, mon grand-père fit édifier sur son bord un couvercle de métal, et à cinquante centimètres au-dessus un petit auvent de zinc pour en protéger l'ouverture. C'est sur cet auvent qu'à la saison tombaient de très haut, jour et nuit, en faisant un bruit sec intermittent qu'on entendait de la maison même (pourtant à cinquante mètres et de derrière ses murs) les minuscules poires très rouges, inentamables au couteau, dont ma grand-mère composait une confiture prodigieuse que je n'ai jamais nulle part retrouvée de ma vie. Ce poirier avait bien trente mètres de haut. Derrière lui, après les haies et un sentier de fortune, s'élevaient les grands murs de la cour de l'école communale où, quand ils arrivaient et partaient sous de grands cris tumultueux, nous entendions la rumeur aiguë des écoliers en sabots, leurs jeux bruyants avant l'entrée en classe, puis soudain le silence des rangs, le claquement des mains de l'instituteur, les sabots pressés sur le petit escalier, et enfin le silence profond de la classe.

Tout proche, sur la haute butte, il y avait le cimetière (où reposent mes grands-parents sous une dalle de granit gris) deux ou trois sapins malingres, puis au-delà, dans le chemin bourbeux, le misérable quartier des « pauvres » (une famille entière, une femme déformée par les nombreuses couches, un vieillard infirme et nombre d'enfants dans une seule pièce qui puait). Au-delà, il y avait un bout de route plane et enfin les bois auxquels on accédait par une magnifique source, sous des guis, la « fontaine d'Amour », et un lavoir pour femmes très fréquenté. Près de là, à l'orée du bois, je fis un jour en la compagnie de ma mère très inquiète la découverte d'un véritable champ de jeunes cèpes, assez rares dans le pays, dressés dans leur calotte et drus comme des sexes en érection : processus sans sujet ni fins, fascinants pour moi, mais complètement indifférents (en apparence tout au moins) à ma mère insensible. Je comprends trop pourquoi j'ai conservé ce souvenir intense : je ne savais alors que faire de mon propre sexe, mais je sentais bien que j'en avais un. Je me souviens que plus tard, adolescent, au cours des quelques mois que je passai, comme on va le voir, chez mes grands-parents, il m'arrivait de me promener seul dans le bas du jardin, en un endroit où personne ne pouvait m'apercevoir, mon sexe en belle érection sous mon tablier noir d'écolier, le caressant sans rien tenter d'autre, sans fin : le plaisir l'emportant sur la honte de l'interdit. J'ignorais alors tout des délices de la masturbation que je devais par hasard, une nuit, découvrir en captivité à l'âge de vingt-sept ans!, et qui déclencha en moi une telle émotion que je m'en évanouis.

Les bois variés en leurs essences (il y avait aussi beaucoup de belles fougères et de genêts, coupés parfois de clairières où s'élevait une ferme) étaient plutôt accidentés, agrémentés de sources claires et de ruisseaux à écrevisses et grenouilles. Ils étaient assez accidentés mais d'une grandeur paisible : le soleil y jouait lentement entre les feuilles. Un tout autre bois que ceux d'Algérie! N'empêche, mon grand-père, fils du Morvan, m'y initia comme auparavant. Il m'enseigna la juste coupe des bonnes tiges de châtaignier (ah! leur jet fragile et puissant de sève...) pour en faire la carcasse de paniers paysans qu'il m'apprit à confectionner dans la cave, et m'enseigna les jeunes tiges de saule qu'on devait tresser entre les arcs du bâti. Il m'apprit tout, les étangs, les grenouilles, les écrevisses, mais aussi tout le pays et les gens qu'on rencontrait et avec qui il bavardait en patois.

Le Morvan était alors une région de grande pauvreté. On y vivait pratiquement du seul élevage de bovins blancs à la charolaise, mais surtout de porcs et... d'enfants de l'Assistance publique, très nombreux à y être placés. Ajoutez à cela quantité de pommes de terre, un peu de blé, du seigle, du sarrasin (qui y venait fort bien, dans la compagnie des châtaigniers), des châtaignes et du gibier, dont des sangliers l'hiver, quelques fruits, et le compte est fait.

Au village, sur une éminence, l'église, récente, sans grâce ni relief, et devant elle, le classique et affreux monument aux morts de la guerre de 1914-1918, couvert de noms innombrables, auxquels on devait plus tard, comme partout, ajouter la liste des morts de 1939-1945, puis le nom de quelques déportés, puis la liste des victimes des guerres du Vietnam et d'Algérie, triste bilan qui montrait à l'évidence que comme toujours ces guerres avaient tranché dans la jeunesse des campagnes. Un ancien combattant de la guerre de 1914 desservait l'église, il disait la messe, que je servis comme enfant de chœur, faisait le catéchisme que je suivis plus tard, dans une minuscule pièce chauffée l'hiver par un petit poêle à bois porté au rouge. Le curé, revenu de tout, débonnaire, très large sur les péchés et surtout les envies sexuelles ou même les actes, sans curiosité morbide dans la confession, toujours rassurant pour les enfants, sa perpétuelle bouffarde des tranchées à la gueule, était l'indulgence même : encore la figure d'un bon « père ».

Il se tirait fort bien d'affaire, car le pays était encore dominé par l'autorité aristocratique sans partage du comte, dont le haut château XVIIᵉ siècle se dissimulait derrière de très hauts arbres multiséculaires. C'était un très grand propriétaire foncier, il possédait bien les deux tiers des terres de la commune, il en était le maire de droit, tenant dur la plupart des paysans, ses fermiers, mais alors encore le plus souvent des métayers ; il subventionnait et contrôlait par sa femme – la comtesse, une haute femme d'aspect aimable que je vis une seule fois dans l'intérieur de sa splendide demeure aux meubles patinés par le temps – une école libre pour les filles. La querelle battait alors son plein entre le parti du comte et le parti de l'instituteur, lui aussi pourtant un homme tout de générosité. Mais fallait y passer, c'était une loi de structure. Le curé, brave homme et bon « politique », s'était si bien débrouillé qu'il n'avait nul ennemi dans le pays.

Mon grand-père me racontait les choses quand nous courions les bois ou quand je l'accompagnais dans son travail du jardin peuplé de fraises basses et de je sais combien d'arbres fruitiers de toutes sortes d'essences, sans parler d'une oseille que je n'ai pas oubliée tant son acidité piquait ma langue. (Une fois qu'à l'École, plus tard, je voulus présenter aux Châtelet qui m'en parlent encore un brochet à l'oseille, je voulus acheter de l'oseille à la rue Mouffetard et quand je posai la question à tous les marchands de légumes et d'herbes qui n'en avaient pas, je m'attirai toujours — trente fois! — la même réponse : « Si on en avait, on serait pas là!») Mon grand-père m'apprit tout, à semer, planter, arracher, greffer les fruitiers et même fabriquer du compost derrière les cabinets qui recueillait la pisse et la merde des habitants de la maison. Ce cabinet de bois étroit, une porte de bois juste contre le nez, sans fenêtre sur le dehors! J'y restai indéfiniment, avec un Delly à la main, assis sur la cuvette de bois, le cul à l'air, à humer la délicieuse odeur de pisse, merde, terre et feuilles pourries qui s'en dégageait, pisse et merde d'hommes et de femmes! Ce cabinet était surmonté d'un sureau touffu, dont les fruits m'étaient strictement interdits par ma mère (un poison terrible!). Je sus plus tard que les Allemands en faisaient une soupe succulente... Un sureau dont les fleurs entêtantes me grisaient sur ce fond de pisse, de merde et de fumier de terre.

Mon grand-père m'apprit même à tuer les lapins d'un coup de poing sur la nuque de bas en haut et à couper d'une serpe sur un billot de bois le cou des canards dont le corps continuait à courir pendant quelques minutes. Avec lui je n'avais pas peur. Mais quand ma grand-mère se mettait à cisailler la carotide des poules en leur introduisant la paire d'un long ciseau aigu dans la gorge, je n'étais pas fier de cette horreur, surtout de sa part.

Tout cela me procurait une grande joie, mais je dois reconnaître que cela se passait pendant l'été et que, les vacances terminées, nous devions alors rentrer à Alger. Pourtant, je n'étais pas encore au comble de mes surprises ni de mon bonheur.

Un jour ma grand-mère, ma mère, ma sœur et moi partîmes pour Fours, où mon arrière-grand-mère maternelle, la mère Nectoux, veuve depuis très longtemps, vivait seule dans une seule pièce, horriblement seule avec sa vache dedans. Encore une vieille femme terriblement droite et sèche et de surcroît muette, sauf quelques interjections d'un patois archaïque que je n'entendais pas. Mais je me souviens fort bien d'un incident qui me frappa intensément, près de la petite rivière du lieu où elle avait conduit sa lourde vache docile à pâturer. Je jouai avec les libellules multicolores qui passaient de fleurs en fleurs (surtout les « fleurs des prés » intensément odorantes). A un moment je vis mon arrière-grand-mère, qui ne quittait jamais un gros bâton noueux (pour la vache et pour se servir d'appui en marchant) se livrer à un bien étrange comportement. Sans un mot, elle était toute droite, et le fort bruit d'un jet intense sortait de sous sa longue jupe noire. Une rivière claire coulait à ses pieds. Je mis du temps à « réaliser » qu'elle pissait ainsi toute droite, sous sa jupe, sans s'être accroupie comme font les femmes, et donc qu'elle n'avait pas de culotte sous sa jupe. J'en fus abasourdi : il y avait donc des femmes-hommes, sans honte de leur sexe, et qui allaient jusqu'à pisser devant tout le monde, sans aucune retenue ni honte, sans avertir non plus qui que ce soit! Quelle découverte... Bien qu'elle fût gentille avec moi, tout se brouillait : était-elle un homme, cette femme, et quel homme, dormant avec sa vache, la gardant, pissant comme un homme devant tous mais sans tirer son sexe de sa braguette, et sans se dissimuler contre le tronc d'un arbre! Mais elle était aussi une femme puisqu'elle n'avait pas le sexe d'un homme, et était capable de m'aimer durement certes, mais avec la tendresse contenue d'une bonne mère... Rien à voir avec la mère de mon père. Cet épisode surprenant ne m'inspira aucune crainte mais me laissa longuement songeur. Naturellement ma mère n'avait rien vu et n'en parla jamais. Ah! l'insensibilité de ma mère à tout ce qui pouvait me toucher...

Lorsque, au début de septembre 1928 (je devais avoir dix-onze ans), ma sœur contracta la scarlatine (toujours malade cette petite, qui se défendait ainsi, comme elle pouvait, par la fuite dans la maladie organique), ma mère prit les grandes mesures qui s'imposaient à son esprit et à sa phobie de la contagion. Elle consulta mes grands-parents, puis me demanda ensuite si j'accepterais de ne pas rentrer à Alger, mais de rester à Larochemillay pour y passer toute l'année. On imagine si j'acceptai! Décidément ce que je ne savais pas encore être les phobies de ma mère pouvaient – ruse de la psyché – avoir du bon, et sacrément.

Bien sûr, une année entière signifiait aussi par voie de conséquence une année scolaire sur place, dans l'école communale du village. On sait que l'école était à deux pas de la maison. Elle était tenue par un homme tout de douceur, de fermeté et de générosité, M. Boucher, tout à fait dans les vues de ma mère qui aimait les consciences, et propre à la rassurer. Je chaussai des sabots que j'aimais bien porter pour ne pas paraître un étranger et revêtis le tablier noir de rigueur. Je fis alors, ainsi vêtu, mon entrée dans le monde des petits paysans que des années durant j'avais, avec une envie terrible, entendu jouer bruyamment dans leur cour, puis à notre porte monter lentement ou dévaler en courant le mauvais chemin abrupt qui passait devant la maison, dans les appels, les bourrades et les cris joyeux sur un fond perpétuel de bruits de sabots, car les chaussures de cuir en ce temps, et en ce pays, c'était trop cher et on fabriquait artisanalement des sabots (je me mis même à en tailler dans des billes de bois avec de merveilleux outils – des « gouges » coupantes qui allaient à ma main), ces merveilles luisantes et dures aux pieds, qui blessaient le talon d'Achille au tout début mais auxquelles on se faisait vite, qui protégeaient aussi bien du froid que du chaud, eh oui!, le bois est mauvais conducteur de la chaleur et du froid – pas le cuir.

Entrer à l'école, c'était affronter un monde inconnu et d'abord le langage des garçons de la campagne : le patois morvandiau, une langue faite de rebondissements de consonnes et voyelles tout à fait inattendus, et surtout de déformations cohérentes (par alourdissement et appui de durée sur les phonèmes) des voyelles et diphtongues, et enfin de tours et expressions qui m'étaient inconnus. Ce n'était pas du tout la langue intérieure aux classes, où le maître enseignait le français et la prononciation classique de l'Ile-de-France, mais une seconde et autre langue, une langue étrangère, leur langue maternelle, la langue des récréations, de la rue, donc de la vie. La première langue étrangère que je dus apprendre (à Alger aucune occasion ne m'avait été offerte d'apprendre l'arabe des rues, la rue m'étant interdite par ma mère, qui pourtant avait commencé d'apprendre l'arabe « littéraire »). Il fallut que je m'y fisse.

Je m'y mis avec une passion, une rapidité et une facilité qui ne m'étonnèrent pas le moins du monde, tant m'était fascinante et aisée cette conversion linguistique. Ce n'est que bien plus tard, ayant eu l'occasion d'apprendre à parler un peu de polonais (mais avec un accent tel, cette langue si difficile à prononcer, que je passai pour un vrai Polonais d'origine), l'allemand des camps et l'allemand littéraire, sans parler de l'anglais du lycée que je prononçais avec un merveilleux mais provocant accent américain appris seul Dieu sait où? de la radio sûrement, qui me faisait jouir (à la grande colère de mes professeurs d'anglais : encore une façon de me faire une langue *à moi* dont j'avais appris et l'accent et les tournures tout seul, pour me démarquer de l'exemple et de l'autorité de mes maîtres). J'appris ces langues avec une facilité telle que je m'avisai que je devais sans doute être, comme on dit, « doué » pour l'exercice des langues étrangères. Doué! Autant dire que c'est la vertu dormitive de l'opium qui fait dormir. C'est de là que date mon hostilité à l'idéologie des dons (qui fera plaisir à Lucien Sève qui ferrailla longtemps et avec raison contre elle, mais avec de tout autres arguments que les miens, beaucoup plus politiques je dois le reconnaître!). Plus tard encore je réfléchis que l'apprentissage du parler, très précisément de la prononciation exacte des phonèmes des langues étrangères, à s'y méprendre sur mes origines, devait me venir *et* de mon désir d'imitation *et* donc de séduction, mais *aussi* et en même temps de la réussite manifeste, de ce que j'appelai une sorte d'*éducation physique des muscles*, d'un jeu très plaisant des muscles des lèvres, des dents, de la langue, des cordes vocales et des muscles commandant la cavité buccale. De fait, j'étais fort adroit à « jouer » de tous les muscles de mon corps, je pouvais saisir et même lancer des pierres avec mes doigts de pied, ramasser divers objets au sol pour les porter à mes mains ou sur une table. Je sus même très vite « faire bouger mes oreilles » en tous sens et même indépendamment l'une de l'autre (mon plus grand succès auprès des gosses) et tripotai comme personne un ballon de football (sauf avec la tête que je sentais trop grosse et trop vulnérable), et j'inventai même tout seul des usages du pied, de la semelle, du talon, des genoux, voire des coups « renversés » que j'ai plus tard pu observer chez des joueurs chevronnés.

Plus tard, enfin, je pus noter cette circonstance singulière : c'est qu'en [pratiquant] les exercices mêmes que j'avais appris de mes parents (comme le tennis, la natation ou le vélo que j'appris « en famille ») j'étais parvenu (et j'y avais farouchement tenu) à reconstituer par moi-même, tout seul, des techniques dont mes parents n'avaient rien su m'apprendre. Ainsi mon père servait au tennis en rabattant de haut sa raquette sur une balle qu'il coupait. Perte de forces! Au prix de longues observations sur les vrais joueurs et des photos de Lacoste et Tilden, j'appris tout seul à servir comme on sert maintenant, par un moulinet de la raquette derrière l'épaule qui met en jeu toute la force possible de son impact sur la balle et j'y devins fort habile. Mon père ainsi ne nageait que la brasse, mais il avait une prédilection pour la nage dorsale avec cette particularité qu'il ne se servait ni de ses bras ni de ses cuisses, mais avançait en godillant de ses deux mains contre ses flancs (il progressait d'ailleurs assez vite) et surtout en gardant soigneusement *et* sa tête *et* ses doigts de pied dressés hors de l'eau, ce qui lui donnait une étrange navigation propre à le faire reconnaître de loin. Et il en riait! Moi, observant les vrais nageurs et des photos, je réfléchis et appris tout seul à plonger, c'est-à-dire avant tout à conserver aussi longtemps qu'il le fallait en contrôlant mon souffle la tête sous l'eau (la tête dans l'eau! quelle audace, c'était dangereux, disait ma mère, on peut se noyer!) et finalement, en y adjoignant le battement des cuisses et pieds, j'appris tout seul à nager le crawl. Là je n'imitais plus personne, je ne voulais plus séduire personne, sinon en étonnant les gens par mon exploit. Il faut croire que je mettais alors un point d'honneur à me démarquer visiblement et effectivement des techniques familiales, et sinon déjà à « penser par moi-même dans mon corps », du moins à vouloir m'approprier mon propre corps par moi-même et selon mon désir, comme pour commencer de sortir des règles et normes de la famille.

C'est ainsi que je me mis avec une grande facilité et un extrême plaisir au patois morvandiau, et très vite rien ne me distingua plus des garçons de l'endroit. Pourtant ils me firent sentir durement tout un temps que je n'étais pas des leurs. Je me souviens d'avoir, lorsque la première neige vint à tomber et recouvrir la cour de l'école, subi une terrible séance où ils me massacrèrent proprement sous leurs jets de boules au visage, et je vois encore le petit arbre maigre au pied duquel je tombai, inanimé, sous leurs coups. L'instituteur, sagement, n'intervint pas. J'avais eu mon compte, mais sans aucune angoisse, et eux leur plaisir et revanche. Puis, lentement, je sentis qu'ils m'adoptaient. Quelle joie!

Je me souviens encore avec émotion de ma dernière classe au Morvan où, par un privilège d'exception, ils me permirent de choisir pour l'ultime récréation le jeu que je voulais. Je choisis les barres, dont les courses surprises m'enivraient, et mon équipe gagna.

« Ils. » C'était avant tout le meneur du jeu et du groupe, un garçon râblé rouge et costaud, noir de cheveux, un nommé Marcel Perraudin, vague petit-cousin très lointain de mes grands-parents. Il avait une prodigieuse vitalité, et comme tant d'autres paysans devait mourir plus tard à la guerre. Encore un mort dans ma vie. Au début, il me persécutait sans cesse ni égards, franchement j'en avais peur, étant loin d'égaler sa force et surtout son audace, et ayant une peur bleue d'avoir à me battre physiquement : la peur, toujours la même, de voir mon corps entamé. De fait, je ne me suis jamais, *pas une seule fois*, battu physiquement de ma vie.

Il n'y avait pas que des jeux physiques entre garçons, mais surtout un jeu de prédilection qui consistait à tomber par surprise et à plusieurs sur un gars momentanément isolé, le jeter à terre dans un coin sombre du préau, le maîtriser, ouvrir toute grande sa braguette et mettre son sexe à l'air, après quoi tout le monde s'égaillait à grands cris. Je subis aussi ce sort, en me débattant, certes, mais avec un étrange plaisir qui me saisit. Je rencontrai aussi à l'école un enfant de l'Assistance publique, issu d'où on ne savait, fort intelligent, et qui me disputait la première place de la classe. Il était frêle et pâle (comme moi) et on murmurait à l'envi qu'il allait « jouer à papa et maman » avec une fille de l'école des sœurs, elle aussi de l'Assistance publique, dans les hautes herbes du parc de la comtesse. Comme on en parlait un jour devant moi, je crus bon d'intervenir de façon péremptoire : c'est impossible, ils n'en ont pas l'âge!... Comme si j'avais des idées autorisées sur le sexe et son commerce : je ne faisais que véhiculer les préjugés et craintes de ma mère. Deux ans plus tard, j'appris que ce garçon brillant mais maladif était mort de la tuberculose. Nouvelle figure d'un destin tragique : encore un mort, et frêle et pâle comme moi.

Je me souviens de ce terrible hiver de 1928-1929, où le thermomètre descendit à moins 35 à Larochemillay, où tous les étangs et rivières gelèrent, et même l'eau dans le seau de la cuisine, pourtant proche de la cuisinière allumée. La neige recouvrait tout d'une épaisse couche muette. On n'entendait même plus des cris d'oiseaux. D'eux, on ne voyait que les traces étoilées de leurs pattes sur la neige. Je me souviens de la délectation avec laquelle, bien à l'abri, je dessinai pour l'école un paysage de neige, et combien j'aimais cette neige qui recouvrait tout : c'était pour moi la protection suprême, le retrait dans la maison chaude et abritée, qui me gardait de tout danger extérieur — le monde extérieur étant lui-même, sous la même neige qui le couvrait, garantie de paix et de sécurité — et la certitude absolue que sous cette couverture légère de silence et de paix rien ne pouvait m'advenir de mal. Le dehors comme le dedans étaient sûrs.

Puis-je ajouter un détail? A l'école, on ne m'appelait pas Louis Althusser, trop compliqué... Mais Pierre Berger : le nom de mon grand-père! Ça ne m'allait que trop bien.

Cependant ce grand-père continuait de tout m'enseigner de la vie et des travaux des champs. Et quand il eut acquis, au Bois-de-Velle, un hectare et demi de terre et deux vieilles masures qui lui servirent de remise pour les outils, il m'apprit alors à semer le blé, le seigle, l'avoine, le sarrasin, le trèfle et la luzerne, et à les faucher à la faucille et à la faux, à confectionner les gerbes de céréales, à les lier avec des tiges de châtaignier ou des tresses de paille qu'il fallait, d'un preste coup de poignet, savoir nouer, à retourner en plein soleil de la fourche ou du râteau le trèfle et la luzerne, à en faire des tas bien ronds, et à les charger à bout de bras (quel poids!) sur la charrette d'un voisin qui venait les prendre dans le champ.

Son blé, son avoine, son seigle, mon grand-père les emportait à la batteuse (le « battoère »), l'unique du pays, qui faisait le tour des fermes, et tous les voisins et amis étaient alors à tour de rôle mobilisés pour la grande fête du battage. Un jour, une seule fois, mon grand-père m'emmena avec lui. Je découvris avec stupeur la « machine à battre », une énorme masse de boiserie, compliquée et assourdissante, toute en mouvements et cliquetis incompréhensibles, mue sous le relais d'une très longue courroie de cuir dangereuse car elle « sautait » souvent, par une autre machine à vapeur alimentée au charbon : spectacle impressionnant. Du sommet des chars on jetait à la fourche les gerbes sur le toit. Là, deux hommes empoussiérés déliaient les gerbes et répartissaient à la hâte les gerbes de céréales dans la gueule avide de la machine de bois qui les happait, en un bruit de paille froissée infernal.

Dans un air rendu irrespirable et opaque par la balle de blé et d'avoine, des hommes toussant, crachant et jurant sans cesse, criant et jurant pour se faire entendre dans le fracas infernal, allaient et venaient comme des fantômes dans une étrange nuit en plein jour, le foulard rouge serré autour du cou. Au bout et au bas de la machine, le blé « coulait » comme une eau bruissante mais silencieuse dans des sacs tenus à la main. Par le dessus, la machine rejetait en vrac la paille brisée, dépouillée de son grain. On en faisait alors des balles grossières. Une odeur épaisse et merveilleuse de charbon, de fumée, de jets d'eau, d'huile, de grains, de toile de sac de jute, de sueur et d'hommes imprégnait l'immense chantier. Mon grand-père tentait dans le fracas de m'expliquer les mécanismes de la machine, et j'étais près de lui quand *son* blé coulait dans *ses* sacs : quelle splendeur et quelle communion devant le miracle du travail et sa récompense!

A midi tout le monde s'arrêtait et un grand silence inouï s'établissait d'un coup brutal sur tout ce bruit. L'odeur d'hommes et de sueur envahissait alors la grande pièce de la ferme où la patronne rieuse servait un plantureux repas. Quelle fraternité dans l'effort et le repos, les grandes tapes sur le dos, les appels, interpellations d'un bout à l'autre de la pièce, les rires, les jurons, les obscénités.

Je circulais librement parmi ce monde d'hommes épuisés et enivrés de travail et de cris. Personne ne m'adressait la parole, mais personne ne me faisait aucune remarque, c'était comme si j'étais des leurs. J'avais aussi la certitude que moi aussi, un jour, je deviendrais un homme comme eux.

Puis soudain, le vin aidant — il coulait à pleins flots dans les grands verres et les larges gorges —, naissait cette première rumeur maladroite d'un chant, balbutiant, se cherchant, se ratant, se perdant, pour enfin se trouver et éclater dans une cacophonie exaltante : un vieux chant de lutte et révolte paysanne (un chant de *jacquerie* — le prénom Jacques que j'aurais voulu porter), où comtes et curés en prenaient pour leur grade. Et moi, voilà que subitement je me trouve, oui, dans la compagnie de vrais hommes respirant la sueur, la viande, le vin et le sexe. Et voici qu'on me tend à l'envi un plein verre de vin sous le défi de plaisanteries paillardes : le gars va-t-il boère ? t'es-ti un homme ou pas ? Et moi qui de ma vie jamais n'avais bu de vin (ma mère : dangereux surtout à ton âge — douze ans !), voici que je bois un peu et qu'on m'acclame. Puis le chant s'enfle à nouveau. Et au bout de la grande table mon grand-père me sourit.

Qu'on me permette, face à la vérité, un aveu cruel. Cette scène des chants cahotiques (que bien sûr j'ai entendus dehors, comme le jour de la mairie pleine de monde où, en 1936, M. Ducreux fut élu maire contre le comte), cette scène du verre de vin, je ne l'ai pas vécue du dedans de la grande pièce. J'ai donc rêvé, c'est-à-dire intensivement désiré seulement la vivre. Elle n'eût certes pas du tout été impossible. Mais je dois, à la vérité, la tenir et la présenter pour ce qu'elle a été à travers mon souvenir : une sorte d'hallucination de mon intense désir.

Je tiens en effet tout au long de ces associations de souvenirs à m'en tenir strictement aux faits : mais les hallucinations sont aussi des faits.

VIII

En 1930, j'avais alors douze ans, mon père est nommé par sa banque à Marseille, fondé de pouvoir. Nous nous installons au 38 de la rue Sébastopol, quartier des Quatre-Chemins, et tout naturellement je suis inscrit au lycée Saint-Charles, qui n'est pas très loin. Louis, Charles, Simone : il est décidément des noms qui sont des « destins », comme le dit Spinoza dans son traité de grammaire hébraïque. Spinoza !

A la maison, toujours la même vie : complètement solitaire. Au lycée l'aventure se poursuit. En cinquième, où j'entre, je fais mon trou dans la classe, suis vite parmi les premiers, toujours aussi sage et studieux. Toute ma vie se passe entre le lycée (beau, bien que vétuste, mais dominant d'un côté la ville) et de l'autre, les voies du chemin de fer conduisant à la grande gare terminus : Saint-Charles. J'ai toujours adoré les gares « terminus » où les trains s'arrêtent – car ils ne peuvent pas aller plus loin – sur d'énormes butoirs. Donnant côté voie, il y a un terrain de gymnastique. L'intérêt de cette gymnastique est qu'on y fait peu de mouvements, mais que très vite le prof s'arrête et nous laisse jouer au foot. Cette fois j'ai gagné. On improvise des équipes, je ne sais pourquoi on me bombarde avant, et nous gagnons car nous avons dans les buts un garçon qui plonge comme s'il n'avait jamais fait que cela de sa vie : un nommé Paul. On cause, on s'entend et voici que s'esquisse très vite une singulière amitié.

Paul n'est pas aussi fort que moi en classe, il ne le sera jamais, mais il a je ne sais quoi qui me manque : sans être du tout grand, il est large d'épaules, possède de fortes mains, il est costaud et surtout

75

très courageux. Ma mère s'avise que je me suis fait un ami, elle se renseigne sur les parents : un père dans les affaires, une mère très affable, un ensemble respectable, catholique, le feu vert. Tout se renforce encore lorsque ma mère me fait entrer aux Scouts de France. Paul y entre aussi : une garantie de plus. Je suis même autorisé à aller rendre visite à Paul, qui habite, chez ses parents, un immeuble où son père regroupe ses marchandises, raisins secs, amandes, pignons, etc., dont le parfum me poursuit encore.

C'est un vrai coup de foudre. Nous devenons complices et inséparables. Nous formons vite des projets communs : Paul écrit des poèmes style Albert Samain, je m'y essaie, ce sera une revue poétique qui bouleversera le monde. Quand nous nous quittons, et auparavant à Marseille même, nous entretenons une correspondance exaltante : une vraie correspondance d'amoureux.

Pendant tout un temps je fus littéralement persécuté, en cinquième et quatrième, par un immense et fort gaçon, roux, du nom de Guichard. Il était « peuple », avait un parler, des attitudes et des mœurs « vulgaires » ou qui me paraissaient telles. Il était volontiers grossier, se foutait des professeurs, surveillants, censeur et proviseur, bref de toute autorité, semblait détester les bons élèves, moi au premier chef. Il ne cessait, pensais-je, de me provoquer, alors que sans doute c'était moi qui – inconsciemment, je le compris bien plus tard – devais le provoquer par mes manières morales. Il m'enjoignit de me battre et m'y mit au défi. Me battre, surtout contre un tel garçon haut comme un homme! Cela ne m'allait pas du tout, j'en avais proprement la terreur, j'avais peur d'en sortir *le corps entamé* à jamais, et comme mort. Puis, sans que j'eusse compris pourquoi, il parut se calmer. Mais je l'appris bientôt. Malgré son extrême « pudeur » (mot magique pour nous), Paul me confia un jour qu'il s'était battu, dehors sur le trottoir, à mains nues, contre Guichard à ma place, pour moi, pour me défendre, et cela sans me prévenir. Je fus soulagé d'avoir évité ce risque, et redoublai d'amour pour Paul.

Inséparables, nous étions tous les deux « chefs de patrouille » aux Scouts, lui des « Tigres », moi des « Lynx », avec pour chef de troupe un certain Pélorson, qu'on appelait Pélo, qui entrait par sa petite taille et son bagout dans les grâces de l'aumônier au fort nez fourni de poils; Pélo, un sacré coureur de filles, du moins s'en vantait-il ouvertement, ce qui me paraissait tout à fait incongru dans cette organisation catholique vouée à la pureté des mœurs.

L'été, nous partions en troupe pour de longs séjours de camping dans les montagnes des Alpes.

Cette fois-là nous sommes près d'Allos sur une belle prairie dominant les vallées, et Paul et moi, comme les autres, avons entouré l'espace de nos tentes, donc notre « domaine », de petites murettes de pierres précédées d'un haut portique construit de légers troncs de bouleaux.

Tout semblait devoir se passer pour le mieux. Or je comptais dans ma patrouille un jeune garçon, plus âgé que moi, mais pauvre, malingre, mal foutu, qui n'avait pas mon éducation, mais un parler et des conduites « vulgaires », et qui refusait agressivement de m'obéir, comme c'était pourtant son « devoir ». Chargé de l'accablante responsabilité dont on m'avait accablé, je ne cessai de tenter de le ramener à la « raison ». Lui aussi voulait se battre avec moi pour en finir. J'étais de loin le plus fort pour une fois, or il ne me répondait que par des injures, menaces et provocations obscènes. Les choses entre ce garçon et moi prirent un tel tour que je finis par désespérer de mon autorité et tombai dans une sorte de dépression, la « première » de ma vie, si je puis dire. Comme, je ne sais pour quelle raison, mon ami Paul se sentit mal, de son côté, peut-être de l'intestin, Pélo décida de nous retirer provisoirement dans le refuge d'une haute grange, dans une ferme abandonnée à cinq cents mètres de là. On nous y portait à manger. Nous y restâmes seuls, enfin seuls, enlacés tendrement dans notre détresse commune, et pleurant sur notre sort. Je me souviens très nettement qu'au cours de ces étreintes je sentis mon sexe s'émouvoir : pas plus, mais c'était fort agréable d'éprouver cette érection surprenante.

La même chose advint au cours de ce qu'on appelait alors le « voyage de première classe », épreuve destinée à nous faire gagner un « badge » spécial et de l'avancement dans notre grade. Il s'agissait pour nous deux (toujours inséparables) de parcourir à pied une longue distance dans la campagne et les collines des environs de Marseille, le sac au dos, et de noter soigneusement tout ce qui était observable, état des chemins, paysage, flore, faune, rencontres, propos des « indigènes », etc. Nos parents, réunis sous la double bénédiction de Pélo et de l'aumônier, assistèrent avec la gravité requise à notre départ solennel. Nous partîmes de concert et nous engageâmes dans la campagne, sur laquelle bientôt tomba la nuit. Où dormir?

Nous avions bien une tente, mais la pluie s'étant mise à tomber, nous recherchâmes un abri. Nous le trouvâmes dans un minuscule village en allant frapper à la porte du curé, qui nous ouvrit la scène de son petit théâtre de paroisse. Nous nous y allongeâmes, sous nos couvertures, dans les bras l'un de l'autre. Pour nous tenir chaud? par amour et tendresse plutôt. Et de nouveau je sentis mon sexe se dresser. Le même événement se reproduisit le lendemain à midi, lorsque, engagés dans des défilés, Paul tomba malade, souffrant affreusement des intestins : il se tordait sur place. Pour l'apaiser je le pris encore dans mes bras et de nouveau ressentis le même plaisir inachevé à la base de mon ventre chaud (naïf je ne savais pas qu'il pouvait s'achever, je ne le sus que par hasard en captivité, à vingt-sept ans!). Nous ne pûmes achever ce « voyage » et rentrâmes à Marseille, honteux et fourbus dans une voiture qui nous recueillit.

On aurait pu penser que, sans que je pusse le soupçonner, j'étais voué à l'homosexualité. Que non! Il y avait toujours, à côté de la troupe des garçons, une troupe de filles parallèle, dirigée par des « cheftaines ». L'une brune, trop grande à mon goût, mais au profil typique et saisissant, était trop belle et me fascinait. Paul en tomba amoureux, il m'en fit naturellement la confidence. Ils s'étaient déclarés de nuit, devant un grand « feu de camp » qu'ils alimentaient de branches à brûler : la flamme, leur flamme montait dans l'ombre du ciel noir.

Je regardai désormais cette fille comme si je l'aimais et me confiai intensément à cet amour par procuration. Ils devaient se marier plus tard, pendant la guerre, à Luynes, le village du père de Paul où nous avions tous deux, dans la solitude, passé des vacances exaltantes. Pendant la messe, je tins l'harmonium où j'improvisai à ma manière. Mais la beauté et le profil de cette fille m'avaient marqué pour la vie; je dis bien, on le comprendra : *pour la vie.*

Un été, un collègue de mon père, qui possédait une villa à Bandol, nous en loua l'étage supérieur. Mon père demeurait au travail à Marseille, mais ma mère, ma sœur et moi nous installâmes à Bandol. Or le rez-de-chaussée de la villa fut bientôt occupé par la femme et les deux filles du collègue de mon père. La fille aînée, Simone, me frappa dès que je la vis : la même beauté, le même profil de visage que l'amour de Paul, brune et de surcroît plus petite : *exactement* selon mon désir. Une violente passion naquit en moi.

J'imaginai toutes sortes de ruses pour la rencontrer, tenir devant nos mères l'anse d'un panier dont elle tenait l'autre! Et même lui apprendre les rudiments du crawl en lui soutenant les seins et le bas-ventre de mes mains, et enfin l'accompagner (sous la « surveillance » de sa petite sœur, condition exigée par ma mère!) dans les hauts de la Madrague, à dix kilomètres de Bandol, sur une grande colline dont le sable fin croulait sous nos pieds. Je fondais de désir pour elle. Un jour je m'aperçus que, faute d'avoir l'audace de la caresser (il y avait aux aguets la petite sœur – et même en son absence je n'eusse sans doute rien osé de tel), je pouvais du moins faire couler entre ses seins des poignées de sable lent. Le sable descendait sur son ventre, rejoignait la courbure de son pubis. Alors Simone se levait, écartait les cuisses et l'entrejambe de son maillot, le sable coulait à terre et je pouvais, l'instant d'un éclair, apercevoir sur le haut de ses splendides cuisses nues le foisonnement de sa toison noire et surtout la fente rose d'un sexe : rose cyclamen.

Ma mère s'avisa très vite de mon innocente mais violente passion. Elle me prit à part et eut l'audace de me déclarer : tu as dix-huit ans, Simone dix-neuf, il est impensable car immoral, vu la différence d'âge, que quoi que ce soit se passe entre vous. Ce n'était pas « convenable »! Et de toute façon tu es beaucoup trop jeune pour aimer!

Le pire advint un jour de très grand soleil, un après-midi. Je savais que Simone se baignait sur une plage du côté de la Madrague. J'enfourchai ma bicyclette de course et allais partir pour la rejoindre lorsque ma mère surgit de la maison. Où vas-tu? Je savais qu'elle le savait. Il n'était plus question de rejoindre Simone. Sans hésiter une seconde, et par une réaction que je ne compris ni ne maîtrisai, je montrai à ma mère *la direction directement opposée à celle de mon désir* : « Je vais à La Ciotat! » Je pédalai alors avec une rage intense, je m'en souviens fort bien, je pleurais sur mon vélo dans une révolte intense.

Dès lors, l'épisode du viol (« tu es un homme, mon fils! ») et l'épisode de l'interdit de Simone ne furent qu'un dans ma mémoire, et s'allièrent avec la répulsion obscène que m'avait inspirée, enfant, ou dans un souvenir projeté sur l'enfance, la vue des seins de ma mère et de sa nuque blanche au friselis blond : obscènes. Une répulsion, une haine viscérales : comment pouvait-elle traiter ainsi mes désirs? Je dis : « dès lors ». Dans mon inconscient sûrement, mais dans ma conscience non. Ce n'est que beaucoup plus tard, dans l'après coup bien connu des affects, que je vis clair dans les épisodes, leur affinité et leur recomposition : dans le cours de mon analyse.

Tout ce temps de Marseille, je poursuivais mes exploits scolaires. Nous étions deux à nous disputer la première place en classe : un jeune garçon au visage ingrat, râblé, très fort en math (où selon le « désir de ma mère » j'étais plutôt médiocre), du nom de Vieilledent. Vieilles dents/vieilles maisons (Althusser : *alte-Haüser* en patois alsacien), étrange couple. Je me souviens qu'il tenta un jour de m'enrôler dans les jeunesses du colonel de La Roque, mais je ne marchai pas. Certainement pas par conscience politique, mais par prudence, comme mon père.

Sur lui, je prenais ma revanche en lettres pures. J'ai conservé un souvenir aigu de ma classe de première, à partir duquel je crois avoir plus tard saisi quelque chose d'important de ma structure psychique. Nous avions un grand professeur de lettres, M. Richard, homme haut et mince, très fragile et toujours maladif, au long visage blanc, lui aussi écrasé sous un front pesant, constamment affecté de maux d'une gorge qu'il gardait toujours emmitouflée de lainages (comme ma mère et naturellement moi à l'époque); un homme d'une douceur et délicatesse infinies; lui aussi manifestement un pur esprit, détaché de toutes les tentations du corps et de la matière, comme la double image composée de ma mère et de moi-même (je m'en avise à l'instant même en écrivant ces mots); il nous initiait, et avec quelle chaleur, tendresse et succès!, aux grands littéraires et poètes de l'histoire. Je m'identifiais complètement à lui (tout y prêtait), j'imitai aussitôt son écriture, reprenais ses tours de phrase familiers, adoptai ses goûts, ses jugements, imitais même sa voix et ses inflexions tendres, et dans mes dissertations lui renvoyai exactement l'image de son personnage. Il distingua tout de suite mes mérites. Lesquels exactement? Sans doute j'étais un bon élève, très sensible, mû si je puis dire par une constante inquiétude de bien faire. Mais j'ai compris depuis qu'il s'agissait de bien autre chose.

D'abord je m'identifiai à lui, pour les raisons que je viens de dire, liées à ma propre image de moi et à celle de la mère et, au-delà, à l'image de l'oncle mort : Louis. C'est M. Richard qui me convainquit de préparer plus tard le concours de l'École normale supérieure de la rue d'Ulm, ignoré de mes parents et même de ma mère. En fait je compris qu'il représentait une image positive de cette mère que j'aimais et qui m'aimait, une personne réelle avec qui je pouvais réaliser cette « fusion » spirituelle qui était selon le désir de ma mère, mais que son être « répugnant » m'interdisait.

Mais j'ai longtemps cru (et même au début de mon analyse) que je jouais avec lui au fils aimant et docile, que, le considérant alors comme un bon père, parce que je tenais en cette occasion à son égard le rôle du « père du père », formule qui me séduisit longtemps et me parut rendre compte de mes traits affectifs. Manière de régler paradoxalement mon rapport à un père absent en me donnant un père imaginaire, mais en me comportant comme son propre père.

Et effectivement je me suis trouvé en plusieurs occasions répétitives dans la même situation et la même impression affectives de me conduire vis-à-vis de mes maîtres comme leur propre maître, ayant sinon tout à leur apprendre, du moins à les prendre en charge, comme si j'avais le sentiment fort vif d'avoir à contrôler, surveiller, censurer, voire régir la conduite de mon père surtout à l'égard de ma mère et de ma sœur.

Las! cette belle construction, juste à un certain niveau, devait se révéler bien unilatérale. Je compris en effet, mais très tard, que je négligeais alors l'élément le plus important : *mes artifices,* l'imitation de la voix, des gestes et de l'écriture, des tours de phrases et des tics de mon professeur, qui me donnaient non seulement pouvoir sur lui mais existence pour moi. Bref, *une imposture fondamentale,* ce *paraître être* ce que je ne pouvais être : ce manque de corps non approprié et donc de mon sexe. Je compris alors (mais si tard!) que je n'usais ainsi d'artifice, proprement comme un « resquilleur » en use pour entrer dans un stade (mon père) que pour *séduire* mon professeur, et me faire aimer de lui justement par le jeu de ces artifices. Qu'est-ce à dire? Que n'ayant pas d'existence à moi, d'existence authentique, doutant de moi au point de me croire insensible, me sentant de ce fait incapable d'entretenir des rapports affectifs avec quiconque, j'en étais réduit pour exister *à me faire aimer,* et pour aimer (car aimer commande être aimé) réduit donc à des artifices de séduction et d'imposture. A la séduction par des détours d'artifices et en définitive à l'imposture.

N'existant pas réellement, je n'étais dans la vie qu'un être d'artifice, un être de rien, un mort qui ne pouvait parvenir à aimer et être aimé que par le détour d'artifices et d'impostures empruntés à ceux dont je voulais être aimé et que je tentais d'aimer en les séduisant.

Je n'étais donc rien au-dedans de moi qu'un être non seulement consciemment habile à mouvoir et disposer ses muscles, mais surtout inconsciemment et diaboliquement habile à séduire et manipuler les autres, en tout cas ceux dont je voulais être aimé. J'attendais d'eux par cet amour factice la reconnaissance d'existence dont je doutais affreusement et perpétuellement dans une angoisse sourde qui ne perçait à ma conscience que lorsque j'échouais dans mes tentatives de séduction.

Je ne me suis avisé que tout récemment de la « vérité » de cette compulsion en réfléchissant sur l'étrange aventure que voici. J'étais un très bon élève, promis par mes maîtres à un grand avenir intellectuel. C'est ainsi que mon instituteur m'avait autrefois présenté au concours national des « bourses » en pensant que j'en sortirais dans les premiers rangs. Or j'y fus reçu dans les derniers. Consternation ! C'est ainsi que M. Richard et tous les professeurs, chacun pour leur spécialité, me présentèrent aux épreuves du Concours général. La même épreuve se reproduisit pour la classe terminale. Or en aucune occasion, malgré mes mérites éclatants, c'est-à-dire reconnus par mes professeurs, je ne récoltai la moindre distinction. Consternation ! Je ne m'explique maintenant ce résultat décevant que par la raison que j'étais parvenu à entretenir avec mes maîtres des relations d'identification et donc de séduction telles qu'ils s'étaient malgré eux abusés sur ma véritable valeur.

M'étant fait à leur égard le « père du père », ou plutôt le « père de la mère », c'est-à-dire les ayant proprement séduits par l'imitation de leurs personnage et manières, ils s'étaient si bien reconnus en moi qu'ils avaient projeté sur moi soit l'idée qu'ils se faisaient d'eux-mêmes, soit celle qu'ils s'offraient inconsciemment de leurs propres nostalgies ou espérances. D'où mes échecs dès que je comparaissais devant des juges que je n'avais pas eu la possibilité de séduire ! Alors tous mes artifices, qui étaient des artifices *ad hominem* et ne jouaient que dans le rapport de séduction que j'étais parvenu à leur imposer dans leur dos, ne jouaient plus, mais faisaient fiasco. Consternation ! J'en fus très longtemps troublé, ne parvenant pas à comprendre ce qu'il faut « du temps pour comprendre ».

IX

Quand mon père fut nommé à Lyon par sa banque, ce fut un nouveau dépaysement, pour ma mère éplorée un nouvel exil et supplice, et pour moi l'entrée au lycée du Parc, en classe préparatoire au concours d'entrée à Normal sup.

La préparation durait trois et même quatre ans. Les jeunes étaient confinés en hypokhâgne, les autres en khâgne.

J'y fus littéralement perdu. Je ne connaissais personne, j'avais en face de moi des garçons déjà formés à tous les trucs et manières, qui célébraient des traditions collectives et cultivaient le culte des « anciens » reçus (très rares en cette ville de province). Pour moi une solitude très dure à vivre et rendue encore plus pénible par la conviction que *je ne savais rien*, mais rien du tout, que j'avais tout à attendre et sans aide de personne.

Je tenais alors un journal de bord (sur la recommandation de Guitton dont je vais parler), et chaque jour y ouvrais ma page par l'invocation de la « volonté de puissance », formule que j'avais ramassée quelque part et qui me servait de résolution à sortir de ce vide et à m'affirmer à force d'une volonté vide qui ne pouvait remplacer la nature. A son côté figuraient de longues déclarations d'amour pour Simone, que je n'eus jamais l'audace de lui adresser. « Ça ne se fait pas », m'avait répondu mon seul espoir, ma tante, à qui j'avais demandé si je pouvais quand même adresser à Simone un livre de poèmes sans un mot...

Le premier professeur qui me stupéfia fut Jean Guitton. Il sortait de Normale, avait trente ans, une grosse tête (la « coupole de Rome ») sur un petit corps malingre. Il respirait la bonté, l'intelligence et la suavité, mais aussi une sorte de malice qui nous prenait toujours à contrepied. Il était fort chrétien, disciple de Chevalier, du cardinal Newman et du cardinal Mercier, et nous expliquait pour tout cours de philosophie que le christianisme s'était confronté et inscrit en son histoire en diverses « mentalités ». Il devait se consacrer à une carrière de conseiller particulier de Jean XXIII et de Paul VI. Il nous tenait Hélène et moi pour des « saints », et il l'a prouvé, après l'article de Jean Dutourd sur la mort d'Hélène, en interrompant une émission à la télévision pour proclamer qu'il me gardait en tout une confiance totale et serait toujours à mes côtés dans les pires épreuves. Je lui garde une infinie reconnaissance pour ce qui était alors tout simplement un *acte de courage public*.

Il nous donna bientôt un sujet de dissertation à rédiger sur un thème que j'ai oublié. Je ne savais pas « faire une dissertation » et ne savais pas grand-chose en philosophie (nous avions eu à Marseille un professeur sans talent). Je me lançai dans une composition lamartinienne : des lamentations lyriques sans raisonnement ni rigueur. J'eus droit à un sévère 7 sur 20 et à de brefs commentaires *ad hoc* : « *pas du tout au point* ». Je fus effondré par cette première sanction qui m'enfonçait dans ma nuit.

Sur ce, survint très vite le temps de la première composition écrite. Nous composions dans la grande salle d'études où travaillaient après leurs cours et entre eux tous les anciens, vieux routiers rompus à tous les tours. Guitton nous avait donné pour sujet : « *Le réel et le fictif* ». Je m'acharnai vainement à tirer de ma tête quelques vagues notions, et me vis de nouveau perdu lorsqu'un ancien s'approcha de moi, quelques feuillets à la main. « Tiens, prends-ça, ça pourra t'aider. D'ailleurs c'est le même sujet. »

De fait, Guitton avait dû donner le même sujet l'année précédente et l'ancien m'offrait malicieusement le propre corrigé de Guitton. Je fus certes couvert de honte, mais mon désespoir fut plus fort. Je ne fis ni une ni deux, je m'emparai du corrigé du maître, en conservai l'essentiel (les parties, leurs thèmes et la conclusion) que j'accommodai de mon mieux à ma manière, c'est-à-dire à ce que j'avais déjà saisi de la manière de Guitton, écriture comprise. Quand Guitton rendit en public les copies, il me couvrit d'éloges sincères et stupéfaits : comment avais-je pu faire en si peu de temps de tels progrès ! J'étais premier avec 17 sur 20.

Bon. Pour moi, j'avais tout simplement recopié le corrigé de Guitton, j'avais triché, resquillé et pillé son texte : suprême artifice et imposture pour me gagner sa faveur. J'étais confondu : il ne pouvait pas ne pas s'en être aperçu! Ne me tendait-il pas un piège? Car je croyais qu'il avait tout compris, et par générosité voulait me le cacher. Mais lorsque longtemps après, peut-être trente ans, il me reparla avec admiration de cette copie exceptionnelle et qu'en réponse je lui dis la vérité, il en fut encore plus stupéfait. Pas un instant il ne s'était douté de mon imposture et n'y voulait pas croire!

Quand je disais qu'un maître ne déteste pas qu'on lui renvoie sa propre image, et que souvent il ne la reconnaît même pas, sans doute sous le plaisir conscient/inconscient qu'elle lui donne de se reconnaître en un élève élu...

Quel bénéfice en tirai-je pour mon propre compte? Sans doute l'avantage d'être porté derechef à la tête de ma classe, de jouir enfin de la considération de mes petits camarades — avant tout des anciens — et d'être accepté dans la classe. Mais à quel prix! Au prix d'une véritable imposture qui n'a cessé, depuis, de me tarauder. Je soupçonnais déjà que je ne réussissais à exister qu'au prix d'artifices, d'emprunts qui m'étaient étrangers. Mais cette fois il ne s'agissait plus d'artifices dont je pouvais du moins me tenir pour l'habile auteur, mais d'une *imposture* et d'un *vol*, qui montraient en clair que je ne pouvais exister qu'au prix d'une véritable tromperie sur ma véritable nature, par la dérobade sans scrupule de la pensée, du raisonnement même et des formules de mon maître, c'est-à-dire d'un autre devant qui je voulais paraître pour faire semblant de le séduire. Si la culpabilité s'en mêle, la non-existence pour soi cesse d'être un problème technique pour devenir un problème moral. Désormais je ne me sentis plus seulement non-existant, mais *coupable de ne pas exister*.

Naturellement j'en tirai profit. Non seulement parce que Guitton m'avait distingué et à partir de là nourrit à mon sujet un amour pur et tout de confraternelle admiration. J'étais *son autre*. Il me mit dans la confidence de ses travaux, me conduisit même à Paris où je dus devant un public de religieuses condamner philosophiquement (Ravaisson aidant) le matérialisme. Guitton reprit d'ailleurs après moi l'exposé qu'il avait trouvé un peu sec.

Pourtant j'avais appris de Guitton, admirable pédagogue s'il n'était grand philosophe, deux vertus proprement universitaires, qui firent plus tard une grande part de mon succès : d'abord la plus extrême clarté d'écriture, ensuite l'art (toujours un artifice) de composer et rédiger sur n'importe quel sujet, a priori et comme par déduction dans le vide, une dissertation qui se tienne et qui convainque. Si j'y réussis comme je le fis au concours de Normale, puis à l'agrégation de philosophie, c'est bien à lui que je le dus. Car il m'avait livré (sans que j'eusse besoin de me les forger laborieusement) la connaissance non d'artifices arbitraires, mais justement des artifices propres à me faire (fût-ce comme imposteur, mais justement je n'avais pas alors d'autre voie), reconnaître dans l'Université à son plus haut niveau.

Il est clair que dès lors j'en conçus, tout comme de moi, une idée peu glorieuse et respectueuse de l'Université, qui ne m'a jamais quitté et qui, on le comprend, m'a à la fois nui et servi.

Guitton ne resta qu'un an et nous quitta en nous annonçant qu'il serait remplacé par un certain M. Labannière. L'an suivant, nous vîmes arriver Jean Lacroix. Guitton nous avait laissés sur une drôle de pirouette.

Je vécus avec Lacroix, homme intègre, catholique « personnaliste », ami de Emmanuel Mounier, philosophe bien informé de l'histoire de la philosophie, en utilisant les artifices reçus de Guitton ; je fus toujours premier en philosophie, mais commençai à apprendre quand même et grâce à lui un peu de la matière. Lacroix avait épousé une jeune fille de la caste la plus fermée de la bourgeoisie lyonnaise, qui le tenait pour le diable et le lui faisait bien sentir, il n'était pas de leur rang et ne partageait pas leurs idées réactionnaires. Lacroix a été, dans ce contexte d'exclusion certainement très éprouvant à vivre, surtout à Lyon, un homme très courageux, qui s'engagea dans la Résistance et soutint après la guerre toutes les causes généreuses.

Mais l'homme le plus étonnant de la khâgne de Lyon était le professeur d'histoire, Joseph Hours, qu'on appelait par affection le « père Hours ». Il détestait cordialement Guitton dont il disait qu'il n'était pas un homme, mais une femme, pis encore, une « mère ». Oh! ma mère... Petit, râblé, portant visage et moustache à la Laval, il était très engagé en politique, fondateur de L'Aube avec Georges Bidault, et présentant cette singularité d'être un catholique convaincu, mais jacobin et naturellement gallican, farouchement opposé à l'ultramontanisme du parti européen où il voyait toujours l'héritage du Saint-Empire. Il ne se gênait pas pour nous affranchir à haute voix *et* en classe même (et plus avant quand on le visitait chez lui, privilège que j'obtins lentement) sur la situation politique française. En 1937, je m'en souviens, il me disait : « La bourgeoisie française a une telle haine du Front populaire qu'elle lui préfère dès maintenant Hitler. Hitler attaquera et la bourgeoisie française choisira la défaite pour échapper au Front populaire. » Je me contente de cette phrase, mais elle s'appuyait sur une analyse détaillée de la situation des forces sociales et politiques et aussi de la personnalité et de la carrière d'hommes politiques dont il observait attentivement le comportement. Il avait ainsi particulièrement distingué Maurice Thorez parmi les meilleurs, et mettait tous ses espoirs non dans les privilégiés mais dans le « peuple de France » dont il écrivit une petite *Histoire* – un peu sans doute à la suite de Michelet. C'est au « père Hours » que je dus mes premières vues sur la politique et ses enjeux, et aussi le communisme, réduit pour moi à Thorez. Il y avait en lui je ne sais quoi qui me rappelait, physiquement et par ses maugréments constants, le souvenir de mon grand-père, qui disparut dans ces années, laissant ma grand-mère seule dans sa maison de Larochemillay, pour vingt ans encore.

C'est alors que j'entrepris d'accomplir un grand dessein que j'avais formé seul. L'Église avait alors lancé, pour faire pièce au développement du socialisme, ce qu'on appelait les Mouvements d'action catholique. Il ne s'agissait pas d'un mouvement d'ensemble, mais de mouvements spécialisés aux différentes couches « socio-professionnelles », une Jeunesse agricole chrétienne pour les paysans (JAC), une jeunesse ouvrière chrétienne pour les ouvriers (JOC), une jeunesse étudiante chrétienne pour les étudiants (JEC). Il n'y avait aucun « cercle » de JEC au lycée du Parc. Je me mis en tête d'en créer un, et pour cela me mis à la recherche d'un aumônier : on ne pouvait décemment s'en passer. Sur je ne sais plus quelles indications, je montai un jour jusqu'à Fourvière et frappai à la porte d'un jeune jésuite, le père Varillon, grand, maigre, affublé d'un immense nez droit. Il accepta et de ce jour vint assister à nos réunions, qui regroupaient avant tout les élèves des classes supérieures, donc de la nôtre. Là encore j'avais pris des responsabilités, mais pour la première fois *seul*. « Volonté de puissance » ! Nous faisions de temps en temps des retraites dans un couvent trappiste des Dombes, à cent kilomètres de Lyon, au milieu de larges étangs. Accueillis par le seul moine qui avait le droit de parler – quel bavard ! –, nous pénétrions en silence dans d'immenses bâtiments qui puaient l'odeur de cire et de vieux savon, dormions dans des cellules et étions réveillés plusieurs fois la nuit par les carillons des offices auxquels nous assistions. J'étais fasciné par la vie des moines, voués à la chasteté, au travail manuel et au silence. Ce triple vœu m'allait assez bien. Il m'est souvent arrivé plus tard de penser à la retraite du couvent comme une solution de vie à tous mes problèmes insolubles. Disparaître dans l'anonymat, ma seule vérité : elle l'est toujours restée et maintenant encore, malgré et contre ma notoriété dont je souffre horriblement. Dans le couvent nous tenions aussi nos propres réunions de cercles et je me souviens d'avoir été chargé de prononcer une petite allocution sur la vertu de « recueillement ». J'y mis une telle exaltation contenue, une telle surenchère de « fusion » et de convictions pieuses que j'entraînai tous mes camarades dans mon émotion. Pour la première fois, je découvris que j'avais une sorte de force d'éloquence contagieuse, mais que pour la rendre, je recourais spontanément à une autre sorte d'artifice : justement un excès dans le rythme verbal, le pathos et l'émotion contenue que je voulais comme par contagion faire partager. Toujours ce désir nostalgique de « fusion ». Comme si, pour croire à ce que je disais et y faire croire, je devais « en rajouter », viser dans mes mots et mes émotions beaucoup plus haut que le but à atteindre et que, me livrant à cette surenchère, j'en étais en même temps ému aux larmes, comme si je devais aussi pleurer, montrer une émotion d'excès pour y entraîner mes auditeurs, et surtout y croire moi-même. Je ne devais comprendre le sens de cette singulière disposition que beaucoup plus tard. J'en fus d'abord très alerté par le mot d'une amie très chère qui me déclara un jour : « Je n'aime pas quand tu exagères » (avec elle bien entendu avant tout) et de fait, je l'aimais alors avec une sorte d'excès de fusion dont elle s'était parfaitement rendu compte. C'est à cette même amie, décidément fort perspicace, que je dus d'entendre sur moi un mot décisif dont je parlerai le moment venu : « Ce que je n'aime pas en toi, c'est que tu veuilles à tout prix te détruire. » Je n'avais pas alors compris que volonté d'exagération, disons volonté paranoïaque, et volonté suicidaire étaient une seule et même volonté.

Je fus reçu au concours de l'École en juillet-août 1939, fus mobilisé en septembre, et ne devais entrer à l'École qu'en octobre 1945, six ans après.

X

Je fus mobilisé à Issoire, dans un groupe d'élèves officiers de réserve (EOR) d'artillerie hippomobile. Je connus les tristes réserves de l'armée française, les lourds chevaux de trait réquisitionnés, les gardes de nuit, les écuries où une fille splendide, petite et noire, au profil que l'on sait, voulut absolument coucher avec moi dans la paille – mais naturellement je repoussai ses avances. Nous connûmes les gaietés de l'adjudant-chef de pacotille Courbon de Casteljaloux, je me fis de très bons amis, dont un seul hélas a survécu.

Nous demeurâmes jusqu'au printemps 1940 à Issoire, l'instruction traînant pendant la « drôle de guerre ». Guitton était à Clermont dans l'état-major, il venait parfois me voir. J'avais très peur de la guerre, non tant d'y être tué que d'y être *blessé* et, étant toujours croyant, j'avais trouvé une formule pour m'endormir en paix : « Mon Dieu, que Votre volonté soit faite! »

En mai 1940, on demanda des volontaires pour l'aviation. Pas moi. Trop dangereux (mon oncle Louis était mort en avion). J'ai déjà dit que j'avais une peur panique de me battre, peur de risquer d'y être blessé, c'est-à-dire *entamé* dans mon corps fragile. Mes copains partirent tous dans l'aventure. Je restai seul de nouveau. J'avais choisi... Puis je ne sais pourquoi, un peu plus tard, je fus moi aussi menacé d'aviation. Je fis *semblant* de tomber malade et avant que le médecin ne passât me visiter, je tentai un soir de maquiller mon thermomètre en le frottant vigoureusement contre ma cuisse. Encore une tricherie déshonorante. Sans résultat je crois. Le médecin passa et ne me retint pas.

Pendant ce temps, mon père, tout heureux avec les lourds canons, était mobilisé sur les Alpes au-dessus de Menton : mais cette fois sous des coupoles de béton : peinard. Il mangeait et buvait fort bien à la cantine améliorée des officiers. « On » envoyait de temps en temps quelques obus sur quelque port italien, pour « leur entretenir le moral ». Mais ce n'était pas très sérieux.

Ma mère quitta Lyon et rejoignit sa grand-mère dans la maison du Morvan. Elle était enfin seule! Et il advint alors pour elle une chose merveilleuse. Elle devint secrétaire de mairie, et dut faire face à nombre de problèmes locaux, accrus encore par la débâcle de mai-juin 1940. Elle s'en tira admirablement, sans le moindre malaise de santé. Elle n'était enfin plus sous l'autorité de son mari, elle pouvait enfin faire ce qu'elle voulait, elle était heureuse et toutes ses maladies disparurent.

Quand je vais la voir maintenant dans sa clinique, elle me reconnaît à peine, mais se dit très heureuse, sa santé est parfaite malgré l'âge avancé et elle refuse qu'on l'appelle Mme Althusser. Elle est *Lucienne Berger*, son nom de jeune fille, un point c'est tout. Affaire réglée, mais avec seulement soixante ans de retard!

En mars-avril 1940, on nous envoya à Vannes, où l'instruction s'accéléra. Il y eut un examen final, dont naturellement je sortis dernier. Le premier était le père Dubarle, bien malade aujourd'hui. S'il peut me lire, qu'il sache que je ne l'ai jamais oublié et que j'ai lu ses beaux livres sur Hegel.

Les troupes allemandes approchaient en rafale. Paul Reynaud avait annoncé qu'on se battrait dans le « réduit breton » mais, les unes après les autres, les villes furent déclarées « ouvertes », dont Vannes. Nos officiers [étaient] sous le commandement du sinistre traître le général Lebleu, qui par peur des « communistes » que nous pourrions être ou devenir, nous empêcha de faire mouvement vers la Loire, alors libre à Nantes, et de passer au Sud. Il nous tint reclus dans notre caserne, *sous notre propre garde,* même quand les Allemands furent arrivés avec leurs chars. « Si vous abandonnez votre poste, vous serez tenus pour déserteurs et fusillés! »

Les Allemands, qui nous annonçaient habilement notre libération sous huit jours, quinze jours puis un mois, nous menaçaient, eux, de représailles sur nos familles si nous prenions le large. Pendant trois mois entiers, nous eûmes mille occasions élémentaires de fuir de camps français mal gardés : les voitures de ravitaillement et de la

Croix-Rouge y entraient librement et nous offraient le passage pour fuir le camp. Nous étions trop naïfs : on ne fuit pas sous le couvert de la Croix-Rouge. Personnellement, je n'en eus pas le courage et ne fus pas le seul dans mon cas.

Finalement le long convoi de wagons à bestiaux nous conduisit en quatre jours et quatre nuits jusqu'en Allemagne du Nord, à Sandbostel, un immense camp de sable et de bruyères, où pour la première fois nous vîmes, derrière des barbelés électrifiés, des prisonniers russes presque nus dans le froid déjà intense, hâves, cadavériques et suppliant d'avoir du pain que nous leur jetions sur nos maigres rations.

Un jeune étudiant de Brive me tint compagnie tout le voyage. Nous pissions dans la même bouteille. Il était mon seul ami alors. Il me racontait d'ahurissantes histoires de filles dans les jardins près du lycée. Et en particulier celle-ci, qui m'émut aux larmes : « Les filles, on leur foutait la main au cul par-derrière sans les prévenir et toc! Or un jour une fille à qui j'avais mis la main au cul se retourne et me dit dans la longue plainte d'un reproche : " Oh! pourquoi ne m'avez-vous pas dit que vous m'aimiez!... " »

Plusieurs de mes copains étudiants et moi fûmes alors envoyés avec trois cents autres prisonniers français, presque tous paysans normands, dans un gigantesque chantier de la Luftwaffe qui, pris en charge par des entreprises privées qui faisaient leur beurre sur notre dos, construisait d'immenses réservoirs d'essence souterrains. Ce fut, en dépit de la fraternité des prisonniers, une année très dure. Nous crevions de faim. Nous fûmes contraints à des travaux de force pendant les pires froids (jusqu'à moins 40 cette année-là). Nous n'avions de répit que le soir, dans la chaleur intense d'immenses dortoirs et de chalets dont nous alimentions les grands poêles portés au rouge de briques de tourbe. Le dimanche nous avions droit, ô merveille!, au repos et à une boulette de viande arrosée de sauce.

Tous mes amis étudiants y contractèrent la tuberculose et furent rapatriés. De nouveau je restai seul. Pour mon compte je résistai fort bien. J'aimais les paysans normands avec qui je travaillais. Certains, c'était plus fort qu'eux, faisaient du zèle pour montrer aux « Chleuhs » comment on sait travailler en France. Nous, les étudiants, en faisions le moins possible, nous n'étions pas bien vus de nos camarades normands. Ils nous accusaient volontiers de « sabotage »!

J'ai connu là-bas des hommes inouïs pour moi. Surtout Sacha Simon, grand journaliste de *L'Est républicain*, qui ne cessait de raconter des histoires de cul qui me sidéraient. Il avait masturbé deux femmes à la fois sous la nappe d'un grand repas, « rien de plus facile, elles ne demandent que ça ». Depuis j'en ai appris bien d'autres. En particulier les aventures d'une amie fonctionnaire internationale qui n'a dans la vie qu'une ambition : faire éjaculer sous la nappe les officiers supérieurs de l'Armée rouge. L'un d'entre eux succomba même d'un infarctus sous le coup de l'émotion. Depuis elle s'est « cogné » l'immense majorité des présidents de la République et plusieurs évêques et cardinaux. Son ultime objectif, non encore atteint je crois, est le pape. Et elle riait, riait!

Un jour je tombai malade, des reins paraît-il, et à mon grand étonnement, sur décision du médecin français du camp, le lieutenant Zeghers, que je devais retrouver plus tard au camp central, une très confortable ambulance allemande me conduisit en un jour de route jusqu'à l'hôpital du camp. J'y restai huit jours, et fus versé au dit camp, Schleswig, stalag XA. Mon numéro, plein de zéros, était 70670. Il m'allait. Je continuai d'y accomplir de durs travaux, déchargement de wagons de charbon, etc.

J'étais très à l'aise dans ces exercices de force, j'étais surtout heureux de la fraternelle compagnie de mes camarades paysans : en pays de connaissance depuis mon enfance.

Le camp comportait des contingents de Polonais qui, les premiers arrivés, avaient mis la main sur tous les services et voyaient très mal les Français qui avaient « trahi » en 1939. Il y avait aussi des Belges replets, sous-officiers de carrière dont un flûtiste et un acteur qui jouait les femmes sur le théâtre, et de misérables « Serbes » dont plusieurs se pendirent au bout des lits.

A la lettre de la Convention de Genève de 1929, chaque nationalité devait être représentée auprès des autorités allemandes par un « homme de confiance », élu par ses camarades. Le premier, un certain Cerutti – marchand de voitures en Suisse –, avait été désigné d'office par les Allemands, sans doute parce qu'il parlait fort bien l'allemand. Je fus pour un temps « versé » à l'infirmerie du camp, où je devins très expert dans l'art des piqûres, qui ne me faisaient personnellement nul mal (presque au contraire) quand je devais les subir pour mon compte (le contraire du pal!). J'étais sous la protection du Dr Zeghers, toujours aussi pimpant dans son uniforme impeccable. J'avais appris seul un peu d'allemand : je fus ainsi bombardé « infirmier-chef ». Et je me retrouvai comme autrefois dans ma patrouille scoute, puis au lycée Saint-Charles, face à un immense titi parisien fort en gueule et en argot qui ne voulait pas se plier à mes « ordres ». Il voulait me casser la gueule. Je reculai devant lui, toute honte bue.

Ce supplice dura jusqu'au jour où les Allemands, pour le récompenser, rapatrièrent « leur » homme de confiance. Comme Pétain avait obtenu de Hitler à Montoire le « privilège » (contraire à la Convention de Genève) que la France fût la « nation protectrice » de ses propres prisonniers et comme Pétain avait profité de cet « accord » pour envoyer dans les camps des officiers français « collabos » qui faisaient de la propagande pour la Révolution nationale et y créaient en veux-tu en voilà des Cercles Pétain, les Allemands consentirent à ce que le nouvel homme de confiance fût élu, mais ils présentèrent leur candidat : le président du Cercle Pétain, un jeune sang-bleu d'une admirable beauté.

Las! Ils avaient compté sans l'esprit de contradiction des petits Français! Une gigantesque et clandestine campagne électorale se déchaîna en deux jours, sous l'impulsion d'un Parisien, mécanicien-dentiste anar au parler insolent. Il assistait un misérable officier dentiste affreux à voir et dégoulinant de bave, qui passait son temps, au vu et su de tous, à jeter des bouts de chocolat à de malheureuses Ukrainiennes du camp voisin pour qu'elles ouvrent leurs larges cuisses, à dix mètres de là. Et l'officier dentiste se masturbait alors devant leur sexe dénudé. Tout le camp était au courant, c'était un spectacle quotidien pour qui en voulait.

Un nommé Robert Daël, très aimé dans le camp, fut élu triomphalement.

Son premier geste fut d'appeler à son côté le président du Cercle Pétain, l'homme des Allemands. Une immense vague de critique déferla sur Daël, qui ne répondit rien. Mais un mois plus tard, Daël qui avait rassuré les Allemands par ce geste habile, obtint des Allemands le rapatriement immédiat du président du Cercle Pétain, qui ne demandait que ça. Nous comprîmes. Et je commençai à comprendre ce que pouvait être un homme d'action.

Daël me fit alors appeler à son « bureau » avec l'architecte de

Mailly et d'autres. Et je vis agir Daël de près. Avec fermeté et en baragouinant un invraisemblable allemand de sa composition, il reprit du jour au lendemain aux Allemands le contrôle intégral des vivres, vêtements et chaussures envoyés par la France, mettant fin à leur pillage presque intégral par les autorités du camp.

Il obtint [des services] de Pétain un camion pour procéder lui-même à la distribution des *Liebesgaben* envoyés par la France dans les plus petits commandos qui n'en avaient jamais vu la couleur, ni d'ailleurs l'homme de confiance du camp central! Je l'accompagnai parfois dans ses déplacements. J'admirai tant son culot incroyable avec l'Allemand qui le surveillait et qu'il mit du jour au lendemain dans sa poche avec deux plaques de chocolat, que sa chaleur avec nos camarades prisonniers jusqu'à lui totalement abandonnés.

Je compris alors ce qu'était l'action, proche des principes, mais toute différente de leur simple application, car il faut assumer les impondérables de la conjoncture, des hommes, de leur passion, des ennemis et, à cette fin, mettre en jeu de tout autres ressources humaines que la seule clarté et rigueur des principes.

La première et très importante conclusion qui s'imposa à moi fut de donner un sens tout à fait inattendu à ma hantise des artifices. Je commençai à comprendre à l'usage que les artifices, subterfuges et autres ruses pouvaient être autre chose que des impostures, qu'ils pouvaient tout au contraire produire des effets bénéfiques à leur auteur et aux autres hommes, à condition qu'on sût ce qu'on voulait et dominât toute culpabilité, bref, qu'on fût libre, ce que je devais apprendre de mon analyse. Sans le savoir alors et sans jamais faire le moindre rapprochement avec ma hantise-crainte des artifices qui me constituaient, je me rapprochai – je ne le découvris que bien plus tard – des règles qu'a prescrites le seul homme – je dis bien *le seul* homme –, qui ait réfléchi sur les conditions et les formes de l'action – en politique seulement –, le seul homme qui, longtemps avant Freud, je pense l'expliquer un jour, a très *largement devancé sa décou-verte* : Machiavel. J'étais pourtant bien loin du compte.

Ce que m'enseigna aussi l'expérience de la captivité, [c'est [1]] le

---

1. L'inclusion par l'auteur d'une très longue digression sur le rôle de la famille, par rapport à une première version de ce chapitre, nous a conduits dans ce paragraphe et le suivant à effectuer deux corrections minimales qui figurent entre crochets et qui permettent de restituer la cohérence du développement *(N.d.E.)*

bien que je ressentais de vivre dans la compagnie non plus de père et mère et dans l'univers (sans dehors aucun) des études, de la classe et de l'appartement familial; bref, non plus sous le *terrible, je dis bien terrible, m'entends-tu, Robert Fossaert? m'entends-tu d'au-delà de ton horrible tombe, Gramsci?, du terrible, de l'épouvantable et du plus effroyable de tous les appareils idéologiques d'État* qu'est, dans une nation où bien entendu l'État existe, la *famille*. Puis-je dire qu'à Lyon même, durant trois ans – alors que j'avais de dix-huit à vingt et un ans! –, hors de mes camarades de khâgne et de mes professeurs, *je ne connus absolument personne?* Et cela pour quelle raison, sinon par un mélange atroce de peur, d'éducation, de respect, de timidité, de culpabilité, qui m'avait été inculqué par qui? par mes propres parents pris eux-mêmes et coincés comme jamais dans la structure idéologique atroce pour ma mère et aussi pour mon père, quoi qu'il parût, et cela pour quoi donc, sinon pour inculquer à un petit enfant toutes les hautes valeurs qui servent dans la société où il vit, le respect absolu de toute autorité absolue et par-dessus tout de l'État dont, depuis Marx et Lénine, Dieu merci, on sait qu'il est une terrible « machine » au service (oui, Fossaert, oui, Gramsci), non de la classe dominante, qui n'est jamais seule au pouvoir, mais de classes constituant le « bloc au pouvoir », si bien dénommé par un certain Sorel en France même et dans l'indifférence théorique et politique générale. Mais combien de temps les esprits les plus informés et les plus intelligents se laisseront-ils abuser par ce qui est encore plus aveugle et aveuglant que le terrible poisson sourd de l'inconscient, que Freud sut pêcher au fin fond des mers dans son long filet de mailles, combien de temps encore se laisseront-ils abuser par l'évidence aveuglante de la nature profonde d'appareil idéologique d'État de la *Famille?* Faut-il dire maintenant après les trois grandes blessures narcissiques de l'Humanité (celle de Galilée, celle de Darwin et celle de l'inconscient) qu'il en existe une quatrième encore plus blessante, car sa révélation est absolument inacceptable à chacun (car la famille est bien de tout temps le lieu même du *sacré*, donc du *pouvoir* et de la *religion*) et la réalité irréfutable de la Famille apparaît bien comme le plus puissant des appareils idéologiques d'État?

En captivité j'avais affaire [en outre] à un tout autre monde que la sacrée famille : à des hommes mûrs délivrés, au moins pour le meilleur, *de leur famille*, car devenus adultes et libres : ces paysans normands et petits-bourgeois belges, et ces sous-officiers de carrière polonais qui ne cessaient d'évoquer à haute voix et leurs repas pantagruéliques du temps de paix, et leurs aventures et obsessions sexuelles jusque dans les détails les plus crus et intimes, ils m'apprenaient d'une certaine manière ce que c'est que d'être adultes et sexuellement libres, s'ils ne l'étaient ni économiquement, ni socialement, ni politiquement, ni idéologiquement, bien au contraire, comme ils étaient sous tous ces rapports des hommes « aliénés » (c'est-à-dire, pour cesser de parler comme Feuerbach ou Hegel, des hommes exploiteurs ou exploités, oppresseurs ou opprimés, inculqueurs ou inculqués!). Or que découvrais-je dans ce monde nouveau? Ma hantise de toujours vouloir disposer de *réserves*. Et cela fut capital pour me comprendre moi-même.

La première année, quand on nous distribuait en tout et pour tout deux cent cinquante grammes de pain noir et cinquante grammes de boudin allemand, ayant une peur panique de manquer à l'avance de nourriture, je coupais chaque jour une tranche de pain et une tranche de boudin noir, que je rangeais sous la tête de ma paillasse : un vrai trésor en réserve; on ne sait jamais!

Mais quand je dus quitter mon premier commando, je ne trouvai sous ma paillasse qu'un amas de *pourriture*. J'avais tout perdu de mes réserves à force de vouloir les mettre en réserve. La vérité, la réalité de cette réserve s'étalait sous mes yeux et mes mains et mon nez et ma bouche : *de la pourriture!* Mais la leçon de cette cruelle expérience, je fus bien incapable de la tirer et cela pendant soixante ans! En des temps meilleurs par la suite, je continuai tous les jours à me constituer des réserves, d'abord de pain, de biscuits, de chocolat, de sucre, des chaussures (combien en ai-je de paires, une centaine dans mes placards aujourd'hui!), de vêtements — de même — et bien entendu d'*argent*, la réserve des réserves, Marx l'a bien montré après tant d'autres dont le plus fort a sans doute été Locke (l'argent pour Locke est en effet *le seul bien qui ne pourrit pas...*) et le seul qui se définisse par cette qualité d'exception entre tous les biens qui eux sont périssables. Plus tard enfin, je me constituai des réserves d'amis et finalement de *femmes*. Pourquoi? Mais simplement pour ne pas risquer de me trouver un jour *seul sans aucune femme* à ma main, si d'aventure une de mes femmes me quittait ou venait à mourir — et cela m'est arrivé combien de fois, et si j'ai toujours eu à côté d'Hélène une *réserve de femmes*, c'était bien pour être assuré que si d'aventure Hélène m'abandonnait ou venait à mourir, je ne serais pas un instant seul dans la vie. Je ne sais que trop que cette terrible compulsion fit horriblement souffrir « mes » femmes, Hélène la première. Une de mes amies m'a dit récemment, et combien elle avait *alors* raison : « Tu sais remarquablement utiliser tes amis (elle n'a pas dit tes amies...) mais tu ne les respectes pas », mot qui, sur le moment (il y a quatre mois), m'interloqua, et me donna quand même à penser, mais je fus tout à fait à côté de la plaque.

Je rapportai en effet tout naturellement cette compulsion à me doter de réserves en tout genre aux phobies de ma mère et en particulier à son obsession, plus forte que toute raison, de rogner sur toutes ses dépenses, et d'accumuler des économies sans seul motif sensé que de faire face à toutes les menaces possibles de l'avenir, *avant tout le vol*.

Comme toutes les femmes de sa génération (et du temps de sa propre mère), ma mère cachait, du moins quand elle sortait ou voyageait, son argent sous ses jupes, donc *au plus près de son sexe*, comme si on devait protéger de toutes les manières possibles de toutes les mauvaises fréquentations et leurs périls à la fois son sexe et son argent. Et, certes, je n'étais alors, et pendant longtemps, pas plus libre de mon sexe que de mon argent. Façon de ne vivre que dans la répétition du même présent, sans avoir jamais le courage ou plutôt la simple liberté d'affronter librement (sans la garantie préalable de réserves), l'avenir autrement que sous la forme accumulée du passé, accumulé sur lui-même et censé porter intérêt usuraire.

Parvenir à échapper enfin réellement à cette obsession fut assurément une des plus rudes épreuves de toute ma vie, jusqu'à il y a seulement deux mois, je vais dans un instant dire pourquoi et comment.

Maintenant il me semble que je sais, de source sûre, qu'il n'y a pas de vie sans dépense, ni risque, ni donc surprise, et que la surprise et la dépense (gratuite, non marchande : c'est la seule définition possible du communisme) non seulement font partie de toute la vie, mais sont la vie elle-même en son ultime vérité, en son *Ereignis*, son surgissement, son événement, comme le dit si bien Heidegger.

Ainsi quand je visite désormais ma mère, qui vivait, depuis le Maroc où elle avait attrapé ce qu'on appelle des amibes, dans la terreur des maux de ventre, je la bourre de gros chocolats, très chers, les meilleurs de chez Hédiard. Autrefois, jamais elle ne se serait permis cette conduite et jamais elle ne me l'aurait autorisée, tout au contraire elle se la serait interdite, farouchement, à elle-même et à moi. Maintenant elle se jette sur mes chocolats de chez Hédiard sans même me demander leur prix, et elle, qui avait si peur des amibes (c'est connu que les chocolats sont formellement contre-indiqués quand on est atteint d'amibes), n'en ressent pas le moindre malaise au ventre ni ailleurs, ni aucun de ses innombrables maux d'hypon-condriaque qui nécessitaient, quand vivait mon père, des visites bi-quotidiennes de médecins divers et des soins incroyables, tant en médecine qu'en diététique : la voilà qui dévore goulûment mes cho-colats sans jamais tomber le moins du monde malade !

On peut donc guérir parfaitement d'une incroyable série de pho-bies *sans aucune analyse* : il suffit par exemple que le mari meure, que Mme Althusser redevienne Lucienne Berger et tout rentre dans l'ordre, peut-être pas celui du désir et de la liberté, en tout cas celui du plaisir, qui comme principe de plaisir a tout de même, selon Freud, quelque chose de sérieux à voir avec la libido, ce Saint-Esprit des croyants (ma mère a toujours été très croyante).

Vivre dans le seul présent ! Certes, nous ne savions pas que la cap-tivité devait durer cinq ans, mais jour après jour, mois après mois, le temps passait, surtout après le 21 juin 1941, où s'ouvrit le front de l'Est, portant toutes nos espérances. Mais de fait, je dois reconnaître que je me suis plutôt très bien installé dans la captivité (un véritable confort, car une véritable sécurité sous la garde des sentinelles alle-mandes et des barbelés) : sans nul souci de mes parents, et j'avoue que j'ai même trouvé dans cette vie fraternelle, parmi de vrais hommes, de quoi la supporter comme une vie facile, heureuse car bien protégée. Nous étions entre les barbelés, et sous des gardiens en armes, soumis à toutes les vexations des appels, des fouilles, des cor-vées, nous avons eu très faim la première et la dernière année, mais, comment dire, je m'y sentais en sécurité, protégé de tout danger par la captivité même.

Jamais je n'ai sérieusement pensé à m'évader, malgré l'exemple de plusieurs camarades, qui tentèrent leur chance jusqu'à six fois, comme ce merveilleux Clerc, minuscule (un mètre cinquante) cham-pion de football, joueur de tête incomparable malgré sa taille, qui avait remporté avec son équipe de Cannes la Coupe de France en 1932. En revanche, j'ai imaginé un scénario d'évasion qui m'a, ensuite, fait longuement penser.

Ayant remarqué que les Allemands, une fois constaté l'évasion d'un des nôtres, alertaient toute la gendarmerie et les troupes dans un immense périmètre, ce qui aboutissait le plus souvent à l'arrestation de l'audacieux, j'imaginai que le plus sûr moyen de s'évader était de *faire croire à une évasion* et de laisser passer le temps d'alerte généralisée qui ne durait pas plus de trois ou quatre semaines, pour réellement partir *ensuite*. Il s'agissait donc de *disparaître* (j'avais donc déjà la vocation du « disparu »!) du camp pour laisser croire qu'on l'avait quitté, avant de prendre l'air une fois passée l'alerte. Pour cela, il suffisait non pas de s'évader, mais de disparaître, c'est-à-dire de se cacher dans le camp même (ce qui n'était pas impossible) et de jouer la fille de l'air seulement ensuite, le temps (trois semaines) de laisser retomber les mesures d'alerte. En somme j'avais trouvé le moyen de m'évader du camp *sans en sortir*! Et donc de rester en captivité pour y échapper! Ayant bien mis au point ce projet, je ne lui donnai aucune suite, tout fier d'avoir trouvé la « solution » : comme j'avais fait mes preuves, je n'avais pas besoin de passer à l'acte. J'ai souvent pensé plus tard que cette « solution » venait en moi de fort loin, unissant la peur du danger et le besoin absolu de protection pour avoir cette audace fictive. Si mon ami Rancière avait connu cet « épisode », quand il me reprocha plus tard de critiquer le parti communiste pour y rester, je crois qu'il aurait eu matière à songer.

Protection! Oui, j'étais protégé dans le camp, et c'est sous la condition de cette protection que je pouvais me permettre nombre d'audaces. Protégé, je le fus par ce Dr Zeghers d'abord, puis par Daël ensuite. Daël, cet homme de deux mètres de haut, tendre avec moi comme une femme (la vraie mère que je n'avais pas eue), cet « homme véritable » aussi qui savait affronter sans la moindre angoisse les dangers et les Allemands (comme un vrai père que je n'avais pas eu), m'était une protection sans pareille. Et à l'intérieur de son affection protectrice, je répétais ma vieille conduite obsessionnelle, je devins, à l'abri de sa protection, son conseiller en tout, y compris le conseiller de ses audaces, me faisant ainsi derechef (comme je le fis auparavant avec Zeghers) le « père du père » ou plutôt et en même temps le « père de la mère », comme pour résoudre une fois de plus à ma façon ma solitude et ma contradiction de n'avoir jamais eu ni vraie mère ni vrai père. Je me rends bien compte que j'étais à ma façon fort « amoureux » de lui. Quand nous rentrâmes en France, que je le laissai à Paris où bientôt j'appris par lui qu'il entendait avec bonheur « le bruit de talons d'une femme à son bras sur les trottoirs de la ville », je fus horriblement malheureux de jalousie. Je le conjurai même, du Maroc où j'avais rejoint mes parents, *de ne jamais se marier*. Il promit, mais n'en fit rien, me laissant à ma douleur.

Quant à mes « audaces » personnelles, elles tombèrent toutes à plat. Lorsque, au stalag, je maquillai mon livret militaire de fausses écritures et faux tampons pour le transformer après coup en faux livret d'*infirmier* (car alors les Allemands rapatriaient les infirmiers) et fis semblant de le découvrir dans le colis de France qu'ouvrait une vieille sentinelle presque aveugle (cette opération était de la dernière facilité), j'y *oubliai par hasard* une attestation du général Lebleu qui me citait, comme tous les EOR de Vannes, « à l'ordre de la région ». Et mon livret ne comptait que deux pages, j'en avais arraché tout ce qui pouvait me compromettre! Deux pages et un pareil « oubli »! Le capitaine allemand me rendit mes documents avec un sourire entendu. Comment donc avais-je pu oublier cette feuille dans un livret de deux pages? Décidément, il faut croire – seule explication pensable – qu'inconsciemment je ne voulais pas quitter le camp! Et si j'avais toutes les audaces *pour* Daël et les plus folles, j'étais bien incapable d'en avoir une seule véritable pour mon compte. Décidément je ne voulais en aucune manière, et par l'effet d'une force plus contraignante que ma conscience et mes projets réfléchis, échapper à cette captivité qui m'allait comme un gant. Je m'engueulai un jour avec le médecin allemand, mais quand il me fit comparaître devant lui, sous l'attention silencieuse de tout l'état-major polonais de l'infirmerie qui entendait bien me « jauger », c'est-à-dire prendre la mesure de mes apparentes prétentions et audaces de révolté, je ne pus que bafouiller lamentablement. J'écopai d'un mois de prison ferme et connus alors les cachots où pourrissaient de misérables Russes.

Enfin les Alliés approchèrent. Le camp donna deux heures de réflexion à ses gardiens, qui disparurent dans la nuit. Ce fut une incroyable période de liberté, de chasses, de femmes et de bombance : mais je me tins à l'écart. Les Anglais n'arrivaient toujours pas. Je conçus alors tout seul (quelle audace!) le projet de les devancer, en convainquis Daël, qui avait avec moi abandonné son poste d'homme de confiance, mais nous avions tous les deux, à l'ahurissement des Allemands, refusé le rapatriement de rigueur. Je trouvai une voiture et un chauffeur et nous partîmes clandestinement vers le sud : Hambourg et Brême. Mais nous fûmes « faits prisonniers » par les Anglais à Hambourg, leur échappâmes d'extrême justesse grâce au génie de notre chauffeur, mais dûmes, les voies étant coupées, rebrousser chemin. Nous repartîmes au camp sous la condamnation générale de nos amis qui ne nous pardonnaient pas notre « abandon ». Le plus navré de tous fut assurément le « petit abbé Poirier », aumônier du camp que nous aimions bien et qui nous le rendait : lui aussi était très triste d'une initiative qui rompait la fraternité du camp. Pour une fois que j'avais tenté d'entraîner Daël dans *une audace à moi*, ça se terminait fort mal. Décidément je n'étais fait ni pour les épreuves de force ni pour l'audace des aventuriers.

Je note enfin que c'est au camp que, pour la première fois, j'entendis parler du marxisme par un avocat parisien en transit — et que je connus un communiste, un seul.

Ce dernier, *Pierre Courrèges,* apparut au camp dans les tout derniers mois ; il venait de passer un an à Ravensbrück dans un très dur commando disciplinaire pour irréductibles. Daël, depuis longtemps, n'était plus homme de confiance. Un grand garçon assez terne, entrepreneur de pompes funèbres, lui avait succédé, et avec lui certaines des irrégularités ou complicités antérieures avaient refait surface. Oh! pas beaucoup! Sans mandat de personne, en son seul nom et au nom de l'honnêteté et de la fraternité, Courrèges intervint et cela fit un incroyable effet. Il était simple, direct, chaleureux, naturel, agissant et parlant sans aucun effort apparent. Sa seule présence transforma le camp et nous frappa d'un incroyable étonnement. Toutes les facilités, les semi-compromissions avec les Allemands durent, du jour au lendemain, disparaître et le camp respira une atmosphère qu'il n'avait jamais connue depuis le « règne » de Daël. Il avait suffi d'un *seul* homme et d'un homme *seul*, mais assurément « pas comme les autres », un « typapart » (les communistes « ne sont pas des hommes comme les autres », leitmotiv d'une propagande que je connus plus tard) pour provoquer ce résultat surprenant. J'en conçus une profonde considération pour les militants communistes : et également l'idée qu'on pouvait agir autrement que Daël, qu'il existait donc d'autres formes d'action et de rapport à l'action, où l'habileté devient secondaire quand l'action s'inspire de vrais et authentiques « principes » comme de claires raisons d'agir qui peuvent alors se passer de l'art de la « piraterie » et de la ruse. Étonnant Courrèges qui me donna ma première leçon pratique de communisme! Je l'ai revu à Paris : il est toujours aussi chaleureux, mais c'est un homme comme les autres. Je n'avais pas cru qu'il pût aussi être un homme comme les autres...

En tout cas, ceux qui ont pu s'imaginer que je fus converti au communisme par Hélène doivent savoir que ce fut par Courrèges.

Les Anglais enfin arrivés, nous fûmes dirigés sur Paris en avion. J'allai faire visite à Jean Baillou, secrétaire de l'École normale. J'étais tellement désespéré, je lui déclarai tout de go : « Je sais parler allemand (j'avais appris la langue en captivité), un peu de polonais (*idem*) et mon anglais du lycée. Trouvez-moi, je vous en supplie, un métier. » Il me répondit : « Rentrez d'abord chez vous, nous verrons plus tard. » Je me fis passer (ma première *piraterie* personnelle qui me réussît, encore une imposture) pour officier et fus, à ce titre, embarqué dans un avion direct pour Casablanca, où mon père avait été nommé en 1942. Mes parents me reçurent de leur mieux. Mon père, qui disposait d'une voiture de fonction, me fit visiter quelques villes du Maroc à la hâte. Ils étaient alors très liés avec les seuls Ardouvin, un couple totalement disparate, lui minuscule et tordu, ancien camarade de classe de mon père qui ne cessait de le tarabuster, dans les chemins de fer du Maroc, elle grande, assez belle, intellectuelle, professeur de français dans un collège, une femme de cœur et plaisant énormément à ma mère avec qui elle pouvait parler études, lettres et poésie. C'était toujours la même chose : mon père ne cessait de les assaillir et taquiner de ses plaisanteries. Il était le même : le plus fort en malices et humour. Mais je ne connus, en trois mois, *personne* d'autre. Ma mère était malade, devenue hypocondriaque, les intestins et tout et tout. Je n'avais qu'une idée en tête, Dieu sait pourquoi : m'assurer que je n'étais pas atteint de maladie vénérienne. Je consultai dix médecins militaires, qui me trouvèrent sain, mais chaque fois j'étais persuadé qu'ils me cachaient quelque chose. Je me trouvai, loin de la fraternité des camarades de captivité, dans un monde complètement clos, loin de Daël à qui je ne cessai de penser, au seuil de la dépression. Je ne sais comment je parvins à l'éviter. Sans doute en précipitant mon retour en France. J'avais eu toutefois assez de lucidité pour conclure de ces deux mois qu'il me fallait aider ma sœur (qui avait interrompu ses études pour devenir infirmière de jeunes enfants, et avait dû soigner les terribles blessés du bombardement de Casablanca) à sortir de ce monde sans issue. Je me dévouai donc pour elle, convainquis ma mère qui me la « confia », vieille musique, et nous partîmes ensemble, sur un vieux rafiot qui n'avançait que par demi-cercles : il s'arrêtait et repartait. Quatre jours et nuits de mer dans la puanteur pour atteindre Marseille. Je trouvai une chambre pour ma sœur à Paris et entrai enfin à l'École.

Un désastre! Je n'y connaissais personne (j'étais le seul de ma promotion à avoir été fait prisonnier, et d'ailleurs, provincial comme j'étais, je n'aurais jamais connu, même en 1939, personne de ma promotion). Je me sentais irrémédiablement vieux et dépassé par tous les événements. Je ne savais plus rien de ce que j'avais appris autrefois et je venais d'un tout autre monde que celui de l'Université. Cet « autre monde », et le sentiment d'être complètement étranger aux gens, aux mœurs et à la vie universitaires, m'ont toujours poursuivi. Jamais d'ailleurs je n'ai noué aucun rapport personnel avec quelque universitaire que ce soit, sauf Jean-Toussaint Desanti et Georges Canguilhem, mais on verra pourquoi. Si j'ai soutenu plus tard une thèse sur travaux, ce fut sur la demande pressante de Bernard Rousset, président de l'UER d'Amiens, qui souhaitait qu'un « Parisien », « connu pour sa notoriété » (Heine), donnât un peu de relief à Amiens. Bref j'étais complètement seul, me sentais de surcroît malade (mes obsessions sexuelles et des troubles de la vue insistants – en fait de simples « mouches volantes » – qui me faisaient craindre la cécité) et sans aucune perspective. Autrefois, influence sans doute du « père Hours » et goût pour la politique déjà, j'eusse souhaité faire de l'histoire. Mais je reculai devant cet objectif (je n'avais plus de mémoire, ou du moins le croyais-je). Je me rabattis sur la philosophie, me disant qu'après tout il me suffisait

de savoir faire une dissertation en règle. Peu importait mon ignorance, je m'en tirerais toujours.

Le médecin de l'École, le jeune Dr Étienne, pour m'en offrir la
protection, bien que ne croyant nullement à mes affections oculaires
(combien il avait raison!), m'avait admis à l'infirmerie de l'École où
j'occupais une petite chambre tout au bout du couloir du premier
étage, à côté de celle de Pierre Moussa, ancien Lyonnais [1], que
j'appris à connaître. Dans ce petit réduit je reçus d'abord ma sœur,
mon unique connaissance à Paris; elle lavait mes chaussettes et me
faisait du thé. Je lui avais adressé une correspondance très lyrique,
quasi amoureuse, du temps de ma captivité, reportant sur elle je ne
sais trop quoi, et sans doute pour ne pas avoir à écrire à mes parents
à qui je n'avais rien à dire. Point qui me reste encore obscur, à moins
d'imaginer quelque déplacement. C'est là que je connus Georges
Lesèvre, dit Séveranne, ancien Lyonnais, qui avait recueilli, comme
cela se faisait alors dans les khâgnes de province qui n'avaient pas
beaucoup d'élus, ma « légende » locale (de la bouche de Lacroix et
d'Hours), et qui avait été retardé dans son entrée à l'École par un
long engagement dans la Résistance où, je devais l'apprendre plus
tard, il avait bien connu Hélène. Mais un seul homme, dont le passé
et l'aisance de surcroît m'écrasaient, ce n'était pas beaucoup.

Je ne sais comment je m'y pris, mais je désirai me faire quelque
liaison féminine. Je me souviens que j'appris à danser quelque temps
avec une fille guindée dans une boîte de Montparnasse dégueulasse
pour le bal de l'École... où je savais que paraissaient des Sévriennes
(les étudiantes de Normale Filles). La nuit du bal de 1945, j'aperçus
le profil de visage qui me hantait depuis longtemps : une fille petite,
charmante, aussi muette que moi, et avec qui je fis quelques pas de
danse. J'entrai aussitôt dans d'incroyables imaginations amoureuses.
Elle s'appelait Angeline, un prénom sur lequel je fis des variantes
infinies, ange, angelette, ameline, amelinette, ronsardelette... Je la
vis, la revis, lui écrivis, et par une sorte de parti pris d'exaltation,
entrepris de ne penser qu'à elle, jusqu'au jour où elle se prit au jeu,

---

1. Ajout manuscrit en marge du texte dont le raccord avec le reste de la phrase n'a
pas été fait par l'auteur : « sur qui Hélène, l'ayant connu à Lyon, avait des idées bien
arrêtées, comme mon père en eut quand il reçut sa visite à Casablanca et le mit sournoisement en boîte en lui racontant des " salades " (on pouvait compter sur la discrétion et l'humour féroce de mon père) ». (N.d.E.)

mais ses parents lui représentèrent que ce n'était pas possible. Entre-temps, Lesèvre m'avait entraîné sous les auspices des Jeunesses républicaines (en fait communistes), présidées par Herriot, dans des voyages en Tchécoslovaquie. Lesèvre était communiste et avait alors ses entrées un peu partout auprès des nombreux résistants de sa connaissance. A Prague, au bord de la Vltava à demi desséchée et puante, je compris qu'une des filles du voyage, Nicole, était amoureuse de moi. J'en pris peur au point de ne pouvoir la toucher. Je voulais bien me croire amoureux d'une fille, mais je ne pouvais supporter qu'elle le fût de moi. Vieille répulsion, comme on le voit.

C'est alors que je fis la connaissance d'Hélène.

XI

Un soir de décembre 46, Paris couvert de neige, Lesèvre m'invita à rendre visite à sa mère, qui était rentrée de déportation dans un triste état, dans son appartement du haut de la rue Lepic. Je me revois encore traverser au côté de Lesèvre, qui parlait pour deux, le pont enneigé de la Concorde. Il me parlait de sa mère. C'est alors qu'il me dit : « Tu verras aussi Hélène, une très grande amie, elle est un peu folle mais elle est tout à fait extraordinaire par son intelligence politique et la générosité de son cœur. » Un peu folle? Que pouvait-il bien vouloir dire après de pareils éloges? « Nous la retrouverons au bas de la rue Lepic au sortir du métro. »

Effectivement elle était là, nous attendant dans la neige. Une femme toute petite, emmitouflée dans une sorte de manteau qui la dissimulait presque entière. Présentations. Et aussitôt en marche vers le haut de la rue Lepic, sur les trottoirs verglacés. Mon premier mouvement, tout d'instinct, fut de lui prendre le bras pour la soutenir et l'aider à gravir la pente. Mais ce fut aussi, sans que j'aie jamais su pourquoi (ou plutôt je ne le sais que trop : un appel d'amour impossible, doublé de mon goût pour le pathos et l'exagération des gestes) de glisser aussitôt sous son bras ma main vers la sienne, et de prendre sa main froide dans la chaleur de la mienne. Le silence se fit, nous montions.

Je garde un souvenir pathétique de cette soirée. Un grand feu de bois flambait dans la cheminée. Mme Lesèvre, heureuse de revoir son fils, nous accueillit avec chaleur. C'était une haute femme complètement décharnée par ses épreuves, hâve et presque une ombre; elle ne souriait jamais. Elle parlait lentement, cherchant ses mots pour évoquer les souvenirs exaltants de la Résistance et les « sinistres » cauchemars de la déportation : les camps de déportation, c'était vraiment sans aucun rapport avec les camps de prisonniers que j'avais connus, et même avec les conditions de la Résistance qu'Hélène et Georges avaient vécues. Vraiment on ne pouvait même pas *imaginer*. Georges avait toujours été discret sur ses exploits dans les Alpes et la ville de Lyon. J'avais entendu parler des déportés, mais pour la première fois j'en rencontrai un, et de surcroît c'était une femme, toute droite et ferme dans ses épreuves. Je me souviens que je portais alors (sens de l'économie, je n'en avais pas acheté d'autre) la veste étroite et mal taillée, une veste marron qui m'allait à peine, qu'on m'avait fourguée à Paris à mon retour de captivité. Plus tard, Hélène me parla souvent de cette veste et de son émotion de me voir si mal vêtu, comme un adolescent gauche, complètement indifférent à son apparence, le revenant d'un autre monde.

Et de fait très longtemps je me vêtis d'habits ternes de simple confection, sans apprêt ni retouche [1], par économie et une sorte de délectation à paraître appartenir au monde des démunis, les petits Arabes de mon enfance et les soldats de ma captivité. Je me souviens que ce soir-là je ne dis que quelques mots pour évoquer la guerre d'Espagne, souvenir du « père Hours » et aussi de ma grand-mère qui, un jour que je lui lisais à Larochemillay des pages de *L'Espoir* de Malraux, ne put retenir sa compassion : « Les pauvres enfants! » Hélène, tout entière présente aux paroles de Mme Lesèvre, puis à mes quelques mots politiques, ne dit presque rien. Rien de sa propre misère, rien de ses amis fusillés pendant la guerre par les nazis, rien de sa détresse désespérée. Je perçus quand même en elle une douleur et une solitude insondables et crus comprendre après coup (mais ce n'était pas vrai, je l'ai dit) pourquoi j'avais, rue Lepic, mis sa main dans la mienne. Dès ce moment je fus saisi d'un désir et d'une oblation exaltants : la sauver, l'aider à vivre! Jamais dans toute notre histoire et jusqu'au bout, je ne me suis départi de cette mission suprême qui ne cessa d'être ma raison d'être à l'ultime moment.

Imaginez cette rencontre : deux êtres au comble de la solitude et

---

1. Ajout manuscrit en marge du texte dont le raccord avec le reste de la phrase n'a pas été fait par l'auteur : « jamais sur mesures (trop cher) jusqu'à ce que la très belle et très aimante Claire, mon premier amour parallèle à Hélène, m'apprît à m'habiller avec quelque élégance. Hélène lui en a toujours hautement reconnu le mérite ». (*N.d.E.*)

du désespoir qui par hasard se retrouvent face à face et qui reconnaissent en eux la fraternité d'une même angoisse, d'une même souffrance, d'une même solitude et d'une même attente désespérée. Peu à peu, je devais apprendre qui elle était. Issue d'une famille juive des confins de la Russie et de la Pologne, fuyant les pogromes, Rytmann de son nom, elle était née en France, dans le XVIIIe arrondissement, du côté de la rue Ordener, mais elle, elle avait joué avec les enfants de la rue dans le ruisseau. Elle avait conservé un souvenir atroce de sa mère qui, n'ayant pas de lait pour elle, ne lui donna jamais le sein, ne la prit jamais dans ses bras. Elle la haïssait, car elle attendait un garçon, et cette fille noirâtre et sauvage bouleversait tous les plans de son désir. Jamais cette mère n'eut un geste de tendresse pour elle : rien que de la haine. Hélène, qui comme tout enfant, désirait être aimée de sa mère et se voyait tout refuser, la chaleur du lait et du corps, l'attention des gestes d'amour et d'avenance, dut s'identifier irrévocablement à l'affreuse femme qui la haïssait, et aussi à l'atroce image que cette mère se faisait de sa fille : détestée parce que refusée, noire et sauvage, petit animal rebelle impossible à circonvenir, toujours en fureur et violence (sa seule défense). La composition, le recouvrement de l'image d'une mère affreuse et haineuse et de l'image que cette mère, toute de haine, se faisait de sa petite fille, un petit animal noir, hargneux et violent luttant pour sa survie, devait toute sa vie durant et jusqu'à la fin constituer l'horrible fantasme d'Hélène : elle avait une peur incoercible d'être à jamais elle-même une femme affreuse, une mégère, de la dernière injustice et violence, répandant le mal autour d'elle sans jamais pouvoir contrôler les atroces excès dans lesquels cette force, plus forte qu'elle-même, la jetait sans répit.

Là encore, on ne peut assurer qu'Hélène pût prétendre en rien représenter le reflet objectif exact ni de sa mère réelle ni des intentions conscientes, et à plus forte raison inconscientes, de cette mère. On peut tout au plus dire que ce fantasme inaugural n'était pas arbitraire, mais comme accroché à des « indices » réels au travers desquels le désir (le désir implacable) de l'inconscient et de la « volonté » de sa mère trouvait à s'investir. C'est vrai qu'Hélène enfant était rabougrie, noire et toute en fureurs. Mais les fureurs... De la sorte, même sous le couvert du souvenir, quelque chose de bien réel s'exprimait, qui, littéralement, interdisait à Hélène de *vivre,* tant était atroce sa terreur de n'être qu'une mégère affreuse, incapable à jamais d'être aimée, d'être aimée – car aimer, elle le savait, elle, et comment! Je crois que jamais je n'ai vu, chez une femme, pareille capacité d'amour, non en fantasme mais en acte : comme elle me l'a prouvé!

En revanche, elle avait conservé un bon souvenir de son père. Cet homme doux et attentif tenait un petit commerce de légumes dans le XVIIIe. Dans la communauté juive de l'endroit, il était tenu pour un « sage », on venait le consulter et il était toujours prêt à secourir son prochain. Il avait une passion : les chevaux (lui aussi). Il finit par en acheter un, qu'il soignait avec sa fille, et ces soins partagés dans la confiance et l'affection du père donnaient une vraie joie à Hélène, qui n'avait jamais compris comment son père, sinon par une infinie patience, pouvait vivre avec sa mère. Ils quittèrent bientôt le XVIIIe pour une petite maison dans la vallée de Chevreuse. C'est là que le drame se noua.

Le père eut un cancer. Les frères et la sœur d'Hélène vivaient semble-t-il pour leur compte, sans grand égard pour les parents. Ce fut Hélène, à dix, onze ans, qui passa seule des mois et des mois au chevet du père à l'assister et le soigner, sa mère s'en étant complètement déchargée sur cette mauvaise fille. Il y avait certes le bon docteur Delcroix, qu'Hélène aimait bien car il l'aidait comme un homme véritable, chaleureux et attentif, son seul recours dans une solitude et cette responsabilité juste bonnes à écraser une enfant. Las! Un jour le bon docteur entreprit, dans un moment de confiance, de jouer avec la culotte et le sexe de la petite fille. Ce fut comme si son unique ami au monde l'abandonnait. Elle resta aux soins de son père, et ce fut à elle que le Dr Delcroix demanda, dans les derniers moments de souffrance, de faire à son père la dernière injection de morphine à haute dose. Cette fille affreuse avait donc comme tué le père qui l'aimait et qu'elle aimait.

Un an plus tard, sa mère fut elle aussi atteinte d'un cancer, et la même situation se renouvela. Ce fut encore Hélène qui soigna sa mère et veilla sur elle, cette mère qui la détestait. Puis de nouveau, dans les derniers moments, le Dr Delcroix prescrivit la piqûre fatale. Ce fut Hélène qui l'administra à sa mère. Cette fille affreuse avait aussi tué cette mère qui la détestait. A treize ans!

Je ne sais trop ce qu'il advint ensuite, mais seule, elle trouva le moyen de travailler, de gagner un peu sa vie, puis de lire et même de suivre quelques cours en Sorbonne, où elle entendit entre autres Albert Mathiez dont elle me parla souvent. En Sorbonne, elle fit la connaissance de sa première amie vraie, qui l'accepta telle qu'elle était, sachant discerner sous les ruades sauvages de la jeune fille le fond d'une incomparable intelligence et générosité. Elle s'appelait Émilie, était philosophe, passionnée par Spinoza et Hegel, et communiste. Elle partit un jour pour l'Urss, où elle poursuivit ses études, pour être finalement arrêtée en Sibérie, jetée dans un cachot et finalement exécutée d'une balle dans la nuque. Ce dernier détail, Hélène l'apprit seulement dans les années 1950. Mais sans être elle-même philosophe (elle eût voulu devenir historienne), Hélène avait appris et conservé d'Émilie que la philosophie était vitale et essentielle à la politique. De quoi me comprendre lorsque je la connus et nous nous connûmes mieux.

Hélène adhéra au Parti communiste dans les années 1930 et devint, elle, jeune fille, une exceptionnelle militante dans le XVe, près des usines Citroën (Javel), où la répression était telle que rien de syndical et de politique ne pouvait se faire que de l'extérieur. Elle y acquit une réputation d'exception en tenant, contre vents et marées, et sous les injures et la risée des adversaires fascistes, un poste de vente de *l'Humanité* quotidienne pour les ouvriers de Citroën. Elle devint extrêmement populaire auprès des ouvriers, redoutable pour les fascistes des ligues tant elle avait de détermination et de courage, et c'est là qu'elle acquit pour amis les extraordinaires militants que furent Eugène Hénaff (Gégène) qu'elle aima d'amour, Jean-Pierre Timbaud, et aussi Jean-Pierre Michels, qui devait plus tard devenir député du XVe : tous les deux fusillés à Châteaubriant. A *l'Humanité,* elle avait aussi très bien connu Paul Vaillant-Couturier dont elle devint l'amie, et aussi (mais de beaucoup plus loin) André Marty, dont l'éloquence fabuleuse et le « caractère de cochon » l'impressionnaient. Le 9 février 1936, elle participa à la bataille physique de rue contre les fascistes aux côtés de ses camarades ouvriers mobilisés par le syndicat et le Parti. C'était l'époque de Maurice Thorez : « Que les bouches s'ouvrent, pas de mannequins dans le Parti ! » Un jour elle rencontra même Jacques Duclos, dans un bistrot où elle joua au billard contre lui, et remporta la partie : « Aux innocentes les mains pleines ! » commenta Duclos, goguenard.

C'est à cette époque que naquit en elle la passion de sa vie : sa passion *pour la « classe ouvrière »*. Une vraie passion, totale, exigeante et certes en partie mythique, mais qui la protégeait efficacement d'un autre mythe, celui de l'organisation et des dirigeants de la classe ouvrière. Jamais, ni dans sa vie ni devant moi, elle ne les a confondus : bien au contraire, le moment vint même, après 1968, où elle disait à qui voulait l'entendre que « le Parti avait trahi la classe ouvrière » et ne comprenait plus alors que je restasse au Parti. De mes livres, elle devait me répéter sans cesse qu'ils « rendaient " son bien " à la classe ouvrière », et c'est pour cette raison qu'elle les approuvait et les estimait. Pour elle, seule comptaient en politique la classe ouvrière, ses vertus, ses ressources et son courage révolutionnaires.

Puis-je enfin, à cet égard, balayer définitivement un mythe intéressé qui a couru largement sur Hélène et moi, même parmi certains de mes amis (certes pas les plus proches) : *jamais Hélène ne fit la moindre pression sur moi,* tant dans le domaine philosophique que dans le domaine politique. Ce ne fut pas elle, mais Pierre Courrèges, puis Séveranne et ses amis, puis mes propres expériences syndicales à l'École normale où je ferraillai contre les socialistes et parvins à les battre pour la direction du syndicat, et Jean-Toussaint Desanti, et Tran Duc Thao, qui, communistes et philosophes, enseignaient à l'École normale, et dont je suivis les cours après l'agrégation. *Jamais,* sur mes manuscrits, que tout naturellement je lui donnai à lire, elle ne fit la moindre remarque pour en changer l'orientation : elle ne se jugeait compétente ni en philosophie ni en théorie politique, ne connaissait pas *Le Capital,* mais elle avait une incomparable expérience et du Parti et de l'action politique. Elle se contentait de m'approuver, et n'intervenait que pour me suggérer des modifications propres à renforcer ou atténuer telle ou telle formule. Sur ces questions, où des gens sans information ont voulu voir les prémices d'un conflit entre nous, il n'y eut jamais qu'une profonde entente. Dans ce que j'écrivais elle retrouvait l'écho de son expérience de la pratique politique. Dans ce qu'elle m'en disait, je trouvais comme l'anticipation vécue de ce que j'écrivais.

C'est d'un ailleurs tout différent que surgirent nos difficultés personnelles. On va le voir.

Quand j'appris à la connaître, en 1946, je découvris très vite que non seulement elle avait perdu tous ses amis, dont un prêtre extra-ordinaire, le père Larue, qu'elle avait connu et aimé d'un grand amour à Lyon, dans la Résistance, et qui mourut fusillé par les nazis à Montluc dans les tout derniers jours de 1944, alors qu'une opéra-tion audacieuse des Corps francs, mais qui *fut interdite par le Parti et le commissaire de la République à Lyon,* Yves Farge, nommé par de Gaulle, aurait pu le libérer, et avec lui tous les prisonniers de Montluc. Toute sa vie Hélène devait se reprocher, comme si elle en avait été fautive, de n'avoir pas su convaincre les responsables d'intervenir à temps pour tenter de libérer les résistants, otages des nazis à Montluc. Le père Larue (une petite place de Fourvière porte désormais son nom) l'avait comprise et aimée vraiment profondé-ment, leur histoire miraculeuse l'avait transportée d'une joie pro-fonde et exaltante, et voilà qu'il était mort, et qu'elle se reprocherait à jamais de n'avoir pu le sauver.

Je découvris aussi qu'elle vivait dans la misère. Elle avait perdu tout contact avec le Parti devenu clandestin depuis 1939. Pendant la guerre, ne pouvant retrouver ce contact, après avoir rompu avec Jean Renoir, qu'elle avait secondé dans nombre de ses films (elle avait connu Françoise Giroud qu'on appelait méchamment, vu sa taille, le « boudin »), mais sans jamais accepter que son nom figurât sur aucun générique, et qui avait fui la France pour l'Amérique, elle s'était engagée dans une importante organisation de Résistance (Libération-Sud, je crois, mais n'en suis pas sûr) et pour passer des informations, de l'argent et des armes de la Suisse en France, elle avait acquis la représentation de Skira pour la France, ce qui lui avait permis de rencontrer et de connaître les plus grands peintres de ce temps. Par les Ballard, Jean et Marcou, ses amis des *Cahiers du Sud* à Marseille, qui hébergeaient ou recevaient nombre de résistants et d'hommes de lettres, elle avait aussi connu tout ce que le monde de la littérature française comportait de grands noms à l'époque. C'est ainsi qu'elle connut fort bien Malraux et se lia étroitement avec Aragon et Eluard, qui eux non plus, pour des raisons de sécurité dra-conienne, n'avaient pu renouer le contact avec le Parti clandestin. Elle y avait aussi très bien connu Lacan, qui, à Nice où il résidait avec Sylvia, lui faisait d'interminables confidences sur la promenade des Anglais, très avant dans la nuit. Lacan lui dit un jour ce mot, que mon propre analyste, qui ignorait le jugement de Lacan, devait plus tard confirmer : « Vous eussiez fait une extraordinaire analyste ! » Son exceptionnelle « écoute » sans aucun doute, et son *insight* étonnant.

De toutes ces relations, amitiés et amour, il ne lui était, en 1945, absolument rien resté, je dirai pourquoi. En tout cas, quand je la connus, elle était dans la misère noire. Elle subsistait en vendant quelques éditions originales de Malraux, d'Aragon et d'Eluard. Elle habitait une sordide chambre de bonne dans un hôtel de la place Saint-Sulpice, au tout dernier étage.

C'est là que, après notre rencontre chez les Lesèvre, elle m'invita à lui rendre visite. Assurément, si elle ne m'avait ainsi appelé, rien entre nous ne se serait passé. Je bus son thé, elle me parla de cette veste (que je portais encore) qui l'avait tellement touchée, eut même quelques mots pour mon visage et mon front qu'elle trouvait « beaux », et nous sortîmes sur la place, sur un banc. Au moment de me quitter, elle se leva et de la main droite caressa imperceptiblement mes cheveux blonds, sans dire un mot. Mais je ne comprenais que trop. Je fus submergé de répulsion et de terreur. Je ne pouvais supporter l'odeur de sa peau, qui me parut obscène.

Toujours elle, elle me rappela à l'occasion. Je partis alors avec Lesèvre pour nos expéditions en Europe centrale, je faisais toujours ma cour à Angeline, Nicole était toujours amoureuse de moi, moi pas du tout. Je partis même pour Rome, dans une expédition universitaire auprès du pape, organisée par l'abbé Charles dont la vulgarité volontaire et démagogique me faisait horreur. Il était alors aumônier de l'École, et je le fis proprement « virer », avec des arguments irréfutables. Il est à Montmartre maintenant et doit ne jamais m'avoir pardonné cette affaire — s'il s'en souvient seulement, car c'est un homme qui oublie vite —, ne voulant pas savoir *qu'il est* un sinistre prêtre. J'étais encore croyant. J'ai écrit dans je ne sais quel quotidien deux articles sur ce voyage. C'était au lendemain des grandes destructions en Italie. Notre train parcourait au ralenti d'interminables ponts de bois, suspendus à une vertigineuse hauteur sur le vide, et qui oscillaient. Arrivés en vue de Rome, dans la nuit, nous entamâmes en cœur le *Credo*. Impressionnant et émouvant en diable. Le pape (Pie XII) nous reçut en groupe, mais il eut, dans un invraisemblable français, une question et un mot pour chacun de nous. Il me demanda si j'étais normalien — oui — littéraire ou scientifique? – littéraire. Eh bien, soyez un bon chrétien, un bon professeur – et surtout (surtout!) un bon citoyen! Tout Pie XII était dans ce « surtout ». Et il me donna sa bénédiction. Je m'aperçois que je n'ai pas exactement répondu à ses attentes.

C'est en février 1947 que le premier drame commença de se nouer. Je faisais toujours la cour à Angeline, là c'était moi qui avais pris l'initiative, j'étais donc à mon avantage et affaire. Je voyais toujours Hélène de temps en temps : mais c'était elle qui avait pris l'initiative, pas moi : très gênant. Me vint alors non pas l'idée mais l'irrésistible compulsion de présenter Angeline à Hélène : ce ne fut pas la dernière fois que je m'engageai dans pareille provocation et impasse, mais j'étais alors très loin de me douter des mobiles de cette idée saugrenue : le désir irrésistible d'obtenir d'Hélène son approbation à un choix amoureux qui ne la concernait pas, mais concernait une autre femme.

Je les conviai à un thé chez moi, dans mon petit réduit de l'infirmerie. J'avais près de trente ans, Hélène trente-huit, Angeline vingt. Je ne sais plus ce qui se dit, mais je sais très bien comment cela finit : par un échange de vues sur Sophocle. Angeline défendit je ne sais plus quelle idée, sans doute encore très scolaire, sur le grand tragique, moi je n'avais pas d'idée. J'écoutais. C'est alors qu'Hélène, peu à peu, entreprit de critiquer l'opinion d'Angeline. D'abord très sereinement et avec des arguments sérieux, et comme Angeline leur résistait, le visage et la voix d'Hélène se mirent à changer, elle se fit de plus en plus dure et intransigeante, cassante même, et finit par une sorte de « scène » blessante (la première et non la dernière de son genre, malheureusement, à laquelle j'assistai), qui atteignit Angeline au cœur et la mit en larmes. J'étais terrifié par cette explosion de violence que je ne comprenais pas (pourquoi Angeline avait-elle ainsi résisté à des arguments parfaitement raisonnables?) et devant laquelle j'étais sans recours. Angeline partit et je demeurai dans le silence. Je réalisai qu'Hélène n'avait pas supporté cette fille et surtout la cérémonie que je lui avais imposée, la cérémonie, disons plutôt la provocation, et que tout était désormais brisé et cassé entre Angeline et moi. Je ne devais plus la revoir. Hélène était désormais entrée avec violence, mais pas avec violence contre moi, dans ma vie...

Le « drame » se précipita quelques jours plus tard lorsque Hélène,

115

toujours dans cette petite chambre de l'infirmerie, assise sur mon lit à mon côté, m'embrassa. Jamais je n'avais embrassé une femme (à trente ans!), et surtout jamais je n'avais été embrassé par une femme. Le désir monta en moi, nous fîmes l'amour sur le lit, c'était neuf, saisissant, exaltant et violent. Lorsqu'elle fut partie, un abîme d'angoisse s'ouvrit en moi, qui ne se referma plus.

Le lendemain, je téléphonai à Hélène pour lui signifier violemment que jamais plus je ne ferais l'amour avec elle. Mais c'était trop tard. L'angoisse ne me quitta plus, et chaque jour qui passait la rendit plus intolérable. Ai-je besoin de dire que ce n'étaient pas mes principes chrétiens qui étaient en cause? J'étais bien ailleurs! Mais une répulsion autrement sourde et violente, en tout cas plus forte que toutes mes résolutions et tentatives de ressaisissement moral et religieux. Les jours passèrent et je sombrai dans les prémices d'une dépression intense. Il m'était advenu de vivre des passages difficiles, comme dans ma patrouille à Allos, puis en captivité, enfin à Casablanca. Mais rien de comparable et cela avait duré quelques jours à peine, voire quelques heures et s'était fort bien terminé. Je tentai de me raccrocher comme je pouvais à la vie, à mon ami le Dr Étienne : impossible, chaque jour je sombrais irrémédiablement un peu plus dans le vide terrifiant de l'angoisse, une angoisse devenue rapidement sans objet aucun : ce que les spécialistes appellent, je crois, une « névrose d'angoisse sans objet ».

Très inquiète, Hélène me conseilla d'aller consulter un spécialiste. Nous obtînmes une rencontre avec Pierre Mâle, le grand psychiatre et analyste de l'époque, qui m'interrogea longuement et conclut que je présentai un état de « démence précoce » (!). En conséquence, il exigea mon hospitalisation immédiate à Sainte-Anne.

Je fus recueilli dans le pavillon Esquirol, dans une immense salle commune, et aussitôt coupé du monde extérieur, toutes visites, donc celles d'Hélène, m'étant strictement interdites. Ce fut un séjour atroce, de plusieurs mois, et que je n'ai pas oublié. Une psychiatre femme me prit alors en charge, émue sans doute de ma jeunesse, peut-être aussi de ma qualité d'intellectuel philosophe et de mon drame, prête à penser que je l'aimais, en tout cas sûre de m'aimer d'amour, et que c'était elle qui allait me « sauver » par son amour. Naturellement elle pensait (elle fut la première, mais non la dernière) que si j'étais malade, c'était la faute d'Hélène. Je ne sais ce qu'on me prescrivit, mais mon état alla en s'aggravant très sérieusement. J'avais, grâce à l'ingéniosité d'Hélène, trouvé le moyen de communiquer avec elle. Des toilettes du premier étage, une minuscule fenêtre donnait sur le dehors. Je ne sais comment elle fit, mais Hélène, que je ne vis jamais une seule fois à l'intérieur d'Esquirol, vint très souvent vers treize heures sous la fenêtre, et je pus lui parler de loin à demi-mot. Mon idée était qu'on ne me comprenait pas, son idée qu'on s'y prenait très mal (surtout cette psychiatre femme avec son terrible « amour »), et qu'il fallait rompre le cercle dans lequel je me trouvais enfermé comme à jamais (un dément précoce!). Nous convînmes qu'elle tenterait de joindre Julian Ajuriaguerra, que j'avais connu un jour lorsque, invité par Georges Gusdorf, il était venu parler à l'École. C'était, comme ce l'est encore, de la plus haute difficulté pour un médecin tiers de s'introduire dans un service d'hôpital et surtout d'y intervenir, surtout pour l'immigré espagnol qu'il était encore. Je ne sais comment il s'y prit mais un jour je le vis entrer dans la grande salle commune, le suivis dans un bureau et pus m'entretenir avec lui. Il conclut : ce n'est pas une démence précoce, mais une mélancolie très grave. Il conseilla des chocs, qui étaient alors d'usage récent, mais qu'on employait avec succès dans ces cas. Le psychiatre s'y rallia. Et je subis environ vingt-quatre chocs, un tous les deux jours, dans l'immense salle commune. On voyait arriver, sa grosse boîte électrique à la main, un homme râblé et à moustache qui était, pour son incroyable ressemblance trait pour trait, sa démarche et son mutisme goguenard, surnommé « Staline » par les patients. Il s'installait tranquillement sur chaque lit (nous étions bien une trentaine à être traités par des chocs), et devant tous les autres qui attendaient leur sort, il appuyait sur sa manette, et le patient entrait dans une impressionnante transe d'épilepsie. Le dramatique de la situation était qu'on voyait Staline venir de loin, ses victimes entraient l'une après l'autre en soubresauts désordonnés et il passait au suivant, sans attendre la fin de la crise du dernier passant. On risquait des ruptures d'os (surtout des jambes). On devait serrer entre ses dents une serviette : pour moi ce fut toujours la même, mon unique serviette infecte, pour éviter de me couper la langue. J'ai des années durant gardé dans la bouche le goût ignoble et terrifiant, car il était annonciateur de la « petite mort », le goût de cette serviette sans forme ni nom. Mon tour venait, après tous les spectacles que

117

m'avaient offerts les voisins. Staline, toujours silencieux, s'approchait, me posait le casque, je serrais les dents et m'apprêtais à mourir, puis une sorte d'éclair et plus rien. Je me réveillais peu de temps après (je ne dormais que deux minutes, à mon grand désespoir, moi qui souhaitais tant m'oublier dans le sommeil, alors que presque tous les autres dormaient des heures entières, voire une demi-journée!) toujours en demandant : mais où suis-je? que m'est-il arrivé? Plus j'avançai et plus ma terreur (de mourir) grandissait. A la fin, c'était insoutenable. Je refusai de toute mon énergie la cérémonie d'exécution, mais on me ligota ferme sur mon lit.

Je voudrais rapporter un tout petit incident, mais qui en dit très long sur l'atmosphère du milieu hospitalier, sur l'image des patients et sur l'incrédulité totale des médecins psychiatres devant les assertions d'un malade. Comme je ne pouvais pas du tout dormir, et ne disposais pas de boules Quiès, je pensais m'en confectionner avec de la mie de pain, ma seule matière disponible. Mais les boules de mie de pain introduites de force dans le canal de l'oreille se décomposèrent aussitôt (évidemment elles ne sont pas retenues par le réseau souple mais ferme du coton qu'on trouve dans les vraies boules Quiès) et leurs grains visqueux tombèrent dans le canal auditif jusqu'au tympan. Cette dissolution et cette chute me causèrent des souffrances indicibles, des maux de tête et de gorge insoutenables. J'en avisai mes médecins à chaque instant, mais ils ne voulurent pas me croire, pensant que je délirais. *Pendant trois semaines, je dis bien trois semaines*, ils refusèrent de me faire examiner par un spécialiste oto-rhino, et je souffris le martyre. Là encore il fallut l'intervention d'Ajuria [1] pour les convaincre et au bout de trois semaines de cette horrible épreuve, on finit par me conduire à l'oto-rhino qui me délivra en deux secondes de mes débris de pain et de mon supplice... Les psychiatres n'eurent pas un seul mot de regret ou d'excuse!

Tout compte fait, le traitement conseillé par Ajuria me réussit lentement et, après un long temps encore, mais sans chocs, plusieurs mois après mon entrée à Esquirol, je me sentis mieux, quoique toujours vacillant, mais moins angoissé, et je sortis de l'hôpital. Hélène m'attendait à la porte. Quelle joie!

Elle me conduisit dans la minuscule chambre d'un autre hôtel où

1. Diminutif de Julian Ajuriaguerra *(N.d.E.)*.

une femme de chambre misérable lui avait volé toutes ses affaires : aucune importance! Un vol pour elle ça ne comptait guère... à côté de moi – et de ce qu'elle avait fait pour moi – je ne l'appris que beaucoup plus tard, non par elle, qui garda là-dessus un silence total, mais par une de ses amies : Hélène, qui était sortie enceinte de notre unique rapport sexuel, s'était fait avorter en Angleterre pour que je ne souffre pas le martyre d'une nouvelle dépression après cette nouvelle, tant j'avais manifesté d'horreur atroce au fait de l'avoir aimée de mon corps. Connaît-on pareil sacrifice? J'en suis aujourd'hui encore bouleversé et ému dans toute mon âme et corps.

Il y avait [donc] Véra, sa plus vieille amie vivante, une très grande femme brune et belle, d'origine aristocratique russe. Hélène passa sur le vol et tout le reste et je fus accueilli comme jamais. Moi aussi je la pris dans mes bras avec une infinie tendresse, convaincu que sans elle j'y serais resté, peut-être à vie.

Hélène et Jacques Martin (que je commençais à connaître) trouvèrent un lieu de repos pour moi : Combloux, qui accueillait des étudiants fatigués ou convalescents. Le calme et la splendeur de la haute montagne que j'aimais depuis le scoutisme, les attentions du couple Assathiany qui dirigeait avec passion, tact et un extrême dévouement la maison tout en laissant à chacun la plus grande liberté, la surprise d'y trouver un merveilleux quatuor hongrois inconnu, le quatuor Vegh, alors au repos, des garçons et filles de mon âge, enfin les plaisirs de jeux de toute sorte, y compris les jeux d'amour. Je distinguai très vite une fille, petite et noire de cheveux, au beau visage (pas exactement mon profil, mais presque) : Simone, (ce nom encore...) qui me parut très intéressante. Je lui fis une sorte de cour violemment provocante, je l'appelai Léonie, ce fut sans suite, mais nous jouâmes très serré pendant les trois semaines de mon séjour, et nous devînmes amis pour la vie, jusqu'au jour où, voilà seulement six mois, en octobre 1984, Simone disparut de ma vie sur ce message : « Tu sais très bien utiliser tes amis, mais tu n'as aucun respect pour eux. » Elle ne m'avait pas « raté ».

Je quittai Combloux assez bien rétabli et allai attendre Hélène qui devait me rejoindre près de Saint-Rémy-de-Provence dans une étape-logis des Auberges de jeunesse... Elle n'avait toujours pas d'argent, elle avait fait du stop pour me rejoindre, et un chauffeur avait tenté de la violer (adolescente elle avait, près de Chevreuse,

119

alors qu'elle soignait son père mourant, été assaillie par quatre jeunes voyous dont les intentions n'étaient pas trop claires, et elle était parvenue à les mettre en fuite par le moulinet qu'elle avait fait de son sac, tenu au bout de sa longue courroie, mais elle m'en a toujours parlé avec la même terreur, et moi, *in petto,* l'entendant, je pensais que je n'aurais, à sa différence, même pas pu supporter l'idée de me battre, parce qu'au fond de moi j'étais un lâche). Mais elle était là, elle m'aimait, j'étais infiniment fier d'elle, je l'aimais, c'était le printemps dans la campagne, les bois, les vignes, le ciel et le cœur. Nous allions faire l'amour (je n'avais plus du tout peur, bien au contraire!) dans le premier étage d'une ferme proche, où on nous donnait du lait, du pain, du beurre et des olives. Les fermiers protestaient contre le bruit que nous faisions dans nos ébats d'amour. Il faut dire que je n'y allai pas par quatre chemins, et montrai dans cette affaire une violence qui devait rappeler la violence amoureuse de mon père. Mais si je raconte ces détails, c'est qu'un jour l'Auberge de jeunesse fut soudain (elle jusque-là tout à nous) emplie d'un groupe de jeunes, gars et filles, débraillés, mais très drôles et rieurs comme tout. On fit connaissance, je préparai même un jour une extraordinaire bouillabaisse dont longtemps après Hélène me parlait encore. J'ai toujours aimé non les recettes de cuisine classique, mais ce que j'appelle la « recherche culinaire » qui offre des possibilités d'inventions inouïes, auprès desquelles les plats classiques ou même novateurs de nos plus grands cuisiniers ne sont que simples platitudes. Mais, comme « par hasard », j'avais dans le groupe distingué une fille brune, au fameux profil et qui semblait heureuse que je lui fisse la cour, jusqu'aux bords d'un étang paisible où nous nagions côte à côte en silence (j'en ai encore des photos). C'est tout de même inouï! Je passe des mois dans l'enfer de la dépression la plus terrible que j'aie connue, Hélène réussit à m'en sauver, je la retrouve dans l'exaltation du printemps et de l'amour, je lui fais l'amour sans retenue ni angoisse, et voilà qu'il suffit que passent à ma portée ces deux visages, de Simone (en l'absence d'Hélène à Combloux) puis de Suzanne en compagnie d'Hélène à Saint-Rémy, pour que, au vu et su d'Hélène, je me mette à monter ouvertement à l'assaut d'une fille de rencontre dont je ne savais rien, mais qui manifestement excitait en moi quelque chose de profond : certes la fille même, mais derrière elle une certaine image de fille, et derrière encore, le désir irrépressible (dans ces deux cas non accompli) de vivre avec ces filles quelque chose qui devait me manquer du côté d'Hélène. Quoi? Cette situation devait se répéter toute ma vie. J'ai appris très récemment que l'intense excitation sexuelle était un des grands symptômes de l'hypomanie, qui *peut* suivre toute dépression. Mais j'étais alors bien incapable d'en saisir les raisons profondes. Naturellement mon manège amoureux n'échappa point à Hélène qui en fut peinée, mais ne m'en fit ni n'en fit le moindre reproche, ni ne montra la moindre violence comme naguère avec Angeline. Avais-je donc son approbation? En tout cas, il est clair que je la recherchais.

Nous vécûmes alors dans le Midi, Suzanne rapidement partie avec ses copains, des mois de vrai bonheur, de légère et exaltante liberté. Je m'arrangeai pour conduire Hélène jusqu'au village de Puyloubier, que j'avais des raisons de connaître et d'aimer puisque la merveilleuse fiancée et femme de mon ami Paul en était native. Quel lieu incomparable, au pied de la sainte, Sainte-Victoire, massive fleur de pierre aux teintes changeantes et vivantes, et devant l'immense plaine de Flers bordée à l'horizon des hautes coupures de la Sainte-Baume et dans le lointain des tours de l'abbaye de Saint-Maximin. Nous trouvâmes, à l'écart du petit village, deux petits fonctionnaires en retraite qui, pour presque rien, acceptèrent de nous héberger. Au lever, le matin, après nos nuits d'amour, exténués de passion et de fatigue, nous descendions sur la terrasse, au frais soleil levant, et Mme Delpit nous apportait le petit déjeuner à la provençale : café, lait, fromage de chèvre, artichauts crus, miel, crème et olives noires. Quel délice et quelle joie dans la paix du jeune soleil de mai!

Un jour, plus tard, Hélène m'attendant chez les Delpit, je pris le train à Paris en mettant au fourgon ma bicyclette de course, la débarquai à Cavaillon, l'enfourchai et, dans une sorte d'ivresse, pédalai (une tout autre course qu'à Bandol!) vers la bien-aimée, quarante kilomètres plus loin. Elle m'attendait sur la petite route de terre qui conduisait au village et m'avait vu venir de loin. J'étais fourbu mais cette fois ne pleurai point, sauf peut-être de joie. Quelle revanche sur ma mère! J'étais devenu un homme.

Et il est vrai que j'étais fier de l'être devenu. Lorsque Hélène, toujours aussi misérable, trouva, par mes soins, une minuscule chambre de bonne dans le haut des étages d'un bel immeuble ancien du Val-de-Grâce, chez un géographe, Jean Dresch, professeur en Sorbonne connu, j'allai à toute heure du jour et de la nuit, surtout la nuit, lui rendre visite, et la quittai très tôt le matin, vers les quatre heures. Avec quelle allégresse et quelle fierté je faisais alors sonner sous mes pas les pavés de la rue Saint-Jacques déserte, léger dans mon corps exultant, le monde entier me paraissait beau quand le premier soleil venait caresser les murs de l'École, où lentement je rentrais et où tous les élèves dormaient : ils n'avaient pas dans la vie et le cœur un amour comme le mien! Pour rien au monde je n'eusse échangé quoi que ce soit pour ma chance, mon trésor, mon amour et ma joie incomparables.

Il faut dire qu'il y avait de quoi justifier ma fierté. Mes camarades avaient peut-être, sûrement, des liaisons féminines, recherchées laborieusement ou aisément trouvées dans leurs relations étudiantes (on se fréquentait et se mariait passablement entre normaliens et normaliennes, ça ne sortait pas de la famille, ni de la caste, cette caste universitaire que je haïssais au moins aussi fort qu'Hélène, qui avait des arguments plus autorisés que moi, car elle lui avait toujours été extérieure). Moi j'avais l'incomparable privilège d'aimer une femme (qui m'aimait) et de quelle autre qualité! Ce n'est pas qu'elle fût plus âgée, et sensiblement, que moi — cette différence n'a jamais joué aucun rôle entre nous, mais en la circonstance, sa lucidité, son courage, sa générosité et son expérience, si vaste et multiple, sa connaissance du monde, des peintres et écrivains les plus grands de son temps, ses activités de Résistance, où elle avait eu jusqu'à d'importantes responsabilités militaires (elle, une femme, en ce temps : c'était un *homme*, Lesèvre lui-même le reconnaissait). Elle avait eu un rôle héroïque exceptionnel, un courage sans faille et stupéfiant pour une petite Juive au « nez juif » reconnaissable à cent pas, aux cheveux frisés, qui avait su déjouer les embûches — y compris dans ce train allant de Lyon à Paris où elle fut reconnue pour Juive, arrêtée lors d'un contrôle de la Gestapo, alors qu'elle avait sur elle de quoi la faire fusiller séance tenante, et ne fut sauvée que par son sangfroid et parce qu'elle en imposa par son audace à un officier nazi qui finit par bredouiller devant elle. Elle racontait cette histoire comme s'il se fût agi d'une simple anecdote, aussi paisible dans son récit que dans l'épreuve. Bref, une femme d'exception (du moins est-ce ainsi que je la ressentis et d'ailleurs comme tous ses camarades de la Résistance, Lesèvre et d'autres « khâgneux » lyonnais avec qui elle avait travaillé et *tous* ceux qui la connurent après dans notre longue vie commune), plus grande, infiniment, que moi et qui me donnait, sans que j'eusse rien demandé, comme sur ce qu'elle pensait de moi, le prodigieux cadeau d'un monde que je ne connaissais pas, dont j'avais rêvé dans l'isolement de ma captivité, un monde de solidarité et de lutte, un monde d'action réfléchie selon de grands principes fraternels, un monde de courage : moi qui me sentais si démuni et lâche, reculant devant tout danger physique qui eût attenté à l'intégrité de mon corps, moi qui ne m'étais jamais battu et qui ne l'aurais jamais pu, pour ce que je pensais être une lâcheté sans recours ; moi dont elle disait : « Si tu n'avais pas été prisonnier, tu te serais engagé dans la Résistance et tu aurais sûrement été tué, fusillé comme tant, Dieu merci la captivité t'a gardé pour moi ! ». Je tremblais en moi à l'idée du danger mortel auquel j'avais échappé, sûr que jamais je n'aurais eu la force ni le courage d'affronter les épreuves physiques, mortelles, de la lutte clandestine et armée, moi qui n'avais jamais tiré un seul coup de feu, ces coups d'armes de guerre qui me faisaient si peur, enfant, moi qui me fusse d'emblée « dégonflé » devant le moindre péril, quel cadeau ne me faisait-elle pas et quelle confiance en moi ! Et voilà que tout d'un coup, grâce à elle, non seulement je devenais l'égal de tous ces combattants qu'elle avait connus, mais voilà aussi que j'étais, de très loin, infiniment supérieur à tous ces pauvres normaliens dont la jeunesse et le savoir m'avaient écrasé, auprès de qui je m'étais senti irrémédiablement vieux, si vieux que toute jeunesse — moi qui n'avais pas eu de jeunesse — m'avait paru interdite. Je me sentais alors jeune, comme jamais ni personne — et je le suis toujours resté, par exemple me croyant toujours beaucoup plus jeune que mon analyste, pourtant mon contemporain exact — et l'autre jour encore, la semaine dernière, ce médecin femme, trente ans, sans grâce particulière me demandant ma date de naissance : le 16 octobre 1918 — mais non, impossible, vous voulez dire 38 ! Vous voulez dire 38 ! Comme elle avait raison, cette jeunesse que je dois à jamais à Hélène ma bien-aimée.

Sans doute la certitude subjective de cette jeunesse enfin découverte n'allait pas sans raisons que j'ai peu à peu élucidées. Si j'étais et me sentais enfin si jeune, c'est qu'Hélène m'était à la fois comme une bonne mère, enfin, et aussi un bon père : plus âgée que moi, autrement chargée d'expérience et de vie, elle m'aimait comme une mère son enfant, son miraculeux enfant, et en même temps comme un père, un bon père enfin, puisqu'elle m'initiait tout simplement au monde réel, ce monde infini dans lequel je n'avais jamais pu entrer (sauf et encore par effraction, sauf en captivité), elle m'initiait aussi, par le désir qu'elle avait de moi, pathétique, à mon rôle et à ma virilité d'homme : elle m'aimait comme une femme aime un homme ! Nous faisions vraiment l'amour, comme femme et homme, lorsque mes copains en étaient encore à la recherche de la maturité et − j'en étais sûr − aux balbutiements d'un amour dérisoire qui ne sortait pas de la famille et de l'École. La preuve : j'en étais venu, après un long temps de souffrance, jusqu'à aimer l'odeur de sa peau de femme, qu'auparavant, comme la peau de ma mère, je ne pouvais tolérer. J'étais devenu non seulement un homme, mais un autre homme, capable d'aimer vraiment, même une femme et jusqu'à cette femme dont la première odeur de peau m'avait paru obscène !

Quelqu'un, un ami récent, qui était parti en Allemagne avec le STO, non par conviction politique − il aimait les communistes −, mais par curiosité intellectuelle, Jacques Martin, me comprenait, nous comprenait. Il était devenu, lui un homosexuel douloureux mais chaleureux dans la distance de sa schizophrénie latente, un ami incomparable. Je pouvais tout lui demander, contrairement à mes camarades d'École, à qui j'avais honte de découvrir mes ignorances (je croyais vraiment ne rien savoir, je n'avais jamais rien su, ou avais tout oublié de ce que j'avais appris) et il me répondait comme le vrai frère que je n'avais jamais eu m'eût répondu. Ses parents l'avaient proprement abandonné à sa misère, son père, un pharmacien terrifiant qui jamais n'ouvrit la bouche devant lui, sa mère morte depuis longtemps dont il avait hérité un peu d'argent. Il en vivait je ne sais comment. Michel Foucault l'aimait autant que moi. Comme moi, il l'a souvent aidé de dons d'argent. Mais vint un temps où, sans ressources, sans plus d'espoir d'en jamais recouvrer (il avait une sœur lointaine qu'il aimait bien mais qui ne se souciait guère de lui, elle aussi pharmacienne, je crois, à Melun), il finit, un jour d'été 1964, par se suicider, dans la solitude d'un sinistre mois d'août, dans une misérable chambre du XVIe arrondissement qu'il louait à une vieille femme. J'étais alors en Italie, j'en reparlerai, jeté dans l'éblouissement d'un nouvel amour, et je me suis longtemps reproché comme une honte ineffaçable de lui avoir manqué, de n'avoir pas su l'aider à temps de mon argent au moment décisif, simplement à survivre. Il faut dire que je n'avais pas beaucoup d'argent, le dépensais pour Hélène en priorité et étais toujours hanté par cette sinistre obsession de réserve qui me paralysait dans mes dons. Mais j'avais beaucoup donné d'argent à Jacques. Tout ce que je pus faire, quand sa sœur me demanda si j'avais prêté de l'argent à Jacques (oui, près de trois cent mille francs de l'époque, plus que Foucault), je lui répondis : non, rien. Mais quelle dérisoire réponse, alors que peut-être j'eusse pu le sauver ! En tout cas, ce fut le seul argent qui ne me fit *alors* jamais regretter de l'avoir dépensé sans retour. En tout cas, avec Jacques Martin, le suicide était entré dans ma vie, dans notre vie, sans recours ni retour. Je devais, hélas, m'en souvenir.

Jacques Martin ne m'aidait pas, ne nous aidait pas seulement de son affection intransigeante et confiante. Il m'aida aussi à trouver quelqu'un du métier qui pût me secourir de sa « science ». Cela peut paraître bien singulier aujourd'hui, mais à l'époque, pour les étudiants démunis et sans informations que nous étions, si nous avions entendu parler de psychanalyse, nous ne connaissions aucun psychanalyste à qui nous adresser ni n'avions aucun moyen d'en connaître. Or Jacques apprit un jour, d'une amie commune qui avait plusieurs fois tenté de se tuer, (encore un suicide, mais manqué) l'existence d'un homme, thérapeute qui faisait des analyses « sous narcose », un brave homme aimable, avenant et un peu rustique sous sa petite bedaine, qui prit Martin en traitement, et je suivis son exemple. Pendant douze ans, je dis bien douze ans, il me « soigna », c'est-à-dire en fait m'accorda une psychothérapie de soutien. Il avait beaucoup de prestige à nos yeux (il finit par soigner toute la famille, ma sœur, ma mère et bien d'autres amis proches) car il entretenait, disait-il, des relations personnelles, toujours demeurées un peu mystérieuses, avec des médecins soviétiques qui lui envoyaient des ampoules de « sérum de Bogomolev » qui devaient faire merveille « à peu près dans tous les cas » et permirent, semble-t-il, à ma sœur, qui en mourait de désir, d'avoir un enfant de l'homme qu'elle avait épousé, un jeune homme du peuple parisien, bien campé sur ses jambes, regorgeant d'expressions apparemment argotiques, d'un franc parler sans doute trop libre mais d'une exemplaire honnêteté et franchise

« populaire », et que, bien entendu, mon père ne put jamais sentir. J'aimais une Juive, ma sœur épousait un homme du peuple qu'il jugeait « vulgaire » ou trop simple : le désir de mon père foutait le camp. Il nous le fit bien sentir, refusant de recevoir Hélène et Yves. En réponse, nature! je ne me résolus à épouser Hélène *qu'un an après la mort de mon père* (maigre consolation posthume pour lui) et ma sœur finit par divorcer, mais en voulant toujours porter le nom de son ex-mari, Yves Boddaert, ne voulant pas s'appeler Althusser elle non plus et, toute séparée de lui qu'elle soit légalement, résidant dans le Midi, après bien des troubles psychiques où je l'assistais de mon mieux, c'est-à-dire de mon dévouement et de mon ignorance, à vingt kilomètres de distance, et on se visite et on se téléphone sans arrêt. Elle eut, grâce à ce médecin (?), un fils nommé François qui est sa raison de vivre, et qui l'aime vraiment bien, mais de loin (d'Argenteuil où ses compétences et son sérieux lui ont valu un poste de secrétaire adjoint à la mairie de l'endroit).

Si j'étais ébloui par l'amour d'Hélène et le privilège miraculeux de la connaître, de l'aimer et de l'avoir dans ma vie, je tentais de le lui rendre à ma manière, intensément et, si je puis dire, *oblativement*, comme j'avais fait pour ma mère. Pour moi, ma mère était et ne pouvait être qu'une martyre, la martyre de mon père, une plaie ouverte mais vivante. J'ai dit comment j'avais pris constamment son parti, au risque d'affronter ouvertement mon père et ses disparitions. On dira que le risque était imaginaire, puisque mes colères contre mon père ne se concluaient jamais, comme celle du fils Lemaître à la forêt du Bois de Boulogne, par des violences de ma part, et que je ne le narguais, mais sans cesse et très rudement, que sous la protection des conventions familiales tacites, que ce n'était jamais moi qui partais (comme en captivité, jamais je n'envisageai le courage de quitter la famille, de m'évader de son cercle d'enfer, comme l'a fait ma plus chère amie, c'eût été abandonner ma mère à son propre abandon terrifiant). C'était lui qui partait, et comment!. Jusqu'à l'heure de son retour cela nous plongeait, en tout cas me plongeait, dans l'angoisse, intolérable. C'est pourquoi, comme au secours d'une vraie martyre, je ne cessai de voler ou de vouloir voler au secours de ma mère. La vaisselle, en particulier, que je considérais comme le pire des supplices pour elle (pourquoi donc?), je me précipitais pour la faire à sa place, et d'ailleurs, étrangement, mais cela s'entend, j'y pris très vite une sorte de goût intense et pervers. Même le balayage, les lits, la cuisine, que je tentais de lui épargner, et la table à servir et desservir, j'étais le seul à le faire, au vu et au su de tous comme un reproche en acte adressé à l'insolente inactivité de mon père – ma sœur s'en foutant totalement –, c'est ainsi que je devins avec plaisir un vrai petit homme d'intérieur, une sorte de fille étroite et pâle (mon image-écran dans le parc). Je me sentais tel alors, qu'il devait effectivement me *manquer* quelque chose, du côté de la virilité. Je n'étais pas un garçon et en tout cas pas un homme : une femme d'intérieur. Il en alla de même avec Hélène, mais quelle différence!

Je l'avais connue au fond de l'abîme et jusque dans la misère matérielle la plus sinistre. « Sinistre » : le mot revenait sans cesse dans sa bouche, et il devait lui rester familier jusqu'à sa mort. Ce mot me fait encore frémir quand je l'entends revenir obsessionnellement dans la bouche d'une autre amie. Oui, elle vivait pour elle une existence « sinistre ». Pour elle, elle avait tout perdu, ses amis proches et lointains, assassinés pendant la guerre, Renoir l'infidèle, et Hénaff, et le père Larue, son unique amour avant moi. Elle avait enfin perdu tout contact avec le Parti. Elle n'avait presque pas de logement, sinon les « sinistres » chambres de bonnes, avec leur environnement agressif et douteux. Elle n'avait ni travail, donc ni revenu et vivait d'expédients, comme de vendre ses quelques livres les plus précieux ou de taper, pour presque rien, des diplômes de normaliens (après le mien) que je lui procurais non sans honte. Et moi, est-ce que je ne tentais pas de l'aider? Certes, et de toute mon âme, mais au début je n'avais pour tout argent à moi que les vingt francs de « bourse » que l'École nous attribuait avant que nous parvenions par l'action illégale du syndicat que nous avions fondé, Maurice Caveing et moi, à obtenir pour nous et toutes les ENS le régime d'un traitement. Et je n'osai pas demander un seul sou à mon père, je tenais trop à lui cacher mes « besoins » et le genre de femme, juive, que je fréquentais et aimais, et qui devait lui apparaître comme avide de sous : toutes les Juives ne sont-elles pas de cette étoffe? De surcroît, j'ai assez marqué combien j'étais hanté par la peur de manquer d'argent, donc de réserve, pour qu'on imagine combien, malgré mes intentions de générosité, je pouvais compter mes sous à ma manière. Je me souviens encore du jour où, pour qu'Hélène n'ait pas trop froid dans sa chambre de bonne de la rue du Val-de-Grâce, je lui achetai un petit poêle à bois en tôle, trop fragile pour ne pas être dangereux et qui en fait ne chauffait guère – le comble du dévouement et de la dépense et du dérisoire. Oui, j'étais sans ressources ou me faisais sans ressources pour grandir s'il se peut la largeur de mes dons.

C'est peut-être là que tout se jouait, en tout cas que tout m'a semblé, plus tard, se jouer. Voici pourquoi.

J'ai dit que je me sentais incapable d'aimer, et comme insensible aux autres, à leur amour, qui pourtant ne m'était pas ménagé, au moins du côté des femmes et même du côté de mes amis hommes. C'est assurément que j'avais été rendu incapable par l'amour tout impersonnel de ma mère, puisqu'il ne s'adressait pas à moi, mais derrière moi à un mort, d'exister et pour moi et pour l'autre, en particulier pour une autre. Je me sentais comme impuissant, qu'on prenne ce mot dans tout son sens : impuissant d'aimer, certes, mais aussi impuissant d'abord en moi-même et avant tout en mon propre corps. C'est comme si on m'avait ôté ce qui aurait pu constituer mon intégrité physique et psychique. On peut à bon droit parler ici d'amputation, donc de castration : quand on vous ôte une partie de vous, qui manquera à jamais à votre intégrité personnelle.

Et puisque je suis dans cet ordre, je voudrais revenir sur ce fantasme, que j'ai vécu avec une telle intensité lors du sortir de la captivité, à mon rapatriement chez mes parents au Maroc : la certitude d'avoir contracté une maladie sexuelle, donc de ne pouvoir à jamais disposer vraiment de mon sexe d'homme. Dans la même « lignée » d'associations et de souvenirs (et cette fois c'est encore un souvenir très précis que j'ai conservé) je me rappelle avoir été très angoissé par un phénomène paraît-il courant et qui porte d'ailleurs un nom latin, le *phimosis* (en ces matières le latin permet de dire bien des choses impudiques...), et qui m'a littéralement empoisonné la vie pendant des années à Alger et à Marseille : je passai mon temps à tirer sur la peau de mon sexe et ne parvenais pas à en « décalotter » le gland. J'avais alors ce qu'on appelle des « pertes blanches », qui sortaient sous mon prépuce et me faisaient penser, derechef et interminablement, que j'étais atteint d'une grave affection du sexe me rendant incapable, sans être malade, sans en être malade, d'une érection complète et achevée dans l'éjaculation. Je tirais interminablement sur cette peau douloureuse, mais sans aucun succès.

Un jour ma mère alerta mon père, qu'elle enferma avec moi dans les toilettes. Mon père tenta pendant une bonne heure, dans le noir des toilettes (pas de lumière, par discrétion ou peur de quoi?), de tirer sur la peau de mon prépuce : en vain − et naturellement sans un mot! Et cela dura pendant des années, où je fus convaincu que décidément, sous ce rapport, je n'étais pas du tout normal. Comme s'il manquait à mon sexe quelque chose pour être un sexe d'homme, comme si en fait je ne disposais pas vraiment d'un sexe d'homme, comme si on (qui?) m'en avait privé. Ma mère sans doute, qui, on s'en souvient, m'avait littéralement « mis la main dessus ».

Pourquoi donc insisté-je sur cet exemple? C'est qu'il est symbolique, et au-delà de mon cas précis, nous concerne tous. Qu'est-ce donc que pouvoir aimer? C'est disposer de l'intégrité de soi, de sa « puissance », non pour le plaisir ou par un excès de narcissisme mais tout au contraire pour être capable d'un don, sans absence, reste, ni défaillance, voire défaut. Qu'est-ce alors qu'être aimé, sinon être capable d'être accepté et reconnu comme libre en ses dons mêmes, et qu'ils « passent », trouvent leur voie et chemin de dons, pour recevoir par eux l'échange d'un autre don désiré du fond de l'âme : précisément être aimé, échanger le libre don d'amour? Mais pour être le libre « sujet » et « objet » de cet échange, il faut, comment dire, pouvoir l'amorcer, il faut commencer par donner sans restriction si l'on veut en échange (un échange qui est tout le contraire d'un calcul comptable d'utilité) recevoir le même don, ou plus encore, que celui qu'on donne. Pour cela il faut bien entendu et de toute évidence ne pas être limité dans la liberté de son être, il faut ne pas être entamé dans l'intégrité de son corps et de son âme, il faut, disons-le, ne pas être « châtré » mais disposer de sa puissance d'être (pensons à Spinoza) sans en être amputé d'une seule partie, sans être voué à le compenser dans l'illusoire ou le vide.

Or j'avais été châtré par ma mère, dix fois, vingt fois, dans la même compulsion qu'elle vivait de tenter en vain de contrôler sa terreur d'être elle-même châtrée, volée (amputée dans l'amas de ses biens ou de ses économies) et violée (dans le déchirement de son propre corps). Oui, j'ai été châtré par elle, surtout quand elle avait prétendu me faire don de mon propre sexe, geste atroce que j'avais reçu comme la figure même de mon viol par elle, du vol et du viol de mon propre sexe sur qui elle avait en fait « mis la main » contre mon gré le plus profond, contre mon désir d'avoir un sexe *à moi*, le mien et à personne d'autre, surtout, ô obscénité suprême, à elle – et de ce fait je me sentais incapable d'aimer parce que l'on avait *empiété*, j'avais été *entamé* dans le plus intense de ma vie. Comment pouvoir, ou même prétendre, aimer quand on a empiété sur le plus intime de vous, votre désir le plus profond, la vie de votre vie? Tel je me sentais et me suis toujours senti devant Hélène à travers l'agression intime de ma mère : comme un homme (un homme? c'est trop dire) incapable du moindre vrai don d'amour authentique pour elle, et par elle pour quiconque, renfermé sur moi-même et ce que j'appelais mon insensibilité. Mon insensibilité? En fait celle de ma mère qui m'a stupéfait quand, du Maroc, sous prétexte d'amibes au ventre ou je ne sais quoi, elle a refusé d'aller assister sa propre mère mourante – et c'est moi qui suis allé au Morvan la recueillir après son infarctus dans le froid du petit matin de l'église. Mon insensibilité? En fait celle de ma mère quand elle m'a, par son seul silence, détourné de Simone pour me jeter dans la fureur de ma course à vélo vers La Ciotat. Mon insensibilité? En fait celle de ma mère quand je l'ai vue, froidement, sans l'ombre d'une émotion, poser un baiser froid sur le front de mon père mort, après quoi un simple geste de croix à genoux et en avant la sortie! Mon insensibilité? En fait celle de ma mère quand mon ami Paul et Many sont venus, parce qu'ils étaient les seuls à la connaître, la visiter dans son pavillon solitaire de Viroflay pour lui annoncer, Dieu sait sous quelles infinies précautions, qu'Hélène était morte et que je l'avais tuée – alors elle leur fit visiter le jardin, sans dire un mot comme si de rien n'était, l'esprit manifestement ailleurs, je sais hélas trop où. Mon insensibilité? En fait celle de ma mère quand, maintenant libérée de toutes ses phobies depuis qu'elle est seule et refuse le nom de Mme Althusser pour ne vouloir que son nom de jeune fille : Berger, et se jette, cette fois sans crainte des amibes ou autres ennuis de ventre, sur les beaux chocolats que je lui apporte! Mon Dieu, serais-je injuste envers elle? Cette femme droite sur ses principes, transparente dans sa vie, qui jamais n'exerça aucune violence sur quiconque, chaleureuse (pour ses rares amis à elle), qui nous aima manifestement du mieux qu'elle put, et dut imaginer toute seule pour nous les « bons » moyens (musique, concerts, théâtre classique, Scouts de France) propres à nous donner une bonne éducation. La malheureuse, elle a fait ce qu'elle a pu, rien de plus, rien de moins, pour ce qu'elle a cru son bonheur et le nôtre, en fait pour mon malheur, en pensant bien faire, c'est-à-dire en s'alignant sur ce que lui avaient appris les calmes terreurs de sa propre mère dans la solitude des forêts sauvages d'Algérie, et sous la nerveuse inquiétude de son père.

Mais rien d'étonnant si j'ai repris à mon compte le sens affreux de cette insensibilité, et de cette impuissance d'aimer vraiment, et si je l'ai reporté sur Hélène, cette autre malheureuse, martyre comme elle à mes yeux, et plaie ouverte. Tel fut mon destin, et le nôtre, d'avoir à ce point réalisé les désirs de ma mère que jamais (jusqu'ici) je n'aie pu me « recomposer » pour donner à Hélène autre chose que cette caricature affreuse d'un don d'artifice hérité de ma mère pour tout amour pour elle. Certes, j'ai aimé Hélène de toute mon âme, de toute ma fierté exaltante, de tout ce don total de moi que je lui consacrais sans réserve, mais comment faire pour sortir vraiment de la solitude close à laquelle, sans doute avec des lapsus, réserves et arrière-pensées inavoués, j'étais alors voué, comment faire pour répondre à son angoisse quand elle me répétait sur le lit et ailleurs : dis-moi quelque chose! c'est-à-dire *donne*-moi tout ce qu'il faut pour enfin sortir de la terrible angoisse d'être seule et affreuse mégère à jamais, sans amour possible à la mesure du mien?

Nul être au monde ne peut répondre à la demande d'angoisse : dis-moi quelque chose! quand ce mot veut simplement dire *donne-moi tout,* donne-moi d'exister enfin!, de quoi colmater cette angoisse de ne vraiment pas exister dans ton regard et dans ta vie, de n'être qu'une simple occasion en passant, de ne pas suffire à constituer ton intégrité entamée en amour à jamais! Et derrière cet appel pathétique, je savais trop, et Hélène elle-même savait trop, ce qui se dissimulait : la terreur fantasmatique d'Hélène de n'être qu'une mauvaise femme, une mère *affreuse,* une mégère à faire du mal et mal, et avant tout à qui l'aimait ou voulait l'aimer. A la volonté impuissante d'aimer, ne répondait alors que le refus (désir) farouche, obstiné et violent de ne pas être aimée parce qu'elle ne le méritait pas, parce qu'au fond elle n'était qu'un affreux petit animal plein de griffes et de sang, d'épines et de fureur. De quoi constituer toutes les apparences tellement faciles à accepter (c'est tellement plus facile!) d'un couple sado-masochiste incapable de briser le cercle de son dramatique enchaînement dans la fureur, la haine et le déchirement mutuels.

D'où les « affreuses scènes » de ménage entre nous qui horrifiaient ou révoltaient (c'est selon) nos amis, quand ils en étaient les témoins impuissants. Comme mon père, Hélène partait, son visage soudain changé en marbre ou en papier, et la porte claquée je lui courais après, dans une atroce et lancinante angoisse d'être abandonné par elle parfois même des jours durant et parfois sans que j'y fusse pour rien. Ainsi qu'avais-je donc fait au Portugal, où je l'emmenai après la révolution des Œillets en avion ? Elle fit une crise d'hystérie au restaurant où des amis de l'endroit nous avaient invités parce que les rues étaient *trop abruptes* dans Lisbonne, et je dus la conduire sur le refuge du haut château pour y attendre une accalmie d'humeur. Ainsi qu'avais-je donc fait à Grenade quand elle refusa, je ne sais pourquoi, l'aide d'un ami qui proposait de nous faire visiter l'Alcazar : pas besoin de lui ! et ce fut une « scène » terrible. Ainsi qu'avais-je donc fait en Grèce quand elle refusa — mais avait d'avance refusé — l'hospitalité traditionnelle d'un prodigieux repas d'accueil petit-bourgeois en famille. Ainsi... Sans doute, dans ces cas-là, n'y étais-je vraiment pour rien, mais je sais hélas trop bien que le plus souvent je me suis joué d'elle en provoquant ses réactions, en allant la chercher jusque dans son intimité pour voir si oui ou non elle était d'accord.

Ainsi de mes « histoires de femmes ». A côté d'elle, j'ai toujours éprouvé le besoin de me constituer une « réserve de femmes » et de solliciter une explicite approbation d'Hélène de m'y consacrer. Sans doute avais-je « besoin » de ces femmes comme autant de suppléments érotiques pour satisfaire ce qu'elle ne pouvait, la malheureuse Hélène, donner d'elle, un jeune corps non souffrant et cet éternel profil que je poursuivais en rêve, qui « manquaient » à mon désir entamé, la preuve que je pouvais aussi, à côté d'un père-mère, désirer le corps d'une simple femme désirable. Mais je ne pus jamais rien entreprendre sans l'explicite de son approbation, sauf récemment.

En cela je trouvais inconsciemment mais souverainement la solution de « synthèse ». Je tombais amoureux de femmes selon mon goût, mais assez éloignées de moi pour éviter le pire : vivant soit en Suisse (Claire) soit en Italie (Franca), donc à une distance inconsciemment calculée pour ne les voir que par intermittence (au-delà de trois jours j'en étais régulièrement c'est-à-dire inconsciemment lassé et dégoûté et pourtant quelles femmes exceptionnelles de beauté et d'âme me furent et Claire et Franca). Mais cette précaution géographique ne me dispensait pas de mes cérémonies d'approbation et de protection. Quand je connus Franca, en août 1974, j'invitai aussitôt Hélène à la connaître au 15 août. Elles s'entendirent très bien mais il s'ensuivit quelques mois après des épisodes douloureux où je fus ballotté entre Hélène et Franca, je ne sais combien de télégrammes et d'appels téléphoniques entre Panaréa (île sicilienne) et Paris, entre Bertinori et Paris, entre Venise et Paris, sans autre résultat que de multiplier mes provocations sournoises et d'aggraver la situation.

Mais le comble fut atteint avec mes « amies » quand elles mirent sur le tapis, indirectement ou non, la question de vivre avec elles et d'avoir un enfant. Avec Claire, l'affaire se passa sur le talus d'une route de la forêt de Rambouillet : elle me parla de ce petit « Julien » que nous voulions tant avoir et m'offrit – elle avait ainsi des « idées sur moi » – de partager sa vie : j'en tombai aussitôt malade, en dépression. Avec Franca, cette magnifique Italienne de trente-six ans, qui, à son âge, avait désespéré de jamais pouvoir encore aimer, ce fut pire. Un jour elle débarqua à Paris sous prétexte d'y suivre les cours de Lévi-Strauss, qu'elle avait traduit dans son pays, et m'avertit par téléphone qu'elle était là et que je pouvais faire d'elle ce que je voulais. Elle entra même chez moi, qu'elle avait vu très mal, en passant par la fenêtre. C'était trop clair. Je tombai aussitôt malade, fortement déprimé. Elle aussi avait eu des « idées » sur moi.

Mes dépressions successives ne furent certes pas toutes de la même eau. Mais ce furent d'étranges dépressions, où l'hospitalisation suffisait à m'apaiser presque sur-le-champ comme si la protection maternelle de l'hôpital, l'isolement et la « toute-puissance » de la dépression suffisaient à combler et mon désir de ne pas être abandonné contre mon gré, et mon désir d'être protégé de tout. Heureuses dépressions si je puis dire, qui me mettaient à l'abri de tout dehors et me jetaient dans l'infinie sécurité de n'avoir plus à me battre, même contre mon désir. Mon analyste avait beau me redire que c'étaient là de « fausses dépressions » névrotiques et atypiques, rien n'y faisait. Et comme elles étaient généralement très brèves (quinze jours à trois semaines) et comme malgré leur terrible attente (plus dure et longue que la dépression même), elles cessaient comme par miracle avec l'hospitalisation, comme mon travail n'en était que fort peu affecté ainsi que mes projets, comme j'en sortais souvent dans un état hypomaniaque qui me donnait toutes les satisfactions de l'extrême facilité, de l'apparente résolution de toutes les difficultés, des miennes et de celles des autres, au fond je n'en étais pas tellement affecté, je travaillais mille fois plus et rattrapais alors mille fois le pseudo-retard que j'avais pris. Elles s'inscrivaient simplement dans le cours un peu tumultueux de ma vie.

Mon analyste, que je consultais alors régulièrement, m'éclaira sur un aspect de mes dépressions que je n'avais évidemment pas soupçonné tout seul. Il me dit : la dépression, c'est la toute-puissance. Formellement, c'est incontestable : on se retire du monde, on se « réfugie » dans la maladie, loin de tous les soucis actuels et actifs, dans la protection d'une blanche chambre de clinique, où des infirmières et un médecin attentifs vous dispensent des soins maternels (la régression très poussée de toute dépression fait de vous comme un tout petit enfant, mais non abandonné, au contraire on s'abandonne à cette paisible et profonde certitude de n'être enfin plus abandonné) sous le fétichisme comique de drogues qui, en fait, on le sait, ne font qu'*abréger* le processus de sortie de la dépression, qui donnent le sommeil et l'apaisement, on obtient, sans rien faire, et sans rien avoir à fournir en échange, le monde entier à vos ordres et désirs : médecins, infirmières, celles et ceux qui vous aiment et viennent vous visiter. Sans plus rien craindre du monde extérieur, on exerce enfin la toute-puissance d'un enfant enfin aimé de bonnes mères. On peut imaginer combien cette explication théorique me comblait : moi qui, dans la vie, me sentais impuissant, sans existence réelle (autre que par le jeu de mes artifices et de mes impostures) je me trouvais enfin disposer d'une puissance telle que jamais je n'eusse rêvée. De là à penser que je ne tombais malade et n'aspirais à l'hospitalisation que dans ces cas (je suppliais littéralement qu'on me l'accorde), le pas est aisé, et véridique, à franchir. Mais quand donc pourrai-je parvenir à jouir de cette toute-puissance dans la vie réelle ? Juste l'occasion m'en était offerte par la période d'excitation hypomaniaque qui suivait (pas toujours mais de plus en plus) ma phase dépressive. Très rapidement je passai de la dépression à l'hypomanie, qui prenait parfois le tour d'une véritable manie très violente. Alors je me sentais effectivement tout-puissant, et sur tout, sur le monde extérieur, sur mes amis, sur mes projets, sur mes problèmes et ceux des autres. Tout me paraissait et m'était d'une incroyable facilité, je planais au-dessus de toutes les difficultés, les miennes et celles des autres, je me mettais, non sans apparent succès, à résoudre, sans qu'ils m'en eussent prié, leurs propres problèmes. Je me lançai dans des initiatives qu'ils jugeaient extrêmement dangereuses (pour moi et pour eux), qui les faisaient trembler, mais je passais outre à toutes leurs objections, je n'en avais cure, absolument convaincu que j'étais d'être le maître absolu, maître absolu du jeu, de tous les jeux, et pourquoi pas, au moins une fois, presque à l'échelle mondiale... Je me souviens d'une terrible phrase que je prononçai vers 1967, et que je n'ai hélas pas pu oublier : « Nous sommes en train de devenir hégémoniques... » Chacun comprendra qu'il y avait dans cette prodigieuse facilité et prétention une énorme dose d'agressivité, qui se libérait à cette occasion, ou plutôt qui se défoulait dans l'excitation, comme un symptôme de mon fantasme d'impuissance et donc de dépression, car ce n'était qu'une défense retournée contre ma tendance à la dépression et contre les fantasmes d'impuissance qui la nourrissaient. Tant il est vrai que l'ambivalence dont Freud après Spinoza a si bien parlé, est active dans tous les cas et était par-dessus tout claire dans le mien. Ma peur d'être totalement impuissant et mon désir d'être tout-puissant, ma mégalomanie n'étaient que les deux aspects d'une même unité : celle du désir de disposer de ce qui *me manquait pour être un homme* plein et libre, et dont j'avais la terreur de manquer. Le même fantasme à deux faces (son ambivalence) me hantait ainsi, alternativement, dans la toute-puissance irréelle de la dépression et la toute-puissance mégalomaniaque de la manie.

D'ailleurs, à bien observer les « thèmes » conscients de mes dépressions (j'en connus une bonne quinzaine, depuis 1947 jusqu'en 1980, toujours brèves, sauf la première et la dernière, et sans aucune conséquence « professionnelle », bien au contraire, et je remercie les directions de l'École qui, ayant tout compris, ne m'ont jamais mis en congé de maladie puisque après chaque dépression je faisais au moins vingt fois mon travail), je puis les ranger sous trois rubriques : la peur d'être abandonné (par Hélène, mon analyste ou tel de mes amis ou amies), la peur d'être exposé à une demande d'amour que je ressentais comme la menace qu'on me « mît la main dessus », ou plus largement, j'y reviendrai, qu'on eût des « idées sur moi », évidemment pas les miennes ; et enfin la peur d'être exposé en plein public dans ma nudité : celle d'un homme de rien, sans aucune existence que celle de ses artifices et de ses impostures, et tout le monde alors allait découvrir au grand jour et pour ma confusion, ma condamnation définitive.

Je pense qu'on aura saisi pourquoi la peur d'être abandonné pouvait déclencher en moi une angoisse propre à me jeter dans la dépression. A la peur d'être abandonné par ma mère s'ajoutait chez moi la vieille peur des départs de mon père dans la nuit, réactivée par les départs violents d'Hélène, que je ne pouvais supporter : ils m'étaient autant de menaces de mort (et on sait quel rapport actif j'ai toujours entretenu avec la mort). Cette « surdétermination » me laissait dans la terreur et sans aucun recours, je n'avais plus qu'à m'abandonner à mon « destin » et tomber dans ce que je désirais, accomplir ma vérité, ne plus exister, disparaître du monde, bref, me faire hospitaliser, mais avec cette arrière-pensée perverse de me réfugier dans la maladie où plus personne alors ne risquait de m'abandonner, puisque j'étais officiellement et publiquement malade, et exigeais et obtenais ainsi tyranniquement l'assistance de tous. J'ai répété cette conduite, et d'une manière extrêmement intense, dans les derniers épisodes de ma très sérieuse et longue dépression, à Sainte-Anne et surtout à Soisy. J'en parlerai.

XII

J'éprouvais aussi une extrême répulsion et angoisse à l'idée (et aux situations qui me donnaient à penser) qu'on voulait me « mettre la main dessus ». Je craignais avant tout les entreprises des femmes. Association très évidemment dans la lignée des traumatismes et atteintes, j'allais dire des attentats de ma mère, qui ne s'était pas privée sur moi de cette agression castratrice. Qu'une femme m'offrît de vivre avec moi (ce qui impliquait que, par effet, je fusse abandonné d'Hélène qui n'aurait jamais – dans mon esprit – supporté la chose), j'en étais terrifié et tombais en dépression. Cela pourra paraître surprenant à plusieurs de mes amis eux-mêmes, mais *jamais je n'eus l'impression qu'Hélène ait prétendu me « mettre la main dessus », ou se conduire avec moi comme une mère castratrice ;* en revanche, j'ai toujours ressenti cette impression quand des amies « latérales » sortaient des limites que je leur avais imposées (en se servant des circonstances ou en les choisissant inconsciemment), et risquaient de ce fait (je le vois très clairement aujourd'hui) de me priver d'Hélène, donc de provoquer son abandon. Pour me défendre contre ce risque insensé mais fatal, je ne reculais devant rien. Évidemment je refusai farouchement (par la démonstration que j'en faisais en tombant aussitôt malade), toute offre de ce genre, que je ressentais comme une « mainmise insupportable ». Préventivement, je trouvai même à l'occasion (à vrai dire toujours, mais sous des formes diverses, implicites ou explicites) des parades et des mots insensés. Ainsi, à une jeune femme qui, par lettre, me déclara un amour depuis longtemps visible, je répondis un jour en retour : « Je déteste être aimé ! », ce qui était complètement faux, mais en revanche signifiait : je déteste qu'on prenne *l'initiative* de m'aimer, de me « mettre la main dessus », car je n'admets pas qu'on prenne ce genre d'initiative, dont le privilège m'appartient en propre et à nul(le) autre au monde : je parle bien entendu de l'homme, l'individu que j'étais et non du philosophe – en fonction même de ce désir insensé d'aimer dont je me sentais et éprouvais incapable.

Une variante plus générale de ce refus d'initiative de toute femme sur moi, je l'appelai un jour, dans une violente (de ma part) explication avec mon analyste, ma répulsion envers quiconque prétendît « avoir des idées sur moi ». Cette fois il s'agissait non seulement des femmes, mais des femmes et des hommes, et avant tout de lui, mon analyste, dont je n'avais alors que très mal compris qu'il représentait pour moi « la bonne mère », donc une femme, la première de toutes. Je dois préciser ici que jamais je n'eus le sentiment qu'Hélène ait eu « des idées sur moi », tant elle m'acceptait comme j'étais, selon mon propre désir. C'est en effet la question du désir qui est ici, comme dans les formes d'expression précédentes, en cause. J'avais assez subi le désir de ma mère, au point de sentir que je ne pouvais le réaliser que contre le mien, je prétendais assez avoir enfin droit à mon propre désir (tout en étant incapable de me le rendre présent, ne vivant que de son manque, de son amputation : de *sa mort*) pour ne pas supporter qu'un tiers, qui que ce fût, m'imposât son désir à lui et ses « idées » comme les miens, à leur place. Généralisée à ce point, la revendication de mon propre (mais impossible) désir a bel et bien constitué la base de ma farouche indépendance et en philosophie et dans le Parti et, malgré mon habileté à me concilier, c'est-à-dire en fait à infléchir en mon sens les avis de mes amis, a également constitué mon indépendance à l'égard de mes amis les plus proches. Je crois que ce trait ou ce « travers » ne leur a pas échappé, et que j'ai parfois dû le leur faire chèrement payer. C'est même peut-être en partie l'origine de la réaction de cette amie dont j'ai rapporté le mot : « Tu utilises très bien tes amis, mais tu n'as aucun respect pour eux. » Que j'aie tiré de cette indépendance (dont je vois bien maintenant la « généalogie » négative) des bénéfices positifs, qui ont contribué à la composition et à la figure de ma « personnalité », cela ne fait aucun doute. Encore un exemple d'ambivalence, auquel je dus assurément de tomber en d'autres dépressions.

Mais le cas sans doute le plus expressif de mes terreurs fantasmatiques – car il représente comme le fantasme de l'impossible solution à laquelle je me trouvai réduit de paraître tout-puissant alors que je ne l'étais en rien –, est le troisième « motif » qui provoqua plusieurs de mes dépressions, en particulier la spectaculaire dépression de l'automne 1965. Je venais dans l'euphorie de publier *Pour Marx* et *Lire « Le Capital »*, parus en octobre. Je fus alors saisi d'une incroyable terreur, à l'idée que ces textes allaient me montrer tout nu à la face du plus large public : tout nu, c'est-à-dire tel que j'étais, un être tout d'artifices et d'impostures, et rien d'autre, un philosophe ne connaissant presque rien à l'histoire de la philosophie et presque rien à Marx (dont j'avais certes étudié les œuvres de jeunesse de près, mais dont j'avais seulement sérieusement étudié le Livre I du *Capital*, dans cette année 1964 où je tins ce séminaire qui devait déboucher sur *Lire « Le Capital »*). Je me sentais un « philosophe » lancé dans une construction arbitraire, bien étrangère à Marx même. Raymond Aron n'eut pas tout à fait tort de parler à mon sujet comme à celui de Sartre de « marxisme imaginaire », mais il ne comprenait, comme toujours, lui à qui même les trotskistes ont tressé des louanges après sa mort, rien à ce qu'il disait – quand il lui arrivait de dire quelque chose d'important –, je ne parle pas du reste. Bref, je craignais de m'exposer à un démenti public catastrophique. Dans ma crainte de la catastrophe (ou son désir : crainte et désir vont sournoisement toujours ensemble), je me précipitai dans cette catastrophe, et « fis » une impressionnante dépression. Cette fois assez sérieuse, au moins pour moi car elle ne trompait pas mon analyste.

Je connaissais alors mon analyste depuis quelque peu, et je tiens à parler de lui. On ne comprendrait pas que je passe sous silence son rôle décisif dans ma vie, ne serait-ce que parce que, jusque dans la profession et chez nombre de ses amis et des miens, il a été l'objet de sévères critiques lors de la mort d'Hélène. Il paraît même qu'une pétition contre ses « méthodes », signée de plusieurs « hétérodoxes », dont certains de son école, fut adressée au *Monde* qui ne la publia pas, grâce à l'intervention de mon ancien élève Dominique Dhombres. « Ils » peuvent maintenant (il est à Moscou mais à son retour) lui « payer » drôlement à boire!

C'est Nicole, devenue une amie chère mais bourrée de phobies qui me paralysaient, qui me conseilla d'aller le consulter. Je commençai à soupçonner que les soins de mon premier thérapeute relevaient non d'une analyse authentique, mais d'un très bon soutien sans véritable effet analytique. Cet homme généreux m'avait bien aidé dans mes moments difficiles, il était toujours intervenu pour me fournir les médicaments et les conseils nécessaires à mon état, et pour me faire admettre dans des établissements ou cliniques psychiatriques (Épinay, Meudon, etc.). Je lui apportais mes rêves par écrit, et sous la narcose qui me donnait tant de délices, il les commentait longuement, m'indiquant en eux les « éléments positifs » à côté des « éléments négatifs ». Je compris certaines choses, mais il intervint au moins une fois dans ma vie personnelle, déclarant à Franca qui sollicitait son opinion alors que j'étais hospitalisé : « Ce qui est arrivé avec vous, ce n'est pas grave, c'est un amour de vacances. » Et, une fois que j'étais hospitalisé à la Vallée-aux-Loups (ancienne résidence de Chateaubriand) et soigné par une vieille dame, une des deux filles de Plékhanov, je faillis sérieusement me tuer avec un vilain long couteau, car mon thérapeute tardait à me faire faire des chocs, que je réclamais, dans une détresse sans nom, avec violence. Bref, Nicole me conseilla un véritable analyste, « un homme qui a les épaules assez larges pour toi ». J'ai retenu le mot, sans doute pas par hasard. Après tout j'aurais pu penser à mon ami Paul, qui avait effectivement les épaules assez larges pour se battre à ma place.

Avant l'été 1965, je vis mon futur analyste plusieurs fois, en entretiens préalables, et finalement il me dit accepter de me voir régulièrement pour des entretiens « analytiques », *mais en tête à tête*. Il s'en est plusieurs fois expliqué par la suite : j'avais en moi une telle charge d'angoisse que je n'aurais à son avis jamais pu supporter le divan, l'angoisse redoublée de ne pas le voir de mes yeux, de ne pas supporter son silence. De fait, en face à face, le voyant réagir de tout son visage, et l'entendant répondre souvent instantanément, quoique très rarement directement à mes questions, j'en fus certainement rassuré : il était là et bien là. Présence attentive, *visiblement* attentive, ce qui me rassurait grandement. J'appris en même temps (et le constatai) qu'une analyse en tête à tête est autrement difficile pour l'analyste qu'une analyse allongée, car il doit contrôler tous les mouvements de son visage, surtout dans le silence, sans pouvoir se réfugier dans le mutisme de la respiration d'un fauteuil, d'une pipe, d'un froissement des pages d'un journal, etc., confortablement installé derrière le patient.

Lorsque mes livres parurent, en octobre, je fus saisi d'une panique telle que je ne parlais que de les détruire (mais comment ?) et finalement, solution dernière mais radicale, de me détruire moi-même. Mon analyste se trouva confronté à cette situation terrible. J'ai souvent pensé depuis à tant d'analystes qui, pour respecter soi-disant la « lettre » des règles analytiques, n'interviennent alors en rien, refusant de se comporter aussi en psychiatres et médecins et de donner ainsi à leur patient la satisfaction narcissique de les aider (non seulement à trouver une clinique, mais même un psychiatre). Au simple fait que personne au monde, dans la profession ou ailleurs, si le patient se tue, ne vient alors leur reprocher leur absence d'intervention. Un de mes amis très chers, alors en analyse, s'est ainsi suicidé en 1982, sans que, apparemment (je dis bien apparemment, je suis peut-être mal informé, mais je connais d'autres cas qui ne laissent pas de doute, et du côté de Lacan lui-même), son analyste ne se fût autorisé la moindre intervention « de soutien ». Mon analyste qui, en 1965 et jusqu'au dénouement, me voyait chaque jour et me tenait comme « à bout de bras » (il devait plus tard me dire qu'il avait sans doute alors été un peu « hypomaniaque » car trop assuré de pouvoir me tirer d'affaire), confronté à ma menace répétée de suicide, finit par céder à ma pression et accepta de me faire hospitaliser. Il précisa : « dans un établissement que je connais bien, où nous avons nos méthodes à nous : Soisy ». Il précisa même (pour plus de sécurité, je pense) qu'il m'y accompagnerait lui-même. Il vint me chercher en voiture à l'École, et je vois encore de loin mon vieil ami le Dr Étienne accourir à la grille et lui parler longuement, à ce vieil homme. Ce dernier paraissait l'écouter sans dire grand-chose. J'ai toujours pensé, et je crois, à certains indices, que je n'avais pas tort, qu'Étienne donnait à mon analyste sa version personnelle des faits : si je tombais malade, c'était la faute d'Hélène. Cette version facile et rassurante devait plus tard être assez répandue dans la « rumeur », mais *très peu* dans mes amis proches ; et pour cause, ils connaissaient *quand même* Hélène et savaient (très rares à dire vrai) que nous ne formions pas le fameux couple « sado-masochiste » classique et souvent mortel.

Je fus admis à Soisy, bel hôpital moderne, pavillons dans une immense prairie, je demandais à cor et à cri une cure de sommeil, croyant (toujours les mythes soviétiques) à son miracle. On me donna partiellement satisfaction, on me fit un peu dormir de jour, je m'apaisai assez vite (ce qui m'étonna) et sortis au bout d'un mois, remis en état. Dans la suite, je soumis presque toujours mon analyste à la même pression, et comme je ne pouvais, dans mon angoisse, supporter qu'il ne s'occupât pas de moi, comme il se trouvait pris dans une situation déjà marquée par tout un passé, même quand il finit par me laisser totalement libre de ma décision de me faire (ou non) interner, c'est toujours bien par lui que la décision passait, au moins en ce qui concernait le *lieu* de l'hospitalisation, soit pour aller à Soisy d'abord, soit pour me réfugier au Vésinet ensuite, dont les directeurs étaient ses amis, et où il pouvait, par leur intermédiaire, me « suivre ». Au Vésinet, chaque dimanche matin, mon analyste arrivait en voiture. J'étais confondu par son dévouement, et le fus encore plus quand je sus, après la première hospitalisation, qu'il me faisait payer cette visite exceptionnelle, assortie d'un très long parcours en voiture, le même prix que mes séances ordinaires (qu'on songe à l'importance pour moi – et pour les analystes! – des questions d'argent), mon père, que je ne sollicitai pas, ne m'aidant toujours pas, alors qu'à l'époque, il l'eût aisément pu. Et chaque fois j'accueillais mon analyste dans un état d'effusion qui me portait aux larmes, comme un petit enfant devant sa mère.

L'affaire devait se compliquer encore plus tard, vers 1974-1975. Hélène dont les troubles « caractériels » étaient manifestes, accepta d'entrer en analyse, avec une femme. Elle lui rendit visite pendant un an et demi environ, en tête à tête, une fois la semaine, puis la quitta brusquement à la suite d'un incident dont je n'ai connu que la version d'Hélène. Son analyste ayant fait allusion à un thème classique dans Freud (sur le tête à tête), et Hélène lui ayant dit qu'elle n'en avait pas connaissance (elle n'avait effectivement aucune culture théorique analytique), son analyste lui aurait rétorqué : « C'est impossible, *vous mentez!* » (Hélène avait une telle culture générale que son analyste pouvait légitimement penser qu'elle connaissait le terme, mais le refusait si je puis dire « volontairement ».)

Hélène était désemparée, moi plus encore, par ce terrible abandon, on l'imagine. Je pressai mon analyste, avec une insistance suicidaire, de trouver une solution. Il accepta (ce que je souhaitais de tous mes vœux), d'avoir avec elle un entretien thérapeutique en face à face une fois la semaine. C'est ainsi qu'il nous prit « en charge », si je puis dire, tous les deux, parallèlement, cas certes extrêmement rare dans le métier mais non sans précédent (Lacan pratiquait couramment la même méthode), et qui devait, après la mort d'Hélène, soulever de graves soupçons contre lui, et dans la profession, et chez plusieurs de nos amis. L'un d'eux parla même de « cercle infernal », de « ménage à trois », d'« impasse totale » sans autre issue qu'un drame. Certes, mon analyste m'a toujours dit que j'étais un cas « atypique » (mais tout « cas » n'est-il pas tel ?) et qu'Hélène aussi, et nos rapports aussi, et qu'à situation atypique on ne pouvait proposer qu'une solution elle aussi atypique, qui n'était certes pas dans la stricte lettre des normes classiques, mais qui n'en était pas totalement exclue, à condition de savoir se comporter en fonction du « cas », stratégiquement et tactiquement.

Après coup, j'ai toujours eu le sentiment que j'exerçais une telle pression sur mon analyste, dans un rapport constant de chantage à l'abandon et au suicide, qu'une fois pris dans le précédent de 1965, il fut comme contraint d'y persévérer malgré lui, attendant que les rapports se détendent suffisamment pour s'en dégager et m'en dégager : mais cela devait dépendre de l'évolution de ma cure, donc en définitive de moi. C'est bien ce qui s'est passé. La stratégie de mon analyste s'est donc vérifiée dans l'expérience.

A plusieurs reprises, lorsque je me trouvai en période de manie après une dépression, j'eus le sentiment que mon analyse avait abouti. Je forgeais même en ces occasions miraculeuses une métaphore sur la fin de l'analyse. L'analyse est comme un lourd camion chargé de sable fin. Pour le vider, un vérin soulève lentement la benne qui s'incline. Au début, rien ne tombe, puis peu à peu quelques seuls grains de sable. Et tout d'un bloc la charge entière s'éboule à terre. Trop belle métaphore, trop adaptée à mon désir. Je devais apprendre, à mes frais, qu'il n'en allait pas ainsi... Je déclarai alors à mon analyste, avec une absolue certitude et reconnaissance : « Cette fois vous avez gagné ! » Et chaque fois je me souviens de son silence, tout le contraire de l'approbation muette, un silence chargé d'une inquiétude sourde qu'il ne parvenait pas à dissimuler malgré tout le contrôle de son « contre-transfert ». J'ai même le souvenir d'un geste de lui, qui me révolta, à la fin d'une de ces séances de « libération ». Comme je sortais dans la plus haute euphorie, je le vis au dernier instant, dans l'entrebâillement de la porte, esquisser de la main, de haut en bas, un geste qui voulait dire : allez-y doucement – et à plusieurs reprises répéter ce geste. J'en fus révolté. Je devais m'en expliquer avec violence avec lui : « Ou bien vous pensez que je suis jeté dans une phase d'hypomanie à motifs inconscients incontrôlables et alors comment voulez-vous que je me contrôle, et de quel droit m'incitez-vous à une prudence que je ne puis observer? Ou bien vous estimez que je suis en état de me contrôler et alors, tout dépendant de moi, pourquoi ce geste qui n'ajoute rien à rien? Et finalement : de quel droit, " contrairement à toute règle analytique ", dans un " cas " comme dans l'autre, prétendez-vous intervenir sur mon comportement? » Formellement je n'avais certes pas tort. Je ne lui ai jamais demandé son avis sur ce point si blessant pour moi. J'ai sans doute eu tort...

Dans ma grande phase d'explication violente avec mon analyste, qui dura plusieurs mois, vers 1976-1977, je lui reprochai carrément, et intensément, d'avoir toujours eu « des idées sur moi », de m'avoir traité non comme un simple homme ordinaire, mais plutôt comme l'homme connu que j'étais, avec beaucoup trop d'égards. Je lui reprochai de m'avoir avoué que mes livres étaient « les seuls livres de philosophie qu'il comprenait », d'avoir pour moi une amitié, voire une prédilection, analytiquement suspectes, je lui reprochai en bref de ne pas savoir ni pouvoir maîtriser son propre *contre-transfert à mon égard*, et lui communiquai même un écrit à prétention théorique que je composai (à son intention) sur le contre-transfert, où je développai l'idée, assez bien argumentée, que dès le début ce n'est pas le transfert, mais le contre-transfert qui règne. Il lut ce texte et froidement me déclara : ce sont des choses connues depuis longtemps. J'en fus horriblement vexé et conçus contre lui une rancune supplémentaire. Je ne m'avisai pas que c'était moi qui pouvais être à l'origine de la complicité que je ressentais entre nous, moi qui l'avais provoquée, recherchée et atteinte, au prix d'une gigantesque tentative de séduction. Je ne savais pas alors que, hommes ou femmes, je n'avais de cesse que je ne les eusse séduits et réduits à ma merci, par une continuelle provocation. Mon analyste y a-t-il réellement cédé, ou en ai-je eu seulement l'impression? Je ne puis le dire, mais je livre ici, avec tous mes souvenirs de mes traumatismes marquants, toutes mes armes, c'est-à-dire mes faiblesses désarmées.

Séduction, mais aussi provocation. Les deux allaient naturellement de pair. Avec les femmes que je rencontrai dans ces états, j'avais la séduction irrésistible et conquérante dans les plus brefs délais : dix minutes, une demi-heure d'assaut allègre et l'affaire était réglée. Chaque fois que j'en avais le désir, c'est moi qui prenais l'initiative, comme ma main dans la main d'Hélène, quitte ensuite à me trouver horriblement embarrassé du résultat, la crainte de m'être moi-même piégé ou de m'être laissé piéger m'envahissant dans l'angoisse.

Bien entendu, je compensai l'audace insensée de ces assauts et mon inquiétude subséquente, en en « rajoutant », en faisant monter les enchères de mes sentiments, en me convainquant que j'aimais vraiment et jusqu'à la folie, et je me forgeai alors de la femme que j'avais rencontrée une image propre à soutenir cette passion de surenchère. J'ai toujours jusqu'ici, jusqu'à une récente période dont je reparlerai, voulu vivre mes rapports factuels avec les femmes dans les hauteurs d'un sentiment démesurément intense et passionnel. C'était une manière bien singulière mais bien à moi de me fournir le sentiment de « maîtriser » la situation, c'est-à-dire non seulement d'avoir la main, mais la haute main sur une situation que je ne maîtrisais pas, et étant « fabriqué » comme je l'étais, ne pouvais maîtriser dans sa réalité effective. Il eût fallu que j'acceptasse les femmes sur lesquelles je jetais mon dévolu telles qu'elles étaient et que, surtout, je m'acceptasse tel que j'étais, sans aucune « exagération », mot que je tiens d'une femme qui m'est devenue infiniment chère : la première qui sut voir clair en mes travers, et surtout sut me le dire en face, sans l'ombre d'une hésitation sur le mot : « Ce que je n'aime pas en toi, c'est que tu veuilles te détruire. »

Surenchère, exagération : il y rentre évidemment de la provocation : on ne s'exprime pas devant une femme dans les formes d'un amour insensé et démesuré sans qu'y entre aussi, inconsciemment, le désir qu'elle soit à l'image de cet amour et s'y conforme en son être, ses gestes, ses actes sexuels et ses sentiments. Pourtant j'étais ainsi partagé que, souhaitant les derniers aveux et les dernières tendresses des femmes sur qui je me jetais, j'avais en même temps très peur de leurs démonstrations attendues, peur qu'elles ne me rendissent à leur merci, car alors l'initiative eût changé de camp, et le terrible danger de sombrer entre leurs mains faisait d'avance pâlir mon visage d'angoisse.

Avec Hélène, les choses étaient de la même veine, mais tout autrement. Je n'avais pas du tout peur qu'elle mît sa main sur moi, ou eût « des idées sur moi ». Il y avait entre nous une communion et fraternité telles qu'elles me préservaient de ce danger. Pourtant je ne cessai de la provoquer. Mais, je crois l'avoir fait entendre, mes provocations avaient un autre sens. Je n'avais de cesse qu'elle connût, et le plus vite possible, mes nouvelles amies, pour recevoir d'elle l'approbation que j'attendais somme toute d'une bonne mère que je n'avais jamais connue. Or Hélène ne se sentait pas du tout dans la peau d'une bonne mère, mais tout au contraire d'une mégère et d'une femme affreuse. Elle réagissait comme on peut l'imaginer : au début patiente, puis peu à peu et finalement tout d'un coup (et, comme elle avait été patiente et tolérante au début, je ne comprenais plus) réfléchie, puis critique, catégorique et cassante. Ce n'est pas tant qu'elle fût jalouse (elle me voulait « libre » et je crois qu'elle était profondément sincère, respectait en tout mes désirs, besoins et jusqu'à mes manies), mais elle était manifestement, le premier moment de tolérance passé, tant saisie ou ressaisie par ce terrible fantasme d'être une mégère, qu'à l'occasion de mon incroyable provocation, elle y cédait et se comportait comme elle avait la terreur intérieure de se comporter. Encore un exemple d'ambivalence. Après coup, elle s'en voulait terriblement, et me répétait que je pouvais faire tout ce que je désirais, mais à une simple et seule condition : que *je ne lui parle pas* de mes liaisons féminines. Or ce sage conseil d'évidence, qu'elle me donnait ainsi dans le calme d'une incontestable raison, jamais je ne sus ou ne pus le suivre. Chaque fois je tombai dans la compulsion d'aller la provoquer jusque sous son nez. Nous avions à Gordes une très belle maison, une vieille ferme que nous avions achetée pour rien et magnifiquement restaurée : une splendeur unique dans tout le pays. Je m'arrangeais pour que mes dernières amies y vinssent, toujours pour en être approuvé par Hélène. Une fois seulement les choses se passèrent fort bien : justement avec cette amie qui seule sut me comprendre.

Cette compulsion de provocation à l'égard d'Hélène était évidemment multipliée dans mes états d'hypomanie. Comme alors tout me paraissait et m'était effectivement facile, d'une facilité dérisoire, j'inventais, outre ces présentations perverses, bien d'autres formes de provocation. Hélène souffrait affreusement, car elle savait d'expérience que ces états d'hypomanie n'annonçaient rien de bon, mais au contraire une rechute dans la dépression et son cortège de souffrance et pour moi et pour elle, mais de surcroît elle se sentait directement et personnellement visée (et elle n'avait pas tort, je le sais maintenant) par mes conduites invraisemblables. Car j'avais alors une imagination diabolique. Une fois, en Bretagne, pendant un long mois, je me mis à pratiquer systématiquement un sport particulier : celui du vol dans les boutiques, que je pratiquais naturellement sans difficulté, et chaque fois je lui montrais avec fierté le produit varié et grandissant de mes larcins et lui détaillais mes méthodes imprenables. De fait, elles l'étaient. En même temps je courais les filles sur les plages et de temps en temps, les ayant rapidement circonvenues, je les lui amenais pour quêter son admiration et son approbation. C'est l'époque où je me mis en tête de cambrioler une banque sans aucun risque et même de voler (toujours sans aucun risque) un sous-marin atomique. On comprend qu'elle en fut terrifiée, car elle savait que je pouvais aller fort loin dans l'exécution, mais jamais jusqu'où. Je la faisais vivre ainsi dans l'insécurité et la terreur la plus totale. Qu'on tente d'imaginer la situation !

Il m'advint de la soumettre en deux circonstances à des épreuves encore plus horribles. La première fut sérieuse, mais ne pouvait évidemment pas comporter de suite.

Nous sommes un soir à table chez des amis, avec un couple jusque-là inconnu de nous. Je ne sais ce qui me prend (ou plutôt ne le sais que trop) mais je monte pendant le repas, à grand renfort de déclarations et d'invites provocantes, à l'assaut de la belle et jeune femme inconnue. Tout cela pour aboutir à la proposition péremptoire que nous pouvons et devons faire sur-le-champ l'amour sur la table devant tout le monde. L'assaut avait été conduit de telle sorte que la conclusion s'imposait comme évidente. Dieu merci, la jeune femme se défendit fort bien : elle sut trouver les mots propres à éluder la proposition.

Une autre fois, nous sommes à Saint-Tropez, hébergés chez des amis absents. J'avais invité un ami politique à nous y rendre visite. Il vient, accompagné d'une très belle jeune femme, sur qui je me jetai. Je lui donne à lire un manuscrit de ma plume. La même scène se reproduit, cette fois devant Hélène et l'homme seuls à table. Sur la table évidemment il ne se passa rien, mais j'attire la fille à côté et me mets carrément à lui caresser les seins, le ventre et le sexe. Elle se laisse faire, un peu interloquée, mais préparée par mes discours. Puis je propose d'aller sur la plage, une petite plage habituellement déserte, cette fois totalement déserte, car il souffle un violent mistral et la mer est démontée. Pendant ce temps mon ami reste à la maison, le nez sur mon manuscrit. Sur la plage, toujours devant Hélène, qui ne savait pas nager, j'invite la jeune femme à se dévêtir, et nous entrons tout nus, tous les deux dans les vagues déchaînées. Hélène crie déjà de peur. Nous nageons un peu au large, et là faisons quasiment l'amour en pleine mer. Je vois Hélène, complètement affolée, courir de peur au loin sur la plage en criant. Nous avançons plus avant dans les vagues et au moment de revenir, nous constatons que nous sommes pris dans un fort courant qui nous entraîne au large. Nous dûmes faire des efforts insensés, près d'une ou deux heures durant, pour revenir enfin au rivage. C'est la jeune femme qui me sauva, elle nageait mieux que moi et me soutint dans mes efforts désespérés. Quand nous sommes sur la plage, Hélène a disparu. Il n'y a pas de maison avant plusieurs kilomètres, au travers de rudes collines, et pas de bateau de secours avant le port, lointain, de Saint-Tropez. Hélène était-elle, en désespoir, partie pour chercher du secours ? Après d'interminables courses de recherche, je finis par la découvrir, sur le bord de mer, mais loin de la plage, méconnaissable, complètement recroquevillée sur elle-même, tremblant d'une crise quasi hystérique et le visage d'une très vieille femme ravagé de larmes. Je tente de la prendre dans mes bras pour la rassurer, lui dire que le cauchemar est fini, que je suis là. Rien à faire : elle ne m'entend ni ne me voit. Finalement, au bout de je ne sais combien de temps, elle ouvre la bouche mais pour me chasser violemment : « Tu es ignoble ! Tu es mort pour moi ! Je ne veux plus te voir ! Je ne peux plus tolérer de vivre avec toi ! Tu es un lâche et un salaud, un salaud, fous le camp ! » Je dis de loin à la jeune femme de partir, je ne l'ai jamais revue depuis. Il fallut deux bonnes heures pour qu'Hélène, toujours en larmes et convulsive, acceptât de rentrer avec moi à la maison. Jamais il ne fut question entre nous de cet horrible incident, qu'elle ne m'a sûrement jamais pardonné en son âme. Décidément on ne peut pas traiter ainsi un être humain. J'ai bien compris qu'il n'y avait pas dans sa terreur la peur que je meure dans le courant des vagues, mais une autre peur plus terrible : celle de la tuer sur place par mon horrible provocation démente.

Le fait est : pour la première fois ma propre mort et la mort d'Hélène ne faisaient qu'un : *une seule et même mort* – pas de même origine, mais de même conclusion.

Le visage d'Hélène! Je ne saurais dire combien il m'a saisi dès le premier instant ni combien il me hante encore. Son étrange beauté! Elle n'était pourtant pas belle, mais il y avait en ses traits une telle acuité, une telle profondeur et vie, une telle capacité aussi de passer, d'un instant à l'autre, de l'ouverture la plus totale à la fermeture la plus murale, que j'en étais à la fois ébloui et déconcerté. Un ami qui l'avait très bien connue me dit d'elle qu'il l'avait comprise en lisant le vers de Trakl : « *Schmerz versteinert die Swelle* (La douleur pétrifie le seuil) », il ajoutait que pour Hélène il faudrait dire « *Schmerz versteinert das Gesicht* : la douleur pétrifie son visage ». Il est frappé, ce visage, par les traits, les traces sculptées par une longue douleur de vivre sur le creux des joues, les traces d'un long et terrible « travail du négatif », de combat personnel et de classe dans l'histoire ouvrière et la Résistance. Tous ses amis morts, Hénaff qu'elle avait aimé, Timbaud, Michels, le père Larue qu'elle avait aimé d'amour, tous morts fusillés par les nazis, avaient laissé sur son visage ces traces de désespoir et de mort. La pétrification même de son atroce passé : elle était ce qu'elle avait été, « *Wesen ist was gewesen ist* : L'essence est ce qui a été » (Hegel). Quand cet ami cite Trakl et Hegel, c'est comme si je la revoyais, elle. Ce pauvre petit visage tout enfermé dans sa douleur, et soudain tout ouvert sur la joie, dans ce que ses amis appelaient son « génie de l'admiration » (mot d'Émilie, son amie philosophe exécutée en Sibérie par le NKVD), son incomparable enthousiasme pour les autres, sa générosité sans fin pour eux et surtout les enfants qui l'adoraient. Oui, « le génie de l'admiration », c'était une phrase de Balzac, qui disait : « *Le génie de l'admiration, de la compréhension, la faculté par laquelle un homme ordinaire devient le frère d'un grand poète.* » Elle était telle, capable de se trouver par l'écoute, la compréhension du cœur et le génie de l'admiration au niveau des plus grands, et Dieu sait si elle en connut et fut aimée d'eux!

Mais ce visage si ouvert pouvait aussi se fermer dans la pétrification murale d'une intense douleur qui lui remontait des profondeurs. Alors elle n'était que pierre blanche et muette, sans yeux ni regard, et son visage s'enfermait dans une fuite sans traits. Que de fois ! et que de fois ceux qui ne la connaissaient pas assez l'ont jugée impitoyablement sur quelques apparences de surface comme la femme horrible qu'elle craignait d'être ! Puis, quelque temps après, parfois quelques minutes, souvent plusieurs heures et parfois même un jour ou deux (c'était atroce mais rare), son visage s'ouvrait à nouveau à la joie de l'autre. Terrible épreuve, d'abord pour elle et aussi pour ses proches et avant tout pour moi qui me *voyais* alors abandonné d'elle. Très longtemps je me suis senti coupable du changement brutal de son visage et de sa voix, comme sans doute ma mère d'avoir trahi Louis, l'amour de sa vie, en épousant Charles.

Car elle avait la voix même de son visage : incomparablement chaude, bonne, toujours grave, et souple comme celle d'un homme, et dans le silence même (elle savait écouter comme personne, Lacan s'en est bien aperçu...) ouverte comme jamais, puis soudain dure et fermée, sourde et finalement muette à jamais. Hors ce que je sais de sa terreur d'être une horrible mégère, qui pouvait provoquer en elle la montée physique de son horreur sur son visage ? Je n'ai jamais exactement pu comprendre la raison profonde de cette alternance dramatique, terrifiante, mais éblouissante : sans doute aussi l'extrême angoisse de ne pas exister, d'être déjà morte et scellée sous la pierre tombale de l'incompréhension.

Elle était, quand elle était « ouverte », extrêmement drôle, avait un talent de conteur extraordinaire, et une tendresse de voix irrésistible dans le rire. Elle était également célèbre parmi tous ses amis par son extravagant talent d'épistolière : je n'ai jamais lu de telles lettres, aussi vives et imprévues que le cours fantaisiste d'une jeune rivière sur ses pierres. Elle y avait toutes les audaces de style, et quand je lus plus tard Joyce, qu'elle aimait beaucoup, je trouvai qu'elle avait infiniment plus d'invention de langue que lui ! On ne me croira pas, naturellement. Mais ceux à qui elle n'a cessé d'écrire [le savent] ; son amie Véra, actuellement à Cambridge, le sait — elle me l'a récemment dit au téléphone.

Mais ce qui m'émouvait sans doute le plus, car jamais elles ne changeaient, c'étaient ses mains. Elles aussi pétrifiées par le travail, patinées de peines et de labeur, mais dans la caresse d'une indicible tendresse déchirée et désarmée. Les mains d'une très vieille femme, d'une pauvresse sans espoir ni recours et qui pourtant pouvaient tout donner d'elle. Elles me brisaient le cœur : tant de souffrances y étaient gravées. J'ai souvent pleuré sur ses mains, entre ses mains : elle n'a jamais su pourquoi, jamais je ne le lui ai dit. Je craignais de l'en faire souffrir.

Hélène, mon Hélène...

XIII [1]

Je sais qu'on m'attend ici sur la philosophie, la politique, ma position dans le Parti et mes livres, leur audience, leurs amis et ennemis irréductibles. Je ne vais pas entrer systématiquement dans ce domaine qui est, lui, parfaitement objectif, puisqu'il existe dans ses résultats, dont chacun, s'il n'en est déjà informé, peut prendre connaissance, ne serait-ce qu'en me lisant (une immense bibliographie dans tous les pays) mais, rassurez-vous, qui ne ressasse indéfiniment que quelques rares thèmes à compter sur les trois doigts d'une main.

En revanche, ce que je dois à mon lecteur, parce que je me le dois, c'est l'élucidation des racines subjectives de mon attachement spécifique à mon métier de professeur de philosophie à l'École normale supérieure, à la philosophie, la politique, le Parti, à mes livres et à leur retentissement, à savoir comment je me suis trouvé (ce n'est pas là affaire de réflexion lucide, mais fait obscur et en grande part inconscient) conduit à investir et inscrire mes fantasmes subjectifs dans mes activités objectives et publiques.

Bien entendu, loin de toute anecdote ou « journal de bord » ou mauvaise littérature qui est aujourd'hui de rigueur dans toute autobiographie (cette décadence sans précédent de la littérature), j'irai seulement à l'*essentiel*.

---

1. L'auteur avait placé en tête de ce chapitre cinq pages, selon toute vraisemblance dactylographiées ultérieurement, sans avoir modifié en conséquence la suite de son texte, ce qui entraînait plusieurs répétitions ou variantes des mêmes événements qui compromettaient la lisibilité de l'ensemble du chapitre. Pour cette raison, nous avons jugé préférable de maintenir le texte dans sa première version.*(N.d.E.)*

Premier fait : premier indice. Je n'ai jamais quitté l'École. J'y suis certes entré avec six ans de retard, mais je ne l'ai jamais quittée jusqu'au 16 novembre 1980. Depuis je n'y suis plus retourné, même en passant.

J'ai été reçu à mon diplôme sur la notion de contenu chez Hegel avec Bachelard : en exergue « Un contenu vaut mieux que deux tu l'auras », fausse citation de je ne sais qui, et « Le concept est obligatoire car le concept c'est la liberté », air de René Clair qui ne parlait pas du concept mais du « travail », c'est-à-dire, si on en croit le « travail du négatif » de Hegel, *strictement de la même chose*. Ce travail était écrit fort précieusement (c'était le style que j'avais hérité de la khâgne lyonnaise, et en particulier de l'exemple de mes « anciens », Georges Parain, Xavier de Christen et Serge Chambrillon, tous royalistes − le comte de Paris et non Maurras cet affreux − et fins écrivains, adorateurs de Giraudoux − je partageais alors leurs goûts). J'avais rédigé mon texte à Larochemillay, où j'avais reçu l'accueil de ma grand-mère après ma longue dépression de 1947. J'avais sans la prévenir emmené Hélène avec moi, qui passa son temps dans la « vieille maison » à taper mon texte à la machine au fur et à mesure de mes pages écrites [1]. Ma grand-mère l'avait accueillie chaleureusement, comme je l'attendais d'elle. Naturellement elle avait tout compris de nos relations, mais les avait acceptées comme allant de soi, malgré tous ses principes. Quelle générosité!

Je crois que Bachelard, fort occupé, n'avait pas lu mon texte. J'avais parlé de la « circularité du contenu », un de mes thèmes principaux. Bachelard m'avait seulement rétorqué : Seriez-vous d'accord pour parler plutôt de « circulation » ? − Non. Et il n'avait rien ajouté. A l'École, en ce temps, nous avions pour maîtres Desanti, petit Corse qui « cheminait (déjà) avec combativité », mot de lui qui le peint tout entier, et Maurice Merleau-Ponty. Ce dernier, dont nous suivions les cours avec intérêt (le seul cours que j'aie suivi avec les leçons toujours répétitives de Desanti, « marxiste » demeuré fort husserlien), nous avait proposé, Jacques Martin, Jean Deprun et moi, de publier nos diplômes, avant même de les lire. Nous avions

---

1. Ajout manuscrit en marge du texte dont le raccord avec le reste de la phrase n'a pas été fait par l'auteur : « aux côtés de pommes de terre qu'elle se faisait griller : nuance, elle n'était pas invitée à la table de ma grand-mère! ». *(N.d.E.)*

tous refusé avec hauteur. Je fus reçu à l'agrégation en 1948 à la seconde place, ayant pris chez Spinoza le mot latin *solum* pour le soleil! Deprun était premier. Juste mérite et aussi juste revanche sur son échec de l'année précédente, qui avait sanctionné une audace scandaleuse : à l'oral il avait parlé sans notes.

Puis-je retenir que tant à l'écrit qu'à l'oral je traitai la plupart des sujets sans y connaître grand-chose? Mais je savais « faire » une dissertation et dissimuler convenablement mes ignorances sous un traitement *a priori* de n'importe quel sujet, et naturellement dans l'ordre d'un bon exposé universitaire, avec tout le suspens théorique désirable, que pour jamais m'avait enseigné Jean Guitton.

Je m'étais (mon amour des femmes âgées, et aussi mon art de la séduction) mis dans les petits papiers de la « mère Poré », une simple secrétaire qui avait fait vivre l'École entière pendant les dures années de la guerre, et pratiquement, même sous Albert Pauphilet, après la Libération, la dirigeait de haut en bas et de long en large sans appel. Tout le monde, y compris ce grand paresseux négligent et « parigot » de Pauphilet, y trouvait son compte. Elle savait tout et connaissait tout le monde. Il faut croire que je lui plus car, au départ de Georges Gusdorf en juillet 1948, elle me proposa au directeur pour lui succéder et celui-ci, tout naturellement, approuva son choix.

C'est ainsi que j'héritai de l'exigu logement de Gusdorf (une petite pièce et un bureau faux Louis XV au rez-de-chaussée) et de ses fonctions. Je fis sauter le bureau Louis XV et le remplaçai par une vieille et belle table de chêne gris prise à la bibliothèque. Les fonctions de « caïman » n'étaient guère définies : nous devions « nous occuper des philosophes ». Gusdorf s'était fort peu occupé de nous, il avait fait sa thèse en captivité (sur *La Découverte de soi*, à base de « journaux intimes » qu'il nous lisait carrément en guise de cours! Un jour nous lui fîmes adresser une lettre du directeur du palais de la Découverte : « Monsieur Gusdorf, rien de ce qui touche à la découverte ne nous étant étranger... ») et cette thèse, il la peaufinait, pensant à un poste dans une faculté : il devait être nommé à Strasbourg. Je tâchai de faire mieux que lui, pas difficile : d'abord un cours sur Platon, qui m'occupa deux ans, puis sur d'autres auteurs. Mais surtout je fis faire à mes étudiants, rapidement devenus mes amis, des exercices rhétoriques indispensables. Merleau nous avait dit : l'agrégation, au fond, n'est, sur la base d'un minimum de

154

connaissances requis, qu'un « *exercice de communication* ». J'en étais depuis longtemps, grâce à Guitton, convaincu. Mais je pris la chose à cœur et inaugurai une pratique un peu personnelle de la correction des copies. Je corrigeai très peu en marge, sauf pour rectifier telle erreur patente, ou pour signaler, d'une longue ligne muette mais approbatrice, ou d'un +, marquant la satisfaction du lecteur, mais écrivais ensuite à la machine une longue note d'une, deux ou plusieurs pages selon les cas, où j'indiquais à l'auteur à la fois les points de satisfaction mais surtout comment *il aurait dû et pu construire son texte et argumenter pour donner à l'orientation de sa propre pensée (quelle qu'elle fût) toute la force de conviction requise.* Jamais je n'ai proposé à quiconque de penser autrement que dans la ligne de son propre choix et d'ailleurs faire autrement eût été insensé. Je m'en étais fait un principe que j'ai toujours suivi, par simple respect de la personnalité de mes « élèves ». Sous ce rapport, jamais je n'ai tenté d' « inculquer » quoi que ce soit à quiconque, contrairement à la bêtise de quelques journalistes en mal de « scoop ».

Dans les premières années je mis beaucoup de chaleur à « couver » maternellement mes poulains, à leur « donner le sein » en organisant même pour eux, entre l'écrit et l'oral de leur agrégation, un stage de repos à Royaumont, que je partageais avec eux. Par la suite je devais devenir plus réservé, mais toujours aussi attentif à leurs difficultés et surtout à l'orientation de leur propre pensée.

Je devins rapidement secrétaire de l'École, assistant à tous les conseils de direction, conseillant les directeurs en de nombreuses matières, leur « faisant » souvent prendre d'importantes décisions qui sont encore inscrites dans les murs et les locaux de la maison et aussi dans nombre de ses pratiques – jouant un rôle important surtout dans l'intervalle des successions de directeurs. Normal. J'étais là en permanence, alors que les directeurs mouraient ou quittaient leur fonction (Hyppolite par exemple passant au Collège de France).

Ce que devint l'École? Très rapidement, je devrais dire dès le début, un véritable « cocon » maternel, le lieu où j'étais au chaud et chez moi, protégé du dehors, que je n'avais pas besoin de quitter pour voir les gens, car ils y passaient ou venaient, surtout quand je devins connu, bref, le substitut, lui aussi, d'un milieu maternel, du liquide *amniotique.*

Un beau jour, l'appartement exigu de Gusdorf fut la proie des architectes, qui avaient reçu le feu vert du ministère (après quelque invraisemblable délai, et je ne sus jamais sur la demande de qui) et se mirent à l'agrandir d'une vaste salle de lecture pour élèves. J'y fus alors très à l'aise, prêt à accueillir Hélène lorsqu'elle ne put supporter, dans son nouvel appartement près de Montparnasse, les hurlements de deux jeunes chiots que leur maître abandonnait durant le jour pour son travail, et qu'il fut impossible d'obtenir de lui qu'il prît la moindre mesure pour les voisins. (On peut se faire à cette occasion [une idée] de la vigilance des concierges et policiers, dont c'était pourtant le travail de routine...) De nouveau je « sauvai » Hélène. C'était vers 1970, nous n'étions pas encore mariés.

Et la vie se passa ainsi, l'infirmerie et le médecin tout proches, les services de l'École (plombier, menuisier, électricien, etc.) à ma dévotion, la bibliothèque (où je n'allai presque jamais à la grande surprise de Mlle Kretzoïet, de M. et Mme Boulez, parents directs et discrets du grand musicien), le réfectoire que je fréquentais certains jours, les « thurnes » des philosophes et quand ils furent nommés à mes côtés, de Jacques Derrida et Bernard Pautrat, toutes proches, la poste à deux pas, le tabac, que sais-je, tout à portée de main. Et cela dura trente-deux ans! Trente-deux ans de quasi-réclusion monastique ascétique (mon ancien rêve...) et de protection. Et lorsque Hélène vint vivre avec moi, cela compliqua certes les conditions de mes relations féminines, mais elle aussi était là, avec moi.

L'immense tâche « oblative » que je m'assignai (toujours la même tâche de salut envers une mère sanglante) fut de la faire admettre parmi mes amis, pour la grande majorité mes anciens « élèves ». Ce ne fut pas facile du tout : la différence d'âge, son horreur du monde universitaire, et aussi les difficultés de son caractère, rapidement connu, n'y aidèrent guère. J'y parvins souvent, mais au prix de ce que je ressentais comme quelle abnégation de ma part! Et toujours dans une sorte de mauvaise conscience, comme si j'avais pour mon propre compte à surmonter, pour elle et pour moi, l'appréhension de ses sautes d'humeur possibles. Là aussi je me rends compte maintenant (à vrai dire depuis pas mal de temps) que je devais « induire » en quelque sorte chez mes amis (je l'avais fait sur le Dr Étienne) comme le jugement sur elle que j'appréhendais de leur part. Devançant leur réaction possible, je me comportais en une espèce de « coupable » qui demandait d'avance pardon et pour elle et pour moi.

Attitude dont j'ai pu observer sur pièces les effets dommageables. Hélène avait ses travers, mais quand on la connaissait vraiment, ç'avait été autrefois le sentiment de Lesèvre et de tous ses amis les plus illustres, quand on avait franchi les premiers moments, faits le plus souvent de sa réputation, on découvrait une femme exceptionnelle d'intelligence, d'intuition, de courage et de générosité. Tous ses camarades de travail, qui ont apprécié et la personne et ses mérites, sont unanimes à le reconnaître. Et pourtant ses grandes amitiés de travail, ce n'est pas à moi qu'elle les dut, mais à elle seule : pour une fois je n'y étais pour rien, je n'avais rien fait ni rien eu à faire pour la « sauver » de son affreux destin de femme horrible.

On voit dans quelle incroyable contradiction je m'engageai, du fait de mes propres compulsions et de mes propres terreurs fantasmatiques, je dis bien m'engageai de mon fait, car c'est moi qui, pour la « sauver » (elle n'avait alors pratiquement aucun ami), entrepris de lui *donner* les miens, mais je ne pus le faire qu'en induisant et en renforçant chez eux l'image que je craignais qu'ils ne se fissent d'elle, et qu'en fait je portais en moi comme une malédiction. Cette entreprise ne « marcha », quoique au prix d'à-coups parfois vifs, qu'en de rares circonstances, là où Hélène rencontrait chez mes anciens élèves, comme Étienne Balibar, Pierre Macherey, Régis Debray, Robert Linhart et Dominique Lecourt, puis Franca, de quoi instituer un véritable échange d'idées et d'expériences, ou tout simplement des rapports affectifs paisibles et féconds. Avec d'autres, ce fut souvent un fiasco, que je remâchai en silence et dans la honte coupable. Une des plus grandes entreprises de ma vie avec Hélène se solda ainsi dans une équivoque douloureuse que je tentais toujours de rattraper, mais en vain, et mes échecs successifs me renforçaient dans ma double prévention et crainte, qui naturellement renforçait le doute que j'avais d'être vraiment un homme, capable d'aimer une femme et de l'aider à vivre.

Quoi qu'il en soit, j'exerçais une fonction d'enseignant de philosophie, et me sentais de plus en plus philosophe, en dépit de tous mes scrupules.

Évidemment ma culture philosophique des textes était plutôt réduite. Je connaissais bien Descartes, Malebranche, un peu Spinoza, pas du tout Aristote, les sophistes, les stoïciens, assez bien Platon, Pascal, Kant pas du tout, Hegel un peu et enfin certains passages de

Marx lus de très près. Je m'étais fait une légende sur ma façon d'apprendre et finalement de savoir de la philosophie, comme j'aimais à le répéter, « par ouï-dire » (la première forme fruste de connaissance selon Spinoza), de Jacques Martin, plus cultivé que moi, de mes amis, recueillant telle formule saisie au passage, et enfin de mes propres élèves dans leurs exposés et dissertations. Je finis par mettre, naturellement, un point d'honneur vantard à « apprendre par ouï-dire » de la sorte, ce qui me distinguait singulièrement de tous mes amis universitaires infiniment mieux instruits que moi, et le répétais volontiers par manière de paradoxe et provocation, pour susciter l'étonnement, l'admiration (!) et l'incrédulité des tiers, à ma grande confusion et fierté.

Mais j'avais sans doute une autre capacité bien à moi. A partir d'une simple formule, je me sentais capable (quelle illusion!) de reconstituer sinon la pensée du moins la tendance et l'orientation d'un auteur ou d'un livre que je n'avais pas lus. Je disposai sans doute d'une certaine dose d'intuition et surtout d'une capacité de rapprochement, c'est-à-dire d'*opposition* théorique, qui me permettaient de reconstituer ce que je pensais être la pensée d'un auteur, à partir des auteurs auxquels il s'opposait. Je procédais ainsi spontanément par contraste et démarcation, dont je devais plus tard faire la théorie.

Mon goût fantasmatique de l'autonomie totale et du combat dans les limites d'une protection absolue, devait trouver dans ces pratiques de quoi s'y investir. De plus j'étais, par mon expérience de la pratique politique et mon goût pour la politique, doué d'une intuition assez vive de la « conjoncture » et de ses effets : autre thème que je devais plus tard théoriser. Car c'est au sein d'une conjoncture théorique donnée qu'on peut saisir les rapprochements et les oppositions philosophiques. D'où me venait cette sensibilité à la « conjoncture »? Sans doute de mon extrême sensibilité aux « situations » conflictuelles (sans issue) que je n'avais cessé de vivre depuis mon enfance. Ajoutez à cela une autre conviction d'instinct que le propre de la philosophie agit à distance, dans le vide (le mien!) comme le dieu immobile d'Aristote, ce que je retrouvai dans la situation analytique (et Sacha Nacht dans une brève formule saisissante avait noté ce thème). J'étais donc un philosophe et comme tel agissant à distance, de mon refuge de l'École, loin du monde universitaire que je n'ai jamais ni aimé, ni fréquenté. Je faisais mes affaires tout seul, sans le secours de mes pairs, sans le secours des bibliothèques, dans une solitude qui me venait de loin et dont je me faisais une doctrine de pensée et de conduite. Agir de loin, c'était aussi agir sans y mettre les mains, comme toujours en position seconde (le conseiller, l'éminence grise de Daël et des directeurs de l'École), seconde, c'est-à-dire à la fois protégée et agressive, mais sous le couvert de cette protection. Être le « maître du maître » me hantait toujours manifestement en sourdine, mais justement dans cette distance protégée par les maîtres à l'égard de qui je prenais justement la distance où je me complaisais en vérité, j'étais toujours dans ce rapport pervers, non le « père du père », mais la mère de mon prétendu maître, lui imposant de réaliser par personne et désir interposés mon propre désir aliéné.

Mais en réalité, je m'en avise seulement maintenant (écrire oblige à réfléchir), je procédais sous ces espèces tout autrement. La formule expressive que je retenais d'un auteur (de son texte même) ou que je recueillais de la bouche d'un élève ou ami me servait comme autant de *sondages profonds* dans une pensée philosophique. On sait que la recherche pétrolière sur les grands fonds se fait ainsi par *sondages*. Les sondes étroites pénètrent profondément dans le sous-sol et elles en rapportent à l'air libre ce qu'on appelle des « carottes », qui donnent l'idée concrète de la composition étagée des couches du sous-sol profond et permettent d'identifier la présence de pétrole ou de terres imprégnées de pétrole et des diverses couches horizontales au-dessus et au-dessous de la nappe phréatique. Je vois maintenant très clairement que je procédais de la même manière en philosophie. Les formules trouvées ou recueillies me servaient comme autant de « carottes philosophiques » à partir de la composition (et de l'analyse) desquelles je parvenais aisément à reconstituer la nature des diverses couches profondes de la philosophie en question. A partir de là, mais de là seulement, je pouvais me mettre à lire le texte dont cette « carotte » avait été extraite. C'est à partir de là que je lus très attentivement certains textes limités, et je tentais naturellement de les lire rigoureusement, sans aucun cadeau sémantique et syntagmatique. Pour la curiosité de la chose (qui a sûrement un sens, mais il m'échappera peut-être toujours), je n'ai jamais pu pénétrer, malgré toutes mes carottes psychanalytiques et toute mon expérience (côté analysant) dans aucun texte de Freud! ni dans aucun texte de ses commentateurs! J'y suis complètement sourd... Et ma meilleure amie ne cesse de me répéter que c'est bien ainsi et que d'ailleurs je suis complètement nul en théorie analytique : elle a parfaitement raison. Ce qui compte en analyse, ce n'est pas la théorie, mais (principe matérialiste et marxiste fondamental) la *pratique*.

Dès le début, en effet, et sous l'influence de mon ami Jacques Martin et aussi du Marx de *L'Idéologie allemande*, je me sentis irrémédiablement en position fort critique, voire destructrice à l'égard de la philosophie comme telle. Mon expérience politique renforça cette conviction, comme plus tard la lecture de Lénine, si dure pour les « professeurs de philosophie » (voir mon opuscule *Lénine et la philosophie*, qui recueille le seul discours public que j'aie tenu en France, un vrai défi, devant la Société de philosophie, où Jean Wahl nous invita, Derrida et moi, à parler). Mon discours fit un petit scandale, et me valut de connaître un étonnant théologien et philosophe, le père Breton, qui est devenu un de mes plus chers amis.

XIV

J'essayai de concilier cette critique radicale de la philosophie comme imposture idéologique (objectif : ne plus se raconter d'histoires, seule « définition » du matérialisme à quoi j'aie jamais tenu) avec mon expérience de la pratique philosophique, et aboutis d'abord à des formules du genre : « la philosophie représente la science auprès de la politique et la politique auprès de la science », et plus tard : « la philosophie est " en dernière instance " lutte de classe dans la théorie ». Je tiens toujours dur comme fer à cette dernière formule qui, naturellement, fit scandale. En fonction de ma conception du matérialisme, je construisis tout un système de la philosophie comme n'ayant pas d'objet (au sens où une science a des objets), mais des enjeux polémiques et pratiques, et m'engageais ainsi, sur le modèle de la pensée politique que je travaillais en même temps, dans une conception polémique et pratique de la philosophie : posant des thèses, qui s'opposent à d'autres thèses existantes, ce *Kampfplatz* (Kant) représentant dans la théorie l'écho du champ de la lutte de classe sociale, politique et idéologique. On voit qu'en tout état de cause, et sans connaître alors Gramsci, je liais étroitement philosophie et politique, en somme synthèse inattendue des leçons politiques du « père Hours » et de mes études proprement philosophiques.

Que poursuivais-je dans cette entreprise ? Je n'entends nullement parler ici de ses effets théoriques objectifs, d'autres l'ont fait et ce n'est pas à moi qu'un tel jugement peut appartenir. Je veux seulement tenter d'éclaircir si possible les motifs profonds et personnels conscients et surtout inconscients qui sous-tendaient cette entreprise, dans la forme dont je l'ai revêtue.

Tout au fond, il y avait assurément ce que j'ai appelé la réalisation, sous une forme particulièrement pure et achevée, c'est-à-dire abstraite et ascétique, du « désir de ma mère ». J'étais bel et bien devenu objectivement cet universitaire esprit pur, normalien et de surcroît auteur d'une œuvre philosophique, abstraite et comme impersonnelle, mais passionnée de soi. Et, en même temps, j'avais réussi à combiner au « désir de ma mère » mon propre désir, celui de vivre dans le monde extérieur [1], celui de la vie sociale et de la politique. Cette combinaison pouvait se lire dans mes définitions successives de la philosophie donc de ma propre activité, mais *dans l'élément pur de la pensée*. Car que faisais-je alors de la politique ? Une pensée pure de la politique. Certes Georges Marchais eut le tort de parler plus tard des « intellectuels derrière leur bureau » comme si c'était mon cas, mais sa formule n'était pas tout à fait fausse en ses résonances, et tous ceux qui, même les adversaires du parti communiste, m'ont longuement attaqué comme philosophe pur, méprisant du haut de sa théorie la réalité de la pratique (y compris ce journaliste Jean-Paul Enthoven, qui, un jour, à propos de ma dédicace à Waldeck Rochet [2], écrivit que je « sentais toujours le bon élève »...), me touchaient, ne me « rataient » pas complètement.

Mais cela ne suffit pas à rendre compte de mon rapport profond à la philosophie et à ma conception de la philosophie (qui l'exprimait aussi à sa manière). J'avais été fort frappé et le suis encore par un mot de Marx disant que le philosophe exprime dans le concept (c'est-à-dire dans sa conception de la philosophie) son « rapport théorique avec lui-même ». Outre ce que je viens de dire, que cherchais-je donc à exprimer de si personnel dans ma pratique et ma conception de la philosophie ? Certains de mes lecteurs et amis, par exemple Bernard Edelman qui me l'a souvent dit avec perspicacité, ont remarqué dans nombre de mes essais, en particulier dans mon petit *Montesquieu* et dans mon article sur Freud et Lacan, l'insistance

---

1. Ajout manuscrit en marge du texte dont le raccord avec le reste de la phrase n'a pas été fait par l'auteur : « activement du fait de ma propre initiative, sans l'initiative de qui que ce soit (Hélène, Desanti, Merleau), sauf J. Martin qui ne m'aidait que comme un frère aîné (alors qu'il était de deux ans mon cadet), mais, comme je l'ai écrit dans une note nécrologique, ˮ de vingt ans en avance sur nous ˮ ». *(N.d.E.)*
2. « A Waldeck Rochet qui admirait Spinoza et m'en parla longuement un jour de juin 1966 », dédicace à *Éléments d'autocritique*, Paris, Hachette, 1974. *(N.d.E.)*

d'un thème : les plus grands philosophes sont *nés sans père* et ont vécu dans la solitude de leur isolement théorique et le risque solitaire qu'ils prenaient face au monde. Oui, je n'avais pas eu de père, et avais indéfiniment joué au « père du père » pour me donner l'illusion d'en avoir un, en fait me donner à moi-même le rôle d'un père à mon propre égard, puisque tous les pères possibles ou rencontrés ne pouvaient en tenir le rôle. Et je les rabaissais dédaigneusement en les mettant sous moi, dans ma subordination manifeste.

Je devais donc, philosophiquement, devenir aussi mon propre père. Et cela n'était possible qu'en me conférant la fonction par excellence du père : la domination et la *maîtrise* de toute situation possible.

C'est ce que je fis, dans la grande ligne de toute l'histoire de la philosophie, prenant à mon compte la prétention classique et sans cesse répétée qui veut, depuis Platon jusqu'à Heidegger même (en ses formules de théologien négatif), en passant par Descartes et Kant et Hegel, que la philosophie soit celle qui embrasse *tout* d'un seul coup d'œil (Platon : *sunoptikos*), qui pense le tout, ou les conditions de possibilité ou d'impossibilité du tout (Kant), qu'elle se rapporte à Dieu ou au sujet humain, donc qu'elle maîtrise « la Somme et le Reste » (formule d'Henri Lefebvre). La maîtrise du Tout, et d'abord de soi, c'est-à-dire de son rapport à son objet comme le Tout : telle est la philosophie qui n'est que « le rapport à soi du philosophe » (Marx), tel est donc aussi le philosophe. Or on ne peut penser le Tout que dans la *rigueur* et la clarté d'une pensée à prétention totale, qui réfléchisse donc les éléments et les articulations du Tout. Je fus donc un philosophe clair et qui se voulait rigoureux. Cette prétention ne fut assurément pas sans échos sur les tendances ou les attentes personnelles de mes lecteurs, elle les « saisit » assurément quelque part dans une de leurs exigences d'intelligibilité et, comme ma langue était elle aussi une *langue de maîtrise*, dominant son propre pathétique (cf. la préface à *Pour Marx* et la *Réponse à John Lewis,* etc.), il est certain qu'elle toucha autant mes lecteurs que la rigueur de mon argumentation : par délégation de maîtrise. Et, bien entendu, car ici tout se tient étroitement (et pas seulement chez moi, la pensée et le style étant fonction d'un même « rapport du philosophe » à son concept) cette unité de la pensée et de sa clarté (une maîtrise en pleine clarté, la clarté comme forme de maîtrise, cela s'entend) et de la langue, me gagna un public que ma seule argumentation n'eût certainement pas touché aussi profondément. C'est ainsi qu'à mon grand étonnement j'appris, par exemple de Claudine Normand, que j'avais un « style » et étais une sorte d'écrivain à ma manière. Et bien entendu, je développai comme théorie de la philosophie une théorie de la philosophie comme maîtrise et de soi et du Tout, et des éléments et des articulations de ces éléments, et, au-delà de la sphère proprement philosophique, une maîtrise à distance par le concept et la langue. Comme tout philosophe, mais en critiquant radicalement cette prétention (je critiquai ainsi l'idée même, dérisoire pour moi, d'un père tout-puissant et prétendant l'être), je me tenais pour responsable de quelque chose qui regardait les idéaux humains et jusqu'à la conduite de l'histoire du monde réel, jusque dans ce qui prétend le conduire à son destin (un destin qui n'existe, Heidegger l'a bien dit, que dans l'illusion de la conscience commune et des politiques), à savoir la politique et les politiques. C'est pourquoi je me suis à diverses reprises aventuré sur le terrain concret de la politique, me prononçant (aventureusement certes) sur le stalinisme, la crise du marxisme, les congrès du Parti et le mode de fonctionnement du Parti. (*Ce qui ne peut plus durer dans le parti communiste*, 1978). Mais quel philosophe, au fond de lui-même, le plus souvent ouvertement chez les grands, et surtout s'il ne consent pas à l'avouer, n'a cédé à cette tentation, philosophiquement organique, de garder en vue ce qu'il entend changer, transformer dans le monde? Heidegger dit lui-même, il est vrai en parlant de la seule phénoménologie (mais pourquoi elle seule? Mystère), qu'elle vise à « changer le monde ». C'est pourquoi j'ai critiqué le fameux mot des « Thèses sur Feuerbach », de Marx : « Il s'agit non plus d'interpréter le monde, mais de le transformer », montrant contre cette formule que *tous les grands philosophes* ont voulu intervenir sur le cours de l'histoire du monde, soit pour le transformer, soit pour le faire régresser, soit pour le conserver et le renforcer en sa forme existante contre les menaces d'un changement jugé dangereux. Et sur ce point, en dépit de la célèbre formule aventureuse de Marx, je pense avoir eu raison et le pense toujours.

Mais on juge alors de quelle responsabilité subjective le philosophe se sent investi! Responsabilité écrasante! Car il ne dispose, comme les sciences (que je tenais toutes pour expérimentales), d'aucun dispositif et d'aucune procédure de vérification. Il se contente de poser des thèses sans jamais pouvoir les vérifier en personne. Il doit toujours anticiper sur les effets de ses thèses philosophiques sans même savoir où, ni comment, ces effets peuvent bien se manifester! Certes il ne pose pas ses thèses arbitrairement, mais en tenant compte de ce qu'il perçoit ou croit percevoir du Tout et de sa tendance, et en les opposant à d'autres systèmes de thèses existantes en son monde. Comme il doit toujours anticiper et se sent toujours près de sa subjectivité historique, il est pourtant bien seul en face de sa perception du Tout (à chacun son tout, n'est-ce pas?) et plus seul encore dans l'initiative qu'il prend de poser, sans aucun consensus, puisqu'il veut y changer justement quelque chose, des thèses nouvelles. Solitude du philosophe, Descartes dans l'héroïque retraite de son poêle, Kant dans sa paisible, ruminante, retraite de Königsberg, Kierkegaard dans la tragique retraite de son drame intime, Wittgenstein dans le refuge forestier de sa maison de berger en Norvège! Et moi, comme tout philosophe au monde, même s'il est entouré d'amis, j'étais bien seul dans mon bureau, c'est-à-dire dans ma pensée, ma prétention et mon audace inouïe. Seul et naturellement entièrement responsable de mes actes et de leurs effets imprévisibles, sans autre sanction que le devenir ultérieur de l'histoire du monde, ce fait non encore accompli. J'étais bien seul comme philosophe et pourtant j'ai écrit dans la *Réponse à John Lewis* : « Un communiste n'est jamais seul. » Toute la différence est bien là, mais on la comprend si tout philosophe veut effectivement « transformer le monde » – ce qu'il ne peut faire seul sans une organisation communiste mais vraiment libre et démocratique et en liaison étroite avec sa base et au-delà avec les mouvements populaires de masse (voir mon pamphlet de 1978).

Il suffit de lire mes textes : on y retrouvera comme une hantise le leitmotiv de la solitude, et celui de la responsabilité. Combien de fois n'ai-je répété, que tant dans la politique que dans la philosophie, je ne faisais rien qu'*intervenir* et seul contre tous – et les adversaires me le firent longuement sentir – et « à mes risques et périls ». Oui, je savais que j'étais seul, que je courais de grands périls, on me l'a bien fait sentir, mais je l'ai toujours su d'avance. Ce que personne ne peut, à me lire, contester, c'est que j'ai toujours eu conscience et de ma solitude radicale en face de mon intervention, et de mon extrême responsabilité reposant en définitive sur moi seul, et des « risques et périls » auxquels et ma solitude et ma responsabilité m'exposaient. Que tant de lecteurs se soient alors reconnus dans cette solitude, la leur, et la responsabilité qu'ils prenaient d'adhérer à mes thèses, et les risques liés aux effets politiques qu'ils encouraient, personne ne s'en étonnera. Mais du moins n'étaient-ils pas, eux, tout à fait seuls en la circonstance, puisque je les avais devancés et pouvais ainsi leur servir de garant et de maître (maître en maîtrise), justement parce que j'avais été le premier, et donc seul en cette initiative.

Oui, dans ce domaine, comme je le rêvais en amour, c'était bien moi, et personne d'autre qui prenais l'initiative, moi qui me vantais à l'occasion (et cela fit de la peine à Guitton, je le sais) de ne pas avoir eu de maîtres en philosophie (je l'ai écrit dans la préface de *Pour Marx*), et pas même en politique (sauf Hours, Courrèges, Lesèvre et Hélène). Seul responsable, j'avais enfin trouvé le domaine de mon initiative, une initiative absolue, la mienne, où je réalisai enfin mon propre désir, à la limite le désir d'avoir enfin un désir à moi (désirer avoir un désir est certes un désir, mais un désir encore formel, car c'est la forme vide d'un désir, et prendre cette forme vide d'un désir pour un désir réel, tel avait bien été mon drame, dont je sortais ainsi vainqueur, mais en pensée, en pensée pure), saisi comme en un destin dans la réalisation du pur désir de ma mère, jusque dans la forme enfin atteinte de sa négation.

Comment, dans ces conditions, ne pas donner à ma pensée la forme abrupte d'une coupure, d'une rupture? On reconnaîtra là un des thèmes en vérité objectivement très équivoques qui ont toujours hanté ma réflexion. Comment également échapper à la nécessité de marquer, dans le langage même de mon discours, l'abrupt de cette coupure par l'abrupt d'abruptes formules, toutes les apparences du « dogmatisme » qui me fut tellement reproché? Je considérais profondément qu'en se définissant par les thèses qu'elle posait sans aucune possibilité de vérification expérimentale, toute philosophie était en son essence *dogmatique*, je le proclamais même dans le « Cours de philosophie pour scientifiques » (1967), disant, posant le vrai de ses thèses sans autre égard que l'acte de les poser. Tout simplement, je tenais le langage de la vérité et de ce que je pensais et faisais (posant des thèses, parfois ouvertement, cf. *Philosophie et philosophie spontanée des savants*), et de ce que faisait avant moi toute philosophie, qu'elle le reconnût ouvertement (saint Thomas, Spinoza, Wittgenstein, etc.) ou le tût. Quand on se sait seul responsable *et* de sa solitude nécessaire à la vérité qu'on pose en thèses, *et* de la vérité du philosophe qu'on est, *et* de la vérité de toute philosophie, la moindre des *honnêtetés* n'est-elle pas de tenir un langage conforme, jusqu'en ses tours d'intervention et d'interpellation (voir quel rôle je fis jouer à l'interpellation à propos de l'idéologie), à la nature même de ce qu'on fait? de s'exprimer dans la forme même qui exprime, et sans détour, ce qu'on pense et fait?

Mon père baragouinait, ma mère était claire et rêvait de clarté. J'ai été clair, mais aussi abrupt que mon père l'était en sa pensée intérieure et ses interventions brutales. Sans égard, mon père appelait un chat un chat, même quand il se taisait, et était homme à sortir brutalement son revolver, et un jour il sauta même, pour le massacrer, sur un malheureux jeune cycliste qui avait, dans les bois, renversé ma sœur. Ce violent refus de « se raconter des histoires », cette brutalité sans phrases, que je sentais être celle d'un père qui m'avait manqué et, en tout cas, ne m'y avait jamais initié, qui ne m'avait pas appris que le monde n'est pas un monde éthéré mais un monde de luttes physiques et autres, voilà qu'enfin j'avais l'audace et la liberté d'en endosser la réalité. Ne devenais-je pas ainsi, enfin et réellement, mon propre père, c'est-à-dire un homme?

Qu'on ne cherche pas dans une analyse de ce genre le dernier mot du sens objectif d'aucune philosophie. Car quelles que soient les motivations internes, conscientes ou plutôt inconscientes de tout philosophe, sa philosophie écrite est une *réalité objective*, y passe tout entière, et ses effets ou non sur le monde sont des *effets objectifs* qui, à la limite, n'ont plus aucun rapport avec cet intérieur que je décris, Dieu merci! Car la philosophie, comme toute activité d'ailleurs, ne serait que le pur intérieur de toutes les subjectivités du monde, chacune enfermée dans son propre solipsisme. Si jamais j'en avais douté, je devais l'apprendre d'une terrible réalité, celle de la politique en personne, mais d'abord dans la philosophie même.

XV

Car tout homme qui intervient par l'action — et je tenais alors l'intervention philosophique pour une action, en quoi je ne me trompais pas — intervient toujours dans une conjoncture pour en modifier le cours. Dans quelle conjoncture philosophique étais-je donc amené à « intervenir » ?

C'était en France, comme toujours ignorante de tout ce qui se fait en dehors de ses frontières. Et moi, ignorant tout, et de Carnap, Russell, Frege, donc du positivisme logique, et de Wittgenstein, et de la philosophie analytique anglaise. De Heidegger, je ne lus que tardivement la *Lettre à Jean Beaufret sur l'humanisme* qui ne fut pas sans influencer mes thèses sur l'antihumanisme *théorique* de Marx. J'étais donc confronté à ce qui se lisait en France, c'est-à-dire Sartre, Merleau-Ponty, Bachelard, et infiniment plus tard Foucault, mais surtout Cavaillès et Canguilhem. Puis un peu de Husserl que nous transmettaient et Desanti (marxiste husserlien) et Tran Duc Thao dont le diplôme m'éblouissait. De Husserl, je ne lus jamais que les *Méditations cartésiennes* et la *Krisis*.

Je n'ai jamais, pour mille raisons que je dirai un jour, pensé comme Sartre que le marxisme pût être « la philosophie indépassable de notre temps », et pour une bonne raison que je conserve toujours. J'ai toujours pensé que Sartre, ce brillant esprit, auteur de prodigieux « romans philosophiques » comme *L'Être et le Néant* et la *Critique de la raison dialectique*, n'avait jamais rien compris ni à Hegel, ni à Marx, ni bien entendu à Freud. Je voyais en lui, au mieux, un de ces « philosophes de l'histoire » postcartésiens et posthégéliens que Marx avait en horreur.

Certes, je savais par quelles voies Hegel et Marx avaient été introduits en France : par Kojevenikov (Kojève), émigré russe chargé de hautes responsabilités au ministère de l'Économie. J'allai le trouver un jour dans son bureau ministériel pour l'inviter à tenir une conférence à l'École. Il vint, homme de visage et cheveux noirs tout en malices théoriques infantiles. Je lus tout ce qu'il avait écrit et me convainquit rapidement que lui – que tous, Lacan compris, avaient entendu passionnément avant la guerre – n'avait strictement rien compris ni à Hegel ni à Marx. Tout tournait chez lui autour de la lutte à mort et de la Fin de l'histoire, à laquelle il donnait un stupéfiant contenu *bureaucratique*. L'histoire, c'est-à-dire l'histoire de la lutte des classes finie, l'histoire ne cesse pas, mais il ne s'y passe plus rien que la routine de l'*administration des choses* (vive Saint-Simon!). Façon sans doute d'associer ses désirs de philosophe et sa condition professionnelle de bureaucrate supérieur.

Je ne compris pas comment, hors l'ignorance française totale de Hegel, Kojève avait pu à ce point fasciner ses auditeurs : Lacan, Bataille, Queneau et tant d'autres. En revanche, je conçus une estime infinie pour le travail érudit et courageux d'un Hyppolite qui, au lieu d'interpréter Hegel, se contentait de lui donner la parole dans son admirable traduction de *La Phénoménologie de l'Esprit*.

Voilà donc dans quelle conjoncture philosophique je me trouvais à devoir « penser ». Je rédigeai, comme je l'ai dit, un diplôme sur Hegel, dans lequel mon ami Jacques Martin, qui avait une large culture philosophique, me guida. Je perçus sans peine que les « hégéliens » français disciples de Kojève n'avaient *rien compris à Hegel*. Il suffisait pour s'en convaincre de lire Hegel lui-même. Ils en étaient tous restés à la lutte du maître et de l'esclave et à l'absurdité totale d'une « dialectique de la Nature ». Même Bachelard, je m'en aperçus à la remarque de lui que j'ai rapportée plus haut, n'y avait rien compris. Il n'avait d'ailleurs à cet égard aucune prétention, il n'avait pas eu le temps de le lire. Sur Hegel, *en France du moins*, tout était à comprendre et à expliquer.

En revanche, Husserl avait quelque peu pénétré chez nous, par le biais de Sartre et de Merleau. On connaît la célèbre anecdote rapportée par le Castor. Raymond Aron, le « petit camarade » de Sartre, avait passé en 1928-1929 une année d'études à Berlin qui l'avait édifié sur la montée du nazisme, mais où il avait digéré la pâle philosophie et la sociologie allemandes subjectivistes de l'histoire. Aron rentre donc à Paris et va voir Sartre et le Castor à leur bistrot de permanence. Sartre y boit un grand jus d'abricot. Et Aron de lui dire : « Mon petit camarade, j'ai trouvé en Allemagne une philosophie qui te fera comprendre pourquoi tu es assis au bistrot, et bois un jus d'abricot, et pourquoi ça te plaît. » Cette philosophie, c'était celle de Husserl naturellement l'antéprédicatif pouvait rendre compte de tout, y compris du jus d'abricot. Il paraît que Sartre fut stupéfait et se mit à dévorer Husserl, puis le premier Heidegger ! On peut voir ce qui en est passé dans son œuvre : une apologie subjectiviste et cartésienne du sujet de l'existence contre l'objet et l'essence, le primat de l'existence sur l'essence, etc. Mais pas grand-chose à voir avec l'inspiration profonde de Husserl, ni de Heidegger, qui devait rapidement prendre ses distances à l'égard de Sartre. C'était plutôt une théorie cartésienne du *cogito* dans le champ d'une phénoménologie généralisée et donc complètement déformée. Merleau, philosophe d'une tout autre profondeur, devait être autrement plus fidèle à Husserl, surtout quand il découvrit les œuvres de la fin, en particulier *Erfahrung und Urteil* et les « Cours sur la conscience du temps » qu'il commentait admirablement dans ses cours de l'École en rapprochant la théorie de l'antéprédicatif de la praxis chez Husserl de la théorie du jugement naturel chez Malebranche et la pensée du corps propre chez Maine de Biran et Bergson. Tout était fort éclairant. En privé Thao nous disait : « Vous êtes tous des egos-égaux transcendentaux ! » Il souriait toujours, mais quelle vérité profonde !

Tout cela était fort éclairant sur Husserl, que Merleau ne cessa de méditer pour finir dans le retour à la plus profonde tradition française, celle du spiritualisme, mais fort subtil sous sa manière, et agrémenté de vues profondes sur l'enfant, Cézanne, Freud, le langage, le silence et la politique marxiste et soviétique elle-même (cf. *Humanisme et Terreur, Les Aventures de la dialectique*). Merleau, à la différence de Sartre, ce romancier philosophe à la Voltaire mais à l'intransigeance personnelle à la Rousseau, était vraiment un grand philosophe, le dernier en France avant le géant qu'est Derrida, mais n'était nullement éclairant ni sur Hegel ni sur Marx. Je me souviens surtout, à cet égard, de Desanti, qui était fort compétent en logique et mathématiques (il l'a prouvé dans ses livres). Chaque année, il commençait un cours sur l'histoire de la logique mais, « cheminant avec combativité », il ne dépassait jamais Aristote. Peu importait après tout. Ce qui comptait en tout cas pour moi, c'est que, lorsqu'il lui advenait de parler en philosophe de Marx, c'était pour le penser directement dans les catégories de Husserl. Et, comme Husserl avait proposé la superbe catégorie de « praxis » antéprédicative (couche originaire de sens liée à la manipulation des choses), notre bon Touki (son prénom pour les intimes) était trop heureux de trouver chez Husserl *le sens enfin fondé* de la pratique marxiste. Encore un personnage, Touki, qui (tout comme Sartre) prétendait fournir à Marx le sens originaire de sa propre « philosophie ». Évidemment, moi, qui grâce à Jacques Martin commençais à lire directement les textes de Marx et à le comprendre, d'ailleurs indigné des prétentions fondatrices-humanistes de ses textes de jeunesse, je ne marchai pas. Je n'ai jamais marché dans les « interprétations » husserliennes de Marx par Desanti, ni dans aucune interprétation « humaniste » de Marx. Et on devine pourquoi : parce que j'avais en horreur toute philosophie qui prétendît fonder transcendantalement *a priori* quelque sens et quelque vérité que ce soit sur une couche originaire aussi antéprédicative qu'elle fût. Desanti n'y était pour rien, sauf qu'il n'avait pas la même horreur que moi de l'origine et du transcendantal.

Je commençai à me douter de son « suivisme » quand je le vis emboîter le pas à Laurent Casanova, corse comme lui, dans toutes ses manipulations politiques de la science bourgeoise et de la science prolétarienne, en laquelle jamais je ne tombai. Chaque fois que je rencontre Victor Leduc, alors un cadre important aux « intellectuels » du Parti, il me rappelle ma position dans les discussions de ce temps : « Tu étais contre l'opposition des deux sciences, et tu étais pratiquement le seul de ton avis chez les intellectuels du Parti. »

Les ouvriers s'en foutaient tout naturellement. Ce que je sais, c'est que pour sa honte, Touki écrivit « sur commande », comme il le dit plus tard, un invraisemblable article théorique dans *La Nouvelle Critique* pour « fonder » (toujours la même affaire) la théorie des deux sciences dans la lutte des classes. Personne ne lui demandait en conscience de désavouer publiquement sa conscience et sa culture philosophiques. Mais il le fit, et il n'avait pourtant pas l'excuse d'un procès au Conseil communal.

Mais le pire que je puisse lui reprocher, et cela vraiment est sans appel, c'est une émission de télévision qu'il fit lui-même sur lui-

171

même dans les années 1975. Il s'était représenté tout seul sur l'écran avec un minuscule roquet de vieille femme qui ne cessait de le balader d'une statue à une autre (pour y pisser), et Touki parlait seul. Il parlait du temps de la période des deux sciences, et comment il y avait été embrigadé. Tout cela sur le ton d'un véritable clown (il en avait le talent) qui racontait cette affreuse histoire, qui avait ou aurait pu faire des morts, en tout cas fit un cadavre vivant de Marcel Prenant, comme une petite anecdote d'hommes saouls : « Voilà, on nous a dit qu'il fallait le faire, alors on l'a fait. » Tout cela pendant dix insoutenables minutes : un monologue seulement coupé d'appels au roquet dans les grandes allées du Luxembourg et de clins d'œil et grimaces de complicité, oui!, pour les téléspectateurs. Fallait le faire : depuis Touki a quitté le Parti et conduit une sage carrière universitaire. On m'a dit que, récemment, il avait tenté d'examiner son passé husserlien. A voir.

C'est dire que j'avais trop de raisons à la fois politiques et philosophiques de me garder de son inspiration et de son exemple. Décidément, cette « double vérité » ne m'allait pas. Je ne concevais pas qu'on pût être un philosophe pensant par soi-même à l'École et un petit chien à la remorque de Casa au Parti. L'unité de la pratique et de la théorie, essentielle au marxisme et aux communistes (Courrèges!) excluait pour moi − cela va de soi pour tous − l'existence de la double vérité qui me rappelait les pratiques si bien critiquées chez les curés par Helvétius et d'Holbach au XVIIIe siècle. Qu'un philosophe prétendu marxiste en fût encore, en 1945-1950, en deçà même des principes des Lumières, que pourtant je ne partageais guère, cela me dépassait.

C'est pourquoi je n'eus en philosophie, comme je l'ai écrit dans la préface de *Pour Marx*, aucun vrai maître, aucun maître sauf Thao, mais il nous quitta vite pour retourner au Vietnam et finalement y pourrir dans des travaux de balayeur et la maladie, sans médicaments (ses amis français tentent de lui en faire parvenir), et Merleau, mais comme il était déjà fort attiré par la vieille et dominante tradition spiritualiste, je ne pouvais le suivre [1].

Incroyable tradition française qui, avec la tradition soi-disant néo-

1. Cette phrase ayant été partiellement rayée par l'auteur, ce qui la rendait bancale et incompréhensible, elle est ici restituée dans sa forme initiale complète. *(N.d.E.)*

kantienne de Brunschvicg, se partageait alors ce que l'Université comptait de philosophes! Tradition fondée institutionnellement par Victor Cousin au début du xixᵉ siècle (voir l'intéressant premier livre de Lucien Sève) et qui, par son œuvre et surtout ses programmes officiels comme par toutes les élucubrations de l'école éclectique, si bien combattue par le socialiste Pierre Leroux, avaient « engendré » Ravaisson, Bergson, Lequier et récemment Ferdinand Alquié. A l'étranger, on ne trouve aucun équivalent de cette tradition. Elle ne fut pas sans « mérites », ô ironie de la dialectique de l'histoire, puisqu'elle préserva jusqu'à ces toutes dernières années (jusqu'aux travaux de Jules Vuillemin et Jacques Bouveresse) la France de l'invasion du positivisme logique anglo-saxon, et de la philosophie analytique du langage britannique (fort intéressante au demeurant). Hors ces deux courants dominants à l'extérieur, une œuvre comme celle de Wittgenstein — Jacques Bouveresse et Dominique Lecourt et en Argentine Mari l'ont bien montré et démontré — nous restait alors totalement inconnue. Mais que peut bien être une « protection » par ignorance ou répulsion? Machiavel l'a bien démontré : ce sont les forteresses qui sont les points les plus faibles de tout dispositif militaire, et Lénine après Goethe l'a bien dit : « *Si tu veux connaître ton ennemi, il te faut pénétrer dans le pays de ton ennemi.* » Tout cela était dérisoire. Et même le néokantisme de Brunschvicg, déformant Spinoza dans le plus plat spiritualisme, celui de la conscience et de l'esprit. Aujourd'hui où l'on a fini par traduire certains textes, aujourd'hui où Heidegger après Nietzsche a enfin droit de cité chez nous, aujourd'hui où Bouveresse nous a donné des études très érudites sur le néopositivisme logique et où Wittgenstein ou Hegel et Marx sont largement traduits et commentés, les frontières sont enfin ouvertes.

Mais en 1945-1960, il n'en était rien. Il fallait « faire avec » ce qu'on avait. On avait Descartes, certes, mais dans quelles interprétations spiritualistes! à l'exception de celles d'Étienne Gilson, d'Émile Bréhier, et aussi d'Henri Gouhier; Gouhier qui polémiquait avec Alquié, lequel interprétait Descartes en spiritualiste. Certes il y avait Martial Guéroult, cet érudit sans complaisance aucune sur la lecture des auteurs, à vrai dire le seul grand historien de notre temps, dont sont issus Jules Vuillemin et Louis Guillermit. Mais Guéroult n'était alors qu'un grand « commentateur » d'auteurs, on ne soupçonnait pas qu'il avait en tête une théorie *structurale* des systèmes philosophiques. Vuillemin et Guillermit étaient pratiquement inconnus. Je les faisais venir à l'École, mais Vuillemin était (tout comme Bouveresse, son disciple en amertume) si plein de ressentiment contre la solitude intellectuelle où il se trouvait réduit qu'il s'arrangeait toujours pour réduire son auditoire à deux ou trois élèves, après quoi il venait me dire qu'il abandonnait! La même étrange épreuve se répéta avec Bouveresse beaucoup plus jeune. Il avait été mon « étudiant » et je ne cessai de l'inviter à l'École. Je crois savoir que Bouveresse m'a accusé (et peut-être m'en accuse-t-il encore) d'être le responsable de la décadence philosophique française, comme il a dans son dernier livre couvert de boue Derrida, ce géant traité comme jadis Hegel de « chien crevé » (si le mot n'y est pas, la chose oui). Il y a des délires ouverts aussi chez les philosophes.

Je fis aussi longuement venir Guéroult à l'École, mais quelle affaire! Je devais le conduire et le reconduire en voiture. Il connut un grand succès auprès des philosophes de l'École. C'était le temps où Derrida, tout juste alors nommé à l'École sur ma proposition, seul et méprisé en France dans l'Université, n'était pas encore vraiment connu chez nous. Et je ne savais pas encore où il allait vraiment.

Pour moi, qui sentais la nécessité d'intervenir dans la philosophie pour des raisons de politique et d'idéologie, il fallait bien que je « fasse avec » et avec les connaissances dont je disposais : un peu de Hegel, beaucoup de Descartes, peu de Kant, pas mal de Malebranche, un peu de Bachelard (*Le Nouvel Esprit scientifique*), beaucoup de Pascal, un peu de Rousseau alors, un peu de Spinoza, un peu de Bergson et l'*Histoire de la philosophie* de Bréhier, mon livre de chevet, et aussi, naturellement, un peu puis pas mal de Marx, le seul apte à nous tirer de la confusion des genres.

Je me mis donc au travail, d'abord en quelques articles obscurs (ces articles étaient encore très pris dans la domination du dia-mat, bien que je distinguasse soigneusement le matérialisme dialectique du matérialisme historique sans donner aucun primat théorique du premier sur le second) de la *Revue de l'Enseignement philosophique*. Je publiai aussi un article sur Paul Ricœur.

L'occasion me fut enfin offerte d'intervenir dans *La Pensée*, en 19[6]2, dans des conditions que j'ai contées dans la préface de *Pour*

174

Marx. Je ne le dus qu'à l'amitié de Marcel Cornu qui me soutint indéfectiblement contre Georges Cogniot, alors secrétaire de Maurice Thorez. Cogniot, alors directeur de la revue, avait l'habitude de sabrer tous les articles d'exclamations violentes : con! idiot! absurde! insensé! Imaginez ensuite le rédacteur en face de l'auteur de l'article! Pour moi, Marcel avait tout simplement mis sa démission dans la balance, ce qui tint Cogniot en respect.

Jusqu'au jour où, après mon article sur « Contradiction et sur-détermination » et une réponse virulente de Gilbert Mury sur le « monisme », inspirée par Roger Garaudy alors tout-puissant, Cogniot organisa un « procès théorique » dans les locaux du laboratoire « Henri Langevin » d'Orcel qui présida les séances, entouré du « gratin » philosophique et politique de *La Pensée*. C'était, à côté du Conseil communal, une petite comédie. Cela dura un mois et demi, chaque samedi après-midi. Cogniot n'intervenait pas, il donnait la parole à tel ou tel qui tentait de me réfuter. Comme à mon habitude je dessinais au tableau quelques schémas et répondais aux critiques. Au bout de six semaines, je vis Cogniot commencer à sourire : au fond, j'étais un normalien comme lui et je vis que, je l'avais sinon gagné, du moins je l'avais désarmé. A la dernière convocation, après un mois et demi, je répondis par un simple mot : « J'estime avoir à peu près répondu, et crois que les instances théoriques du Parti, qui ont beaucoup de pain sur la planche, feraient bien de cesser ce procès et de s'occuper d'affaires plus urgentes. » Et je ne vins pas.

Grâce à Jacques Martin, je découvris enfin deux penseurs à qui je dois presque tout. Jean Cavaillès d'abord, dont je me contentai de quelques formules (« le procès non d'une dialectique mais d'un concept »), et Georges Canguilhem, cet homme réputé de caractère impossible, comme mon grand-père et comme Hélène, en fait comme lui et elle un homme merveilleux d'intelligence et de générosité. Il finit, sur l'insistance de ses amis, par accepter de poser sa candidature à l'Enseignement supérieur. Il avait écrit un livre d'inspiration nietzschéenne sur le normal et le pathologique. Il avait aussi écrit un article célèbre sur « la psychologie qui conduit soit au Collège de France soit à la préfecture de police »... Pour se faire recevoir dans l'Enseignement supérieur, il rédigea une petite thèse sur le concept de réflexe, démontrant sur pièces ce paradoxe que l'idée du réflexe était née non dans un contexte non mécaniste mais vitaliste!

Ce scandale était étayé de textes et de démonstrations incontestables. De quoi me donner des vues stupéfiantes sur les effets retournés des idéologies régnantes en leurs conséquences dans les sciences mêmes. J'appris ainsi de lui plusieurs leçons décisives : d'abord que la soi-disant épistémologie à laquelle j'avais paru donner mes soins était absurde en dehors de l'histoire des sciences; ensuite que cette his-toire, loin d'obéir à la logique des Lumières, pouvait déboucher sur ses découvertes à partir de ce qu'il appelait, presque comme nous, des « idéologies scientifiques », représentations philosophiques agis-sant sur l'élaboration, les conceptions et même des concepts scienti-fiques, et très souvent de manière absolument paradoxale. Cette leçon décisive ne me fut pas perdue. Je ne peux dire à quel point l'influence de Canguilhem fut décisive pour moi et nous. Son exemple me détourna, nous détourna (car Balibar et Macherey et Lecourt le suivirent de bien plus près que moi) du projet idéaliste qui inspirait mes premières définitions théoricistes de la philosophie comme théorie de la pratique théorique, c'est-à-dire de la pratique des sciences, conception presque positiviste où la philosophie est comme la « science des sciences », définition que je me hâtais de rec-tifier dès la préface de l'édition italienne de *Lire le Capital* (en 1966). Je ne l'ai pas vu depuis très longtemps. Un jour, après avoir lu mes livres, il m'avait dit : « Je comprends ce que vous avez voulu faire », mais je ne lui ai pas laissé le temps de me le dire. Je sais qu'en Mai 68, il permettait aux étudiants de prendre la parole pour appeler à une manifestation, une grève, etc. Je lui dois infiniment. Il m'a appris les ruses historiques déconcertantes des rapports entre l'idéologie et les sciences. Il m'a aussi conforté dans l'idée que l'épis-témologie était une variante de la théorie de la connaissance, cette forme moderne (depuis Descartes et Kant) de la philosophie comme Vérité, donc Garantie de la vérité. La Vérité n'est là que pour garan-tir en dernière instance l'ordre établi des choses et des rapports moraux et politiques entre les hommes.

C'est ainsi que je finis par trouver ma propre place en philosophie sur le *Kampfplatz* des oppositions inextinguibles, reflets en dernière instance des positions prises dans le jeu d'ensemble de la lutte des classes sociales. Je me forgeai ainsi une philosophie personnelle, non sans ancêtres mais très isolée dans le contexte philosophique français, car mes inspirateurs, Cavaillès et Canguilhem, étaient ou inconnus ou méconnus sinon méprisés.

Et quand vint la mode de l'idéologie « structuraliste », qui présentait l'avantage de rompre avec tout psychologisme et historicisme, je parus suivre le mouvement. Ne trouvions-nous pas dans Marx l'idée non de combinatoire (à éléments quelconques) mais de combinaison d'éléments distincts propres à constituer l'unité d'un mode de production ? Est-ce que cette position structurale et objectiviste ne mettait pas définitivement un terme à l'humanisme « anthropologique » d'un Feuerbach, que je connaissais de très près pour l'avoir traduit et édité le premier en France après les très médiocres et partielles traductions de Joseph Roy, le mauvais traducteur du *Capital* ? Or, dès le début, nous avions insisté sur la différence structurale entre *combinatoire* (abstraite) et *combinaison* (concrète), ce qui faisait tout le problème. Mais qui l'a vu ? Personne ne prit garde à cette différence. On m'accusa partout dans le monde de structuralisme, de justifier l'immobilité des structures dans l'ordre établi, et l'impossibilité de la pratique révolutionnaire, alors que j'avais pourtant plus qu'esquissé à propos de Lénine une théorie de la conjoncture. Mais peu importait, l'essentiel était de vouer aux gémonies cet individu isolé qui prétendait que Marx avait fondé sa pensée sur le refus de tout fondement philosophique dans l'homme, dans la nature de l'homme, ce Marx qui avait écrit : « Je ne pars pas de l'homme, mais de la période historique considérée », ce Marx qui avait écrit : « La société ne se compose pas d'individus mais de rapports », etc. Isolé. Je l'étais bel et bien en philosophie et en politique, personne, pas même le Parti, qui donnait dans l'humanisme socialiste béat, ne voulant reconnaître que l'antihumanisme théorique était le seul à autoriser un réel humanisme pratique. L'air du temps, renforcé s'il se peut par les équivoques gauchistes de la prodigieuse révolte de 68, était aux démagogies du cœur et du vécu, et nullement à la théorie. Rares étaient ceux qui acceptaient de comprendre quels étaient et mes objectifs et mes raisons. Et lorsque le Parti abandonna la dictature du prolétariat « comme on abandonne un chien », rien n'y fit. J'eus contre moi non seulement la meute des philosophes qui écrivaient contre Foucault et moi des livres « pour l'homme » (Mikel Dufrenne et autres), mais aussi tous les idéologues du Parti qui ne faisaient pas mystère de me désapprouver et de ne me supporter que parce qu'ils ne pouvaient, vu ma notoriété, m'exclure. Temps merveilleux ! J'avais enfin atteint au sommet de mon désir : avoir raison seul contre tous !

A vrai dire je n'étais pas tout à fait seul : j'avais quelque consolation avec Lacan. J'avais, dans une note sournoise à l'un de mes articles de la *Revue de l'Enseignement philosophique,* noté que, tout comme Marx avait refusé l' « homo œconomicus », Lacan avait refusé l' « homo psychologicus » et en avait avec rigueur tiré les conséquences. Quelques jours après, Lacan m'appelait, et nous dînâmes plusieurs fois ensemble. Naturellement je jouai avec lui une fois de plus au « père du père », d'autant qu'il était dans une sale passe. Je me souviens de son inénarrable cigare à la bouche et moi lui disant, pour tout salut : « Mais vous l'avez tordue! » (Moi pas, évidemment.) Dans la conversation, il me disait souvent pis que pendre de certains de ses « analysants » et surtout de leurs femmes qu'il lui arrivait aussi d'analyser en même temps que le mari. Comme je le voyais fort embarrassé depuis la menace de son exclusion de la clinique de Sainte-Anne, je lui offris l'hospitalité de l'École. Et c'est de ce jour que, durant des années, le mercredi à midi, la rue d'Ulm fut encombrée de riches voitures anglaises empiétant sur tous les trottoirs, au grand scandale des habitants du quartier. Je n'assistai jamais à un séminaire de Lacan. Il parlait devant une salle comble emplie de fumée, ce qui devait provoquer sa perte plus tard, car la fumée envahissait des rayons précieux de la bibliothèque juste au-dessus et Lacan ne put jamais, malgré les sévères avertissements de Robert Flacelière, obtenir que ses auditeurs s'abstinssent de fumer. Un jour, excédé par cette fumée, Flacelière lui signifia son congé. J'étais alors loin de l'École, malade. Lacan téléphona chez moi et insista pendant plus d'une heure auprès d'Hélène pour avoir mon adresse. Il lui dit même à un certain moment : « Mais je crois bien reconnaître votre voix, qui êtes-vous donc? » Hélène répondit : « Une amie. » Et ce fut tout. Lacan dut quitter l'École, non sans de grandes protestations.

Pourtant, sans que je le visse plus (il n'avait tout simplement plus besoin de moi), Lacan me tenait de loin une sorte de compagnie. Nous eûmes même l'occasion de nous entretenir par personnes interposées [1].

---

1. A la suite d'interventions manuscrites qui ne semblent pas toutes d'Althusser lui-même, les trois paragraphes qui suivent ont fait l'objet d'une élision qui n'est pas toujours très nette et compromet la lisibilité du texte. Chaque fois que la compréhension du texte l'exigeait, on a donc maintenu la version initiale du manuscrit. *(N.d.E.)*

J'avais depuis longtemps nourri l'idée qu'il existe toujours et partout, comme dit Marx, des « faux frais de la production » ou des « déchets », des pertes sans raison ni appel. J'en avais trouvé l'anticipation dans Malebranche, lorsqu'il évoque « la mer, les sablons et les grands chemins » sur lesquels tombe la pluie, sans aucune fin assignable. Je méditais alors mon « histoire » du philosophe matérialiste qui « prend le train en marche » sans savoir d'où il vient ni où il va. Et je pensais aux « lettres » qui bien que postées n'arrivent pas toujours à leur destinataire. Or je lus un jour sous la plume de Lacan qu' « une lettre parvient toujours à son destinataire ». Surprise ! Mais l'affaire se compliqua d'un jeune médecin hindou qui fit une courte analyse chez Lacan et, à la fin, osa lui poser la question suivante : « Vous dites qu'une lettre parvient toujours à son destinataire. Or Althusser affirme le contraire : il advient qu'une lettre ne parvient pas à son destinataire. Que pensez-vous de sa thèse qu'il dit matérialiste ? » Lacan réfléchit bien dix minutes (dix minutes pour lui !) et répondit simplement : « Althusser n'est pas un praticien. » Je compris qu'il avait raison : de fait, dans les rapports de transfert de la cure, l'espace affectif est ainsi structuré qu'il ne s'y trouve nul vide et qu'en conséquence, tout message inconscient bel et bien adressé à l'inconscient de l'autre, lui parvient nécessairement. Pourtant, je n'étais pas tout à fait satisfait de mon explication : Lacan avait raison, mais moi aussi, et je savais qu'il ne méritait en rien d'être taxé d'idéalisme, toute sa conception de la matérialité du signifiant en témoignait. C'est alors que j'entrevis l'issue. Lacan parlait du point de vue de la pratique analytique, et moi du point de vue de la pratique philosophique, deux domaines différents que je ne pouvais, si j'étais conséquent avec ma critique du matérialisme dialectique classique, rabattre l'un sur l'autre, ni le domaine philosophique sur le domaine analytique et vice versa, ni donc la pratique philosophique sur une pratique scientifique et vice versa. Ce qui nous donnait raison à tous les deux, mais aucun de nous n'avait vu clairement le fond de notre différend. En tout cas, j'en conçus encore plus d'estime pour la perspicacité de Lacan qui, malgré l'équivoque de certains de ses mots (la parole vide, la parole pleine du « Discours de Rome ») avait eu le réflexe, peut-être non vraiment réfléchi, de sentir la différence, et de la « pointer ».

J'eus encore, tout à la fin (il était mourant), l'occasion d'avoir affaire à Lacan. C'était lors de sa dernière réunion publique à l'hôtel PLM. Un ami très proche – que je ne voulus plus revoir à la suite du scandale de son comportement –, m'avait pressé d'assister à la séance, « pour le soutenir ». Or cet ami ne parut pas et ne dit rien. Il m'avait abandonné. J'entrai dans l'immense hall sans aucune autorisation. Une jeune femme vint me demander au nom de quoi je m'étais invité, je répondis : « Au nom du Saint-Esprit qui est l'autre nom de la libido. » Puis ostensiblement, dans l'immense rangée vide qui séparait le public silencieux, j'avançai très lentement, la pipe au bec. Je m'arrêtai, et toujours en gestes aussi calculés, je tapai ma pipe contre le talon de mon bottillon, la bourrai et l'allumai, puis me dirigeai vers Lacan à qui je serrai longuement la main. Il était manifestement, après son long discours lu, à bout de forces. Je mis dans ma conduite tout le respect que ce grand vieillard, vêtu comme un pierrot d'une veste de tweed camaïeu à carreaux bleus, m'inspirait. Puis je pris la parole « au nom des analysants », reprochant vivement aux assistants de n'en pas parler. Une voix indignée monta : « De quel divan ce monsieur parle-t-il ? » Je continuai imperturbablement mon propos. J'ai oublié ce que j'ai dit, mais je n'ai pas oublié la sensation et les remous silencieux que provoqua mon intervention. Je voulus continuer la discussion après la fin du discours de Lacan, mais tous se dérobèrent.

Pour tout dire, j'avais bien plus tôt eu affaire à Lacan dans une situation dramatique. Un matin, fort tôt, on sonne à ma porte de l'École. C'était Lacan, méconnaissable, dans un état épouvantable. J'ose à peine rapporter ce qui se passa. Il venait m'annoncer, « avant que je ne l'apprenne par des rumeurs qui le mettraient en cause personnellement, lui, Lacan », le suicide de Lucien Sebag qu'il avait en analyse, mais avait dû abandonner parce qu'il était tombé amoureux de sa propre fille, Judith. Il me dit qu'il vient de faire « le tour de Paris » pour expliquer la situation à tous ceux qu'il pouvait rencontrer afin de couper court à toutes les « accusations de meurtre ou de négligence de sa part ». Complètement affolé, il m'explique qu'il ne pouvait plus conserver Sebag en analyse depuis qu'il était tombé amoureux de Judith : « pour des raisons techniques, c'était impossible ». Il me raconte qu'il n'a cessé de voir quand même Sebag tous ces temps chaque jour, et encore la veille au soir. Il avait assuré Sebag qu'il répondrait à son appel à n'importe quelle heure, qu'il possédait une Mercedes ultra-rapide. Pourtant Sebag s'est tiré une balle dans la tête à minuit, puis est parvenu à s'achever d'une seconde et dernière balle vers trois heures du matin. J'avoue que je ne sus quoi lui dire. Pourtant je voulais lui demander s'il n'aurait pas pu « intervenir » pour qu'on mît Sebag à l'abri en le faisant hospitaliser. Il m'aurait peut-être répondu que ce n'était pas la « règle » analytique. En tout cas, pas un mot sur la protection d'une hospitalisation. Quand il partit, il était toujours aussi tremblant. Il me quitta dans le petit matin, pour poursuivre sa quête de visites. Je me suis très souvent demandé ce qu'il eût fait dans mon propre « cas » si j'avais été de ses patients, et s'il m'aurait laissé sans protection (je voulais me tuer constamment) pour ne pas enfreindre la moindre « règle » analytique. Mon analyste avait été autrefois son plus grand « espoir », mais l'avait quitté du jour où il s'était aperçu que « Lacan était absolument incapable d'écouter autrui ». Je me demandai aussi ce qu'il aurait fait d'Hélène, toujours en fonction des fameuses « règles » qui n'étaient jamais dans l'esprit de Freud et de ses successeurs des impératifs sans recours, de simples « règles » techniques générales, lui, Lacan, qui avait pris en analyse plusieurs femmes de mes anciens élèves, ses patients, il me l'avait dit lui-même lors de notre première rencontre. Cet incident jeta sur moi d'étranges vues sur les terribles conditions de l'analyse et leurs fameuses « règles ». Qu'on me pardonne s'il se peut de l'avoir fidèlement rapporté, mais à travers le malheureux Sebag que j'aimais beaucoup et Judith que je connaissais assez bien (elle devait épouser Jacques-Alain Miller, mon ancien élève), il s'agissait aussi de moi : « *De te fabula narratur.* » Mais cette fois la « fable » était une tragédie, non seulement pour Sebag, mais surtout pour Lacan, qui n'avait alors de préoccupation manifeste que pour sa réputation professionnelle et le scandale qui allait rejaillir sur lui. Que les analystes qui ont adressé en son temps une pétition au *Monde* (non publiée) pour dénoncer « les méthodes » de mon analyste veuillent bien trouver ici la déposition de mon témoignage.

C'est dans ces années (1974) que j'eus l'occasion d'un voyage à Moscou pour un Congrès international de philosophie hégélienne. Je ne parus au Congrès que pour ma communication, qu'on avait réservée pour la séance finale dans l'immense salle des cérémonies. J'y parlai du jeune Marx et des raisons profondes de son évolution. A la fin de ma communication, dont la *Pravda* devait rendre compte... à l'avance, ce fut le silence officiel, mais quelques étudiants restèrent dans la salle et vinrent me poser des questions : qu'est-ce que le prolétariat ? qu'est-ce que la lutte des classes ? Manifestement, ils ne comprenaient pas qu'on en parlât. J'en fus stupéfait, mais devais aisément le comprendre.

Je le compris car, pendant ces huit jours où je ne fréquentais pas le Congrès, mon très cher ami Merab, un Géorgien philosophe de génie qui n'aurait jamais voulu quitter l'Urss comme son ami Zinoviev le fit (« car là au moins on y voit les choses à nu, et sans fard ») me fit connaître une bonne centaine de Soviétiques de toutes conditions, qui me parlèrent et de leur pays et des conditions matérielles politiques et intellectuelles d'existence, et je compris infiniment de choses, que tout ce que j'ai depuis pu lire de sérieux sur l'Urss m'a confirmé.

L'Urss n'est pas le pays qu'on décrit habituellement chez nous. Certes, toute intervention publique dans la vie politique y est interdite et dangereuse mais pour le reste, quelle vie ! D'abord, c'est un immense pays qui a résolu le problème de l'analphabétisme et de la culture sur une échelle inconnue, même chez nous. Ensuite, c'est un pays où le droit au travail est garanti et même, si je puis dire, planifié et obligatoire : depuis la suppression du livret de travail, on y constate une prodigieuse mobilité des travailleurs. Enfin, c'est un pays où la classe ouvrière est si forte qu'elle se fait respecter et que la police n'intervient jamais dans les usines, cette classe ouvrière qui trouve ses exutoires dans l'alcool et le travail au noir, en volant les biens d'équipements collectifs pour travailler pour des particuliers. Un pays toujours à double tiroir, travail noir dans l'industrie, dans l'enseignement, dans la médecine et (officialisé) dans la production agricole. J'ai appris depuis, ce que j'ignorais alors, que des équipes se forment maintenant entre travailleurs qui vendent très cher leurs services à des entreprises, pour rattraper le retard du plan. On n'imagine pas cela chez nous, malgré le noir, car ce ne sont pas les « patrons » qui dictent leurs prix, mais les équipes de copains qui s'organisent pour vendre leurs services aux entreprises en retard. Je crois que K.S. Karol, qui connaît bien l'Urss où il a vécu de nombreuses années au cours d'une ahurissante odyssée qu'il a contée dans son remarquable livre *(Solik : tribulations d'un jeune homme polonais dans la Russie en guerre),* a raison : avec la montée des nouvelles générations avides de biens de consommation, sur le fond d'une acculturation très remarquable, et la base d'un patriotisme nourri de la mémoire des vingt millions de morts de la grande guerre patriotique, malgré les pratiques carcérales et psychiatriques scandaleuses, mais que sur une autre échelle nous avons aussi en France (quoique pour des raisons pas toujours directement politiques, mais quelle différence au fond ?), mais sur la base aussi de la destruction totale de la paysannerie, de son mode de vie traditionnel et même de son savoir-faire (c'est par la radio que les paysans apprennent quand il faut semer et faucher!! – quelle différence avec la Chine!!), on peut attendre patiemment, mais raisonnablement, de lents changements en Urss. Il faut laisser sa chance à la jeune génération et à Gorbatchev qui en est l'homme, pour la première fois dans l'histoire de l'Urss. Évidemment, je trouvai en Urss un véritable désert philosophique. Mes livres y avaient été traduits, comme tout ce qui paraît à l'étranger, mais rangés dans le « triple enfer » des bibliothèques, seulement pour hauts spécialistes politiquement sûrs. Et quand le Doyen de la Faculté de philosophie m'accompagna à l'aérodrome de Moscou, tout ce qu'il trouva à me dire fut : « Salue bien pour moi les petites femmes de Paris!! »

XVI

La politique? J'imagine qu'on m'attend sur son chapitre. De fait, j'aurais infiniment à dire, mais ce serait entrer dans les anecdotes de la petite histoire : sans intérêt pour la « généalogie » après coup de mes traumatismes d'affects psychiques. Des anecdotes? On en trouve partout à revendre et surtout à « vendre ». Cela ne m'intéresse pas. J'ai dit en effet que je ne voulais retenir ici de ma vie que les événements ou les souvenirs d'événements qui, m'ayant marqué, ont contribué soit à inaugurer la structure de mon psychisme, soit, et surtout, sinon *toujours*, dans l'*après coup* d'interminables répétitions, à la renforcer, ou, dans les conflits de désirs, à l'infléchir en des formes étrangères aux premières, au moins en apparence.

Ici je dois au lecteur le rappel d'événements qu'il connaît.

Le Parti avait joué un très grand rôle dans la résistance contre les occupants nazis. Il est incontestable qu'en juin 1940, sa direction suivit une ligne néfaste. La théorie de la IIIe Internationale, qui dirigeait en fait, sous la haute autorité de Staline, tous les partis communistes (et le Parti français même, « contrôlé » par le délégué de l'Internationale, le Tchèque Fried, homme très remarquable paraît-il, et à qui Thorez dut assurément beaucoup), était que la guerre était une pure *guerre impérialiste*, opposant pour des buts purement impérialistes les Français et Anglais aux Allemands. Il fallait les laisser s'entre-déchirer, l'Urss attendait pour tirer les marrons du feu. Si elle avait conclu les accords germano-soviétiques, la raison en était fort simple : c'est que, depuis bien avant Munich, les démocraties occidentales renâclaient à respecter leur propre signature, manifestement par peur et fascination de Hitler et en vertu du fameux principe « mieux vaut Hitler que le Front populaire », mieux vaut le nazisme que le Front populaire et *a fortiori* la révolution prolétarienne. On comprend la bourgeoisie et nous en avons tous eu la preuve. L'Urss avait négocié de manière désespérée après la première grande défaite du mouvement ouvrier, en Espagne, où elle était largement intervenue (armes, avions, brigades internationales) pour obtenir l'accord des démocraties occidentales. Mais ni Daladier ni Chamberlain n'avaient eu le « courage » de simplement respecter leurs engagements politiques et militaires formels : ils devaient en fournir la preuve publique lors de l'abandon de la Tchécoslovaquie, des Sudètes d'abord, puis de tout le pays ensuite. Et à ce moment-là, aucun interdit, comme ce fut plus tard le cas de la Pologne fasciste, ne les empêchait d'intervenir.

La démonstration est incontestable : les faits sont patents et aucun historien tant soit peu sérieux ne les conteste. Malgré ces faits et malgré sa profonde méfiance fondée sur ces faits historiques, l'Urss continua de tenter d'obtenir des démocraties occidentales la constitution d'un front uni contre Hitler devenu de plus en plus dément et avide d'espace vital, avant tout des riches plaines d'Ukraine. Évidemment vers l'Est, bien loin de la France et de l'Angleterre. C'est dans ces conditions, lorsque l'attaque hitlérienne contre la Pologne devint imminente, lorsque la Pologne fasciste de Pilsudski interdit à l'Armée rouge le passage sur ses terres pour entrer en contact avec la Wehrmacht, que l'Urss, devant l'évidence et la lâcheté historique de ses « alliés » occidentaux, *dut se résoudre* à une négociation de compromis avec le Reich de Hitler. Ce furent les fameux accords germano-soviétiques et le partage de la Pologne, inévitable : l'Urss ne pouvait pas abandonner la *Pologne entière* à l'occupation hitlérienne. Il lui fallait nécessairement avancer sa frontière le plus loin possible, au besoin sous la raison historique incontestable de reconquérir des terres russes-blanches cédées à la Pologne par le traité de Versailles, pour se trouver en position de défense avancée lors d'une attaque allemande.

Ce fut une période dramatique pour tous les militants du mouvement communiste international et leurs alliés. Des militants quittèrent alors le Parti comme, en France, Paul Nizan et d'autres, et furent naturellement tenus pour renégats (c'était la formule de l'époque). Le Parti, bien longtemps après, le fit sentir à Rirette

Nizan, qu'Hélène connaissait très bien, et aux enfants de Nizan, que Thorez refusa toujours de recevoir. Quelles pratiques! Comme nombre de militants, Hélène comprit que l'Urss devant la menace hitlérienne et la « lâcheté » politique totale des démocraties occidentales, ne pouvait rien faire d'autre. Et qu'aurait-elle pu faire d'autre? Que ceux qui ont l'audace de le prétendre, veuillent bien oser le dire.

On fut donc engagé dans une étrange politique, où l'Urss *semblait ne pas démentir* les thèses nazies selon lesquelles le nazisme luttait contre le « capitalisme international », alors que toute sa politique antérieure et constante, depuis bien avant la guerre d'Espagne, prouvait le contraire. Mais ce qui fut, pendant un temps, décisif, ce fut l'incroyable confiance que Staline témoigna à Hitler. Il pensait profondément que Hitler était sincère, qu'il tiendrait sa parole et n'attaquerait pas le pays des Soviets. Hélène, qui avait eu nombre de contacts et avait dépouillé soigneusement tous les documents et témoignages de l'époque, attira très tôt mon attention sur ce fait surprenant, alors inconnu, mais qui fut depuis très largement prouvé. On sait que, par maintes voies dont Sorge et nombre d'espions soviétiques au Japon, Staline fut prévenu longtemps à l'avance de l'attaque imminente des nazis. On sait que Roosevelt l'en avertit. On sait même qu'un déserteur allemand, un communiste, passa les lignes pour prévenir les Soviétiques de l'attaque allemande pour le lendemain matin même sur l'Urss, à quinze heures. Il fut aussitôt exécuté. On sait que, pendant les longues semaines des attaques aériennes nazies, Staline donna l'ordre *de ne pas répliquer!,* pensant qu'il s'agissait soit d'une méprise *(sic)* soit d'une simple manœuvre militaire paisible. On sait tout cela maintenant très clairement. Il s'ensuivit les catastrophes que l'on sait.

Dans les partis occidentaux, la confusion fut totale. En France, l'Internationale avait réussi à faire « déserter » Maurice Thorez qui le refusait farouchement : c'était un ordre et ça ne se discutait pas. Il devait passer toute la guerre dans un minuscule village du Caucase, avec un poste de radio inutilisable, coupé de tout et en particulier de la France. En France, ce fut Duclos qui prit la direction du Parti clandestin (dont les députés avaient été arrêtés en 1939-1940). Il commença par appliquer la théorie de la *guerre impérialiste,* sans discerner qu'elle était en même temps une « guerre de libération » (thèse qui ne fut admise que plus tard). En conséquence, des ordres furent donnés après la défaite non seulement pour prendre contact avec les autorités allemandes d'occupation, pour la parution de *l'Humanité* par les soins de Marcel Cachin, mais, ce qui fut infiniment plus grave, la direction clandestine du Parti ordonna sans appel à ses militants responsables et surtout connus des masses ouvrières et populaires, responsables syndicaux et politiques, maires, etc., de se montrer au grand jour, de tenir des meetings. Incroyable décision ! qui eut tout simplement le résultat suivant : les grands militants du Parti, comme Hénaff, Timbaud, Michels, et d'autres, furent repérés par les Allemands qui les arrêtèrent, et les embarquèrent à Châteaubriant où ils devaient les fusiller plus tard. C'est ainsi que les plus grands amis d'Hélène disparurent et furent massacrés.

Mais pendant ce temps, nombre de militants qui n'avaient pas le contact avec le Parti organisèrent pour leur compte, dans leur coin, la résistance populaire, bien avant l'Appel du 18 juin. J'en donnerai un seul exemple, celui de Charles Tillon, qu'Hélène et moi connûmes très intimement grâce à Marcel Cornu. Non seulement il organisa dans le Midi un premier réseau de résistance, mais lorsque l'ordre lui parvint de la direction clandestine du Parti de s'aligner sur la ligne officielle du « pacifisme militant », il refusa carrément de s'y soumettre et fut très loin d'être le seul dans ce cas parmi les communistes français. Les anticommunistes déclarés ne veulent rien savoir de ces faits authentiques.

Dès décembre 1941, la ligne avait été rectifiée par l'Internationale : la guerre n'était pas seulement une guerre interimpérialiste, mais aussi et en même temps une « guerre de libération ». Et tout le Parti entra en masse dans la Résistance, cette fois officiellement, et y consacra toutes ses forces.

Quand je pense aux attaques politiques qui furent dirigées contre le Parti, du temps même de l'occupation allemande (je détiens un énorme ouvrage de documents de cette nature) ou après et encore maintenant, de la part d'hommes qui avaient été organiquement et viscéralement liés aux positions défaitistes de la bourgeoisie française (même si individuellement ils étaient restés patriotes), il y a de quoi rêver. C'est là que prend tout son sens le mot de Mauriac parlant de « la classe ouvrière qui seule en tant que *classe* était restée fidèle à la patrie profanée ». Car l'histoire se décide non par la position de tel individu mais par les affrontements de classe et positions de classes.

Tout l'après-guerre, de 1945 à 1947, fut marqué par les suites de ces très graves événements. De Gaulle était au pouvoir avec des ministres communistes au gouvernement. Il fallait reconstruire le pays et savoir au besoin « terminer une grève ». Mais les ministres communistes furent remerciés par le socialiste Ramadier sous la pression directe des Américains, et le Parti entra dans une très dure lutte. Comme par hasard, ce fut le moment que je choisis pour y adhérer.

On n'y allait pas par quatre chemins, tellement l'attaque anticommuniste était violente et la guerre menaçante. L'Urss n'avait pas alors la bombe atomique qui avait massacré le Japon. Il fallait mobiliser les larges masses populaires sur le texte de l'Appel de Stockholm.

Toute l'urgence portait sur cette lutte. Les questions internes au Parti ne se posaient même pas. Sorti victorieux de l'épreuve de la Résistance, renforcé dans ses traditions et ses principes qui avaient fait leurs preuves, le Parti ne paraissait pas un seul instant pouvoir être, pour quelque raison que ce fût, différent de ce qu'il était. Bien au contraire, sa direction fut « plus royaliste que le roi », c'est-à-dire que Staline (qui devait plus tard rectifier le tir sur la linguistique) en soutenant avec violence et publiquement la thèse des « deux sciences », la bourgeoise et la prolétarienne. Il faudra d'innombrables épreuves internationales (Berlin, Budapest, Prague, etc.) pour que quelque chose commence à légèrement bouger, et encore, dans quelle mesure!, à l'intérieur même du Parti, et au bout de quel interminable délai. Il ne venait alors à personne (sauf à des individus comme Boris Souvarine, mais quelle était leur audience?) l'idée que ce Parti, construit sur les principes léninistes de *Que faire?*, c'est-à-dire de la *clandestinité*, cette clandestinité qu'il avait victorieusement exercée dans la Résistance, pouvait ou devait se donner une autre forme d'organisation lorsque la clandestinité avait disparu.

C'est pourquoi il n'existait alors objectivement *nulle autre forme d'intervention politique possible dans le Parti autre que purement théorique*, et encore, en prenant appui sur la théorie existante ou reconnue pour la retourner contre l'usage qu'en faisait le Parti. Et comme la théorie reconnue n'avait plus rien à voir avec Marx, mais s'alignait sur les niaiseries très dangereuses du matérialisme dialectique à la soviétique, c'est-à-dire à la Staline, il fallait, et c'était l'unique voie possible, retourner à Marx, à cette pensée politiquement incontestablement admise, car *sacrée,* et démontrer que le matérialisme dialectique à la Staline, avec toutes ses conséquences théoriques, philosophiques, idéologiques et politiques, était complètement aberrant. C'est ce que je tentai de faire dans mes articles de *La Pensée,* recueillis ensuite dans *Pour Marx,* et avec mes étudiants de Normale dans *Lire « Le Capital »,* qui parurent, je le rappelle, en octobre 1965. Depuis, je n'ai cessé de suivre la même ligne de lutte, d'abord théorique, puis directement politique à l'intérieur du Parti, jusqu'à l'analyse que je fis de son incroyable fonctionnement interne (*Ce qui ne peut plus durer dans le PCF,* 1978). Puis survint le drame. Depuis je n'ai pas repris ma carte. Je suis un « communiste sans parti » (Lénine).

On sait que j'ai toujours proclamé que je ne prétendais à rien qu'« intervenir en philosophe dans la politique et en politique dans la philosophie ». De fait on pourrait, à propos de la politique, de mon action et de mon expérience, y retrouver le jeu exact de mes fantasmes personnels : solitude, responsabilité, maîtrise.

Et certes je fus bien seul, quoique aidé de mes amis, au début comptés sur les doigts d'une main, à m'aventurer, au sein du Parti, à une entreprise théorique d'opposition, avant de passer ouvertement à une attitude d'opposition et de critique politiques. Certes, le fantasme de détenir la vérité sur le Parti et les pratiques de ses dirigeants m'induisit en plusieurs circonstances à y jouer le rôle du « père du père ». Par exemple en donnant de haut la leçon aux étudiants de 1964 dans un article de *La Nouvelle Critique.* C'est-à-dire que je me laissais moi-même intimider par les risques de mon attitude et les attaques dont j'étais l'objet de la part de dirigeants du PC qui, eux, avaient vu clair dans ma stratégie! Ce texte, néanmoins, qui présentait l'avantage stratégique de faire passer le « devoir » envers la théorie marxiste de tout communiste avant l'obéissance au Parti – point qui semble avoir échappé à Rancière mais pas à de nombreux lecteurs, par exemple les étudiants grecs, entre autres, qui lui attribuent une grande valeur politique, évidemment dans leur situation – me fit rapidement horreur et je me gardai de le recueillir dans *Pour Marx,* en 1965. (Lorsque Rancière me critiqua violemment dans *La Leçon d'Althusser,* il fit reposer le plus fort de sa démonstration sur le texte de cet article, comme si je ne l'avais pas écarté de *Pour Marx,* et c'est au fond le seul reproche sérieux que je lui fis.) Par exemple en écrasant dans deux longs articles de *France-Nouvelle* le malheureux David Kaisergruber (« Sur une erreur politique ») en prenant contre lui la défense des maîtres auxiliaires, « ces prolétaires de l'enseignement public ». Par exemple lors de mes rencontres avec Henri Krasucki, alors « responsable aux intellectuels », qui réitéra ses réticences insistantes (Ah! si nous n'avions en face de nous deux hommes, Aragon et Garaudy, qui se soutiennent et que Thorez soutient, que ne pourrions-nous faire!). J'étais stupéfait d'entendre de sa bouche que deux militants suffisaient à paralyser toutes les initiatives du Parti dans le domaine intellectuel, et lui en fis le reproche. Mais il ne répliqua rien. J'en fus d'autant plus déçu que j'avais conçu d'immenses espoirs de pouvoir rencontrer à la tête des intellectuels un véritable prolétaire, de surcroît dirigeant de la CGT. Je sus alors d'avance que je devrais apprendre de lui que les Éditions du Parti ne publieraient certainement pas mes deux livres (*Pour Marx* et *Lire « Le Capital »*) et que même la préface à *Pour Marx*, que Jacques Arnault, courageux et clairvoyant, m'avait formellement promis de faire paraître dans *La Nouvelle Critique,* qu'il dirigeait alors, fut interdite de parution. Je n'étais pas au bout de mes déceptions.

Plus tard, quand je rencontrai en face à face Waldeck Rochet dans son petit bureau, plein de bons sentiments à son égard, un homme qui, à l'âge de quinze ans, alors ouvrier agricole, avait trouvé le temps et eu le goût de lire Spinoza, je jouai encore, mais avec délicatesse, le même rôle du « père du père ». Nous parlâmes de l'humanisme (j'avais défendu en plusieurs occasions la thèse de l'antihumanisme théorique de Marx), et je lui posai la question : « Les ouvriers, que pensent-ils de l'humanisme? – Ils s'en foutent! Et les paysans? – Ils s'en foutent! Mais alors pourquoi ces discours sur l'humanisme marxiste dans le Parti? – Vois-tu, il faut bien parler leur langage à tous, tous ces intellectuels, tous ces socialistes... » Je tombai de haut. Et de plus haut encore lorsque j'entendis Waldeck murmurer de sa voix calme : « Il faut bien faire quelque chose pour eux, sinon ils vont tous s'en aller. » J'en fus tellement frappé que je n'osai même pas lui poser la question : mais qui sont donc ces « ils »?

Beaucoup plus tard, quand je vis Marchais pendant trois longues heures, au Colonel-Fabien, je pris les choses d'encore plus haut, et vidai mon sac sur tout ce que je reprochais aux pratiques du Parti, avec une foule de détails à l'appui. Pendant trois pleines heures, flanqué de Jacques Chambaz, Marchais m'écouta sans presque dire un mot et sans jamais me contredire. Il paraissait fort attentif, et j'admirai du moins le désir qu'il manifestait d'apprendre : on m'avait dit que c'était dans son caractère. Et je ne parle pas de mes rencontres avec Roland Leroy, qui jouait au séducteur, au libéral alors qu'il était bien autre chose en son fond : doctrinaire, ni de cette équipée que je fis en sa compagnie au cours d'une Fête de l'Huma, où je rencontrai Benoît Frachon, passablement vieilli, et Aragon, à qui je fis une scène infernale d'agression et d'injures (on verra pourquoi), et ne pus m'empêcher de jouer les premiers rôles au cours d'une discussion publique, où je regretterai jusqu'à la fin de ma vie de m'être laissé aller à mettre en cause politiquement le malheureux Pierre Daix, qui devait ne jamais me pardonner cette intervention stalinienne, la seule de mon histoire politique. Faut-il ajouter que ce n'était pas moi qui avais sollicité ces rencontres « au sommet », mais que j'y avais été invité personnellement par les dirigeants du Parti, soucieux de savoir qui je pouvais être et pouvais bien avoir en tête? Car mes interventions dans *La Nouvelle Critique* et dans *La Pensée* (où Marcel Cornu me protégeait ouvertement) avaient produit des effets politiques, en particulier chez les normaliens qui avaient inauguré de nouvelles méthodes de formation et d'action dans l'Union des jeunesses communistes, dont ils avaient débordé les dirigeants (Jean Cathala) avant de la quitter pour former l'Union des Jeunesses communistes marxistes-léninistes (UJCML), qui devait, avant 68, développer une très grande activité sous la direction de Robert Linhart, un des normaliens qu'Hélène portait dans son cœur.

Il est trop clair que je réalisai ainsi dans le Parti mon désir d'initiative à moi, mon désir d'opposition farouche à la direction et à l'appareil, mais au sein du Parti même, c'est-à-dire de sa protection. En effet je ne me suis jamais mis en position, sauf peut-être vers 1978, et encore!, de courir vraiment le risque d'en être exclu. Même Roger Garaudy qui après Argenteuil où il n'avait été, à propos de problèmes culturels, question que de lui et de moi, et qui le lendemain m'adressa un télégramme : « Tu as perdu, viens me voir », ne me fit pas céder. Jamais je ne l'avais rencontré, jamais je ne le vis. Sans doute, outre la force de nos divergences, me sentais-je assez en sûreté dans mes arguments et la protection du Parti pour l'envoyer, lui, le « vainqueur » d'Argenteuil, sur les roses.

Mais sous les espèces de cette vive contestation, conduite sous les garanties d'une protection dont jamais je n'enfreignis les limites de tolérance, ce que je réalisai assurément, avant tout, c'étaient mes propres désirs, longtemps refoulés ou censurés par les miens, les désirs que j'avais commencé à vivre pendant mon séjour à l'école de Larochemillay, que j'avais retrouvés au cours du service militaire et enfin en captivité. Le désir d'avoir affaire au monde réel, au monde des hommes dans toute leur diversité, et surtout le désir de fraterniser avec les plus démunis et aussi les plus francs, les plus limpides et les plus honnêtes des hommes. Bref, le désir d'avoir un monde à moi, qui fût le vrai monde, celui de la lutte (je finis par recevoir, à grand-peine de résolution, des vrais coups de matraque dans des manifestations, comme la terrifiante manifestation contre Ridgway, où dans l'enthousiasme nous fîmes jonction avec les ouvriers de Renault, goguenards et armés de petites pancartes de tôle affûtée qui faisaient merveille dans les affrontements... Cette communauté d'action et de lutte, moi perdu dans d'immenses foules (défilés, meetings), j'étais enfin à mon affaire. Mes fantasmes de maîtrise étaient alors bien loin de moi.

Pourtant je dus en quelques circonstances, l'une dramatique, les autres plutôt comiques, affronter directement l'*appareil répressif du Parti*. Il n'y a pas que l'État qui dispose d'un appareil répressif : tout appareil idéologique quel qu'il soit en dispose. Si je rapporte ces épisodes, c'est toujours pour la même raison : voir clair en moi [1].

J'avais donc adhéré au Parti en 1948. C'était le temps de l'Appel de Stockholm. Je montais et descendais des centaines d'escaliers dans des immeubles pauvres du quartier de la gare d'Austerlitz. Le fameux porte-à-porte. On m'ouvrait assez souvent, mais on refusait presque toujours de signer la pétition que je tendais. Un jour qu'une belle jeune femme, en déshabillé (ses seins...) m'avait ouvert avec un sourire et refusé le visage fermé, comme je redescendais les marches, j'entendis sa voix. Elle me rappelait pour me dire : « Après tout vous êtes jeune et beau, je ne vois pas pourquoi je vous ferais de la peine. » Et elle signa. Je la quittai dans des sentiments mêlés.

---

1. Nous avons supprimé ici une phrase qui servait de raccord lors d'une première version de ce chapitre, mais que l'auteur avait oublié de supprimer après avoir modifié l'agencement des paragraphes. *(N.d.E.)*

C'était le temps où je voulais (une fois de plus, mais je n'ai jamais cessé de le vouloir et de tout faire – que n'ai-je pas fait jusqu'à sa mort!) « sauver » Hélène de son désespoir, de son abandon par le Parti et de sa solitude. Je ne pouvais, en ma naïveté, concevoir que le Parti ou ses organisations pussent se passer des services d'une femme aussi intelligente, aussi politique, et d'une militante aussi extraordinaire. Comme je savais d'elle qu'elle connaissait Paul Eluard, j'obtins, sans rien lui dire et je ne sais plus par quelle combinaison compliquée, qu'il me reçût.

Une jeune femme complètement nue dormait sur un divan de la pièce. Je commençai par tutoyer Eluard (entre camarades...) qui ne parut pas goûter le procédé. Je plaidai avec détails et passion la cause d'Hélène. Ne pouvait-il pas intervenir pour qu'on lui permette de militer dans les rangs des Femmes françaises ? Il se contenta de me répondre : « Hélène est une femme tout à fait remarquable, je la connais bien, mais elle a toujours besoin qu'on l'aide. » L'entretien était terminé. Décidément les communistes n'étaient pas tous des Courrèges.

Hélène avait fini par militer avec moi au Conseil communal du Mouvement de la paix, dans le cinquième arrondissement. Tout paraissait sans problème, elle s'y faisait des amis, j'étais heureux pour elle. Mais un jour qu'elle se trouvait au siège du Mouvement, rue des Pyramides, pour y prendre des affiches, elle y fut reconnue par un petit cadre du Parti qui l'avait vue à Lyon. Il le rapporta à la direction du Conseil du cinquième arrondissement, et sans doute à Farge, et le plus odieux procès qu'on puisse imaginer se déclencha.

Ce petit permanent raconta qu'à Lyon « tout le monde savait » qu'Hélène, de son nom Rytmann, mais dénommée Sabine, et aujourd'hui Legotien (Hélène avait, par haine de son patronyme, adopté sur le vœu du père Larue le nom d'un des premiers jésuites à visiter la Chine), était un agent à la fois de l'Intelligence Service et de la Gestapo *(sic)*. Effectivement, des bruits de cet ordre avaient couru à Lyon, dont il faut conter l'origine. Hélène était alors très liée avec les Aragon, et pendant la période de la Résistance, leur rapportait souvent de Suisse des produits introuvables en France, en particulier des bas de soie pour Elsa. Or il advint qu'un jour, les bas rapportés pour Elsa ne correspondaient pas à la couleur ou la finesse désirée par cette personne exigeante. Aragon entra dans une grande fureur et rompit avec Hélène. Et il commença à parler d'elle comme un agent de l'Intelligence Service! De surcroît, Hélène avait, lorsque Lyon fut le lieu des combats de sa libération, un corps franc sous ses ordres, des garçons qui n'y allaient pas par quatre chemins. Ils s'emparèrent d'un haut responsable de la Gestapo qu'ils enfermèrent dans les caves de leur immeuble, le torturèrent, puis l'exécutèrent sommairement. Or Hélène avait donné des ordres stricts : d'abord de bien le traiter comme tous les prisonniers, ensuite de le garder soigneusement en vie pour pouvoir l'interroger afin de tirer de lui le maximum de renseignements utiles à la Résistance et à la jeune armée des FFI. Les gars du corps franc avaient passé outre à ses ordres formels. Le bruit de cette exécution se répandit à Lyon et vint aux oreilles de l'entourage du cardinal Gerlier, dont l'attitude avait été plutôt douteuse pendant l'occupation. Un de ses proches, que le militant communiste décrivait comme un « curaillon », vint demander des comptes à Hélène et se répandit en commentaires sur les méthodes de torture qu'elle « imposait » aux prisonniers des corps francs. Autant de contre-vérités évidemment, mais qui « servaient » d'alibi à la mauvaise conscience des proches de Gerlier. Je ne sais plus qui en remit et Hélène devint dans la rumeur un agent de la Gestapo. Pendant qu'on y était!

Les « révélations » du permanent du Parti firent l'effet d'une bombe, en tout cas fournirent l'occasion rêvée d'un règlement de comptes public. On sait qu'Hélène, membre du Parti depuis 1930, n'avait pu retrouver le contact avec le Parti pendant la guerre, et que le Parti avait refusé de la recevoir après la guerre. On sortit alors l'ahurissante histoire suivante : Hélène avait peut-être été exclue du Parti en 1939, au moment du pacte germano-soviétique, mais comme le seul à pouvoir en témoigner se trouvait être un certain Vital Gaymann, devenu depuis renégat, le Parti ne pouvait se mouiller en l'interrogeant sur ce passé. En attendant, Hélène était considérée par le Parti comme hautement suspecte : d'avoir été exclue en 1939.

Les « révélations » du permanent, jointes aux soupçons du Parti, provoquèrent un véritable procès que conduisit la direction du Conseil communal. Sans doute sur les ordres du Parti. Le procès dura une semaine entière, où furent proférées les accusations les plus graves contre Hélène. Elle eut beau obtenir (et à quel prix) que vinssent témoigner deux de ses camarades de Résistance, rien n'y fit. Le Conseil rédigea une résolution concluant, après tous les attendus désirables, à son exclusion du Conseil communal (rien de cet ordre n'était pourtant prévu dans ses statuts, ni même son érection en tribunal). Je me rappelle encore la haute silhouette de Jean Dresch, qui écoutait sans rien dire. J'avais bataillé comme un lion lorsque dans les attendus il avait été question du « curaillon ». Les dirigeants du Conseil voulaient à tout prix parler d'un simple « prêtre » (« pour ne pas heurter les catholiques »). C'est le seul point sur lequel j'obtins gain de cause. Quand vint le moment du vote, toutes les mains se levèrent (Dresch n'était pas là) et je vis à ma honte et stupéfaction ma propre main se lever : je le savais depuis longtemps, j'étais bien un lâche.

Le Parti me convoqua, et le secrétaire « à l'organisation », Marcel Auguet, m'intima l'ordre de rompre avec Hélène. Sous l'impulsion du secrétaire de cellule de l'École, Emmanuel Le Roy Ladurie (qui a l'honnêteté de rapporter ce point dans son livre *De Montpellier à Paris*, et surtout eut l'honnêteté de s'en excuser devant Hélène même la première fois qu'il la rencontra – et je précise bien qu'il fut le seul et *unique* de toute cette sinistre bande à s'en excuser ou à faire le moindre geste), la cellule tenta de veiller à son exécution. Mais le plus clair de cette « surveillance » est que le vide *absolu* se fit autour de nous : dans la rue tous les camarades nous évitaient. La seule question à l'ordre du jour de la cellule était : « sauver Althusser ».

Bien entendu je n'obtempérai pas. Hélène et moi partîmes bientôt nous réfugier dans une autre solitude, celle de Cassis où, si nous n'y avions pas d'amis, personne ne nous évitait : puis, il y avait la consolation et la paix du vent et de la mer. Hélène était d'un admirable courage. Elle me répétait : « L'histoire me donnera raison. » N'empêche, nous avions vécu un vrai procès de Moscou en plein Paris, et plus tard j'ai souvent pensé que si nous avions été en Urss à l'époque, nous aurions fini par une balle dans la nuque.

Cela me donna évidemment sur le Parti, ses directions et ses méthodes d'action une vue singulièrement réaliste. Elle rejoignait une autre expérience que j'avais faite peu de temps après mon adhésion. J'avais alors entraîné la cellule à fonder un Cercle Politzer pour l'École où nous voulions inviter de grands leaders syndicaux et politiques à nous parler de l'histoire du mouvement ouvrier : c'est ainsi que nous entendîmes Benoît Frachon, Henri Monmousseau, André Marty et d'autres. Mais, prudents et disciplinés, nous convînmes d'aller solliciter l'avis de Casanova, alors préposé aux « intellectuels ». J'y allai en compagnie de Desanti qui, corse, avait ses entrées chez Laurent et le suivait, qu'il me pardonne, dans sa politique comme un petit chien. Nous attendîmes une bonne heure dans son antichambre, séparée de son bureau par une mince cloison de bois. Une heure de cris, d'injures, et d'engueulades inouïs; on n'entendait que la voix de Casanova s'adressant à un interlocuteur pratiquement muet. Il s'agissait de la science prolétarienne, mot d'ordre de l'époque. Nous entendîmes des propositions stupéfiantes, y compris sur 2 + 2 = 4. Il paraît que c'était « bourgeois ». A la fin un homme sortit, anéanti : Desanti me le nomma, Marcel Prenant. Nous entrâmes dans le bureau de Casa qui reprit devant nous la démonstration furibonde qu'il venait d'adresser à Prenant et, se calmant, lut mon affiche et nous donna son approbation. Quelle leçon!

Le plus surprenant est que ce genre d'accident, surtout le plus horrible, le premier, ne me jeta dans aucune dépression. J'étais anéanti, mais indigné, et cette indignation me soutenait sans doute en vie, avec l'exemple extraordinaire du courage d'Hélène. Je devenais un homme.

C'est sans doute dans ces premières épreuves que je trouvai la force de réaliser dans le Parti même mon propre désir de résister et de lutter, comme je le fis constamment par la suite. J'avais enfin trouvé mon terrain d'élection, mais comme je restais au Parti, ma lutte se déroulait, comme je l'ai dit, sous la protection même du Parti. J'y fus sévèrement attaqué, sans cesse, mais on me tolérait, sans doute par calcul et à cause de l'audience que mes interventions théoriques m'avaient value. Je trouvais certainement mon avantage dans cette situation qui combinait à la fois un désir de protection jusque-là indéracinable, et mon désir d'exister enfin dans une lutte que je n'avais jusque-là exercée que par des artifices. Cette fois, c'était du sérieux. Ce le fut, et de plus en plus, jusqu'en 1980, année du drame.

XVII

Maintenant que j'ai dit par quelles voies d'accès lointaines j'en étais venu à Marx ou m'étais « conforté » dans sa pensée, comme je me suis expliqué sur toute l'histoire de mon rapport à Marx et dans *Pour Marx* (surtout sa préface) et dans la « Soutenance d'Amiens », je puis être plus succinct.

Je peux bien le dire, c'est en grande partie *par les organisations catholiques de l'Action catholique que je suis venu au contact de la lutte des classes et donc au marxisme.* Mais n'ai-je pas déjà indiqué l'étonnante ruse de l'histoire qui, par le biais de l'exposé de la « question sociale » et de la « politique sociale de l'Église », initia au socialisme même d'innombrables fils de bourgeois, et de petits-bourgeois (y compris paysans dans la Jeunesse agricole chrétienne), par peur panique de les voir passer au « socialisme »? De fait, l'Église, ses encycliques et ses aumôniers formèrent leurs propres militants à l'existence d'une certaine « question sociale » que la plupart d'entre nous ignorions *complètement.* Bien entendu, une fois l'existence de la « question sociale » et la proposition de ses ridicules remèdes reconnues, il suffisait de peu de chose, par exemple, dans mon cas, la vision politique profonde du « père Hours », pour aller voir ce qui se passait « derrière » les fumeuses formules de l'Église catholique et adhérer rapidement au marxisme, avant d'entrer dans le parti communiste! Cette voie fut celle de dizaines de milliers de militants des Jeunesses étudiantes, ouvrières et agricoles chrétiennes (JEC, JOC, JAC) qui découvrirent des cadres de la CGT ou du Parti – la plupart du temps à travers la Résistance. Aujourd'hui, on peut attendre des résultats plus impor-

197

tants du mouvement de masse qui soutient la théologie de la Libération.

Mais je conservai longtemps ma « foi », jusqu'en 1947 environ. Elle avait certes été fortement ébranlée en captivité par la vue, qui m'avait bouleversé lors d'un « voyage en camionnette » avec Daël vers les commandos des campagnes, par l'éclair de la vue d'une toute jeune fille assise sur les marches d'un escalier, *les genoux joints* et que, dans son silence, je crus incroyablement belle. Mais je réfléchis à l'instant que ces « genoux serrés » me rappellent un étonnant cours d'Henri Guillemin qui fut quinze jours durant, en 1936, notre professeur de français à Lyon. Il nous faisait lire *Atala*, et comme nous passions trop vite à son goût sur la description du cadavre de la belle jeune fille et surtout la « modestie de ses genoux joints », il entra dans une fureur, nous traita de « puceaux » et finalement, comme personne n'osait y aller de son explication, il nous cria littéralement : « Mais si elle a les genoux joints c'est que personne ne lui a écarté les cuisses pour la baiser ! C'est qu'elle est vierge, non ? Après le premier viol, les genoux s'écartent ! » Cette « sortie » prétendument explicative me laissa, je l'avoue, fort rêveur. En tout cas, il se peut qu'entre ces genoux de la prétendue virginité à la Guillemin et les genoux serrés de la jeune et belle Allemande entrevue, il y ait eu quelque rapport d'affect. D'ailleurs, en khâgne, à Lyon, j'avais été très longtemps troublé par une illustration d'un manuel d'histoire littéraire latine qui représentait des danseuses nues et lascives sculptées dans le bronze d'un bas-relief alexandrin. J'en fus à ce point « ému » en mon corps que j'allais m'en confier au père Varillon. Il me fit un « topo » sur l'art et la sublimation. OK.

Quoi qu'il en soit, j'eus très nettement le *sentiment* que je cessais d'être croyant en fonction d'une incompatibilité frappante entre ma foi et mes désirs sexuels (je le rappelle encore : sans suites).

Je restai néanmoins croyant jusqu'en 1947 environ, jusqu'au moment où, avec Maurice Caveing, François Ricci et d'autres, nous montâmes notre affaire de syndicat illégal qui luttait pour obtenir sa reconnaissance légale (situation qui n'était pas sans rapport avec mon ancien problème d'évasion : comment sortir du camp tout en y restant — mais cette fois c'était *à l'envers* et sérieux). Je fréquentai avec Hélène, je ne sais comment je fis, le « petit père Montuclard » et Jeunesse de l'Église au Petit-Clamart. Je disais à qui voulait l'entendre : « L'athéisme est la forme moderne de la religion chrétienne. » Ce mot eut grand succès dans notre groupe. J'écrivis dans la revue du groupe un long article sur l'état de l'Église qu'aujourd'hui encore les théologiens de la Libération me font l'honneur de citer. Tout le christianisme se résumait pour moi dans le Christ, dans son « message » évangélique et dans son rôle révolutionnaire. Contre Sartre qui raffolait des « médiations », je tenais que toute médiation ou bien est nulle ou bien est la chose même par l'effet d'une simple réflexion tant soit peu rigoureuse. Si le Christ était le médiateur ou la médiation, il n'était la médiation que du néant, donc *Dieu n'existait pas*. Etc. Le père Breton m'a dit que ces formules ont tout un passé dans la théologie négative et les mystiques.

Je suis donc venu au communisme par Courrèges et mes anciens Lyonnais résistants (Lesèvre, etc.) et naturellement par toute la dramatique expérience d'Hélène, qui n'a en rien contredit ma propre expérience antérieure, mais ne l'a nullement précipitée.

Comme j'avais été très croyant, je m'intéressai très vite à Feuerbach et à *L'Essence du christianisme*. Pendant des années je me mis à sa traduction : un très long travail dont je n'ai publié que le dixième, car Feuerbach est un homme qui ne cesse de se répéter. Il m'ouvrit tout grands les yeux sur les textes de jeunesse de Marx, dont je devais faire ensuite toute une histoire.

Étonnant Feuerbach, ce grand méconnu, qui est pourtant à l'origine réelle de la phénoménologie (sa théorie de l'intentionalité du rapport sujet-objet), de certaines vues de Nietzsche et de Jacob von Uexküll, cet extraordinaire biologiste philosophe, très apprécié de Canguilhem, qui a repris à Feuerbach le concept de *Welt* comme *Lebenswelt*, etc. Je dois infiniment à sa très attentive lecture. Bien entendu, je lisais les œuvres de jeunesse de Marx, mais j'eus vite compris : elles étaient, ces merveilles dont on faisait alors la pensée originaire donc définitive de Marx, *de part en part feuerbachiennes*, jusqu'à la « rupture de notre conscience philosophique d'autrefois » qu'annonce un peu vite *L'Idéologie allemande*, mais qui en tire néanmoins un certain nombre de conséquences révolutionnaires sur le mode de production et les éléments de sa « combinaison ». Cela, on ne le trouve pas dans Feuerbach ni même chez Hegel. Après quoi j'avançai péniblement dans Marx. J'avais fait un sort public au

« Jeune Marx » et aux *Manuscrits de 44* dans *La Pensée,* j'annonçai le thème de l'antihumanisme théorique de Marx. Je me mis à l'étonnant manuscrit de 1858 (première *Critique de l'Économie politique*) où on trouve cette formule frappante : « Ce n'est pas l'anatomie du singe qui explique celle de l'homme, mais l'anatomie de l'homme qui explique celle du singe. » Étonnante pour deux raisons : parce qu'elle dénie avant son apparition tout sens téléologique à une conception évolutionniste de l'histoire, et parce qu'elle est proprement, sous d'autres espèces évidemment, l'anticipation de la théorie freudienne de l'*après coup* : le sens d'un affect antérieur se donne seulement dans et à travers un affect ultérieur qui à la fois le signale comme ayant existé rétrospectivement et l'investit dans son propre sens ultérieur. Je devais plus tard retrouver la même pensée chez Canguilhem, à propos de sa très vigoureuse critique du *précurseur* [1].

Je l'ai dit, je ne lus *Le Capital* qu'en 1964-1965, année du séminaire qui devait déboucher sur *Lire « Le Capital ».* C'étaient Pierre Macherey, Étienne Balibar et François Regnault, si je n'oublie personne, qui, en janvier 1963, étaient venus me chercher dans mon bureau pour que je les aide à lire les œuvres de jeunesse de Marx. Ce n'est donc pas moi qui pris l'initiative de parler de Marx à l'École, mais j'y fus conduit par l'invitation de quelques normaliens. Cette première collaboration donna naissance au Séminaire de 1964-1965. En juin 1964, nous mîmes sur pied le Séminaire : Balibar, Macherey, Regnault, Duroux, Miller, Rancière, etc., étaient là. Celui qui avait les idées les plus arrêtées sur le sujet était Miller. Mais il disparut complètement durant l'année, vivant dans une sorte de pavillon de chasse de Rambouillet avec une fille, qui, disait-il, « produisait au moins un concept théorique chaque semaine ». En tout cas, elle venait d'en inventer un quand je rendis, en passant près de là avec Hélène, une brève visite à Miller.

Nous travaillâmes sur le texte du *Capital* pendant tout l'été 1965. Et à la rentrée ce fut Rancière qui, à notre grand soulagement, accepta d'essuyer les plâtres. Il parla trois fois deux heures avec une précision et une rigueur extrêmes. Je me dis encore que sans lui rien

---

1. A la suite d'interventions manuscrites qui ne semblent pas toutes d'Althusser lui-même, les deux paragraphes qui suivent ont fait l'objet d'une élision qui n'est pas toujours très nette et compromet la lisibilité du texte. Chaque fois que la compréhension du texte l'exigeait, on a donc maintenu la version initiale du manuscrit. (*N.d.E.*)

n'eût été possible. On sait comment les choses se passent dans ces cas. Quand le premier exposant parle et aussi longtemps et minutieusement, les autres en font leur profit pour leur propre travail. C'est ce que je fis pour mon propre compte, et je reconnais hautement ce qu'en cette circonstance j'ai dû à Rancière. Après Rancière tout était facile, la voie était ouverte et bien ouverte, et ouverte dans les catégories où nous pensions alors, après un cours que j'avais fait sur Lacan et où Miller était intervenu pour annoncer une « découverte conceptuelle » : celle de la « causalité métonymique » (ou cause absente), qui devait provoquer un drame. L'année s'écoula : le plus fort d'entre nous tous, Duroux, n'ouvrit pas la bouche. Mais quand Miller rentra en juin 1965 de Rambouillet, il lut les ronéotypés des interventions, et découvrit que Rancière lui avait « volé » son concept personnel de « causalité métonymique ». Rancière souffrit terriblement de cette imputation. Les concepts ne sont-ils pas à tout le monde? C'était bien mon avis, mais Miller alors ne l'entendait pas de cette oreille. Je ne conte pas cet incident ridicule pour accabler Miller, il faut bien que jeunesse se passe. Et d'ailleurs il a, paraît-il, commencé cette année son cours magistral sur Lacan en disant solennellement : « *Nous n'allons pas étudier Lacan mais être étudiés par lui.* » Preuve qu'il est aussi capable de reconnaître à autrui l'invention et la propriété d'un concept... Mais l'année finit très mal : je ne sais par quelle dialectique c'est moi-même qui finis, à la place de Rancière, par être accusé par Miller de lui avoir volé le concept de « causalité métonymique ». Dieu merci pour lui, Rancière était ainsi mis de côté dans cette affreuse affaire. On en trouvera trace dans *Lire « Le Capital »*. Lorsque j'emploie cette expression (« causalité métonymique ») je dis en note que je l'ai empruntée à Miller... mais pour la transformer aussitôt en « causalité structurale », expression que personne n'avait employée et qui était donc bien de moi! Quelle histoire! Mais elle donne la mesure de ce petit monde, qui frappa tant Debray à son retour de Bolivie, et qui doit paraître ahurissant aux lecteurs.

Cette question de l'auteur, je viens de l'apprendre récemment de la bouche du père Breton, est une très vieille histoire. On sait qu'au Moyen Age, contrairement à ce qui se passe de nos jours, la *science* était rattachée à un *nom d'auteur* : Aristote. En revanche, la production littéraire ne comptait aucun nom d'auteur. De nos jours, la situation est complètement renversée : les scientifiques travaillent dans l'anonymat d'un effort collectif et c'est tout au plus si on parle de la « loi de Newton », le plus souvent on se contente de parler de la « loi de la gravitation » ou, pour Einstein, de la relativité simple ou de la relativité généralisée. En revanche, toute œuvre littéraire, même la plus modeste, porte à jamais le nom de son auteur. Or, Breton l'apprit d'un de ses collègues, un médiéviste très érudit, le père Chatillon, saint Thomas s'était, dans une vive controverse contre les Averroïstes, prononcé jadis contre le thème de l'impersonnalité (c'est-à-dire de l' « anonymat ») de tout penseur singulier, en argumentant à peu près comme suit : toute pensée est bien impersonnelle, puisqu'elle est le fait de l'intellect agent. Mais toute pensée devant être pensée d'un « intelligeant », elle doit être de ce fait la reprise d'une pensée impersonnelle par un « intelligeant » singulier. Et en droit, elle peut porter le nom de ce singulier... J'étais loin de me douter qu'en plein Moyen Age, où régnait, comme nous le disait à Soisy Foucault, la loi de l'impersonnalité littéraire, il s'était trouvé un saint Thomas, sans doute pour les besoins de la controverse contre les Averroïstes, pour fonder en droit philosophique la nécessité de la signature de l'auteur...

Cependant, cette question ridicule du « vol de concept » touchait à un point de principe et d'angoisse qui me tenait profondément à cœur : la question de l'*anonymat*. Comme pour moi-même je n'existais pas, on conçoit aisément que je souhaitais consacrer cette inexistence par mon propre anonymat. Je rêvais alors de la formule de Heine qui parle d'un critique célèbre : *« Il était connu pour sa notoriété. »* J'aimais que Foucault fît la critique de la notion d' « auteur », notion toute moderne, et disparût, comme moi dans les rangs de mon obscure cellule, lui dans l'action militante auprès des emprisonnés. J'aimais la profonde modestie de Foucault et je sais qu'Étienne Balibar apprécie chez moi « par-dessus tout » la farouche défense que je menais constamment contre toute publicité sur mon nom. J'avais la réputation d'un sauvage, cloîtré dans mon vieil appartement de l'École dont je ne sortais presque jamais, et si j'entretenais toutes les apparences de cette sauvagerie recluse, c'était pour tenter d'entrer dans l'anonymat où je pensai trouver mon destin et de surcroît la paix. Et maintenant que je confie au public qui voudra bien le lire ce livre très personnel, c'est encore, mais par ce biais paradoxal, *pour entrer définitivement dans l'anonymat*, non plus de la pierre tombale du non-lieu, mais dans la publication de tout ce qu'on peut savoir de moi, qui aurai ainsi à jamais la paix avec les demandes d'indiscrétion. Car cette fois tous les journalistes et autres gens des médias seront comblés, mais vous verrez qu'ils n'en seront pas forcément contents. D'abord parce qu'ils n'y auront été pour rien et ensuite parce que que peuvent-ils ajouter à ce que j'écris ? Un commentaire ? Mais c'est moi-même qui le fais !!

Ainsi, plus je pénétrais dans Marx, plus je lisais de philosophie, et plus je m'apercevais que Marx avait pensé, le sachant ou non, dans des pensées de grande importance dont les auteurs l'avaient précédé : Épicure, Spinoza, Hobbes, Machiavel (partiellement à vrai dire), Rousseau et Hegel. Et je me convainquis de plus en plus que la philosophie de Hegel et Feuerbach avait servi à la fois de « point d'appui » et d'obstacle épistémologique au développement de ses propres concepts jusque dans leur formulation (Jacques Bidet en fait la démonstration rigoureuse dans sa récente thèse : *Que faire du « Capital »* ? chez Méridiens-Klinksieck). De quoi naturellement poser à Marx et à propos de Marx des questions qu'il n'avait ni pu ni su poser. De quoi se dire que, si nous voulions « penser par nous-mêmes » devant l'incroyable « imagination de l'histoire » contemporaine, il nous fallait à notre tour inventer de nouvelles formes de pensée, de nouveaux concepts – mais toujours selon l'inspiration matérialiste de Marx pour ne « jamais nous raconter d'histoires », et demeurer attentifs à la nouveauté et l'invention de l'histoire. Comme aux développements de pensées du plus grand intérêt, bien qu'elles ne se réclament pas ou nullement de Marx ou ont la réputation (?) d'être politiquement anticommunistes – je pense ici précisément au livre très remarquable de François Furet sur la Révolution française qui prend, à très juste titre, le contrepied d'une tradition purement idéologique née du temps même de la Révolution, en ce que Marx appelait à son sujet l' « illusion de la politique », au temps du règne des Comités révolutionnaires parisiens.

Voilà ce qui a dominé mes rapports avec Marx et le marxisme. Depuis j'ai découvert, comme chacun peut le faire (et Marx l'a sur l'essentiel reconnu), que l'essentiel philosophique et non « scientifique » du marxisme a été depuis très longtemps énoncé bien avant Marx (Ibn Khaldoun, Montesquieu, etc.) – à part cette « fumeuse » et à la lettre impensable théorie de la valeur-travail que Marx revendique comme sa seule découverte authentiquement personnelle. Les aspects politiques de cette entreprise d'apparence purement théorique (ah! que n'a-t-on écrit sur notre « théoricisme », notre « mépris de la pratique »!!), j'en parle ailleurs.

XVIII

Quant à mon rapport au marxisme, c'est seulement maintenant que je pense voir clair en lui. Encore une fois, il ne s'agit pas de l'objectivité de ce que j'ai pu écrire, donc de mon rapport à un ou des objets objectifs, mais de mon rapport à un objet « objectal », c'est-à-dire interne et inconscient. C'est uniquement de ce rapport objectal que j'entends parler pour l'instant.

Voici comment, maintenant, c'est-à-dire en fait depuis que j'écris cet essai, les choses m'apparaissent.

Par quoi avais-je accès au monde, si étroit et répétitif, qui m'environnait lorsque j'étais enfant ? Par quoi, m'introduisant dans le désir de ma mère, pouvais-je bien m'y rapporter ? Comme elle, c'est-à-dire non par le contact du corps et des mains, par leur travail sur une matière préexistante, mais par le seul usage de l'œil. L'œil est passif, à distance de son objet, il en reçoit l'image, sans avoir à travailler, sans engager le corps dans aucun procès d'approche, de contact, de manipulation (les mains sales, la saleté étaient une phobie de ma mère – et c'est pourquoi j'avais une sorte de complaisance pour la saleté). L'œil est ainsi l'organe spéculatif par excellence, de Platon et Aristote à saint Thomas et au-delà. Enfant, je n'aurais jamais « mis la main au cul » de quelque petite fille que ce soit, mais j'étais passablement voyeur et cela m'est très longtemps resté. Distance : la double distance qui m'était suggérée et imposée par ma mère, celle qui protège des intentions d'autrui avant qu'il ne vous touche (vol ou viol), la distance où je devais être aussi de cet autre Louis que ma mère ne cessait de regarder à travers moi. J'étais ainsi l'enfant de l'œil, sans contact, sans corps, car c'est bien par le corps que passe tout contact. On me dit que j'ai, vers 1975, prononcé cette phrase terrible : « Et puis il y a des corps et ils ont des sexes » ! Comme je ne me sentais aucun corps, je n'avais même pas à me garder d'un simple contact avec la matière des choses ou du corps des gens, et c'est sans doute pour cela que j'avais une peur panique de me battre, peur que, dans ces luttes brèves et violentes entre garçons, mon corps (ou ce que j'en avais) pût être blessé, entamé dans son illusoire intégrité – de me battre ou, idée qui jamais ne me vint avant vingt-sept ans, de me masturber.

Or je pense que mon corps désirait profondément avoir son existence à lui. D'où mon désir de m'exercer au football, d'où mon extrême habileté à faire jouer tous mes muscles, aussi bien ceux de la bouche et de la gorge que les muscles de mes bras et de mes jambes (les langues, le foot, etc.). Ce désir demeura à l'état latent jusqu'au temps bienheureux de mon grand-père, d'abord à la maison forestière du Bois de Boulogne, mais surtout dans son jardin et ses champs du Morvan. Je vois maintenant clairement que cette période exaltante fut celle où je reconnus enfin et me fut enfin reconnue l'existence d'un corps, et où proprement je m'appropriais toutes les virtualités effectives de mon corps. Qu'on se souvienne : les odeurs, avant tout celles des fleurs, fruits, des plantes, mais aussi de leur pourrissement, la divine odeur du fumier des chevaux, l'odeur de la terre et de la merde dans le petit cabinet de bois du jardin sous un sureau d'intense parfum ; le goût des fraises sauvages, que je guettais sur les talus, l'odeur des champignons et surtout des cèpes, l'odeur des poules et l'odeur du sang ; l'odeur du chat et des chiens, l'odeur de la balle des grains, de l'huile, des jets d'eau bouillante, de la sueur des bêtes et des hommes, du tabac de mon grand-père, l'odeur du sexe, l'odeur violente du vin et des tissus, l'odeur de la sciure, l'odeur de ma propre sueur dans mon corps en action ; la joie de sentir mes muscles répondre à mon impulsion, ma force à lever les gerbes sur le haut des chars, à soulever des bûches et des troncs, comme ils avaient – mes muscles – si bien répondu à mon désir de bien nager par moi-même, de bien jouer au tennis par moi-même, de bien monter à vélo comme un champion. Tout cela me fut donné par le Morvan, c'est-à-dire par la présence active et bienfaisante de mon grand-père (alors que la violence de mon père à Alger et Marseille ne me fut jamais un modèle, mais une terreur).

206

C'est là que je me mis à « penser » avec mon corps : cela m'est resté à jamais. Penser non pas dans la dimension distante et passive du regard, de l'œil, mais dans l'action de la main, du jeu infini des muscles, et de toutes les sensations du corps. Quand je me promenais dans le jardin ou le champ de mon grand-père et dans les bois, je n'avais en tête que de travailler et retourner la terre (je sus bêcher à la perfection), d'en arracher les pommes de terre, d'en faucher les blés et orges, d'écarter devant moi les branches des jeunes arbres pour aller y tailler de mon couteau, ah! ce couteau, don de mon grand-père, aussi grand et affûté que le sien, quelle joie de couper les jeunes branches de châtaignier pour les anses des paniers, les tiges de saule pour les tresser sur leurs montants, quelle joie de tresser moi-même ces paniers, quelle joie de couper le petit bois des bottes sèches à la serpette, ou de fendre les gros bois à la hache, dans l'odeur de vin et de moisi de la cave!

Le corps, son exercice exaltant, la marche dans les bois, la course à pied, les longues échappées à vélo sur des montées exténuantes – toute cette vie enfin trouvée et devenue mienne avait remplacé à jamais la simple distance spéculative du vain regard. J'ai dit que je connus la même exaltation personnelle dans les travaux physiques de la captivité. Une profonde constance qui a fixé à jamais mon destin, pour y reconnaître mon propre désir à moi (pas celui de ma mère, qui avait une sainte horreur de tout contact physique, tant elle était obsédée par la « pureté » de son corps qu'elle protégeait de mille façons, avant tout par ses innombrables phobies, de tout empiètement périlleux). J'étais enfin devenu heureux dans mon désir, celui d'être un corps, d'exister avant tout dans mon corps, dans la preuve matérielle irréfutable qu'il me donnait d'exister vraiment et enfin. Je n'avais rien à voir avec le saint Thomas de la théologie qui pense encore sous la figure de l'œil spéculatif, mais beaucoup plus avec le saint Thomas des Évangiles qui veut toucher pour croire. Mieux, je ne me contentais pas du simple contact de la main pour croire à la réalité, il me fallait la travailler, la transformer pour croire, bien au-delà de la simple et seule réalité, à ma propre existence, enfin conquise.

Lorsque je « rencontrai » le marxisme, ce fut par mon corps que j'y adhérai. Non seulement parce qu'il représentait la critique radicale de toute illusion « spéculative », mais parce qu'il me permit non seulement de vivre, par la critique de toute illusion spéculative, un rapport vrai à la réalité nue et aussi de pouvoir vivre désormais aussi ce rapport physique (de contact mais surtout de travail sur la matière sociale ou autre) *dans la pensée elle-même*. Dans le marxisme, dans la *théorie* marxiste, je trouvai une pensée qui prenait en compte le primat du corps actif et travailleur sur la conscience passive et spéculative, et pensais ce rapport comme le matérialisme même. J'en fus fasciné et j'adhérai sans nulle peine à cette vue qui ne m'était pas une révélation car elle était mon bien. Dans l'ordre de la pensée pure (où régnaient encore en moi l'image et le désir de ma mère), je découvrais enfin ce primat du corps, de la main et de son travail de transformation de toute matière, qui me permettait de mettre fin à mon déchirement interne entre mon idéal théorique, issu du désir de ma mère, et mon propre désir qui avait reconnu et reconquis dans mon corps mon désir d'exister pour moi, ma propre façon d'exister. Ce n'est pas un hasard si je pensai, dans le marxisme, toute catégorie sous le primat de la pratique, et proposai cette formule de la « pratique théorique », formule qui comblait mon désir de compromis entre le désir (spéculatif, théorique, issu du désir de ma mère) et mon propre désir que hantaient non pas tant le concept de pratique, que mon expérience et mon désir de la pratique réelle, du contact avec la matière (physique ou sociale), et de sa transformation dans le travail (ouvrier) et l'action (politique). Or cette formule, « penser, c'est produire », est déjà dans Labriola. Personne ne s'en est avisé, mais qui avait lu Labriola en France?

Certes, c'était un compromis. Dans mes premiers écrits, j'exprimais encore à ma manière ce compromis dans l'élément, encore dominant pour moi, de la pure pensée de... C'est ainsi que, me débrouillant comme je pouvais à l'intérieur de ce compromis, je forgeai en philosophie la trop célèbre définition de la philosophie comme « Théorie de la pratique théorique » (cette fragile majuscule qui émut tant Cesare Luporini...), mais pour très vite y renoncer sous les critiques de Régis Debray et surtout de Robert Linhart, qui savaient, eux, ce qu'étaient l'action politique et son primat. En fait, si mes amis me rappelèrent aussi facilement à l'ordre, c'est que c'était le fond même de ce que je voulais, de mon propre désir, et depuis longtemps.

Mais avant d'en venir à Marx lui-même, il me faut parler du

détour que je fis par Spinoza, Machiavel et Rousseau : ils furent ma « voie royale » vers lui. Je l'ai déjà indiqué, mais sans en donner les raisons profondes.

J'avais trouvé dans Spinoza (outre le célèbre Appendice du Livre I) une prodigieuse théorie de l'idéologie religieuse, cet « appareil de pensée » qui met le monde à l'envers, prenant les causes pour des fins et tout entière pensée dans son rapport à la subjectivité sociale. Quel « décapage » !

J'avais trouvé dans la connaissance du « premier genre » non une connaissance, *a fortiori* non une théorie de la connaissance – théorie de la « garantie » absolue de tout savoir, théorie « idéaliste » –, mais une théorie du monde immédiatement vécu (pour moi, la théorie du premier genre était tout simplement le monde, c'est-à-dire l'immédiateté de l'idéologie spontanée du sens commun). Et surtout j'avais trouvé dans le *Traité théologico-politique*, que du moins j'interprétais ainsi, l'exemple le plus éclatant mais aussi le plus méconnu de la connaissance du « troisième genre », la plus haute, qui fournit l'intelligence d'un objet à la fois singulier et universel (c'était, je dois le reconnaître, une lecture assez hégélienne de Spinoza – ce n'est pas un hasard si Hegel tient Spinoza pour « le plus grand » – mais je ne la crois pas fausse) : celle de l'individualité historique singulière d'un peuple (je pense que Spinoza visait ainsi dans le « troisième genre » la connaissance de toute individualité singulière et en son genre universelle), celle du peuple juif. Et j'étais absolument fasciné par la théorie des prophètes qu'on y trouve, et qui me renforçait dans l'idée que Spinoza avait atteint une prodigieuse conscience de la nature de l'idéologie. On sait en effet que les prophètes montent sur la montagne pour y entendre la voix de Dieu. A dire vrai, ce qu'ils y entendent, c'est le fracas du tonnerre et des éclairs et quelques mots, qu'ils rapportent *sans les avoir compris* au peuple de la plaine qui attend leur retour. Et l'extraordinaire, c'est que c'est alors ce peuple même qui, dans sa conscience de soi et sa connaissance, apprend aux prophètes sourds et aveugles le sens du message que Dieu leur a délivré ! Tous, sauf cet imbécile de Daniel qui ne comprend pas non seulement ce que Dieu lui a dit (c'est le lot de tous les prophètes), mais même ce que le peuple lui explique pour lui faire comprendre ce qu'il a entendu !! Preuve que l'idéologie peut, en certains cas, et pourquoi pas par nature, être totalement opaque à ceux qui lui sont soumis. Cela faisait mon admiration, comme la conception de Spinoza sur les rapports entre l'idéologie religieuse du peuple juif et son existence matérielle dans le temple, les prêtres, les sacrifices, les observances, les rituels, etc. Je devais, en le suivant sur ce point, comme d'ailleurs Pascal que j'admirais beaucoup, insister plus tard fortement sur l'existence matérielle de l'idéologie, non seulement sur ses *conditions* matérielles d'existence (ce qu'on trouve déjà chez Marx et, avant et après lui, chez nombre d'auteurs), mais sur la *matérialité* de son existence même.

Pourtant je n'étais pas quitte avec Spinoza. C'était un penseur qui avait refusé toute théorie de la connaissance (de type cartésien ou plus tard kantien), un auteur qui avait refusé le rôle fondateur de la subjectivité cartésienne du *cogito*, pour se contenter d'écrire, comme un fait : « l'homme pense », sans en tirer aucune conséquence transcendantale. C'était aussi un nominaliste, et Marx devait m'apprendre que le nominalisme est la voie royale vers le matérialisme, à dire vrai c'est une voie qui ne débouche que sur soi, et je ne connais guère de *forme* plus profonde du matérialisme que le nominalisme. C'était enfin un homme qui, sans esquisser aucune genèse du sens orginaire, énonçait ce fait : « nous avons une idée vraie », une « norme de la vérité » qui nous est donnée par les mathématiques – là aussi un fait sans origine transcendantale, un homme qui du coup pensait dans la *facticité* du fait : étonnant chez ce prétendu dogmatique qui déduisait le monde de Dieu et de ses attributs ! Rien de plus matérialiste que cette pensée sans origine ni fin. Je devais plus tard en tirer ma formule de l'histoire et de la vérité comme *procès sans sujet* (originaire, fondateur de tout sens) et sans fins (sans destination eschatologique préétablie), car refuser de penser dans la fin comme cause originaire (dans le renvoi spéculaire de l'origine et de la fin), c'était bel et bien penser en matérialiste. J'usai alors d'une métaphore : un idéaliste est un homme qui sait, et de quelle gare part le train, et quelle est sa destination : il le sait d'avance et quand il monte dans un train, il sait où il va, puisque le train l'emporte. Le matérialiste, au contraire, est un homme qui prend le train en marche sans savoir d'où il vient ni où il va. J'aimais aussi, citant Dietzgen, qui avait devancé Heidegger qui l'ignorait, {dire} que la philosophie était « *der Holzweg der Holzwege* », le chemin des chemins qui ne mènent nulle part – sachant aussi que Hegel avait auparavant forgé la prodigieuse image d'un « chemin qui marche tout seul », s'ouvrant en avançant sa propre voie dans les bois et les champs. Tout cela était pour moi, ou le devint, inscrit en filigrane dans la pensée de Spinoza. Et je ne parle pas de sa fameuse formule : « le concept de chien n'aboie pas », qui distinguait encore, mais cette fois au cœur même de la conception d'une pensée scientifique, conceptuelle, le concept de son référent sensible, c'est-à-dire, pour moi alors, de sa couverture idéologique, celle du « vécu », tant la phénoménologie husserlienne – et surtout le marxisme husserlien de Desanti – m'inspiraient d'horreur théorique.

Mais ce qui me frappa sans doute le plus, c'est la théorie du *corps* chez Spinoza. Ce corps, dont nombre de puissances nous sont en fait inconnues, ce corps dont le *mens* (mal traduit par l'âme ou l'esprit) est l'idée, l'idée elle-même étant mal traduite par ce terme, Spinoza le pensait comme une *potentia*, à la fois comme un élan *(fortitudo)*, et comme ouverture au monde *(generositas)*, comme don gratuit. Je devais y retrouver plus tard l'anticipation étonnante de la libido freudienne, de même que la théorie de l'ambivalence – étonnante quand on pense que pour Spinoza, pour n'en donner qu'un unique exemple, *la crainte est la même chose que son contraire l'espérance*, et qu'elles sont toutes deux des « passions tristes », contraires au *conatus* vital, tout en expansion et en joie, du corps et de l'âme, unis comme les lèvres et les dents.

On peut penser combien cette idée du corps m'allait à merveille. J'y retrouvais en effet ma propre expérience, d'un corps d'abord morcelé et perdu, d'un corps absent, tout de crainte et d'espoir démesurés, qui s'était en moi recomposé et comme découvert dans l'exercice d'appropriation de ses forces, en la compagnie de mon grand-père dans les travaux physiques des champs et dans le camp! Qu'on pût ainsi redisposer de son propre corps, et retirer de cette appropriation de quoi librement et fortement penser, donc proprement penser avec son corps, dans son corps même, de son corps, bref que *le corps pût penser*, par et dans le déploiement de ses forces, m'éblouissait proprement, comme une réalité et une vérité que j'avais vécues et qui étaient les miennes. Tant il est vrai, Hegel l'a bien dit, qu'on ne connaît que ce qu'on *reconnaît*.

Pourtant il me fallait encore d'autres philosophes pour vraiment m'introduire à Marx. Ce furent d'abord, comme je l'ai dit dans ma

« Soutenance d'Amiens », les philosophes politiques du XVIIᵉ et XVIIIᵉ siècle, sur qui je projetai alors de composer une thèse d'État. De Hobbes à Rousseau, je découvrais une même inspiration, profonde, celle d'un monde conflictuel auquel seule l'autorité absolue de l'État (Hobbes) peut sans contrepartie assurer la sécurité des biens et des personnes, en mettant fin à la « guerre de tous contre tous » : anticipation de la lutte des classes et du rôle de l'État dont on sait que Marx lui-même déclare qu'il ne les a pas découverts, mais empruntés à ses prédécesseurs, en particulier aux historiens français de la Restauration, qui n'étaient pourtant guère « progressistes », et aux économistes anglais, avant tout Ricardo. Il aurait pu aller bien au-delà, jusqu'au fameux débat des « romanistes » et des « germanistes », sans parler des auteurs que je viens de citer. Le fameux cardinal Ratzinger, que la lutte des classes empêche de dormir, ferait bien de se cultiver un peu. Rousseau, qui pensait dans l'état de nature « développé » la même conflictualité sociale, lui apportait une autre solution : justement la fin de l'État, dans la démocratie directe du « contrat » exprimant une volonté générale « qui ne meurt jamais ». De quoi rêver au communisme un jour ! Mais ce qui me fascinait aussi chez Rousseau, c'était le Second Discours et la théorie du contrat illégitime, subterfuge et ruse nés dans l'imagination perverse des riches pour se soumettre l'esprit des misérables : encore une théorie de l'idéologie, mais cette fois rapportée à ses causes et son rôle sociaux, c'est-à-dire à sa fonction *hégémonique* dans la lutte des classes. Je tiens Rousseau pour le premier théoricien de l'hégémonie – après Machiavel. C'étaient aussi les plans de réforme pour la Corse et la Pologne, où Rousseau apparaît comme tout le contraire d'un utopiste, mais un réaliste qui sait prendre en compte toutes les données complexes d'une situation et d'une tradition, et respecter les rythmes du temps. Ne le faisait-il pas aussi dans son étonnante théorie de l'éducation d'Émile, où il faut respecter les étapes naturelles du développement individuel sans jamais anticiper sur elles, donc en respectant l'œuvre du temps dans la croissance de l'enfant (savoir perdre du temps pour en gagner) ? Enfin, je trouvai dans les *Confessions* l'exemple unique d'une sorte d' « auto-analyse » sans la moindre complaisance, où manifestement Rousseau se découvrait en écrivant et réfléchissant sur les données marquantes de son enfance et de sa vie et, avant tout, pour la première fois dans l'histoire littéraire, *sur le sexe*, et sur cette admirable théorie du « *supplément* » sexuel que Derrida a remarquablement commentée comme figure de la castration. Ce que j'aimais enfin en lui, c'était son opposition radicale à l'idéologie eschatologique, rationaliste des Lumières, celle des « philosophes » qui le détestaient tant (du moins le croyait-il, lui, cet éternel persécuté), qui croyaient que l'entendement des peuples pouvait être réformé par la réforme intellectuelle... quelle aberration sur la réalité de toute idéologie !, opposition que je devais retrouver dans la lucidité sans compromis de Marx et Freud, et aussi l'indépendance radicale de l'individu Rousseau devant toutes les tentations de la richesse et du pouvoir, et l'exaltation d'une formation d'autodidacte, qui me parlait très fort...

Plus tard, je devais découvrir Machiavel qui, à mon sens, est allé sur bien des points beaucoup plus loin que Marx : justement en essayant de penser les conditions et les formes de l'action politique dans sa pureté, c'est-à-dire dans son concept. Là encore, ce qui me frappait, c'était la prise en compte radicale de la factualité aléatoire de toute conjoncture et la nécessité, pour constituer l'unité nationale italienne, qu'un homme de rien partît de rien et de n'importe où, hors de tout État constitué, pour recomposer le corps morcelé d'un pays divisé en lui-même, et sans la préfiguration d'aucune unité dans les formules politiques (toutes mauvaises) existantes. Je crois que nous n'avons pas fini d'épuiser cette pensée sans précédent et malheureusement sans suite.

Bref, c'est à partir de tout ce passé personnel, ces lectures et associations, que je m'appropriai le marxisme comme mon propre bien, me mis à penser à lui, à ma manière certes, dont je vois bien maintenant qu'elle n'était pas tout à fait celle de Marx. Je vois bien que je n'ai rien fait d'autre que de tenter de rendre les textes théoriques de Marx, souvent obscurs et contradictoires, sinon lacunaires sur certains points d'importance, intelligibles en eux-mêmes et pour nous. Je vois bien que j'étais mû en cette entreprise par une double ambition sans appel : d'abord et avant tout ne pas me raconter d'histoire ni sur le réel, ni sur le réel de la pensée de Marx, donc d'y distinguer ce que j'appelai l'idéologie (de jeunesse) et la pensée ultérieure, celle que je croyais être la pensée de la « réalité toute nue, sans apport extérieur » (Engels). « Ne pas se raconter d'histoire », cette formule reste pour moi la seule définition du matérialisme ; et tenter, en

« pensant par moi-même » (mot de Kant repris par Marx), de rendre la pensée de Marx claire et cohérente à tous lecteurs de bonne foi et d'exigence théorique. Naturellement, cela donna une forme particulière à mon exposé de la théorie marxiste, d'où, chez nombre de spécialistes et de militants, le sentiment que j'avais fabriqué un Marx à moi, bien étranger au Marx réel, un marxisme imaginaire (Raymond Aron). Je le reconnais volontiers, car en fait je supprimai de Marx tout ce qui me semblait non seulement incompatible avec ses principes matérialistes, mais aussi ce qui subsistait en lui d'idéologie, avant tout les catégories apologétiques de la « dialectique », voire la dialectique elle-même, qui me paraissait ne servir dans ses fameuses « lois » que d'apologie (justification) après coup au fait accompli du déroulement aléatoire de l'histoire pour les décisions de la direction du Parti. Sur ce point je n'ai jamais varié, et c'est pourquoi la figure de la théorie marxiste que j'ai proposée, et qui en fait rectifiait la pensée littérale de Marx sur de nombreux points, me valut d'innombrables attaques de gens attachés à la lettre des expressions de Marx. Oui, je me rends bien compte que j'ai comme fabriqué une philosophie pour Marx différente du marxisme vulgaire, mais comme elle fournissait au lecteur une exposition non plus contradictoire mais cohérente et intelligible, je pensai que l'objectif était atteint et que je m'étais aussi « approprié » Marx en lui rendant ses exigences de cohérence et d'intelligibilité. C'était d'ailleurs l'unique façon possible de « briser » l'orthodoxie de la IIe et désastreuse Internationale dont Staline avait hérité à cent pour cent.

C'est sans doute ce qui « ouvrit » à nombre de jeunes, en ce temps, la perspective nouvelle suivante : on pouvait penser dans cette nouvelle présentation de Marx sans rien renier des exigences de cohérence et d'intelligibilité, on pouvait ainsi lui rendre le service et nous rendre le service de maîtriser mieux que lui sa propre pensée, tout naturellement prise dans les contraintes théoriques de son temps (et dans leurs inévitables contradictions). On pouvait donc nous le rendre véritablement contemporain. Cela fut une petite révolution « intellectuelle » dans la conception de la théorie marxiste. Mais je crois que ce n'est pas tant à nos innovations saugrenues que nos adversaires s'en prirent, mais bien plutôt au projet même de nous détacher de la littérarité de Marx, pour le rendre intelligible à sa propre pensée. Au fond, Marx restait pour eux, jusque dans ses aberrations, un personnage sacré, le vieux père fondateur inatta-quable. Moi je n'aimais pas les pères sacrés, et j'avais, et certes de très longue date, acquis la certitude qu'un père n'est qu'un père, en soi un personnage douteux, impossible en son rôle, et j'avais tant appris et aimé jouer au « père du père » que cette entreprise de penser à sa place ce qu'il eût dû penser pour être lui-même m'allait comme un gant.

Ajoutez à cela que m'appuyer sur l'autorité de Marx, le père fondateur dont le parti communiste s'inspirait officiellement, me donnait, contre l'interprétation officielle de Marx servant d'apologie à ses décisions politiques, donc contre sa politique effective, une force singulière qui me rendait difficilement attaquable au sein du Parti. Que faisais-je en effet d'autre que d'en appeler à la pensée de Marx contre les aberrations de ses interprétations, avant tout celles des Soviétiques qui inspiraient le Parti et inspirèrent jusqu'aux réflexions d'un esprit pourtant vigoureux, comme Lucien Sève qui, ressassant d'impossibles formules dépassées car intenables sur l'ontologie, la théorie de la connaissance, les lois de la dialectique comme forme du mouvement, unique « attribut » de la matière, ne me [ménagea] pas ses critiques et, comme je ne pris jamais le soin d'y répondre, conclut de mon silence que je n'avais rien à lui objecter? Mais Lucien Sève alla plus loin, se faisant le défenseur de la fameuse et fumeuse dialectique et de ses lois, qu'il manipulait à sa convenance pour justifier *a priori* tous les tournants du Parti, en particulier l'abandon de la dictature du prolétariat, continuant à son insu à penser, comme l'a bien montré André Tosel dans un récent essai sur la pensée de Gramsci et des Italiens, dans l'atmosphère inchangée du dia-mat (primat du « matérialisme dialectique », ce terme atroce, sur toute science).

En un temps où le premier « philosophe cheveu », « philosophe ongle » — comme l'a écrit Marx de la « décomposition » de la philosophie hégélienne — pense que le marxisme est mort et à jamais enterré, où règnent les pensées les plus « ringardes » sur le fond d'un invraisemblable éclectisme et d'une pauvreté théorique, sous le prétexte d'une soi-disant « postmodernité » où, de nouveau, « la matière aurait disparu » pour céder la place aux « immatériaux » de la communication (cette nouvelle tarte à la crème théorique, qui naturellement s'autorise d'indices impressionnants, ceux de la nouvelle technologie), je reste profondément attaché, non pas bien entendu à la lettre – à laquelle je ne me suis jamais tenu –, mais à l'inspiration matérialiste de Marx.

Je suis optimiste : je crois que cette inspiration traversera tous les déserts et même si elle doit prendre d'autres formes – ce qui est inévitable dans un monde en plein changement – elle revivra. Et aussi pour la forte raison que voici : la pensée présente est théoriquement si faible que le seul rappel des exigences élémentaires d'une authentique pensée – la rigueur, la cohérence, la clarté – peut le moment venu trancher à ce point sur l'air du temps que sa seule manifestation frappera les esprits désemparés par le cours du monde. C'est pourquoi j'apprécie par exemple l'effort d'un Régis Debray pour rappeler quand même, aux gens qui prétendent juger, des réalités aussi élémentaires que celles-ci : que le temps du Goulag est tout de même, en ses formes massives et dramatiques, dépassé en Urss ; que l'Urss a bien d'autres chats à fouetter que de méditer une attaque sur l'Occident. Certes Debray ne va pas très loin, mais le simple rappel de faits aussi patents contre l'immense idéologie régnante a fonction, comme aimait le dire Foucault, de « décapage ». Et qu'est-ce qu'un décapage ? La réduction critique de la couche idéologique d'idées toutes faites, qui permet enfin le contact avec le réel « sans addition étrangère ». Une simple leçon, limitée certes, mais réellement matérialiste. Si je crois fermement que nous sortirons du « désert » actuel, c'est que dans le vide de pensée qui étouffe les meilleurs esprits, ce simple rappel, dans son exception et courage, peut avoir des effets décuplés. Quand on a le courage de parler à haute voix dans le silence du vide, cela s'entend.

Je crois avoir laissé comprendre que je n'étais pas sectaire. Qu'elle se croie et se dise de droite, cela m'est bien égal, toute pensée m'intéresse quand elle ne se paie pas de mots, traverse la couche idéologique qui nous écrase pour atteindre, comme par un contact physique matériel (encore une autre modalité de l'existence du corps) la réalité toute nue. C'est pourquoi je pense que, dans leur tentative de rechercher et de dire le vrai du réel, les marxistes, Dieu merci, sont loin d'être seuls de notre temps, mais que sans se savoir proches d'eux, nombre d'hommes honnêtes ayant une réelle expérience de leur pratique, et du primat de la pratique sur toute conscience, sont d'ores et déjà en train de les accompagner dans la reconnaissance du

216

vrai. Si l'on sait en prendre conscience, au-delà de toutes les oppositions de style, d'humeur et de politique, on peut en concevoir une espérance raisonnable.

Je ne sais pas si l'humanité connaîtra jamais le communisme, cette vue eschatologique de Marx. Ce que je sais en tout cas, c'est que le socialisme, cette transition forcée dont parlait Marx, est « de la merde » comme je le proclamai en 1978 en Italie et en Espagne devant des auditoires déconcertés par la violence de mon propos. Là aussi je racontais une « histoire ». Le socialisme, c'est une très large rivière, très dangereuse à traverser. Nous aurons bientôt une immense barque au sable : celle des organisations politiques et syndicales où tout le peuple peut monter. Mais pour traverser les remous, il faut un « timonier », le pouvoir d'État aux mains des révolutionnaires, et dans la grande nef, il faut que règne la domination de classe des prolétaires sur tous les rameurs stipendiés (le salaire existe encore et l'intérêt privé), sinon ça capote! – la domination du prolétariat. On met à l'eau l'immense nef, et tout le parcours il faut surveiller les rameurs en exigeant d'eux une stricte obéissance, les retirer du poste s'ils faillissent et les remplacer à temps, voire les sanctionner. Mais si cette immense rivière de merde est enfin parcourue, alors à l'infini c'est la plage, le soleil et le vent d'un jeune printemps. Tout le monde descend, il n'y a plus de lutte entre les hommes et les groupes d'intérêt puisqu'il n'y a plus de rapports marchands mais à profusion des fleurs et des fruits que chacun peut cueillir pour sa joie. Éclatent alors les « passions joyeuses » de Spinoza et même l' « Hymne à la joie » de Beethoven. Je soutenais alors l'idée que les « îlots de communisme » existent dès aujourd'hui, dans les « interstices » de notre société (interstices, mot que Marx appliquait – à l'image des dieux d'Épicure dans le monde – aux premiers noyaux marchands dans le monde antique), *là où ne règnent pas de rapports marchands.* Je crois en effet – et pense sur ce point être dans la ligne de la pensée de Marx – que la seule définition possible du communisme – s'il doit un jour exister dans le monde –, c'est *l'absence de rapports marchands,* donc de rapports d'exploitation de classe et de domination d'État. Je crois qu'il existe bel et bien dans notre monde présent de très nombreux cercles de rapports humains dont tout rapport marchand est absent. Par quelle voie

217

ces interstices de communisme peuvent-ils gagner le monde entier ? Nul ne peut le prévoir — en tout cas ce ne peut être par l'exemple de la voie soviétique. Sera-ce par la prise de pouvoir de l'État ? Sans doute, mais cet acte engage dans le socialisme (d'État — nécessairement d'État) qui est « de la merde ». Sera-ce alors par le dépérissement de l'État ? Certes, mais dans un monde capitaliste-impérialiste de plus en plus assuré sur ses bases, et qui rend la prise du pouvoir d'État précaire sinon illusoire, comment envisager un dépérissement de l'État ? Ce ne sont assurément pas la décentralisation de Gaston Defferre ni les mots d'ordre stupides de nos nouveaux libéraux à la Reagan ou à la Chirac qui nous débarrasseront d'un État indispensable à la domination de l'hégémonie capitaliste-internationaliste bourgeoise. S'il y a un espoir, c'est dans les mouvements des masses, dont (grâce à Hélène, entre autres) j'ai toujours pensé qu'ils détenaient le primat sur leurs organisations politiques. Certes, on voit se développer dans le monde des mouvements de masses inconnus et impensés de Marx (par exemple en Amérique latine, et même au sein d'une Église traditionnellement réactionnaire, sous les espèces du mouvement de la théologie de la libération, ou en Allemagne même avec les Verts, ou en Hollande qui se refusa d'accueillir le pape comme il l'eût souhaité). Mais ces mouvements ne risquent-ils pas de tomber sous la loi d'organisations dont ils ne peuvent certes se passer mais qui ne semblent pas encore avoir découvert — pris comme ils le sont dans la tradition et les modèles marxistes-socialistes existants — une forme adéquate de coordination sans domination hiérarchique ? Sous ce rapport, je ne suis pas optimiste, mais je me raccroche à ce mot de Marx : de toute façon « l'histoire a plus d'imagination que nous », de toute façon nous sommes réduits à penser « par nous-mêmes ». Non, je ne me rallie pas au mot de Sorel repris par Gramsci : le scepticisme de l'intelligence plus l'optimisme de la volonté. Je ne crois pas au volontarisme dans l'histoire. En revanche, je crois à la lucidité de l'intelligence et au primat des mouvements populaires sur l'intelligence. A ce prix, parce qu'elle n'est pas l'instance suprême, l'intelligence peut suivre les mouvements populaires, y compris et avant tout pour leur éviter de retomber dans les aberrations passées et les aider à trouver des formes d'organisation réellement démocratiques et efficaces. Si nous pouvons concevoir malgré tout quelque espoir d'aider à infléchir le cours de l'histoire, il est là et n'est que là. En tout cas, pas dans les rêves eschatologiques d'une idéologie religieuse dont nous sommes tous en train de crever.

Mais nous voici en pleine politique.

XIX

Voici le moment venu, que chacun, j'espère, attend autant que moi, de m'expliquer non seulement sur mes affects inauguraux, leurs filières de prédilection répétitive et la domination si forte que le fantasme de ne pas exister exerça sur tous mes fantasmes secondaires, mais de m'expliquer aussi sur le rapport de mes affects avec la réalité du monde extérieur. En effet, si dans les rêves et les émois, même les plus dramatiques, le « sujet » n'a jamais affaire qu'à soi, c'est-à-dire à des objets internes inconscients que les analystes appellent objectaux (à la différence des objets extérieurs objectifs et réels), la question *légitime* que chacun se pose est alors la suivante : comment les projections et les investissements de ces fantasmes ont-ils pu déboucher sur une action et une œuvre parfaitement objectives (livres de philosophie, interventions philosophiques et politiques) ayant eu quelque retentissement sur la réalité extérieure, donc objective ?

Ou pour dire la même chose en d'autres termes, beaucoup plus précis, comment la *rencontre* entre l'investissement ambivalent de l'objet fantasmatique interne (objectal) a-t-il pu avoir prise sur la réalité objective, mieux, comment peut-il avoir, en cette rencontre, « prise », comme on dit de la mayonnaise ou de la glace qu'elle « prend », ou encore qu'une réaction chimique « prend » sous l'effet de certains catalyseurs ? Là-dessus je dois, à moi le premier, mais aussi à tous mes amis et lecteurs, sinon une explication, du moins une tentative d'élucidation.

J'avertis donc que nous passons ici sur un nouveau terrain : celui de la rencontre entre mes fantasmes inconscients investissant mon

220

désir sous la domination de la réalisation du désir de ma mère d'une part, et sous la réalité de données effectives et objectives d'autre part.

Je voudrais d'abord m'expliquer sur un point, auquel mon ami Jacques Rancière a consacré un petit livre très aigu (*La Leçon d'Althusser*). Ce qu'il m'y reproche est, en gros, d'être demeuré dans le sein du parti communiste malgré mes désaccords explicites et d'avoir ainsi poussé, voire encouragé, nombre de jeunes intellectuels, en France et à l'étranger, à ne pas rompre avec le Parti, mais à y demeurer.

Que ce reproche et cette attitude puissent se rapporter aux propres « objets » internes de Rancière, qui me fut personnellement très lié au début de nos rapports, c'est vraisemblable, mais je ne puis, et le pourrais-je, je ne le veux pas, entrer dans cet examen qui lui est propre et intime. Il est vrai qu'il avait lui-même tiré très vite la conclusion de ma « contradiction objective » en quittant le Parti, non pour trahir la cause de la classe ouvrière, mais tout au contraire pour partir à la recherche de ses rêves, réactions et projets inauguraux, en consacrant deux remarquables ouvrages aux expressions populaires des premières formes du mouvement ouvrier. Pratiquement, je ne le conteste pas, nous étions sur des positions proches mais distinctes, et la sienne avait tous les avantages de l'apparente logique qui animait mes écrits et mes interventions. Pourquoi restais-je donc au Parti avec toutes les conséquences subséquentes, et pour moi et pour les jeunes intellectuels que je pouvais influencer, si tant est (et c'est après tout possible) que j'aie eu quelque influence publique ?

Sur cette question, il serait trop simple (et à Rancière et à ceux qui partageaient son sentiment, puisque j'abats publiquement mes cartes « subjectives » où il est aisé qu'on m'explique, c'est-à-dire qu'on m'enferme à jamais) de se contenter d'un recours à ce que je viens d'exposer longuement des « racines » et des « structures » impressionnantes de ma « subjectivité » inconsciente. Je vais dire pourquoi.

D'abord j'eus la preuve concrète, et de quelle force !, que mes « disciples » les plus proches, mes élèves de l'École, sous l'étonnante direction de Robert Linhart (et je ne parle pas de Régis Debray qui traça très tôt mais seul sa voie hors du Parti pour s'engager dans la guérilla bolivienne aux côtés du Che), ces élèves-disciples, après

221

avoir conquis l'organisation des Jeunesses communistes du dedans, l'abandonnèrent très vite (sans mon accord) pour fonder hors du Parti une nouvelle organisation, l'Union des Jeunesses Communistes marxistes-léninistes (UJCm-l) qui connut une très forte extension, s'organisa en écoles et groupes de formation théoriques et politiques, et passèrent à l'action de masse, en particulier formèrent la plupart des comités Vietnam de base qui connurent avant mai 68 une très grande extension. Le Parti était littéralement débordé chez les étudiants, au point, le sait-on, qu'en mai 68 il n'y eut qu'une poignée, je dis bien une simple poignée (Cathala restant tout naturellement dans son bureau), d'étudiants communistes dans l'immense émeute de la Sorbonne.

Les garçons de l'UJCm-l n'y étaient pas non plus. Pourquoi? Ils avaient adopté une « ligne » d'apparence rigoureuse qui fit alors leur perte : aller aux portes des usines pour tenter de faire l'unité des étudiants-travailleurs avec les ouvriers. Or ce n'était pas à des étudiants gauchistes, mais à des militants du Parti d'aller demander aux ouvriers d'usine de venir se joindre au Quartier latin à l'insurrection étudiante. Là résidait l'erreur fondamentale de Linhart et ses camarades. Les ouvriers, sauf de rares exceptions, ne vinrent pas à la Sorbonne parce que le Parti, qui seul en avait l'autorité, n'était pas venu le leur demander. Le mot d'ordre eût pu être juste en effet si le Parti ne s'était méfié comme de la peste de la révolte « gauchisante » des masses étudiantes et avait saisi l'occasion, la « fortune » selon le mot de Machiavel, de déclencher et de soutenir de toute la force de son pouvoir et de ses organisations (avant tout la CGT qui lui a toujours été fidèle depuis la scission de 1948) un mouvement de masse puissant, capable d'entraîner non seulement la classe ouvrière mais de larges couches de la petite bourgeoisie, dont la force et la résolution pouvaient objectivement ouvrir la voie à une prise de pouvoir et à une politique révolutionnaires. Sait-on que Lénine a écrit qu'au temps de l'affaire Dreyfus, qui n'a jamais donné lieu à des émeutes ouvertes de masse ni à des barricades, l'agitation aurait pu ouvrir la voie à une véritable révolution en France si le Parti ouvrier ne s'était déjà tenu à l'écart des événements, Guesde considérant dans son aveuglement de « classe contre classe » que l'affaire Dreyfus était une affaire purement « bourgeoise », n'intéressant à aucun titre la lutte de classe ouvrière? Il est vrai qu'en 1968 seul Paris était dans le coup : la province pas au même degré. Peut-on faire une révolution dans la seule capitale (six millions d'habitants) dans un pays de soixante millions d'habitants ?

Or, en mai-juin 1968, nombre d'ouvriers dans nombre d'usines croyaient la révolution effective, l'attendaient, et n'attendaient pour la faire qu'un mot d'ordre du Parti. On sait ce qu'il en advint. Le Parti, comme toujours en retard de plusieurs trains et terrifié par les mouvements de masse, arguant qu'ils étaient aux mains des gauchistes (mais la faute à qui ?), fit tout au monde pour empêcher la rencontre, dans les très violents combats, des troupes étudiantes et de l'ardeur des masses ouvrières qui menaient alors la plus longue grève de masse de l'histoire mondiale, allant jusqu'à organiser des cortèges séparés. Le Parti *organisa* en fait la défaite du mouvement des masses en forçant la CGT (à laquelle, à vrai dire, il n'avait guère besoin de faire violence, vu leurs liens organiques) à s'asseoir à la table paisible de négociations économiques et, les ouvriers de Renault ne les ayant pas approuvées, en remettant ça quelque temps après, et en refusant aussi tout contact avec Mendès à Charléty, quand le pouvoir gaulliste était pratiquement vacant, que les ministres avaient abandonné leurs ministères, que la bourgeoisie fuyait les grandes villes pour l'étranger en y traînant ses biens. Un simple exemple : en Italie, les Français ne pouvaient changer leurs francs en lires, le franc n'était plus accepté, il *ne valait plus rien.* Quand l'adversaire tient que la partie est définitivement perdue pour lui, Lénine l'a dix fois répété, quand en haut rien ne va plus et qu'en bas ce sont les masses qui montent à l'assaut, non seulement la révolution est « à l'ordre du jour », mais la situation est en fait *révolutionnaire.*

Par peur des masses, par peur d'en perdre le contrôle (cette hantise du primat de l'organisation sur les mouvements populaires, qui est toujours de mise), et sans doute aussi pour s'aligner (pour cela nul besoin de consignes explicites !) sur les craintes de l'Urss qui, dans sa stratégie mondiale, préférait la sécurité conservatrice de De Gaulle à l'imprévu d'un mouvement de masse révolutionnaire qui pouvait (et ce n'était pas utopique) servir de prétexte à une intervention politique voire militaire des USA, menace à laquelle l'Urss n'était pas en état de faire face, le Parti fit tout ce qu'il put, et l'expérience prouva que sa force d'organisation et d'encadrement politique et idéologique n'était pas alors un vain mot pour briser le mouvement populaire et le canaliser vers de simples négociations économiques. « Le moment actuel, l'occasion » (Lénine), qu'il « faut saisir par les cheveux » (Machiavel, Lénine, Trotski, Mao) et qui ne peut durer que quelques heures, étant passés, et avec eux la possibilité de changer le cours de l'histoire en révolution, de Gaulle, qui lui aussi, et comment!, savait ce que politique veut dire après la mise en scène de sa disparition, reparut, dit quelques mots graves et solennels à la télévision, décréta la dissolution de la Chambre et appela à de nouvelles élections. Tout ce que la France comptait, et pour Dieu sait combien de temps!, de bourgeoisie et petite bourgeoisie et paysannerie conservatrices ou réactionnaires se ressaisit, après le fantastique défilé des Champs-Élysées. Les carottes étaient cuites et la très longue et violente lutte estudiantine et la longue grève ouvrière qui se poursuivit durant des mois ne firent que subir peu à peu leur propre défaite en une longue et douloureuse retraite. La bourgeoisie prenait sa cruelle revanche. Restaient les accords de Grenelle (un bond sans précédent dans l'ordre « économique ») mais payés d'une défaite révolutionnaire sans précédent depuis les jours de la Commune. Décidément, et avant tout du fait de l'instinct conservateur de l'appareil du Parti devant la spontanéité des masses, le mouvement populaire se soldait par une défaite en rase campagne, cette fois (pour la première fois dans l'histoire des mouvements populaires en France) sans presque aucune effusion de sang, nombre d'étudiants massacrés mais non tués (un étudiant noyé à Flins, deux ouvriers tués par balles à Belfort et quelques autres ailleurs), donc par le seul effet « pacifique » de l'hégémonie capitaliste impérialiste bourgeoise, de son prodigieux appareil d'État, de son AIE médiatique et de la « figure » du Père de la Patrie capable de maîtriser toute éventualité : le visage et la voix solennels de De Gaulle firent leur effet de théâtre politique qui rassura la bourgeoisie. Mais quand une révolte se termine par une défaite sans massacres ouvriers, on peut dire que ce n'est pas forcément bon signe pour la classe ouvrière qui n'a pas à déplorer ni célébrer de martyrs. Les gauchistes, qui s'y entendaient, surent ou crurent pouvoir « exploiter » leurs quelques morts, comme le malheureux Overney. Je me souviens du mot que je ne cessai de répandre autour de moi, le jour même des émouvantes et prodigieuses obsèques de ce malheureux militant de la *Cause du peuple* (deux millions de personnes à ses obsèques sous les drapeaux et le silence, le Parti et la CGT absents) : *« Ce qu'on enterre aujourd'hui, ce n'est pas Overney, c'est le gauchisme. »* La suite prouva très vite que j'avais bien jugé.

Or ce simple fait me permet d'aborder un autre argument. Outre que c'est une bien singulière conception de la détermination et de l'idéologie (personnelle) et de l'histoire que de tenir – comme devait le faire si outrageusement un Glucksmann – un individu, son œuvre et son éventuelle influence pour capables de provoquer chez nombre de jeunes étudiants et intellectuels (les seuls touchés) des choix politiques décisifs et, à la limite de cette logique, des massacres de masse, il faut voir ce que représentait ou pouvait représenter pour de jeunes bourgeois ou petits-bourgeois l'expérience de l'existence, de l'organisation, des pratiques de la ligne économique politique et idéologique du Parti. Je me suis plus tard expliqué sur son fonctionnement. Hors du Parti, hors d'une assez longue expérience des pratiques du Parti, on ne peut se faire une idée véritable du Parti et ce ne sont pas des livres anticommunistes comme ceux d'un Philippe Robrieux qui, au temps du Conseil communal, fut le dirigeant le plus stalinien de tous et le plus affreux à remuer jusque dans ma cellule les horreurs des condamnations du Conseil communal, qui peuvent éclairer qui que ce soit, sauf *rappeler* à ceux qui y sont passés un certain nombre de données qu'ils connaissaient ou ont soupçonnées. Rien ne vaut l'expérience directe et ceux qui n'y sont pas passés, s'ils lisent les études ou plutôt les quasi-pamphlets hargneux d'un journaliste obsédé en mal de copie comme Robrieux, y gagnent tout au plus une vague connaissance livresque qui ne les marque pas, s'ils ne sont déjà marqués pour d'autres raisons. Car, au fond, que peut bien apporter ce genre d'ouvrage, sinon ce que les uns ont déjà appris de l'intérieur ou ce que les autres ont déjà depuis longtemps entendu sous des formes moins précises, certes, de l'immense campagne anticommuniste, à grand renfort de Soljénitsyne naguère et de Montand maintenant, qui domine depuis toujours l'idéologie bourgeoise de notre pays et se répand partout ? De surcroît, dans les années 1950, il n'y avait à gauche que le Parti et la CGT, qui étaient les seules forces réelles, et d'ailleurs impressionnantes, et il fallait « faire avec » et il *n'y avait absolument rien pour les remplacer dans leur ordre.*

Or, si j'ai eu quelque « influence », comme l'écrit Rancière dans ce petit pamphlet que j'ai eu grand plaisir à lire, car il était honnête en son fond et profondément sincère et d'une certaine tenue théorique et politique (une certaine seulement), en quoi cette influence a-t-elle pu consister, sinon à en inviter plusieurs (nombreux, mais comment le savoir?) à ne pas quitter tout de suite le Parti, mais à y demeurer? Or je pense que nulle autre organisation en France, je dis bien nulle autre organisation en France, ne pouvait alors offrir à des militants sincères une formation et une expérience politique pratiques comparables à celles qu'on pouvait acquérir d'une assez longue présence militante dans le Parti. Je ne prétends pas que je l'ai su consciemment, que je n'avais pas d'autres motivations personnelles de rester au Parti (j'en ai assez longuement parlé, mais j'entends parler maintenant d'effets et de faits parfaitement objectifs). Je ne prétends pas avoir été aussi lucide que Rancière ou d'autres (dont les raisons étaient très rarement aussi pures). Mais c'est un fait : j'ai adopté cette attitude. Jamais je n'ai écrit ou autrement fait campagne publique ou privée pour convaincre qui que ce soit de rester au Parti, et jamais je n'ai publiquement ou en privé désavoué ou condamné ceux qui le quittaient ou voulaient le quitter. Que chacun décide en conscience : telle était ma règle d'action. J'avais peut-être de mauvaises raisons personnelles de rester ou pas assez de bonnes pour en sortir : c'est un fait, j'y suis resté, mais tous mes écrits montraient assez que sur les questions fondamentales, tant philosophiques que politiques et idéologiques, tant sur les questions de ligne (cf. *Sur le XXIIe Congrès*) que sur les principes pratiques d'organisation et les pratiques insensées du Parti, je n'étais pas d'accord. Et j'étais le seul, j'entends bien *le seul à le dire ouvertement au sein même du Parti*, et à conduire une ligne d'opposition interne : il fallait le faire! Je l'ai fait. Et ce n'est pas à tort que la direction du Parti me soupçonnait de vouloir infléchir, de l'intérieur, la ligne du Parti dans un sens maoïste. Ils en ont eu assez peur! Sans doute j'étais un « mythe », mais il les effrayait assez pour faire « monter » au bureau national de l'UEC un normalien et une sévrienne qui pouvaient les renseigner directement – pensaient-ils – sur mes intentions et activités! Évidemment une question se pose : pourquoi?

Mais la question essentielle n'est pas là. Il ne faut pas considérer la seule France. Pour mon malheur ou non, j'étais lu aussi à l'étranger et pourtant dans quelle différence de contexte ! Combien de philosophes et de politiques ou d'idéologues, je m'excuse, se réclamaient de moi et tentaient de s'engager dans les voies semi-maoïstes ouvertes alors par mes écrits critiques. Un seul exemple : une de mes étudiantes, la Chilienne Marta Harnecker, qui séjourna à Paris entre 1960 et 1965, si ma mémoire ne me trahit pas, retourna en Amérique latine (Cuba) pour y rédiger un petit manuel de matérialisme historique. Sait-on qu'il fut tiré à dix millions d'exemplaires ? Il n'était pas très bon mais constitua néanmoins − faute de mieux − l'unique base théorique et politique de formation pour des centaines de milliers, sinon pour des dizaines de millions de militants d'Amérique latine, car il était alors le seul ouvrage de son espèce sur le continent. Or il reprenait à la lettre, même s'il les comprenait souvent mal, les idées que Balibar et moi avions proposées dans *Lire « Le Capital »* ! Quand on prétend analyser l'influence d'un individu et de son œuvre sur et dans le Parti, il faut considérer non le seul et politiquement misérable Hexagone, mais ce qui se passe aussi dans le reste du monde. Certes, les militants latino-américains savaient que j'étais au Parti, mais ils savaient aussi que j'avais un très fort penchant pour le maoïsme (Mao m'avait même accordé une entrevue, mais pour des raisons « politiques françaises », je fis la sottise, la plus grande de ma vie, de ne pas m'y rendre, peur de la réaction politique du Parti contre moi, mais en fait qu'aurait pu faire le Parti, à supposer même que la nouvelle d'une rencontre avec Mao eût fait l'objet d'un communiqué public et officiel ? je n'étais pourtant pas un tel « personnage » !).

Dans ces conditions, est-ce que la distinction entre le dehors et le dedans avait alors le moindre sens ? A moins, et encore, de se borner à la seule France, comme c'est la vieille tradition de notre invétéré provincialisme, c'est-à-dire de cette incroyable prétention française, ancrée dans une trop longue histoire de domination culturelle qui est en train de faire eau de toutes parts...

Or j'avais du moins une extrême conscience de tout cela. Quand je restai au Parti, je pensais (et c'était certes une vue en grande partie mégalomaniaque, je le reconnais) qu'en restant au Parti sur une position aussi ouvertement oppositionnelle (la seule un peu cohérente et sérieuse qui existât et que l'immense majorité des oppositionnels, qui n'étaient pas des oppositionnels de principe, mais des contestataires *d'humeur*, ne m'ont jamais, au grand jamais pardonnée, et qu'ils ne me pardonneront jamais, même après qu'ils auront lu ce petit livre), je pensais donc que je pouvais faire la preuve, au moins formelle, qu'une action d'opposition à l'intérieur du Parti était possible sur des bases théoriques et politiques sérieuses, et donc qu'une transformation du Parti était, à long terme peut-être, possible. Et comme je gardais un très étroit contact avec tous les anciens communistes que je connaissais (les exclus ou partis après l'intervention soviétique en Hongrie, ceux de 68 après l'intervention en Tchécoslovaquie – où j'avais connu directement les efforts désespérés et dramatiques de Waldeck Rochet, jeté à la porte de l'ambassade soviétique de Paris à coups de pied au cul, atroce épreuve dont le malheureux ne s'est pas relevé – et tant d'autres exclus de marque devenus mes amis très proches, comme Tillon), comme j'avais aussi d'étroits contacts avec tous les groupes gauchistes peuplés de mes anciens étudiants, et même avec certains trotskistes qui pourtant ne m'ont jamais fait de cadeau, alors que je n'avais jamais attaqué Trotski, que je respectais profondément (malgré son obsession militaro-obsidionnelle et son étrange pratique d'être toujours absent aux moments et lieux décisifs de l'histoire soviétique), comme tous ces gens savaient *et* ce que je pensais *et* ce que je disais *et* écrivais (car je ne cachais à personne mon sentiment – seule Hélène me demandait ce que je foutais dans un parti qui avait « trahi » la classe ouvrière en 68 et elle avait parfaitement raison), personne ne se trompait ni sur moi ni sur mes sentiments et mes positions, ni sur la « stratégie » de mes actes et comportements. Dois-je rappeler pour simple exemple qu'après le drame du Conseil communal, j'aurais eu d'autres raisons que Rancière de quitter le Parti?, que, quand je dénonçai à la Bastille l'abandon de la dictature du prolétariat, j'eus même la surprise de voir le journaliste de *l'Humanité*, qui avait assisté à ma vibrante « sortie » (« on n'abandonne pas un concept comme un chien »), rédiger sur place en compagnie de Lucien Sève son compte rendu, qu'il me donna à lire (je n'y trouvai rien à reprendre), et que *l'Huma* du lendemain le publia sans y changer un mot?

Sauf peut-être ceux qui ne me touchaient pas de près et ceux qui ne fréquentaient pas les gauchistes, exclus et autres, qui me connaissaient seulement par leur intermédiaire, pouvaient s'y tromper. Et, de fait, *jamais aucun* des anciens camarades qui avaient été exclus du Parti ou l'avaient quitté en des moments critiques ne me fit jamais le reproche d'y être resté. Rancière fut le seul à me le reprocher publiquement, et nombre de mes amis ex-communistes ou gauchistes déplorèrent ouvertement en face de moi sa prise de position.

Ce que je tiens en effet pour essentiel et, je le répète, je ne le percevais pas alors clairement mais – très souvent j'ai ainsi procédé – comme par instinct sourd, c'est que le séjour au Parti était alors exceptionnel, pourvu qu'on n'y occupât aucune fonction de cadre permanent complètement coupé du monde extérieur, pour procurer aux militants une expérience et mieux une formation à la politique incomparables. D'abord, on pouvait connaître du dedans le Parti et le juger sur ses actes en comparant ses formes d'organisation, de direction, de pressions souvent éhontées, bref, juger ses actes à ses principes. Sait-on qu'il est souvent advenu au Parti, dans des compétitions électorales, par exemple récemment à Antony, mais l'exemple est loin d'être unique, de provoquer la candidature d'un militant de la CGT ou même du Parti peu connu de la population locale, de susciter sous l'étiquette de l'*extrême droite* sa candidature pour faire pièce à l'extrême droite elle-même, et donc de la diviser au moment du décompte des voix ? Sait-on que le « bourrage » des urnes était monnaie courante dans les municipalités tenues par le Parti ? Les autres en faisaient tout autant dans leurs municipalités. (Jean-Baptiste Doumeng, que je vis deux fois – il voulait que je lui explique Gramsci – lui ce vieux stalinien inconditionnel de l'Urss, était un homme d'affaires assurément milliardaire mais parfaitement respectueux de toutes les lois, au besoin même, comme tout homme d'affaires sérieux, en les tournant et en blousant le fisc ! Malheureux Doumeng, cible de *Libération* et du *Canard* : il savait ce qu'il faisait et se foutait des critiques « tortueuses » comme de sa première chemise : « J'ai, disait-il, ma conscience pour moi » et elle valait bien, et au centuple, celle de tous ses misérables critiques pinailleurs !) Et je ne parle pas des pratiques des municipalités, des bureaux d'études d'urbanisme et architectes bidons et des sociétés export-import dont un énorme pourcentage de bénéfices passait dans les caisses du Parti – et si les autres partis ont fait le silence sur toutes ces affaires plus ou moins louches, c'est qu'ils pratiquaient eux aussi, peut-être sur une moindre échelle et à moindres risques (ils avaient l'État en main) les mêmes magouilles.

En y militant activement, on pouvait donc se faire une idée extrêmement réelle des pratiques du Parti et de la contradiction patente entre ses pratiques et ses principes théoriques et idéologiques. Tout cela, je l'exposai en 1978 à la face de Marchais qui, naturellement, ne pipa mot. Que pouvait-il bien dire? Il était le premier à être « au parfum ».

Mais, outre la connaissance du Parti, de ses forces, de son fonctionnement (ces élections censitaires à quatre tours au Congrès que j'ai dénoncées publiquement en 1978 dans *Le Monde* et un opuscule, actuellement introuvable), on pouvait acquérir aussi une connaissance concrète de la complexité de la classe ouvrière organisée dans le Parti et la CGT. Je dis bien « organisée » dans le Parti avant tout, et on pouvait ainsi découvrir, non sans stupéfaction, que le noyau dur de ces militants d'avant-garde et inconditionnels du Parti étaient restés bien après le XXe Congrès soviétique et le XXIIe français également des inconditionnels farouches de l'Urss et de ses interventions en Hongrie et Tchécoslovaquie, et plus tard en Afghanistan! On pouvait découvrir que ces militants et le Parti lui-même vivaient complètement coupés des couches d'ouvriers adhérents à FO et à la CFDT, des ouvriers non syndiqués, de la masse des immigrés (cf. le bulldozer de Vitry), des employés, cadres et intellectuels et petits-bourgeois de tout poil que le Parti s'efforçait de rallier dans des organisations *ad hoc*, selon les principes officiels de la ligne d'union de la gauche. Même chose avec les catholiques, dont on prenait le plus grand soin, comme de ces théologiens, prêtres ou moines, qui acceptaient de signer toutes les pétitions et les appels au vote communiste (j'ai toujours refusé sèchement de rien signer dans l'ordre de la recommandation électorale, et presque jamais aucune pétition d'un autre ordre). Même chose avec les catholiques dont, au fond, les responsables (cf. Garaudy et plus tard Mury et puis Casanova) méprisaient en fait les raisons profondes et ne comprenaient rien à leurs réactions, même quand elles étaient publiquement favorables au Parti, et ainsi de suite. Quelle expérience, non seulement de la pratique du Parti dans son alliance avec ses couches « alliées », mais en même temps de ces couches elles-mêmes, et toujours avec l'avantage d'une comparaison critique qui opposait avec une évidence criante l'image officielle que le Parti, dans le siège de sa forteresse de Fabien et des fédérations surveillées de près par des membres du Comité central ou du Bureau politique, voulait donner de soi et la réalité de l'idéologie, des attitudes et des comportements de ces couches ! Et je ne parle pas des paysans, dont malgré le Modef à sa dévotion, le Parti ne voulait jamais rien comprendre (sur ce point Hélène était d'une expérience concrète intransigeante, elle avait, pour le tracé d'autoroutes et bien d'autres projets, fait des enquêtes sur le terrain qui la rendirent célèbre dans sa boîte, la Sedes, et fort mal vue dans la commission agricole du PC).

Connaissez-vous quelque expérience qui, où que ce soit, et même dans le PSU ou la Ligue communiste ou les groupuscules gauchistes, ait procuré à des militants l'équivalent de l'expérience sociale politique et idéologique de la lutte des classes que pouvaient procurer à des militants le passage et le séjour dans le Parti ? Personne ne peut certainement le contester. Mais évidemment, l'analyse et la prise en main des rapports sociaux supposaient que le Parti rompe avec tout mouvement, surtout lié au salariat, à la seule amélioration des salaires, etc., pour s'attaquer au *procès de production* ; or cela ne s'est fait que hors de lui, et dans les formes ineptes de l'autogestion ! Et même si des individus isolés – tels Souvarine ou Castoriadis qui livraient sur bien des points des informations et des idées justes mais qui se trouvaient abandonnés à eux-mêmes et privés de tout contact *organique* (ce mot de Gramsci est capital en la matière) avec la population active organisée ou hors de toute organisation de lutte – ont pu exprimer des critiques et parfois même (mais infiniment plus rarement) des esquisses de perspectives, d'organisation, de pratiques et de lutte en rapport avec les « mouvements populaires » (chers à mon ami Alain Touraine, qui eut un grand mérite théorique et politique sur ce point), quel impact pouvaient bien avoir ces individus isolés sur les ouvriers et les masses ? Et il faut faire une différence considérable entre les déçus et aigris qui sont *sortis* du Parti parce que leur expérience du Parti les en avait dégoûtés et ceux qui, sous une rumeur idéologique diffuse, sont depuis toujours déçus, aigris et contestataires, sans être jamais passés par le Parti. Un aigri qui a eu l'expérience directe et concrète des pratiques du Parti et l'insoutenable contradiction entre ses principes officiels et ses pratiques effectives est un aigri qui en sait assez pour pouvoir, s'il le veut, *réfléchir sur les causes de sa déception,* car il sait assez de quoi il parle. Je crois être de ceux-là, comme tous ceux qui ont été rejetés du Parti ou l'ont

quitté après des expériences souvent révoltantes sinon personnellement effroyables (cas rares en France heureusement, mais pensez à
Marty et Tillon!) : réfléchir et donc pouvoir se fixer en toute
connaissance de cause comparative une attitude et une « ligne » personnelles. Un aigri qui est aigri avant toute expérience du Parti et
sans avoir eu aucune expérience du Parti, n'est qu'un déçu et un
aigri non d'expérience mais *d'humeur*, qui ne fait que réfléchir dans
le confort de sa seule conscience, agrémentée des horreurs du goulag
incroyablement répercutées par les Glucksmann, B.-H. Lévy, etc.,
sur quoi? sur la vague idéologie dont il est le porteur, une idéologie
qui lui vient du dehors et des rares contestataires soviétiques complètement coupés de leur peuple, idéologie qu'il accepte comme une
donnée sans la moindre critique, et qui le rend incapable d'une véritable réflexion sur la politique tant du Parti que de toute organisation ou de tout autre mouvement de masse spontané, même s'il est
juste et fondé.

C'est là que je ne puis m'empêcher de voir la raison profonde de
l'échec retentissant des gauchistes issus de Mai 68 en France et en
Italie, avant tout en Allemagne et Italie où le gauchisme versa dans
l'horreur d'une politique d'attentats qui avait peut-être à voir quelque chose avec Blanqui et encore!, mais beaucoup plus avec les
manipulations invisibles et insoupçonnables alors (on commence
seulement à en apercevoir quelque chose) des services secrets internationaux où les agents américains, soviétiques, palestiniens et isréa-
liens se rencontraient sur un même terrain et dans les mêmes pratiques : celles d'une subversion apparemment démente mais dont les
résultats politiques (avant tout « déstabilisation » et démobilisation
des classes opprimées organisées, elles, au grand jour de la loi et du
droit) sont très loin d'être négligeables. Mais nullement là où on
pensait les trouver, sans les avoir jamais sérieusement recherchés : la
déstabilisation de telle partie du monde pour ouvrir la voie soit à des
révolutions de style marxiste-léniniste et même maoïste sans avenir
(le Cambodge, le Sentier lumineux du Pérou), soit à des dictatures
franches et tortionnaires dans la délégation de l'impérialisme USA.
Non, les « gauchistes », en se coupant du Parti qui les détestait — je
ne veux en rien excuser le Parti —, se sont privés du seul moyen existant *alors* d'agir *politiquement*, c'est-à-dire réellement sur le cours de
l'histoire, qui passait *alors* par la lutte dans le Parti. Aujourd'hui,
bien évidemment, les choses ont changé.

Voilà en gros ce que j'ai à dire sur les « effets » de la durée de ma présence dans le Parti et de ses paradoxes apparents. Si j'examine bien tout cela, les arguments au premier abord respectables de Rancière et de ses amis m'apparaissent bien légers. Je crois, bon gré mal gré, avoir dans des conditions extrêmement difficiles servi et bien servi non l'appareil du Parti que, pas plus qu'Hélène, je ne pouvais sentir, mais le communisme, l'idée d'un communisme non aligné sur le détestable exemple du « socialisme réel » et de sa dégénérescence soviétique, donc l'idée et l'espoir de ceux qui en France et même dans le monde (cela est un fait, rien d'une illusion hypomaniaque) voulaient et veulent encore penser à l'avènement un jour, mais quand?, d'une société délivrée des rapports marchands, car telle est la définition que je tiens à répéter : celle du communisme sans phrase, une communauté humaine dépouillée de tous rapports marchands.

Maintenant les choses ont bien changé. Hélène avait bien eu raison de longue date : le Parti a, sinon directement, du moins indirectement, « trahi la classe ouvrière » dont il se réclamait. Depuis le meurtre d'Hélène en 1980, je n'ai pas repris ma carte. Il y a eu toute ma douloureuse histoire pendant laquelle le Parti et l'*Huma* ont été très corrects envers moi. J'étais juridiquement privé de toute initiative et je n'ai pas voulu faire porter au Parti le poids d'un dangereux « meurtrier » dont on ne se serait pas fait faute de l'accabler.

Je pourrais aussi m'expliquer sur mes raisons subjectives de ma « rencontre » exceptionnelle (pour moi) avec Machiavel, Hobbes, Spinoza et Rousseau. Mais je préfère laisser ces développements à un autre petit livre [1].

Je voudrais dire seulement ici que ce que j'ai appris de plus précieux de Spinoza, c'est la nature de la « connaissance du troisième genre », celle d'un cas à la fois singulier et universel, dont Spinoza nous offre un exemple éclatant et souvent méconnu dans l'histoire singulière d'un peuple singulier, le peuple juif (dans le *Tractatus theologico-politicus*). Que mon « cas » ait été un « cas » de cet ordre, comme tout « cas médical », « historique » ou « analytique », impose de le reconnaître et de le traiter dans sa singularité; mais que ce cas singulier soit universel, cela ressort des constantes répétées (et

---

1. L'auteur renvoie à son projet non abouti d'ouvrage sur *La véritable tradition matérialiste* évoqué dans la « Présentation » du présent volume. *(N.d.E.)*

non des lois vérifiables-falsifiables à la Popper) qui affleurent dans chaque cas et permettent d'en induire le traitement théorique et pratique d'autres cas singuliers. Machiavel et Marx ne procèdent pas autrement, dans une logique qui est passée presque inaperçue et qu'il faudra développer.

Ce que je dois aussi directement et personnellement à Spinoza, c'est sa stupéfiante conception du corps, qui possède des « puissances inconnues de nous », et de la *mens* (l'esprit) qui est d'autant plus libre que le corps développe plus les mouvements de son *conatus*, sa *virtus* ou *fortitudo*. Spinoza m'offrait ainsi une idée de la pensée qui est pensée du corps, mieux, pensée avec le corps, mieux, pensée du corps même. Cette intuition rejoignait mon expérience d'appropriation et de « recomposition » de mon corps en liaison directe avec le développement de ma pensée et de mes intérêts intellectuels.

Ce que je dois à Machiavel de tout à fait étonnant, c'est l'idée-limite que la fortune en son essence n'est rien que le vide, et par excellence le vide interne du Prince, ce qui met au premier plan dans l'équilibre et le jeu de ses passions le rôle du renard, qui permet justement d'introduire entre le sujet-Prince et ses passions une distance où l'être doit pouvoir apparaître comme le non-être et le non-être comme l'être. Cette conception étonnante, pour peu qu'on l'explicite, rejoint en fait l'expérience analytique la plus profonde, celle de la prise de distance au regard de ses propres passions, disons plus exactement au regard de son contre-transfert. Ce que j'ai lu dans Spinoza et Machiavel, je l'avais vécu concrètement et c'est sans doute pourquoi j'ai pris un tel intérêt à le « rencontrer » chez eux. Car au fond, que prônait Machiavel sinon, bien avant Tchernitchevski et Lénine, le problème et la question : que faire ? Et que nous indiquait déjà Machiavel, sinon ce fait capital que, sous la figure même du Prince, les partis politiques, dont le PCF, sont parties intégrantes de l'appareil idéologique d'État, l'appareil politique idéologique constitutionnel parlementaire, avec tout ce que cela suppose dans la formation idéologique des masses populaires qui votent et « croient », le Parti aidant, au suffrage universel ? Certes, il n'y a pas de suffrage universel pour Machiavel, mais il y a l'appareil idéologique d'État du temps, celui qui est constitué par l'image publique-populaire du personnage du Prince. Petite différence seulement, mais dont l'étude attentive est pleine d'instruction pour nos partis mêmes, et avant tout les PC qui visent, Gramsci l'a bien compris, à l'hégémonie idéologique, voie d'accès à la prise de l'appareil d'État tout court – non par son encerclement par la soi-disant « société civile », mais par une lutte politique directe des organisations politiques ouvrières contre l'appareil d'État lui-même.

XX

C'était 1979-1980. Cette année s'annonçait plutôt sous de bons auspices. En octobre-décembre, je résistai avec succès à un commencement de dépression que je surmontai par moi-même, sans hospitalisation. Malgré nos perpétuelles disputes, mais toujours séparées de larges périodes de paix et de profonde entente, les choses allaient sensiblement mieux. Du côté d'Hélène, certainement : ses entretiens avec mon analyste avaient abouti chez elle à des résultats manifestes pour tous. Elle était infiniment plus patiente, moins cassante, elle contrôlait beaucoup mieux ses réactions dans son travail et, de son seul fait, elle s'y était acquis des amis qui l'estimaient et l'aimaient vraiment, et qui me parlaient d'elle comme d'une personnalité d'exception qui avait transformé par son expérience et son intelligence des mécanismes sociaux, politiques et idéologiques, les méthodes mêmes, des enquêtes sociologiques qui étaient une des spécialités de sa maison, la Sedes. Elle avait mis au point une procédure originale de recherche sur le terrain qui avait fait de nombreux adeptes parmi ses camarades de travail. Ce n'était plus seulement moi qui lui « montrais » mes amis, c'était elle qui m'invitait chez les siens. Lorsqu'elle prit sa retraite (pour laisser place à des jeunes), elle organisa avec un très grand courage une activité personnelle, non rémunérée, d'enquête sur le terrain, à Fos-sur-Mer, où elle se rendait une fois tous les quinze jours. C'était là un résultat étonnant. Elle avait fini par aimer mes propres amies, comme Franca, qu'elle alla visiter seule et de sa propre initiative en Italie lorsque celle-ci tomba gravement malade; lorsque sa belle-sœur Giovanna fut sérieusement déprimée, elle organisa pour elle un voyage à Venise, qu'elle connaissait bien : Giovanna me parle encore de cette généreuse initiative avec émotion. Elle aimait bien Hélène, comme tous ceux qui avaient fait tant soit peu l'effort de la connaître, mais elle n'aurait jamais imaginé pareille et si délicate attention de sa part. Je pourrais multiplier les exemples.

De mon côté, les choses allaient aussi s'améliorant. Certes – et sans savoir vraiment pourquoi –, j'éprouvais de plus en plus de difficulté à faire des cours, je m'y acharnais longuement, mais sans grand résultat. Je me cantonnais dans la correction des dissertations et des exposés des élèves, que je leur commentais en privé, et dans quelques interventions ponctuelles sur tel ou tel point de l'histoire de la philosophie. Mais mes rapports avec mes amies femmes avaient sérieusement changé.

Je pense à l'une d'entre elles, que je connaissais depuis 1969. Au début, soupçonnant qu'elle avait une forte passion pour moi, j'avais commencé, selon ma réaction et ma technique de protection, à la fois par faire les premiers pas et par m'en défendre ensuite farouchement. Comme elle était forte mais d'une extrême sensibilité, très inquiète et capable de réactions vives, nous eûmes pendant longtemps des échanges tumultueux, surtout de mon fait, je le reconnais volontiers. Puis, soit que j'eusse, sous l'effet de mon analyse, suffisamment évolué, soit que j'eusse compris qu'elle ne voulait pas en vérité « mettre la main sur moi » et qu'elle n'avait nulle « idée sur moi », je vis bientôt en elle une véritable amie, et nos rapports, cahin-caha, non sans heurts encore mais beaucoup moins vifs, allèrent s'améliorant. Elle m'a rendu d'immenses services, que tous mes amis n'ont pas également appréciés (selon eux, comme pour plusieurs infirmières, il eût fallu être beaucoup plus énergique avec moi), durant ma longue hospitalisation (1980-1983) et a largement contribué à m'aider à survivre. Notre amitié est devenue notre bien commun.

Mais j'étais en outre devenu extrêmement attentif à ma façon d'aborder les femmes, et je voulus et surtout pus m'en fournir à moi-même la preuve lorsque, vers 1975, j'aperçus par hasard, à la fin d'une Vente du livre, alors que les stands étaient presque tous désertés et l'immense hall presque vide, une jeune femme petite, brune et au fameux profil. Mince, timide, pudique, elle s'avançait dans le vide de l'immense hall vers le stand où j'étais demeuré. Elle m'acheta un livre, nous parlâmes, je l'assurai que si je pouvais l'aider dans ses études et cours, je le ferais volontiers. Pas un mot ni un geste de plus : je m'en serais horriblement voulu, tellement j'avais en moi la conviction qu'il ne me fallait pas tomber une nouvelle fois dans mes travers anciens, mais la traiter avec le dernier respect, en respectant son propre rythme. En vérité, l'important est que j'aie *pu* changer à ce point d'attitude – signe que quelque chose d'important, voire de décisif, avait en moi « bougé ». Elle me téléphona, je la vis, rien ne se passa sur-le-champ, c'était de ma part une attitude entièrement nouvelle, et une longue histoire, où deux êtres se cherchent à tâtons, commença entre nous, lentement mais sûrement, sans que je l'eusse forcée. J'avais l'impression de commencer à savoir enfin ce qu'aimer veut dire.

Nous fûmes même vraiment heureux, Hélène et moi, quand un de ses camarades de travail (un fils de René Diatkine, économiste) nous invita à Grasse, dans la maison d'un de ses amis, Jean-Pierre Gayman (le fils du fameux secrétaire de cellule de 1939!), pour la Noël; puis à Pâques, quand nous accomplîmes notre second et dernier voyage en Grèce. A Athènes, où eut lieu l'incident que j'ai déjà relaté, je louai une voiture et nous partîmes comme nous l'aimions, à l'aventure, pour découvrir sur la côte nord-est une merveilleuse plage aux cailloux de couleurs, sous les hauts eucalyptus et les pins froissés de vent et de soleil. Quel bonheur!

Nous rentrâmes à Paris, et c'est alors que commencèrent à s'accumuler les difficultés, certaines totalement imprévues et imprévisibles.

Elles ne se manifestèrent pas du côté de mes initiatives intellectuelles. J'étais, je dois le reconnaître, dans une période de très grande facilité : rien ne me résistait. Réfléchissant sur les limites étroites dans lesquelles nous avions travaillé sur Marx et le marxisme, et pour tirer de mon autocritique antithéoriciste ses conséquences pratiques, je proposai de constituer un groupe de recherche pour étudier non plus une théorie sociale ou politique donnée, mais pour rassembler des éléments largement comparatifs sur le thème du rapport matériel aléatoire entre d'une part les « mouvements populaires » et d'autre part les idéologies qu'ils se sont données ou ont investies, et enfin les doctrines théoriques qui les ont coiffés. On voit par là que j'entendais proposer un travail d'investigation sur le rapport concret entre l'aspect *pratique* des mouvements populaires et leur rapport (direct, indirect, pervers ?) aux idéologies et aux doctrines théoriques qui leur ont été ou leur demeurent liées dans le cours de l'histoire. Naturellement, la question de la constitution de ces mouvements en *organisations* ne pouvait manquer de se poser à propos de la constitution ou de la transformation des idéologies et des doctrines théoriques : elle y était comprise. Un projet de très vaste portée, que j'estimais d'actualité pour la recherche et même la vie théorique et politique, se mit donc en place, sous le sigle du CEMPIT (Centre d'études des mouvements populaires, de leurs idéologies et doctrines théoriques). J'y ralliai la direction de l'École qui m'accorda quelques crédits, le ministère qui m'en promit, je m'assurai l'accord d'une bonne centaine d'historiens, sociologues, politologues, économistes, épistémologues et philosophes de toutes compétences et tendances, tins à l'École, en mars 1980, une réunion de fondation et plusieurs groupes se mirent au travail. Intentionnellement, nous voulions travailler sur des « cas » aussi divers que le mouvement ouvrier occidental, l'Islam, la Chine, le christianisme, les paysanneries, pour parvenir, si possible, à des résultats comparatifs. Nous tînmes plusieurs réunions avec le concours de spécialistes que je parvins à faire venir de province et même de l'étranger. J'avais des contacts personnels avec trois historiens, sociologues et philosophes soviétiques très remarquables : l'un travaillait sur les mouvements populaires dans la Russie prérévolutionnaire, l'autre sur les religions d'Afrique et le troisième sur les idéologies, officielle et autres, en Urss. Le projet était bien lancé – à la grande crainte d'un ou deux amis proches qui, me sentant plutôt hypomaniaque, craignaient le pire – et les groupes formés en pleine activité, lorsque je dus affronter une petite difficulté personnelle totalement inattendue, mais qui provoqua de lourdes conséquences.

A la fin de l'année 1979, je commençais en effet à souffrir de vives douleurs œsophagiques et rejetais le plus souvent ce que j'ingérais. Le Dr Étienne, généraliste certes, mais gastro-entérologue de formation, me fit subir une endoscopie et devant ses résultats inquiétants me fit radiographier : hernie hiatale. Il fallait m'opérer, sinon je pouvais craindre à terme l'apparition d'ulcères œsophagiens, dont le pronostic est souvent très grave. A deux reprises on fixa la date de l'opération, avant Pâques 1980, et par deux fois, saisi comme d'un grave pressentiment (je disais à qui voulait l'entendre que « l'anesthésie allait tout bouleverser »), je fis reporter l'opération. Devant l'insistance des médecins, je finis par céder. L'opération eut lieu, après notre heureux voyage en Grèce, à la Maison des gardiens de la paix, boulevard Saint-Marcel. Jusqu'au dernier instant je travaillai intensément sur mon petit lit d'hôpital aux dossiers du CEMPIT que j'avais apportés avec moi.

Techniquement l'opération se passa bien. On m'administra les drogues d'une anesthésie profonde, et je m'en réveillai saisi d'une angoisse incoercible (alors que quelques années plus tôt j'avais subi pour une hernie inguinale et l'appendicite deux anesthésies sans aucune suite). Cette anesthésie et la première angoisse me jetèrent peu à peu dans une nouvelle « dépression » qui, pour la première fois, ne fut plus d'allure névrotique et « douteuse », non franche, mais une *mélancolie* aiguë tout à fait classique, dont la gravité alerta sérieusement mon analyste : « Pour la première fois, à ma connaissance, me dit-il plus tard, vous présentiez tous les signes d'une mélancolie classique aiguë et de surcroît, grave et inquiétante. »

Je traînai comme je pus, comme toujours en tentant de lutter à toutes forces, « poussant le temps » interminable à vivre, avec le soutien d'Hélène, de mon analyste, etc., contre mon angoisse et mon désir d'être mis à l'abri dans une clinique. Mais cette fois je sentais bien que ce n'était plus comme par le passé.

Cependant, mon état ne cessait de s'aggraver. Et le 1er juin 1980 j'entrai de nouveau en clinique, mais cette fois à la clinique du Parc-Montsouris (rue Daviel), et non plus comme avant, au Vésinet. Les directeurs du Vésinet, M. et Mme Leullier, psychiatres tous les deux et vieux amis de mon analyste, avaient pris leur retraite, et mon analyste ne connaissait pas leur successeur. Mais ce n'était pas là sa raison essentielle : il voulait épargner à Hélène les interminables déplacements en métro (une bonne heure et demie, trois heures au moins aller et retour) entre l'École et Le Vésinet.

Il faut bien comprendre dans quel état pouvait se trouver Hélène. Pendant des années, elle avait dû porter sur elle le poids et l'angoisse de mes dépressions et de mes états hypomaniaques, non seulement de mes dépressions mais, ce qui était encore infiniment plus dur, les interminables mois (ou semaines) que je vivais, dans une angoisse grandissante, en luttant et faisant constamment appel à elle, avant de me résoudre à l'hospitalisation. Lorsque j'étais hospitalisé, elle vivait dans la solitude, avec pour seul but de venir me visiter, pratiquement tous les jours, et de rentrer seule dans une maison vide, seule avec son angoisse. Mais ce qui lui était une épreuve, à la longue devenue insupportable, c'étaient les appels téléphoniques de mes nombreux amis et innombrables connaissances, qui ne cessaient de s'enquérir de moi et de demander des nouvelles détaillées sur mon état. Hélène devait répéter sans répit les mêmes phrases, et surtout elle souffrait que personne ne s'enquît d'elle, de son état et de sa misère morale : à de très rares exceptions, pour tous ces amis, elle n'existait pas, elle n'existait plus. Dans ces appels il n'était question que de moi, jamais d'elle. Je ne sais qui, à la longue – et cela durait par intermittence certes, mais toujours sur le même thème, depuis près de trente ans ! – aurait supporté ce régime, elle en tout cas le vivait comme un supplice et de surcroît comme une incompréhension et une injustice intolérables à son endroit. Et, comme elle savait que j'étais sujet à rechutes, elle vivait les intervalles de mieux comme l'attente répétée de la rechute, surtout lorsque je me trouvais en état d'hypomanie où je lui étais réellement intolérable tant mes provocations et mes agressions ininterrompues lui étaient blessantes, quasi mortelles. Cela elle était seule à le vivre et, indifférence ou maladresse ou toute autre raison, personne, à quelques rares exceptions, de mes amis n'en tenait apparemment ou vraiment compte. René Diatkine avait pensé du moins lui épargner la longue fatigue quotidienne de trois heures de métro.

Je restai de juin jusqu'en septembre à la clinique Montsouris dans des conditions très éprouvantes : personnel très réduit, médecin inconnu et peu accessible, qui me paraissait un étranger quand je le voyais, un petit jardin sordide de six mètres carrés au bas de l'immeuble sans aucune vue, bref un changement brutal et traumatisant en comparaison du « luxe » et du confort du Vésinet où j'avais un grand parc et, si je puis dire, mes « habitudes », et des infirmières et des médecins qui manifestement m'aimaient ou que j'avais su séduire depuis le temps que je les connaissais.

On se hâta de me prescrire du niamide (imao). Cette drogue, rarement administrée à cause du danger qu'elle présentait (le célèbre *cheese effect* en particulier) et à cause de spectaculaires retombées secondaires, m'avait toujours réussi à merveille auparavant, et, cas tout à fait exceptionnel, très rapidement et sans aucun effet secondaire. Or, à la surprise complète de mes médecins, il en alla tout autrement cette fois. Non seulement le rapide effet attendu ne se fit pas sentir, mais je tombai rapidement dans un grave état de confusion mentale, d'onirisme et de persécution « suicidaire ».

Je ne vais pas entrer ici dans des détails techniques que les curieux pourront obtenir du premier traité de psychiatrie et de pharmacologie venu. Les antidépresseurs peuvent effectivement produire des effets de cet ordre, qu'on observe très fréquemment dans des cas de mélancolie aiguë. Car cette fois je ne « faisais » pas une dépression atypique ou douteuse, une « fausse » dépression dite « névrotique », et l'hospitalisation n'avait pas produit sur moi l'apaisement immédiat que j'avais toujours connu auparavant *dans tous les cas*. Là-dessus, tous les médecins qui ont pu m'observer à Montsouris sont d'accord, non seulement les médecins psychiatres du service, mais aussi le Dr Angelergues, que je connaissais et qui vint très souvent me voir, et mon analyste qui connaissait le tout premier, de longue date, mes réactions habituelles.

Après la mort d'Hélène, mon analyste me confia une hypothèse qu'il n'avait pas formulée lui-même, mais recueillie de la bouche du Dr Bertrand Weil, que j'avais autrefois consulté pour des ennuis apparemment organiques, et qui possédait une très vaste culture médicale et aussi biologique. Ce médecin pensait que mon opération, c'est-à-dire avant tout mon anesthésie profonde, avait pu provoquer en moi un « choc biologique » dont le mécanisme, que j'épargne au lecteur, me fut plus tard expliqué en détail (il mettait avant tout en jeu le métabolisme des drogues par le foie) : il se serait agi d'une grave perturbation de mes « équilibres biologiques », provoquée par le choc opératoire et surtout le choc anesthésique, entraînant des effets inversés et paradoxaux.

Quoi qu'il en soit, j'entrai dans un état de semi-conscience, parfois même d'inconscience totale et de confusion mentale. Je ne disposai plus des mouvements de mon corps, tombais sans cesse, vomissais sans arrêt, ne voyais plus distinctement, urinais de façon désordonnée ; je ne disposais plus de mon langage, prenant un mot pour l'autre, de mes perceptions, que je ne pouvais plus ni suivre ni enchaîner, ni *a fortiori* de mon écriture, et présentais des formes de discours délirantes. De surcroît, je ne cessais de vivre la nuit d'atroces cauchemars, qui se prolongeaient très longuement à l'état de veille, et je « vivais » mes rêves à l'état de veille, c'est-à-dire agissais selon les thèmes et la logique de mes rêves, prenant l'illusion de mes rêves pour la réalité, et me trouvais alors incapable de distinguer en état de veille mes hallucinations oniriques de la simple réalité. C'est dans ces conditions que je développais sans cesse à qui venait me visiter des thèmes de persécution suicidaire. Je pensais intensément que des hommes voulaient ma mort et s'apprêtaient à me tuer : un barbu en particulier, que j'avais dû apercevoir quelque part dans le service; mieux, un tribunal qui siégeait dans la pièce à côté pour me condamner à mort; mieux, des hommes armés de fusils à lunette qui allaient m'abattre en me visant des fenêtres des demeures d'en face; enfin les Brigades rouges qui m'avaient condamné à mort et allaient faire irruption dans ma chambre de jour ou de nuit. Je n'ai pas gardé en mémoire tous ces détails hallucinants, ils sont pour moi couverts, sauf par éclairs, par une lourde amnésie, mais je les tiens des nombreux amis qui vinrent me visiter, des médecins qui me soignaient, et de l'exact et concordant recoupement de leurs observations et témoignages que j'ai ensuite recueillis.

Tout ce système « pathologique » se doublait d'un délire suicidaire. Condamné à mort et menacé d'exécution, je n'avais qu'une ressource : devancer la mort infligée en me tuant préventivement. J'imaginais toutes sortes d'issues mortelles, et de surcroît je voulais non seulement me détruire physiquement, mais détruire aussi toute trace de mon passage sur la terre : en particulier détruire jusqu'aux derniers de mes livres et toutes mes notes et aussi brûler l'École, et aussi, « si possible », supprimer, tant que j'y étais, Hélène elle-même. Du moins le confiai-je une fois à un ami qui me le rapporta en ces termes. (Sur ce dernier point, j'ai recueilli cet unique témoignage.)

Je sais que les médecins furent extrêmement inquiets sur mon sort. Ils craignaient non pas que je me tue − j'en étais protégé, paraît-il, par les conditions et protections de surveillance de la clinique − bien qu'on ne sache jamais en pareil cas −, ils craignaient surtout que ces graves troubles ne provoquent en moi un état *irréversible*, me condamnant à une hospitalisation à vie.

Après un long terme de ce régime, on décida de supprimer les imaos, tenus pour responsables de ces effets secondaires inquiétants et, après l'attente réglementaire (une quinzaine de jours), on me prescrivit de l'anafranyl en perfusion. Ce nouveau régime parut me réussir et au bout d'un certain temps, on me jugea capable de sortir de clinique. Je quittai donc la clinique pour l'École. Mais tous mes amis se sont accordés pour me dire que j'ai quitté la clinique en très mauvais état.

Je retrouvai Hélène et, comme souvent, nous partîmes dans le Midi pour y trouver la paix, le vent et la mer. Nous n'y restâmes que huit, dix jours et nous rentrâmes : mon état s'était encore aggravé.

C'est alors qu'Hélène et moi connûmes les pires épreuves de notre vie. Les choses avaient commencé au printemps précédent, mais épisodiquement, avec de vrais répits qui laissaient espoir. Cette fois, elles prirent un tour implacable et durèrent sans trêve jusqu'à la fin. Je ne sais quel régime de vie j'imposai à Hélène (et je sais que j'ai pu être réellement capable du pire), mais elle déclara avec une résolution qui me terrifia qu'elle ne pouvait plus vivre avec moi, que j'étais pour elle un « monstre » et qu'elle voulait me quitter à jamais. Elle se mit ostensiblement à chercher un logement, mais n'en trouva pas sur-le-champ. Elle prit alors des dispositions pratiques qui me furent insoutenables : elle m'abandonnait en ma propre présence, dans notre propre appartement. Elle se levait avant moi et disparaissait tout le jour. S'il lui arrivait de rester chez nous, elle refusait et de me parler et même de me croiser : elle se réfugiait soit dans sa chambre, soit dans la cuisine, claquait les portes et m'en interdisait l'entrée. Elle refusait de manger en ma compagnie. L'enfer à deux dans le huis clos d'une solitude délibérément organisée, commençait, hallucinant.

J'étais déchiré d'angoisse : on l'a compris, j'avais toujours ressenti une intense angoisse d'être abandonné et surtout d'elle, mais cet abandon en ma présence et à domicile me paraissait plus insupportable que tout.

Sourdement je savais qu'elle ne pourrait pas, en vérité, me quitter, et tentai, mais en vain, d'atténuer mon angoisse par cette pensée, dont à dire vrai je n'étais tout de même pas totalement assuré. Alors Hélène commença à développer un autre thème, latent chez elle depuis des mois, mais qui cette fois prit une forme effrayante. Elle me déclara qu'elle n'avait plus d'autre issue, étant donné le « monstre » que j'étais et la souffrance inhumaine que je lui imposais, que de se tuer. Ostensiblement, elle rassemblait et exhibait les drogues nécessaires à son suicide, mais parlait aussi d'autres moyens, incontrôlables : notre ami Nikos Poulantzas ne s'était-il pas suicidé récemment en se jetant, dans une crise aiguë de persécution, du haut du vingt-deuxième étage de la tour Montparnasse? Un autre en se jetant sous un poids lourd, un troisième sous un train? Elle me citait ces moyens, comme si elle m'en laissait le choix. Et elle m'assurait avec la force d'une conviction, et surtout d'un ton que je lui connaissais trop pour vraiment en douter, qu'il ne s'agissait pas de paroles en l'air mais d'une décision irrévocable. Simplement elle choisirait et son moyen et son heure, sans évidemment m'en prévenir.

Sourdement, là aussi, je pensais qu'elle serait incapable de se tuer. Je me disais que j'avais trop d'exemples derrière nous, et qu'au fond elle tenait trop à moi, m'aimait d'un tel amour viscéral qu'elle serait incapable de passer à l'acte. Mais là encore je n'en étais pas absolument sûr. Le comble advint un jour où elle me demanda tout simplement de la tuer moi-même, et ce mot, impensable et intolérable dans son horreur, me fit longtemps frémir de tout mon être. Il me fait encore frémir. Cela voulait donc me signifier d'une certaine manière qu'elle était bien incapable, non seulement de m'abandonner, mais de se tuer de sa propre main? En somme, j'avais encore un recours, je n'en avais aucun autre : laisser passer le temps pour que, comme après tant de crises aiguës dans le passé, elle finît par s'apaiser, revenir à la raison et accepter ce qu'elle voulait au plus profond d'elle-même : ne pas m'abandonner, ne pas se tuer, mais continuer de vivre avec moi, pour m'aimer comme toujours.

Tout ce temps d'enfer fut, comme je viens de l'écrire, un temps de huis clos. Hors mon analyste qu'elle voyait et que je voyais, nous ne vîmes pratiquement personne (l'École n'avait pas encore vraiment repris sa vie). Nous vivions enfermés tous les deux dans la clôture de notre enfer. Nous ne répondions plus ni au téléphone, ni à la sonnerie de la porte. Il paraît même que j'avais apposé, sur le mur extérieur de mon bureau, une sorte d'affiche bien visible où j'avais écrit à la main : « absents pour le moment; n'insistez pas ». Des amis, qui avaient tenté de nous appeler et purent lire ce texte sur mon mur, me dirent, longtemps après, qu'ils se reprocheraient à jamais de n'avoir pas tenté de « forcer ma porte ». Mais, s'ils l'avaient tenté, comment auraient-ils pu faire, à moins de la défoncer puisque je ne l'ouvrais plus?

Le temps dut passer dans cet horrible enfermement et solitude sur place, dans ce que des amis ont plus tard appelé une « impasse », un « enfer à deux » ou encore, pour bien faire le compte, « un enfer à trois » en ajoutant à nos personnes celle de mon analyste qu'ils rendirent en propres termes responsable de ne pas être intervenu.

Pourtant mon analyste était intervenu. Je dus le voir pour la dernière fois le 15 novembre, et il me dit que cette situation ne pouvait durer, qu'il fallait que j'accepte d'être hospitalisé. Il s'était renseigné sur le nouveau directeur du Vésinet, qu'il ne connaissait pas personnellement. Les renseignements obtenus étaient excellents. Passant sur tous les inconvénients que présentait Le Vésinet pour Hélène, il avait estimé que j'y serais vraiment bien accueilli (je connaissais Le Vésinet, je le rappelle, fort bien, j'y avais mes aises et tous les traitements par imaos m'avaient remarquablement et rapidement réussi) et que j'y serais bien soigné (il n'avait pas conservé un bon souvenir de mon séjour à Montsouris, jugeant que les conditions ne m'y étaient pas favorables). Il avait téléphoné au Vésinet, on pouvait m'y accueillir dans deux ou trois jours. Je ne dus pas dire non, en tout cas je ne me souviens plus de ma réponse exacte.

Les deux ou trois jours passèrent, rien n'advint. J'ai su plus tard que le jeudi 13 et le vendredi 14 novembre, Hélène vit mon analyste et qu'elle le supplia de lui accorder un délai de trois jours avant toute hospitalisation. Mon analyste céda sans doute à sa supplication, et il fut entendu que, sauf nouvel événement, j'entrerais au Vésinet le lundi 17 novembre. Je devais beaucoup plus tard retrouver dans mon courrier de l'École une lettre exprès de Diatkine, datée et tamponnée du vendredi 14 dans l'après-midi, qui demandait à Hélène une réponse téléphonique d'« extrême urgence ». La lettre parvint à l'École le 17, je ne sais pour quelle raison (retard de la poste ? ou bien le gardien de la loge n'avait pas pu me joindre car je ne répondais ni au téléphone ni à la sonnette de la porte ?) : de toute façon, après le drame. Je rappelle que mon analyste ne pouvait ni m'appeler ni appeler Hélène au téléphone : *nous ne répondions plus*.

Le dimanche 16 novembre à neuf heures, tiré d'une nuit impénétrable et que je n'ai jamais pu pénétrer depuis, je me retrouvai au pied de mon lit, en robe de chambre, Hélène allongée devant moi, et moi continuant à lui masser le cou, avec le sentiment intense que mes avant-bras étaient bien douloureux : évidemment ce massage.

Puis je compris, je ne sais comment, sauf à l'immobilité de ses yeux et à ce pauvre bout de langue entre les dents et les lèvres, qu'elle était morte. Je me précipitai hors de notre appartement vers l'infirmerie où je savais trouver le Dr Étienne, en hurlant. Le destin était tombé.

XXI

Le Dr Étienne, après m'avoir administré une piqûre et avoir donné quelques coups de téléphone, me conduisit en toute hâte dans sa voiture jusqu'à Sainte-Anne, où je fus hospitalisé d'urgence. J'entrai alors dans une nouvelle nuit, et ce que je vais raconter, je ne l'appris que beaucoup plus tard, de lui, de mon analyste et de mes amis.

Il est « de règle » qu'un malade atteint de « troubles psychiques » soit d'abord conduit dans les services de police (annexe de Sainte-Anne) pour les constatations d'usage. On y laisse généralement le prévenu vingt-quatre heures, tout nu, dans une chambre de force munie d'un seul matelas au sol, avant un premier interrogatoire, et la consultation du psychiatre du service de police, qui décide l'hospitalisation à Sainte-Anne toute proche. Cette procédure, qui est de règle, peut souffrir des exceptions en cas d'extrême urgence et gravité. Je sus plus tard qu'apprenant qu'on m'avait directement transféré à Sainte-Anne, sans passer par le service de police, le ministre de la Justice, ancien normalien, Alain Peyrefitte, entra dans une grande fureur et téléphona au directeur de l'École, Jean Bousquet, pour l'engueuler comme un chien. Bousquet, irréprochable en toute cette histoire, répondit que j'étais sous ses ordres, que j'étais très malade, et qu'il couvrait entièrement l'initiative du Dr Étienne, à qui Peyrefitte fit aussi sentir sa colère, mais par personne interposée.

C'est sans doute par un rédacteur de l'AFP que mes amis furent informés de la mort d'Hélène, et ils propagèrent entre eux la nouvelle, la communiquant très vite à mon analyste. Ils furent tous bouleversés, et jusqu'aux résultats de l'autopsie (concluant à une mort par « strangulation ») ils ne purent croire, mon analyste le premier, que j'avais tué Hélène, mais imaginèrent que je m'accusais hallucinatoirement d'une mort accidentelle dont je n'étais pas l'auteur.

La nouvelle, un beau « scoop », fit la une des journaux français et étrangers, et rapidement donna lieu dans certains milieux aux « analyses » et commentaires que l'on peut imaginer.

J'étais alors très connu, normalien, philosophe, marxiste et communiste, marié avec une femme peu connue mais apparemment remarquable. Dans son ensemble, la presse française (et internationale) fut très correcte. Mais certains journaux s'en donnèrent à cœur joie : je ne citerai pas leurs noms ni les signatures parfois célèbres qui couvrirent des articles à la fois malveillants et délirants. Cinq thèmes y furent développés par leurs auteurs avec une manifeste complaisance satisfaite : la complaisance d'une revanche politique à qui ce « crime » offrait enfin l'occasion de régler définitivement un vieux compte, non seulement à ma personne, mais au marxisme, au communisme et.. à la philosophie, sans parler de l'École normale. Je n'aurai pas la cruauté de citer ces textes extraordinaires ou leurs auteurs parfois célèbres : que du moins le silence se fasse sur leurs élucubrations et leurs défoulements. Et d'ailleurs, s'ils sont tant soit peu honnêtes, ils se reconnaîtront dans ce qui suit. A eux de se mettre si possible en paix avec leur conscience. Dans ce qui parut en France et à l'étranger, on put lire en effet des articles sur les thèmes suivants : 1) marxisme = crime ; 2) communisme = crime ; 3) philosophie = folie ; 4) scandale qu'un fou, depuis longtemps fou, ait pu enseigner à Normale depuis plus de trente ans des générations de philosophes qu'on retrouve partout dans les lycées, à la tête de « nos enfants » ; et 5) scandale qu'un individu criminel ait pu bénéficier de la protection ouverte de l' « establishment » : songez au sort qu'un simple Algérien qui se serait mis dans son cas, osa même dire un journal « centriste », aurait subi ? Althusser y a échappé grâce aux « hautes protections » dont il jouit : l'establishment de l'Université et des intellectuels de tout poil ont fait automatiquement bloc pour faire autour de lui le silence et protéger l'un des leurs des rigueurs de la « règle », voire peut-être de la loi. En somme, j'avais été protégé par l'AIE d'enseignement dont j'étais membre. Quand on sait que les commentaires se poursuivirent longtemps, car il fallut du temps pour qu'interviennent d'abord les résultats de l'autopsie, puis la décision de non-lieu – on imagine dans quelle atmosphère de « chasse à l'homme », d'autant plus redoutable qu'elle était diffuse comme la rumeur publique qui accompagnait les coups d'une certaine presse, durent vivre mes amis désemparés. Je dis mes amis, car je n'avais pas de famille. Mon père était mort en 1975 et ma mère bien vieillie quoique très lucide, totalement indifférente. Bousquet, très digne, dut intervenir personnellement pour rectifier dans la presse des informations totalement inexactes et diffamatoires. Il en eut le courage, et en prit le risque public. Il assura que j'avais toujours accompli mon service et mon enseignement de façon parfaitement honnête et irré-prochable, que j'étais auprès de lui à l'École un parfait collaborateur, connaissant mieux que quiconque mes propres élèves, et qu'un malade a droit à la défense de son directeur. Ce doux archéologue, qui ne vivait et ne vit que pour ses fouilles de Delphes, se montra un homme de courage, d'action et de générosité. Bien entendu, je fus aussi « défendu » non seulement par tous les caïmans de l'École, mais aussi tous les philosophes qui, selon un journaliste, « firent bloc autour d'Althusser ».

De tout cela, naturellement, je ne sus rien sur le moment, et même pendant une très longue période. Le médecin qui me soigna à Sainte-Anne, avec une attention et une générosité qui m'ont tant ému, veillait à ce qu'aucune nouvelle ne pût m'atteindre : il crai-gnait à juste titre que j'en fusse traumatisé et que mon état n'en fût aggravé. C'est la raison pour laquelle il « bloqua » l'immense corres-pondance qui me fut alors adressée, le plus souvent par des inconnus qui me couvraient d'injures (communiste criminel!) le plus souvent chargées de fortes résonances, voire menaces sexuelles. C'est aussi la raison pour quoi il prit la décision d'interdire toute visite, ne sachant qui pourrait venir et pour me rapporter quoi. Par-dessus tout (et cette crainte devait inspirer tous mes médecins non seulement à Sainte-Anne, mais bien longtemps après à Soisy, où je fus transféré en juin 1981), il craignait qu'un journaliste ne pût se glisser dans l'hôpital, prendre des photos, recueillir de vagues informations et faire paraître dans la presse un article scandaleux. Cette crainte n'était pas imaginaire. J'ai appris depuis qu'un journaliste d'un grand hebdomadaire français réussit à se procurer (sans doute en soudoyant un infirmier local) une photographie de moi où l'on me voyait assis sur mon lit et devant mes trois camarades de chambrée. L'hebdomadaire avait l'intention de publier ce document sous le titre : « Le philosophe fou Louis Althusser poursuit à Sainte-Anne, devant ses codétenus, ses cours de marxisme-léninisme. » Heureusement l'avocat que mes amis avaient consulté (pour s'informer des formes de la procédure juridique), sans doute informé par un journaliste qui trouvait le procédé inélégant, intervint et la photo commentée ne parut pas. Mais la crainte de journalistes à scandale devait hanter tous mes médecins jusqu'à la fin, même après la fin de mon hospitalisation : et ils n'avaient pas tort, car longtemps après la fin de mon hospitalisation parurent dans la presse des détails imaginaires sur mon existence, et qui étaient rarement bienveillants. Comme je ne tiens à régler après coup aucun compte personnel, que je n'en ai ni le goût ni le désir, on me permettra de ne plus parler de cet aspect des choses qui pesa cependant très lourd sur mes conditions d'hospitalisation et ma propre angoisse, et surtout sur mes amis et médecins.

Donc je n'avais pas droit aux visites, jugées pour toutes sortes de raisons trop dangereuses. En revanche, je me souviens d'avoir pu parler, presque chaque jour vers midi, avec une grande amie d'Hélène et de moi, qui travaillait à Sainte-Anne et qui, pouvant y circuler librement, venait me voir. Le soulagement de pouvoir enfin parler avec quelqu'un qui connaissait très bien Hélène et me connaissait! Elle me dit plus tard m'avoir d'abord trouvé presque entièrement prostré, incapable de suivre la conversation, mais heureux de la voir. En revanche, je garde le souvenir précis de mes entretiens avec les experts qui furent nommés pour m'examiner. Trois vieux hommes en habit sombre vinrent successivement me tirer de ma chambre pour me conduire dans une sorte de bureau sous les combles (une pièce minuscule; si on se levait sans précaution, on se heurtait la tête aux solives de la toiture). Ils s'asseyaient rituellement devant moi, tiraient de leur serviette une liasse de papier et un stylo, me posaient des questions et se mettaient interminablement à écrire. Je n'ai aucun souvenir ni de leurs questions ni de mes réponses. Mon analyste vint lui aussi me voir très fréquemment, et toujours dans le même bureau des combles. Je me souviens de mon interminable question : mais comment se peut-il que j'aie tué Hélène?

Plus tard j'ai appris que, deux jours après mon internement, le juge d'instruction chargé de l'affaire, était venu, comme il est de règle, à Sainte-Anne, pour m'interroger, mais il paraît que j'étais alors dans un état tel qu'il ne put tirer de moi aucune déclaration.

Je ne sais pas si on m'administra des antidépresseurs (autres que les imaos) à Sainte-Anne. J'ai seulement le souvenir d'avoir, chaque soir, ingurgité d'énormes doses de chloral, ce vieux médicament toujours efficace, qui me faisait, à ma grande satisfaction, si bien dormir (malgré les très hautes fenêtres sans rideaux de l'hôpital) que chaque matin j'avais le plus grand mal à m'éveiller. Mais cette prolongation du sommeil m'était agréable : tout ce qui peut faire échapper au retour brutal de l'angoisse est bon à prendre. En revanche, je sais que l'on m'administra une douzaine de chocs : je devais donc être fort déprimé. Bien entendu des chocs sous narcose et curare, comme on m'en avait fait à la Vallée-aux-Loups, et d'autres fois au Vésinet même, avant la découverte des imaos. Je revois encore le jeune médecin tout rose de visage qui accompagnait la « machine » électrique dans ma chambre et, avant de passer aux opérations, me tenait de longs et, si je puis dire, joyeux discours sur les chocs et leurs avantages. De la sorte j'entrais dans la « petite mort » sans trop d'appréhension, mais tout de même j'en avais une vieille horreur.

Les conditions matérielles d'existence à Sainte-Anne étaient vraiment inimaginables, surtout le grand réfectoire où l'on devait se procurer assiette et couverts (on devait laver ses couverts après le repas dans un bac d'une eau infecte, pas ses assiettes, je ne compris jamais pourquoi), on s'attablait avec n'importe qui, et les agents apportaient en vrac sur la table d'immenses plats de nourriture grossière. C'est pourtant là que je me fis un véritable ami : un ancien instituteur devenu incapable d'enseigner, un « chronique » selon le terrible mot de circonstance, qui avait le droit de sortir et me rapporta plus tard des journaux. Dominique était malade, enseignant comme moi, il me laissait parler et me comprenait : un véritable ami à qui je pouvais, sûr de sa discrétion, tout confier. Je n'ai pas oublié son attention et sa générosité, j'ai tenté de le retrouver, mais je n'y suis pas parvenu. S'il devait un jour lire ce petit livre, je voudrais qu'il me fasse signe. Je devais le compromettre plus tard dans une bien innocente initiative, mais qui fit du bruit dans l'hôpital.

J'ai su depuis que, durant tout ce temps, mes amis les plus proches, sans savoir exactement ce que je pouvais risquer, suspendus aux résultats d'abord de l'expertise, puis à la décision de non-lieu (qui intervint seulement début février, je crois) vécurent dans le plus profond désarroi et firent tout leur possible pour m'aider, du dehors, comme ils le pouvaient. C'est alors que se découvrirent ceux qui devaient se révéler les plus fidèles et les plus dévoués. Chose singulière, ce furent en général les plus proches, mais pas toujours, et parmi les proches, certains s'éloignèrent manifestement. Ce partage devait plus tard me donner à penser. La folie, l'hôpital psychiatrique, l'internement peuvent effrayer certains hommes ou femmes, qui ne peuvent en aborder ou soutenir l'idée sans une grande angoisse intérieure, qui peut aller jusqu'à les retenir soit de visiter leur ami, soit même d'intervenir en quoi que ce soit. A cet égard, je ne puis pas ne pas évoquer l'héroïsme de notre cher Nikos Poulantzas, qui avait une affreuse panique de tout hôpital psychiatrique, et pourtant vint toujours me visiter régulièrement lors de mes internements, et me fit toujours fête, alors qu'il devait être tordu d'angoisse, mais je ne le sus que très tard. Et je me souviens même qu'il fut presque le seul que j'acceptai de voir, dans l'année qui précéda la mort d'Hélène. Je ne savais pas alors qu'il avait une fois déjà tenté de se tuer, il racontait l'affaire comme un pur accident, dans la nuit, sur une vaste avenue un lourd camion l'avait pris en écharpe... en vérité il s'était jeté sous ses roues, sa compagne devait me l'apprendre. Or je vis Nikos non chez moi, mais dans la rue près de l'École, j'ai su après qu'il souffrait déjà de la terrible crise de persécution à laquelle il devait mettre un terme par un suicide spectaculaire. Or Nikos fut joyeux devant moi, ne me dit pas un seul mot de sa souffrance ni de sa première tentative qu'il camouflait sous les espèces d'un accident, il me parla de ses travaux et de ses projets de recherche, m'interrogea sur les miens et me quitta en m'embrassant chaleureusement, comme s'il devait me revoir le lendemain. Quand je sus plus tard ce qu'il avait en tête, je ne pus contenir mon admiration pour ce qui avait été chez lui non seulement un geste d'amitié exceptionnel, mais un véritable héroïsme. Or tous ne réagissaient pas ainsi. Je sus depuis par exemple qu'une amie disparut complètement après le mot d'un journaliste qui avait parlé de mes relations avec « une idéologue » : comme elle était spécialiste de l'histoire des idées (mais pas du tout une idéologue!), ses amis qui ne me connaissaient que de nom prirent peur (elle non) et vinrent lui représenter le danger auquel elle était exposée : des interrogatoires sans fin, un procès public auquel elle aurait certainement à témoigner, etc. Ils voulaient eux aussi la protéger. Elle disparut de la petite troupe de mes amis actifs. D'autres disparurent sans que je sache pourquoi. D'autres enfin − je pense à l'un d'entre eux, le plus fidèle et le plus proche durant des années de mon séjour à l'École, il venait me voir tous les deux jours − disparurent, après m'avoir rendu de grands services matériels, du jour au lendemain, sans préavis, brutalement, et mes lettres et appels sont demeurés jusqu'ici sans réponse. S'il lit ce texte, qu'il sache que ma porte lui est ouverte et que, s'il ne vient pas, j'irai un jour frapper à la sienne. Après ce que j'ai vécu, je me crois capable de tout comprendre, même de ceux qui ont paru, à un certain moment, s'éloigner sans donner leurs raisons. Mais, outre cette stupéfiante rencontre avec Nikos, la visite qui m'émut le plus dans cet ordre, je la reçus un jour à Soisy : un des « anciens élèves » devenu un ami très cher, un homme extraordinaire, vint me voir. Il me demanda de ne rien dire mais de l'écouter. Pendant deux heures, il ne me parla que de lui, de son enfance terrible, de son père qui avait affaire aux hôpitaux psychiatriques, et il finit par me dire : je suis venu te voir pour t'expliquer pourquoi, c'est plus fort que moi, je ne puis venir te voir. Un an après, en analyse, il prépara longuement un suicide dont il n'avait jamais confié le projet à quiconque, même à la courageuse jeune femme avec qui il vivait et travaillait, et se mit à l'eau de la Marne, toutes veines ouvertes et lesté de lourds pavés.

Si je rapporte ces faits, c'est non seulement parce qu'il m'ont après coup profondément bouleversé, mais m'ont donné de singulières vues sur le comportement d'amis très proches devant le drame que j'ai vécu : non seulement devant ce drame, mais aussi devant leur propre angoisse, et peut-être devant la « rumeur » publique perverse et insistante qui fut entretenue autour de moi par certains hommes des médias, inconscients ou méprisants de la souffrance et du drame des hommes et qui trouvaient leur compte personnel (je ne veux pas savoir lequel) à entretenir ces rumeurs et leurs ambiguïtés perverses.

Il faut aussi tenir compte de ces circonstances pour comprendre certains aspects du comportement de mes médecins.

Finalement, après les chocs et le mieux qu'ils produisirent sur moi, mon médecin accepta, mais avec une infinie prudence, et pas à pas, que je reçoive enfin des visites. Deux d'abord, puis trois, puis cinq, mais pas au-delà, et d'amis dont il avait pu acquérir la certitude qu'ils étaient absolument sûrs. Je revis ainsi des amis chers, et deux amies chères, dont l'une eut un mal fou à se faire accepter et n'y parvint qu'à force d'interventions et d'énergie. Ces visites n'étaient pas toujours pour moi de tout repos : le passé remontait en moi avec eux et elles, le monde extérieur et la crainte terrible qu'il m'inspirait (je me pensais perdu à jamais et le monde extérieur, que je ne pensais jamais revoir, m'inspirait une grande angoisse). D'une certaine manière mon médecin avait raison : des visites peuvent réactiver des angoisses ou les aggraver. Mais je ne pouvais souffrir de rester seul, vieille hantise qui devait faire plus tard des ravages en moi, je suppliai qu'on laissât venir mes amis : mon médecin sut accepter un compromis, sur lequel je vécus jusqu'à la fin de mon séjour à Sainte-Anne.

Mais je pensai bien une fois lui jouer un sacré tour à mon médecin. Je donnai à mon ami Dominique, qui pouvait sortir, une liste de numéros de téléphone, à charge pour lui de prévenir ainsi d'autres amis et de leur fixer les jours et heures où je souhaitais les voir. Il s'acquitta de cette tâche. Je ne sais comment mon médecin l'apprit, mais je le vis apparaître furieux (pour l'unique fois) dans ma chambre, il me dit que je n'avais pas le droit d'inviter ainsi des amis sans son autorisation, me demanda leur numéro de téléphone et les fit avertir de ne pas venir. Ce fut le seul « froid », rapidement effacé d'ailleurs, que je connus dans mes rapports avec lui.

Le temps passait, je me sentais mieux. Je fus cependant bouleversé quand j'appris que la direction de l'École, pressée par les Domaines, avait fait, sans rien me demander et sans même m'en aviser, complètement déménager mon grand appartement de la rue d'Ulm, cet appartement qui tenait tant à toute ma vie! (Et alors que j'étais, du point de vue administratif, en simple « congé de maladie », je pouvais donc y revenir si je retournais à la santé...) Cette mesure me frappa comme une condamnation à vie à l'internement, puisque du dehors et malgré mes droits, « on » m'avait, dans mon appartement c'est-à-dire dans mon corps, proprement rayé purement et simplement de l'existence! Cette affaire d'appartement déménagé devait me poursuivre très longtemps, des années – maintenant seulement je m'y suis fait.

Je fus aussi bouleversé par une autre nouvelle. Interné d'office par décision du préfet, privé de tous mes droits, dont un homme de loi fut chargé, je demeurai entre les mains du préfet qui, comme toujours dans les cas d'une hospitalisation durable, pouvait me déplacer, donc me muter dans un autre établissement. C'était paraît-il la règle. Or il fut longuement question d'un transfert à Carcassonne! On imagine mon désarroi et celui de mes amis : comment alors pouvoir compter sur leurs visites et leur présence proche? C'eût été un désastre.

Or la vérité vraie était infiniment plus terrible, je ne l'ai apprise que ces tout derniers mois, de la bouche de mon médecin de Soisy d'abord, qui me dit tenir la nouvelle de mon médecin de Sainte-Anne, qui vient de me la confirmer sans ambages. Les médecins de Sainte-Anne avaient alors été l'objet de pressions « très insistantes » de la part d' *« autorités administratives du niveau le plus élevé »* pour que je fusse enfermé dans un « hôpital de force » de province, « afin de régler définitivement l'affaire Althusser ». Or on sait qu'on sort rarement de ces hôpitaux de force qui sont bien pires que des prisons d'arrêt : en général on y pourrit à vie. Dieu merci, mes médecins de Sainte-Anne eurent le courage (car c'est le mot, ils avaient le droit médical pour eux, mais il faut aussi avoir le simple courage de l'invoquer) de me défendre en disant que je n'étais ni dangereux ni violent (ce qui était l'évidence même), et c'est ainsi que je pus, sans le savoir, échapper au sort le plus extrême auquel sans doute je n'aurais pas survécu, du moins n'aurais-je pu échapper, et sans doute à vie. Mais il est vrai que mes amis auraient sûrement alerté l'opinion et que les choses ne se seraient pas passées comme le voulait « le plus haut niveau ». Là-dessus les élections de 1981 eurent lieu et le ministre de la Justice, mon « camarade » de Normale, fut remplacé par Robert Badinter. Mes amis respirèrent et je pus être envoyé à Soisy-sur-Seine.

Mes médecins n'étaient pourtant pas au bout de leurs peines : je ne voulais pas quitter Sainte-Anne! Je résistai farouchement aux arguments de mon analyste qui dut revenir à la charge je ne sais combien de fois. Je me trouvais plutôt bien à Sainte-Anne où, comme tant de fois dans mon passé, je m'étais fait mon « trou », y avais un ami que je ne voulais perdre, et trouvais de la vie dans cet immense demeure classée où les visages changeaient sans cesse, où je m'étais fait un ami plein de tact et de compréhension parmi les infirmiers, un Antillais râblé et toujours net et de bonne humeur. J'avais une grande peur du changement, et naturellement regorgeais d'arguments : je connaissais certes Soisy, mais c'était à quarante kilomètres de Paris, comment pourrais-je y recevoir des visites? Mon analyste avait beau me dire – et je le savais d'expérience – que j'y serais mieux traité et plus confortablement installé, que loin de Paris et de ses risques je pourrais, ne fût-ce que dans le grand parc, y bénéficier d'une plus grande liberté de mouvement, qu'il aurait plus de facilité pour m'y suivre, que d'ailleurs il viendrait régulièrement m'y voir, rien n'y faisait. Je me tenais ferme à ma décision : je ne voulais pas quitter Sainte-Anne. Mais à la fin, comme c'était ou ce que je pensais être Carcassonne ou Soisy, je finis par céder, mais la mort dans l'âme.

En juin 1981, je quittai donc Sainte-Anne en ambulance. Par mesure de précaution, mon médecin avait fait annoncer mon départ pour cinq heures de l'après-midi, mais l'ambulance m'emporta à deux heures. Les éventuels journalistes et photographes étaient floués.

XXII

J'arrivai donc à Soisy, en juin 1981, le printemps, l'immense prairie verte tondue de près, parsemée de pavillons blancs entre de hauts arbres. Je fus admis au pavillon 7, qui devait être ma demeure jusqu'en juillet 1983.

Je n'étais pas fier. Un changement de lieu, de nouveaux médecins et infirmiers, et surtout pas d'amis sur place. Le choc était rude. Il me fallut du temps pour consentir à accepter et supporter ma « mutation », du temps pour me rendre compte que mes médecins avaient eu raison, vraiment beaucoup de temps. Car le monde des patients était constitué essentiellement par des « chroniques », malheureux enterrés souvent pour la vie dans la même chambre et la même rumination, sans jamais de visites. Il y avait les schizophrènes et les délirants de base, en particulier deux jeunes misérables femmes, l'une à la recherche de la Vierge, l'autre ressassant les mêmes propos incompréhensibles, et d'anciens alcooliques, mais de rares cas aigus, alors qu'à Sainte-Anne ils étaient plus nombreux et comme la plupart des aigus se remettaient et partaient, c'était un va-et-vient perpétuel. Et surtout ce pavillon de vieux et vieilles gâteux, pitoyables, qu'on traînait au soleil et qui restaient là, enfermés dans leur mutisme.

Je fis la connaissance de mon jeune et grand médecin traitant, qui devait me soigner jusqu'au bout et me suivre depuis. Il avait été analysé : son « écoute » s'en ressentait. Mais je mis du temps aussi à me familiariser avec lui, et aussi avec les infirmiers, qui travaillaient en corps selon les principes de l' « équipe soignante », discutaient avec le médecin sur la base de leurs observations et, je le sais, ne furent pas toujours d'accord avec les méthodes de mon médecin. Certains lui reprochaient de trop s'occuper de moi et de m'accorder des privilèges qu'il n'avait pas pour les autres patients. Des collègues psychiatres lui en firent même un jour le reproche. Il reconnut : « C'est vrai, je ne le traite pas comme les autres. Car je le traite en fonction d'un même principe que j'applique à tous mes patients, je les traite et leur donne selon ce qu'ils sont, leur état, leurs demandes et leur angoisse. Si je faisais abstraction qu'Althusser est un homme connu, soumis à des préoccupations liées à cette condition, entre autres des ennemis, j'estime que ce serait totalement factice. » Ce n'est pas qu'il m'ait jamais accordé tout ce que je lui demandais, très loin de là, ni qu'il céda le moins du monde aux demandes, parfois exigeantes, de mes amis, loin de là. Il sut toujours garder le « cap » qu'il s'était fixé, et jusqu'au bout sut respecter scrupuleusement avec moi (comme avec tous les autres – je le vis à l'œuvre) ce principe qui me semble à la fois juste et inattaquable.

On dut me traiter d'abord à l'anafranyl, mais sans résultat. On passa alors derechef au niamide (imao). Et le même résultat que précédemment se produisit. Je tombai dans une grave confusion mentale, dans l'onirisme et la persécution suicidaire, exactement comme à Montsouris. Je ne reviens pas sur ces symptômes. Mais ils s'aggravèrent singulièrement lorsque, faute de mieux, on décida de doubler la dose d'imao. Le résultat devint alors catastrophique. Je ne pouvais plus manger ni même boire sans aussitôt vomir, tombais sans cesse, me cassai même un bras, poursuivais mes cauchemars éveillés une bonne partie du jour, et cherchais désespérément dans le bois voisin la branche à laquelle j'allais me pendre. Mais la corde ? On m'avait par précaution dépouillé de la ceinture de ma robe de chambre et des cordons de mes chaussures. Les nuits, dont j'attendais comme toujours en ces cas un peu de répit et d'oubli, étaient atroces, j'avais le sentiment de ne pouvoir dormir, et de surcroît j'avais le plus grand mal avec les infirmiers de nuit, qui devaient me donner mes drogues (encore du chloral et pire) à huit heures du soir, mais suivaient comme la plupart des patients la télévision, qu'ils n'abandonnaient qu'à vingt-deux heures, donc avec deux atroces heures de retard pour moi sur l'horaire pourtant prescrit. C'est à cette occasion que je compris que le médecin n'avait pas tout pouvoir sur ses infirmiers, qu'il devait composer avec eux, voire fermer les yeux (je n'obtins jamais qu'on me donnât ma drogue de nuit à l'heure, sauf une fois quand un jeune étudiant en médecine très aimable prit la garde de nuit, mais cela ne dura guère). J'allai même jusqu'à penser, ce qui était exagéré, que dans ce service, pourtant très libéral et bien organisé, et sans doute *a fortiori* dans d'autres services, moins « avancés », avec des infirmiers moins avertis, le médecin était soumis « à la dictature du corps des infirmiers ». Même si cette impression doit être nuancée, je crois qu'elle est essentielle à l'intelligence des rapports et de l'atmosphère qui règnent dans tout enfermement psychiatrique. Avec quels dommages!

Lorsque mon médecin apparaissait le matin dans ma chambre, je n'attendais que lui depuis longtemps et me jetais sur sa présence attentive. Je faisais un énorme travail alors pour tenter de sortir de mes cauchemars de nuit, qui persévéraient dans la veille, je lui racontais en rêve mes rêves affreux, il m'écoutait, disait quelques mots, mais cette « écoute » était l'essentiel de ce que j'attendais de lui. Parfois il risquait une sorte d'interprétation toujours très prudente. J'étais en apparence entièrement soumis à ses paroles. Mais il m'arrivait souvent d'aller ensuite trouver une infirmière pour lui poser la question : « Mais le docteur, est-ce qu'il sait ce qu'il fait? Est-ce qu'il sait ce qu'il dit? » Le doute à nouveau m'envahissait, et l'angoisse : en fait l'angoisse d'être seul, encore une fois, comme toujours, abandonné.

Mon analyste venait me voir une fois la semaine, le dimanche matin, dans le pavillon déserté de presque tout le monde (seule y veillait une garde d'urgence). Je tournais sans cesse avec lui, mais sans jamais me sentir coupable, autour de la raison profonde de mon meurtre. Je me rappelle (je l'avais déjà formulée devant lui à Sainte-Anne) lui avoir soumis une hypothèse : le meurtre d'Hélène aurait été « un suicide par personne interposée ». Il m'écoutait, sans m'approuver ni me désapprouver. J'ai su plus tard par mon médecin que mon analyste le voyait périodiquement et le soutenait. Une fois déjà, comme j'avais été admis en réanimation à Sainte-Anne, mon analyste, qui avait pu, au prix d'incroyables négociations, me visiter dans le service de survie et parler avec le spécialiste qui me soignait, avait cru sérieusement que c'était la fin, que je ne survivrais pas physiquement à l'épreuve. Ce fut le seul moment où il douta de ma survie. Mais, si je pouvais survivre, jamais il ne douta de ma « guérison » psychique. Quand mon médecin fut très inquiet sur mon sort (et il le fut parfois), mon analyste le soutint dans la conviction que je m'en tirerais – et jamais ne céda. Sans lui mon médecin se fût peut-être (?) résigné à jamais, et j'aurais pu devenir un de ces « chroniques » dont je pouvais observer la misère à vie dans mon proche entourage.

Les imaos me jetèrent dans un tel état (j'ai évidemment tout oublié de cette période) que de nouveau on dut m'admettre en réanimation à Évry. Mais une fois de plus j'en sortis. On supprima les imaos funestes et je me remis lentement. Je connus même à Soisy une période d'excitation, partis deux mois dans mon appartement et, sans presque dormir comme en tous ces états maniaques que j'avais connus, je tapai (entre novembre 1982 et février 1983) un manuscrit philosophique de deux cents pages que j'ai conservé. Il n'est nullement délirant mais très décousu. A vrai dire, j'y exprimais pour la première fois par écrit un certain nombre d'idées que je gardais soigneusement en tête depuis plus de vingt ans, sans les confier à personne tant elles me semblaient importantes (!), et que je conservais pour une publication future, le jour où elles seraient mûres. Qu'on se rassure : elles ne le sont pas encore.

Contrairement à ce que j'avais craint, je recevais d'innombrables visites de mes amis : une par jour. Mes amis s'étaient entendus entre eux pour ne jamais me laisser un jour seul. Ce que je leur dois! Il faut dire en vérité que ces visites, je les *exigeais* impérativement, tyranniquement, et du médecin et d'eux. Mon médecin en comprit l'importance, et les conditions de vie à Soisy n'étant pas les mêmes qu'à Sainte-Anne, les autorisa largement. Je passai ainsi de longs après-midi en compagnie d'amis et d'amies. L'important était leur présence. Ainsi une amie tricotait à mon chevet en silence, une autre venait avec un livre. Je supportais fort bien leur silence, puisque je n'étais plus seul. Mais pourquoi étais-je aussi exigeant, aussi tyrannique (oui, proprement) en matière de visites? Sans doute à cause de la « toute-puissance de la dépression », et aussi parce que je pouvais exercer cette « toute-puissance » pour mettre provisoirement fin à l'angoisse de la solitude, de l'abandon, qui m'étreignait si fort. Quand on me manquait, quand il advint qu'un ami ou une amie me donnât le sentiment de l'abandon, je retombai dans une forme de dépression plus grave.

Cela m'advint au début 1983, quand je réussis à passer quelques semaines dans mon appartement. Non seul, certes : mes amis, sur l'ordre impératif de mon médecin qui tenait à cette précaution (car je lui parlais de me jeter du sixième étage), m'assistèrent jour et nuit. Mais l'impression d'être abandonné me rejeta dans une extrême dépression qui obligea mon médecin à me réhospitaliser. Il me mit alors au Vivalan, qui devait lentement produire un demi-mieux, et aboutir à ma sortie fort précaire de l'hôpital en juillet 1983 pour des vacances à la campagne dans l'Est.

Mais entre-temps que de choses s'étaient passées! Le sentiment de mon médecin (il me le confia plus tard) était que j'étais longuement et gravement si malade, si démuni que jamais on n'en verrait la fin, que jamais je ne pourrais sortir de la sécurité et de la protection de l'hôpital. C'est ce qui causait sa plus grande crainte. Mais il sut « tenir », c'était la seule ligne fondamentale qu'il s'était très vite fixée, « tenir » en suivant toutes les inflexions de mon mal, mais en gardant toujours le cap. Pourtant les choses ne lui furent pas simples, tout au contraire je fis tout pour qu'elles lui fussent compliqués.

J'avais une terreur atroce du monde extérieur. Non tant des interprétations ou interventions malveillantes qui étaient la hantise de mes médecins et infirmiers (alors qu'à Soisy la question ne se posait pas) et que mon médecin continua de craindre pour moi même quand je n'y fus pour mon compte plus sensible, mais de la réalité même du monde extérieur, que je jugeai à jamais hors de ma portée. Cette angoisse prit très longtemps une forme précise. On avait donc déménagé (mes amis y passèrent des jours entiers) toutes mes affaires de l'École dans un appartement du XXe arrondissement que j'avais avec Hélène acheté en prévision de la retraite. Mes amis m'avaient décrit l'état des lieux : un tel encombrement de cartons de livres qu'il était pratiquement impossible de pénétrer dans l'appartement. Comment faire? Non seulement je pensais ne plus jamais pouvoir sortir de l'hôpital et accéder au monde extérieur, mais y eussé-je accédé que je n'aurais pu pénétrer dans mon appartement. On décida que j'irais y jeter un œil. Un infirmier que j'aimais beaucoup m'y accompagna un jour dans la camionnette de l'hôpital. Je fus atterré d'apercevoir l'entassement de cartons jusqu'au plafond et refusai d'entrer. J'emportai avec moi cette terreur qui ne cessa alors de me hanter, non sous une forme vide possible, mais sous une forme terriblement concrète. Décidément, j'étais foutu.

C'est alors que mon médecin imagina ce qu'il devait appeler ensuite des « solutions rocambolesques » et en particulier la suivante, un vrai jeu « bureaucratico-médical » absurde : la camionnette de l'hôpital irait chercher mes caisses de livres, on les déchargerait dans un hall vide de l'hôpital, j'y trierais mes livres, qu'on remporterait ensuite chez moi pour les ranger sur des étagères. Mais des étagères, où les prendre ? Trois de mes amis s'offrirent alors pour monter chez moi des ensembles d'étagères tout-venant achetées au Bazar de l'Hôtel-de-Ville, dont ils transportèrent les bois dans le métro ! Je ne fus pas avancé pour autant. Qui trierait mes livres sinon moi, qui m'en sentais totalement incapable ? Tout le projet vacillait dans ma tête. Sans rien me dire, mes amis montèrent des étagères, y empilèrent aussi bien que possible tous mes livres et un jour vinrent m'annoncer la nouvelle : je pourrais enfin entrer, quand je le voudrais, dans mon appartement. De fait je pus y entrer, comme je l'ai dit, au cours de ma première « sortie », en novembre-décembre 1982, cette sortie qui devait si mal se terminer. Mais je ne pus retrouver le moindre de mes livres : il fallait donc que je me mette à leur rangement, mais comment accomplir cette tâche infinie ? J'avais des milliers de livres dont je n'avais jamais lu que quelques centaines, remettant leur lecture (imaginaire) à des temps meilleurs. De nouveau je fus terrorisé. Mais la preuve qu'on peut vivre dans la compagnie de livres en désordre, c'est bien que, jusqu'ici, je n'ai pu encore les ranger pour les retrouver, sauf quelques-uns, et tout compte fait je vis très bien dans ce désordre. Une preuve de plus que tout « se passe dans la tête ».

Mais ce ne fut pas là le pire. Et je touche ici à quelque chose à la fois de terriblement déterminé mais aussi de bien singulier. Certes, je vivais mon hospitalisation comme j'avais toujours vécu mes hospitalisations antérieures : comme un refuge quasi absolu contre les angoisses du monde extérieur. J'y étais comme dans une forteresse, enfermé dans sa solitude par des murs insondables : ceux de mon angoisse, et comment jamais en sortir ? Mon médecin le sentait très bien et, comprenant, il entrait ainsi dans mon jeu : dans le jeu de mon angoisse, et il en était lui-même, par contagion, angoissé, tout comme les infirmiers à qui je ne cessai de communiquer mon angoisse. Je me souviens même d'un jour où je posai à mon médecin la terrible question en pensant très précisément à une amie dont j'avais un jour contemplé avec effroi la naissance du cou en me demandant avec angoisse : et si j'allais recommencer (à étrangler une femme)? Mon médecin m'avait rassuré : mais non!, sans me donner aucune autre raison. Mais j'ai su depuis que les infirmières avaient peur, le soir venu, de pénétrer seules dans ma chambre, peur que je ne leur saute au corps et ne les étrangle... comme si elles avaient « capté » mon effroyable désir enrobé d'angoisse. Si je parle de cette contagion, c'est que l'enfermement la provoque inévitablement. L'angoisse du patient, du médecin, des infirmiers et des amis en visite se communique et elle s'est si bien communiquée, redoublant ses effets, que mon médecin s'est plusieurs fois trouvé en situation critique, sinon à l'égard de ses infirmiers (il ne m'en a jamais rien dit) mais du moins devant mes amis, qui l'ont bien remarqué. Comment le médecin peut-il alors échapper à ce jeu d'angoisses multiples, où il est de fait à la fois partie prise et partie prenante? Condition extraordinairement difficile, qui ne peut se résoudre que par des compromis. Mon médecin sut les trouver, mais non sans effets secondaires.

Je crois pouvoir exactement situer le lieu du principal de ces effets secondaires : il concerne la « nature » à la fois objective et fantasmatique de la « forteresse » que je vivais comme protection et refuge contre l'angoisse du contact impossible avec le monde extérieur. Or ce monde extérieur, il n'existait pas que dans mon fantasme : il m'était en fait apporté chaque jour par mes amis qui venaient du monde extérieur et y retournaient chaque jour. Je prends un seul exemple : Foucault vint lui-même deux fois me visiter, et je me souviens qu'à deux reprises nous parlâmes de tout ce qui se passait dans le monde intellectuel comme je le faisais pratiquement avec *tous* mes amis, des personnages qui le peuplaient, de leurs projets, œuvres et conflits, de la situation politique. J'étais alors tout à fait « normal », parfaitement au courant de tout, mes idées me revenaient, je renvoyais parfois avec malice la balle à Foucault, qui revint convaincu que j'allais fort bien. Une autre fois, quand il revint me voir, je me trouvais en compagnie du père Breton. Alors s'instaura entre eux, sous mon propre arbitrage et égide, un extraordinaire échange d'idées et d'expériences que je n'oublierai jamais de ma vie. Foucault parlait de ses recherches sur les « valeurs » du christianisme du IVe siècle, et il faisait cette remarque très importante que, si l'Église avait toujours mis fort haut l'amour, elle s'était toujours vivement défiée de l'amitié, que les philosophes classiques et avant tout Épicure mettaient pourtant au centre de leur éthique concrète. Naturellement, lui, homosexuel, ne pouvait pas [ne pas] rapprocher la répulsion de l'Église pour l'amitié de la répulsion, c'est-à-dire (ambivalence encore) de la prédilection de tout l'appareil de l'Église et de la vie monastique pour l'homosexualité. C'est lors que, de façon stupéfiante, le père Breton intervint, non pour lui donner des références de théologie, mais pour lui faire part de son expérience personnelle. Né sans avoir connu ses parents, recueilli par son curé qui, remarquant la vivacité de son esprit, le fit admettre au séminaire d'Agen, il y fit une partie de ses études secondaires. Il fut admis à quinze ans au noviciat, y mena la vie très austère d'un moinillon – impersonnalité sans moi (le Christ n'étant pas une personne, mais un impersonnel subsumé sous le Verbe), vie composé d'observances strictes. Dans l'obéissance, il oubliait son moi [dans] le supérieur : « La règle pensait pour vous, c'est parce qu'on a pensé pour vous que toute pensée personnelle devient un péché d'orgueil. » Ce n'est que plus tard, vu l'évolution des mœurs, qu'on a cherché à respecter un petit peu plus, à la faveur de ce qu'on appelait le personnalisme chrétien, l'originalité de chacun, et encore dans quelle mesure! En ce sens, Breton, reprenant une expression de Foucault, disait que « l'homme était une découverte très récente » dans les couvents. Breton n'eut pas un seul ami dans sa vie, l'amitié étant toujours suspecte parce qu'elle dégénérait en amitié particulière, forme larvée de l'homosexualité : il existait bien dans l'Église une attraction refoulée pour l'homosexualité, s'expliquant par l'exclusion des femmes. On n'aurait jamais autant insisté sur le danger des amitiés particulières si l'homosexualité n'avait pas été un danger et une tentation constants. Les amitiés particulières, c'étaient l'obsession des supérieurs, la terreur d'un mal partout répandu. Puis il existait tant de cas de prêtres, de saints prêtres même, qui avaient l'horreur des femmes, d'où leur instinct de pureté car la femme est un être sale, beaucoup de prêtres croyaient refuser l'impureté en refusant la femme et en se « payant le garçon ». Tel ce saint homme de prêtre observant fidèlement toutes les observances, disant sa messe, qui avait un petit servant de messe délicieux et qu'il fit un jour après sa messe venir dans la sacristie, lui ouvrit la braguette et coupa quelques poils du pubis pour les mettre dans une sorte de reliquaire (capsule où l'on mettait l'hostie). L'amitié dans ces cas est toujours suspecte et on comprenait ce que disait Foucault. L'amour, c'était une manière de se délivrer de l'amitié, surtout au sens très large du terme, quand il s'adresse au lointain et au prochain.

Et moi, j'étais là, entre eux deux, écoutant et Foucault et le père Breton, prenant part à la conversation, qui n'avait plus rien à voir avec l'hôpital et sa forteresse, bien loin de mon angoisse d'enfermement et de protection. Il en allait ainsi *avec tous mes amis,* qui me permettaient de vivre en esprit et en conversations hors de la fameuse « sécurité » carcérale, en fait dans le monde extérieur.

Évidemment, mon médecin n'avait pas vraiment connaissance de cet aspect de ma vie : je ne la lui confiais pas. Je ne lui confiais que mon angoisse. Et c'est sur elle qu'il édifiait sa conception de mon enfermement dans la forteresse de l'hôpital. Puis-je dire à la limite qu'il était beaucoup plus fixé et angoissé que moi par cette obsession de l'enfermement et de ma terreur du monde extérieur ? Récemment, j'ai longuement parlé avec lui de ces choses du passé et je me suis aperçu qu'il avait dû projeter sa propre angoisse sur moi, à partir d'indices de la mienne, et me prêter ainsi les formes radicales de sa propre angoisse. Certes, je me sentais perdu à jamais, mais ce n'était pas tant à cause de ma terreur du monde extérieur que pour d'autres raisons plus profondes, que je vais dire.

Mais avant, je voudrais insister sur les dommages que provoque, de son seul fait, l'institution psychiatrique. C'est un fait bien connu que nombre de malades, touchés par une crise aiguë, donc transitoire, et qui sont précipités d'office et comme mécaniquement dans l'internement psychiatrique, peuvent devenir, du fait et des drogues et de l'enfermement, des « chroniques », de vrais malades mentaux, incapables de jamais sortir de l'enceinte de l'hôpital. Cet effet est bien connu de tous ceux qui tentent d'enrayer le mécanisme de l'hospitalisation et lui préfèrent des interventions ambulatoires, soit hôpital de jour, soit dispensaire, etc. C'est là le sens profond de la réforme accomplie (ou plutôt prêchée) en Italie par Basaglia. Ce que voulait Basaglia, c'était préserver et les cas aigus et les « devenus chroniques » des méfaits mécaniques de l'internement en fermant les hôpitaux psychiatriques et en confiant les malades soit à des cliniques, soit à des familles bénévoles. Naturellement, cette réforme ne pouvait être conçue que dans une période de grands mouvements populaires, avec l'aide des syndicats et des partis ouvriers. En France elle est difficilement concevable, étant donné les constantes d'une mentalité répressive. En Italie même, on le sait, la réforme Basaglia a proprement échoué. Que faire désormais pour sortir les malades de l'enfer des déterminations conjointes de tous les AIE en cause?

Mais ce qu'on sait moins, ce qu'on connaît moins, ce sont les effets de l'internement psychiatrique sur les médecins eux-mêmes, sur leur représentation de leurs malades et des angoisses de leurs malades. Il est frappant que, dans mon cas, le médecin le mieux intentionné du monde et aussi le mieux armé pour l'« écoute » de son patient ait projeté sur lui (moi) sa propre angoisse de la « forteresse » totale, et se soit en partie abusé, à la faveur de cette projection et confusion, sur ce qui se passait effectivement en moi. Ce n'était pas tant le monde extérieur qui fixait et provoquait mon angoisse que l'intense terreur d'y être *seul*, abandonné, d'être impuissant à résoudre quelque difficulté que ce soit, mon impuissance à être, à exister tout simplement. Alors que l'attention de mon médecin se fixait ainsi sur une angoisse déterminée qu'il me prêtait plus qu'il ne l'observait en moi, la déplaçant ainsi de son « objet » ou plutôt de l'absence de tout objet, de la perte de tout « objet » sur la figuration et la représentation de sa propre angoisse projetée sur moi, une tout autre « dialectique » se développait en moi : celle du « deuil ».

Plusieurs amis m'ont rapporté les mêmes faits, aussi déconcertants les uns que les autres. Pendant tout un temps, interminable, je « perdais » tout : ma robe de chambre, mes chaussures, mes chaussettes, mes lunettes, mon crayon, mes pulls, la clé de mon armoire, mon carnet d'adresses, que sais-je encore : tout. Je vois bien maintenant la signification inconsciente de cet étrange comportement, portant sur des objets-*objectifs*. C'était le « monnayage » d'une tout autre perte, inconsciente, la perte de l'objet-objectal, c'est-à-dire interne, la perte de l'être aimé, d'Hélène, qui réactivait une autre perte, plus inaugurale, celle de ma mère. La perte matricielle de l'objet-objectal, interne, se monnayait ainsi inconsciemment dans le mécanisme répétitif à l'infini d'objets-objectifs discrets. Comme si, en perdant l'objet-objectal qui commandait tous mes investissements, en perdant la matrice inconsciente de tous mes investissements, je perdais du même coup toute capacité d'investissement des objets-objectifs discrets, et à l'infini. Je perdais tout parce que j'avais perdu le Tout de ma vie, et en vivais le deuil. Ce processus de perte à l'infini, c'était le travail psychique du deuil, le travail de la perte et sur la perte de l'objet-objectal inaugural.

Et pendant le même temps j'étais malade partout dans mon corps : les yeux, les oreilles, le cœur, l'œsophage, l'intestin, les jambes, les pieds, que sais-je? Je perdais proprement mon corps dans les atteintes d'un mal universel qui m'en amputait l'usage : je retombais ainsi dans mon « corps morcelé ».

Cependant j'avais un autre comportement, à la fois étrange mais significatif. Tous mes amis qui me virent alors ont confirmé le fait de manière impressionnante. Je leur tenais à longueur de temps des discours suicidaires. Avec l'un, pendant tout un après-midi, je recherchai les différents moyens de me tuer, depuis les plus vieux exemples classiques de l'Antiquité, et finissais en fin de compte par lui demander instamment de m'apporter un revolver. Je lui demandai même avec insistance : « *Mais toi, est-ce que tu existes?* » Mais en même temps, et surtout, je n'avais de cesse que de *détruire* – le mot est important – toute perspective de sortir de l'état misérable où je me sentais réduit. Je n'étais nullement dénué de ressources d'argumentation, tout au contraire, il paraît que j'étais implacable dans mes raisonnements, et je passais mon temps à *démontrer* à mes interlocuteurs la vanité absolue de tout recours, qu'il fût physiologique, neurologique, chimique, psychiatrique et psychanalytique, surtout psychanalytique. Je démontrais, par des arguments de caractère philosophique, les limitations absolues de toute forme d'intervention, son caractère arbitraire et finalement totalement vain, au moins dans mon « cas ». Mes interlocuteurs ne pouvaient plus rien me dire, ils finissaient par se taire, même les plus rompus à la « dialectique » de la discussion philosophique (et j'avais souvent en face de moi des philosophes de grand talent), ils s'en allaient totalement désespérés et désemparés. Ils se téléphonaient entre eux ensuite, mais c'était pour constater entre eux que, rien à faire, que c'était ainsi, que j'étais perdu. Que pouvais-je bien « viser » à travers ces démonstrations, qui étaient comme autant d'épreuves de force dont je sortais immanquablement vainqueur? Dans la destruction de l'existence d'autrui, dans la réfutation implacable de toutes les formes de secours, de soutien et de raison qu'on tentait de m'offrir, ce que je recherchais était bien évidemment la *preuve*, la contre-épreuve de *ma propre destruction objective, la preuve de ma non-existence*, la preuve que j'étais bel et bien déjà mort à la vie, à toute espérance de vie, et de salut. En fait, dans cette épreuve et preuve, je cherchais à me démontrer à moi-même ma propre et radicale impossibilité de salut, *donc ma propre mort*, rejoignant ainsi, sous d'autres voies, ma volonté de me tuer, ma volonté de me détruire. Mais ma destruction propre passait symboliquement par la destruction des autres et avant tout de mes amis les plus chers et les plus proches, y compris de la femme que j'aimais le plus.

C'était bel et bien le « travail du deuil », le travail de la destruction de soi, le travail sur la destruction de soi, à l'occasion de la destruction d'Hélène qui était mon fait. Et pas seulement la destruction d'Hélène. Un jour, je reçus la visite d'un ami analyste que je connaissais de longue date ; je lui fis part de mes angoisses et de mon éternelle question : mais que s'est-il donc passé dans le meurtre d'Hélène ? A ma grande surprise, dans une interprétation sans doute un peu « sauvage », au moins dans la forme, il me dit qu'à travers Hélène j'avais inconsciemment voulu tuer mon propre analyste. Je ne m'en étais pas avisé et en fus très étonné, incrédule. Mais, de fait, la destruction que j'opérais et radicalement alors de toute réalité de la psychanalyse allait bien dans le même sens. Et j'aurais pu le vérifier, si j'en avais alors eu le moindre soupçon, dans l'entreprise qui alla fort loin de me débarrasser proprement de mon analyste en l'abandonnant pour me choisir un autre analyste, justement une analyste femme d'origine polono-russe (comme Hélène) dont on m'avait parlé. Tout se passa par téléphone et amis interposés qui furent mes complices. J'en parlai même une fois à mon analyste qui me dit que j'avais parfaitement le droit de le décider en toute liberté, et qui ne fit aucune objection à mon projet. Je n'en pensais pas moins ! Mais les choses traînèrent en longueur, je ne pouvais pratiquement pas sortir de l'hôpital pour ce rendez-vous lointain, finalement je ne donnai pas suite à ce projet pourtant radicalement médité.

J'ai lieu maintenant de penser que tout se tenait étroitement : la perte de l'objet-objectal, monnayé dans la perte d'innombrables objets-objectifs réels, comme mon hypocondrie généralisée se révélaient être en même temps la volonté de tout perdre et de tout détruire, Hélène, mes livres, mes raisons de vivre, l'École, mon analyste et moi-même. Ce qui m'a récemment alerté sur ce point, et m'a pratiquement incité à écrire ce petit livre, ce fut le mot de cette amie que j'aimais tant. Tout récemment, elle qui ne m'avait jamais fait le moindre reproche, ni même avoué ce qu'au fond elle pensait de moi, me déclara comme d'instinct : « Ce que je n'aime pas en toi, c'est ta volonté de *te détruire*. » Ce mot m'ouvrit les yeux et raviva toute la mémoire de ces temps difficiles. De fait, je voulais tout détruire, mes livres, Hélène que j'avais tuée, mon analyste, mais pour être bien sûr de me détruire moi-même, comme je le fantasmais dans mes projets de suicide. Et pourquoi cette volonté acharnée d'autodestruction ? Sinon parce que au fond de moi, inconsciemment (et cette inconscience était monnayée dans d'interminables raisonnements), je voulais à tout prix *me* détruire parce que, depuis toujours, je n'existais pas. Quelle meilleure *preuve de ne pas exister* que d'en tirer la conclusion *en se détruisant* après avoir détruit tous les plus proches, tous mes appuis, tous mes recours ?

C'est alors que j'en suis venu à penser, puisque j'avais quand même trouvé entre-temps le moyen d'exister, comme enseignant, philosophe et politique, que remontait en moi, à la faveur de la terrible angoisse primitive de la dépression, dans la prodigieuse régression que je vivais en elle, la vieille compulsion inaugurale, répétée tant de fois (cf. l'épisode de la carabine), sous tant de formes, que je n'étais rien d'autre qu'une existence d'artifices et d'impostures, c'est-à-dire proprement rien d'authentique, donc rien de vrai ni de réel. Et que la mort était inscrite dès les débuts, en moi : la mort de ce Louis, mort derrière moi, que le regard de ma mère fixait à travers moi, me condamnant à cette mort qu'il avait connue dans le haut ciel de Verdun et qu'elle ne cessait de répéter compulsivement en son âme et dans la répulsion de ce désir que je n'avais cessé de réaliser.

C'est alors que je compris (et je viens de le comprendre à partir du mot si clairvoyant de cette amie) que le deuil que je vivais d'Hélène, ce n'était pas depuis la mort (la destruction d'Hélène) que je le vivais et travaillais sur lui, mais *depuis toujours*. En fait, j'avais toujours été en deuil de moi-même, de ma propre mort par mère et femmes interposées. Pour preuve tangible de ne pas exister, j'avais désespérément voulu détruire toutes les preuves de mon existence, non seulement Hélène, la plus haute preuve, mais aussi les preuves secondaires, mon œuvre, mon analyste et enfin moi-même. Je n'avais pourtant pas remarqué que je faisais dans ce massacre général une exception : celle de cette amie qui devait m'ouvrir les yeux en me disant tout récemment que ce qu'elle n'aimait pas en moi, c'était ma volonté de me détruire. Ce n'est sans doute pas un hasard : tant j'avais tenté de l'aimer tout autrement que les femmes dans mon passé, elle, de ma vie, la seule exception.

Oui, je n'avais cessé depuis toujours d'être en deuil de moi-même et c'est sans doute ce deuil que j'ai vécu dans ces étranges dépressions régressives qui n'étaient pas de vraies crises de mélancolie, mais une manière contradictoire de mourir au monde dans l'exercice de la toute-puissance qui, la même toute-puissance, me saisissait dans mes phases d'hypomanie. Impuissance totale à être égale toute-puissance sur tout. Toujours la terrible ambivalence, dont on trouve d'ailleurs l'équivalent dans la mystique chrétienne médiévale : *totum = nihil*.

Puis-je passer sur la suite? Elle n'intéresse personne. Mais je comprends maintenant le sens des changements qui se produisirent en moi : ils allèrent tous dans le sens de la (re)prise en main de ma propre existence. Cela commença d'abord par l'initiative que je pris de faire venir mon « avocat » pour délivrer un syndicaliste de ce que je pensais être une incarcération politique (le PC). De cette démarche, mon médecin ne sut jamais *rien*. Ensuite quand je demandai à mon médecin de me prescrire une nouvelle drogue, l'upsène, qui effectivement me fit du bien. Je sortis de Soisy en juillet 1983, et passai de difficiles vacances dans la maison de campagne d'amis très proches dans l'Est, mais je n'étais guère vaillant. Je réussis et mon médecin prit le risque (considérable) de ne pas me réhospitaliser à mon retour, en septembre 1983. Mes amis organisèrent comme une garde de jour et de nuit autour de moi, dans mon appartement. Grâce à eux je finis par me faire à ma nouvelle demeure, qui cessa de me faire peur. Depuis, j'ai confiné délibérément mon analyste dans son rôle d'analyste, sans plus rien lui demander des services d'un psychiatre ou même d'un médecin. Depuis, j'ai repris peu à peu toutes mes affaires en main, mes amitiés et mes affections. Depuis, je crois avoir appris ce qu'est aimer : être capable, non de prendre ces initiatives de surenchère sur soi et d'« exagération », mais d'être attentif à l'autre, respecter son désir et ses rythmes, ne rien demander mais apprendre à recevoir et recevoir chaque don comme une surprise de la vie, et être capable, sans aucune prétention, et du même don et de la même surprise pour l'autre, sans lui faire la moindre violence. En somme la simple liberté. Pourquoi donc Cézanne a-t-il peint la montagne Sainte-Victoire à chaque instant? C'est que la lumière de chaque instant est un don.

Alors, la vie peut encore, malgré ses drames, être belle. J'ai soixante-sept ans, mais je me sens enfin, moi qui n'eus pas de jeunesse, car je ne fus pas aimé pour moi-même, je me sens jeune comme jamais, même si l'affaire doit bientôt finir.

Oui, l'avenir alors dure longtemps.

XXIII [1]

Un vieil ami médecin qui nous connaissait depuis très longtemps, Hélène et moi. Je lui montre ce texte. Et tout naturellement je lui pose la question :

« Que s'est-il donc passé ce dimanche 16 novembre entre moi et Hélène, pour aboutir à ce meurtre affreux ? »

Voici sa réponse, mot pour mot :

« Je dirai qu'il s'est produit une incroyable rencontre d'événements purement accidentels pour les uns, non fortuits pour les autres, dont la conjonction était totalement imprévisible et aurait pu être très facilement évitée à peu de frais justement si...

« A mon avis trois faits dominent la situation :

« 1. *D'un côté*, comme l'ont constaté les trois médecins experts, tu te trouvais en " état de démence " donc d'irresponsabilité : confusion mentale, onirisme, tu t'es trouvé totalement inconscient avant et pendant l'acte, sur la base d'une crise de mélancolie aiguë, donc non responsable de tes actes. D'où le non-lieu, réglementaire en pareil cas.

« 2. Mais, *d'un autre côté*, une chose a frappé les enquêteurs de police sur place : il n'y avait aucune trace de désordre ni dans vos deux chambres, ni sur ton propre lit, ni sur les vêtements d'Hélène.

« L'histoire de la " couverture " qui aurait protégé le cou d'Hélène de traces visibles de strangulation était une hypothèse de journaliste pour justement tenter d'expliquer l'absence de traces externes de

---

1. Ce chapitre, numéroté à la suite des autres, avait été également titré par l'auteur *Non-lieu* (N.d.E.)

strangulation. Or, cette hypothèse, que l'on ne retrouve d'ailleurs que dans un unique article, refusée par plusieurs autres, a été formellement démentie par l'enquête. Il n'y avait aucune trace extérieure de strangulation sur la peau du cou d'Hélène.

« 3. *Enfin* vous étiez seuls tous les deux dans l'appartement, non seulement depuis une dizaine de jours, mais aussi ce matin-là.

« Évidemment, il n'y avait personne pour intervenir. Mais plus encore : pour une raison ou une autre, Hélène n'a pas esquissé le moindre geste de défense. Quelqu'un, non sans raison, a fait remarquer ce qui suit : dans l'état de confusion et d'inconscience où tu te trouvais (et peut-être aussi sous l'effet néfaste des imaos, à la suite du " choc biologique " qui a produit leurs effets " inverses " sur toi), il eût suffi sans doute qu'Hélène te lançât une bonne gifle ou fît un geste sérieux pour te tirer de ton inconscience, en tout cas pour arrêter tes propres gestes inconscients. Alors tout le cours du drame eût pu en être changé. Or elle n'a rien fait.

« Cela veut-il dire qu'elle a vu venir la mort qu'elle souhaitait recevoir de toi, et s'est passivement laissé tuer? Cela n'est pas à exclure.

« Cela veut-il dire au contraire qu'elle n'a rien appréhendé de ton geste bienfaisant de massage, auquel elle était de longue date accoutumée? – il faut dire, à te croire, que tu ne l'avais jamais massée sur le cou, mais sur la nuque –, ce n'est pas non plus à exclure. Tu sais (tous les anatomistes, et aussi les arts de combat et les truands meurtriers le savent très bien) que le cou est d'une *fragilité extrême* : il suffit d'un choc très léger pour briser cartilages et osselets, et c'est la mort.

« Sur le fond, Hélène avait-elle un désir d'en finir avec la vie (elle n'avait depuis un mois cessé de parler de se tuer mais tu l'en savais incapable) qu'elle a passivement accepté de tes mains la mort qu'elle t'avait supplié de lui donner? Ce n'est pas non plus à exclure.

« Ou bien avais-tu, comme durant toute ta vie, un tel désir de venir à son secours, de venir à l'aide de son désir le plus intense, le plus désarmé, que tu aurais, inconsciemment, réalisé son désir d'en finir avec la vie? Cas de ce qu'on appelle le " suicide par personne interposée " ou le " suicide altruiste ", qu'on observe fréquemment dans des cas de mélancolie aiguë comme la tienne? Ce n'est pas non plus à exclure.

« Mais comment choisir entre ces hypothèses ?

« Dans cet ordre, tout est concevable, ou presque. Mais sur ce fond de la chose, on ne saura jamais rien d'*absolument sûr*, tant les éléments accumulés dans le déclenchement du drame sont multiples, subjectivement complexes et indécidables, et objectivement en grande partie aléatoires.

« Que se fût-il passé en effet si, par exemple – et ceci est parfaitement objectif ! –, Hélène n'avait supplié ton analyste, qui voulait t'hospitaliser sur-le-champ, de lui accorder un délai de " réflexion " de trois jours ? Pourquoi au fond d'elle-même a-t-elle supplié ton analyste de lui ménager ce délai ? Et surtout, surtout, que serait-il advenu si la *lettre exprès* de ton analyste, postée le vendredi 14 à seize heures et demandant à Hélène de lui téléphoner *de toute urgence*, pour provoquer l'hospitalisation *immédiate* malgré sa demande suppliante de sursis, était parvenue à l'École non le lundi 17, après le drame, mais soit le vendredi soir 14 soit le samedi matin 15 à neuf heures ? La poste n'est vraisemblablement pas en cause. Mais le concierge de l'École, qui reçoit le courrier, lettres et pneumatiques, n'a évidemment pu te joindre au téléphone intérieur ni se faire ouvrir ta porte en y sonnant, puisque depuis au moins dix jours – tous tes amis en ont témoigné (y compris ceux qui auraient voulu pouvoir " forcer ta porte "), tu ne répondais plus ni au téléphone, ni à la sonnerie de ta porte ? Si par miracle ou exception tu avais répondu au téléphone ou ouvert ta porte, Hélène aurait reçu la *lettre exprès* de ton analyste et, si elle l'avait voulu, elle aurait pu appeler ton analyste : évidemment et sans contestation possible, tout en eût été changé.

« Dans votre drame, l'impondérable objectif et non fantasmatique est présent du début à la fin, jusqu'au dernier moment.

« Tout ce qu'on peut dire est que, si on néglige ces nombreux impondérables – mais comment en faire abstraction ? –, Hélène aurait accepté la mort sans faire un geste pour l'empêcher et s'en garder, comme si elle désirait la mort, voire la recevoir de tes propres mains.

« Ce qu'on peut dire aussi, c'est que toi, qui lui as sans doute donné la mort, peut-être en voulant seulement la masser soigneusement, puisqu'on n'a observé aucune trace de strangulation extérieure, tu aurais voulu réaliser ton désir de mort et, tout en lui rendant l'immense service de la tuer à sa place (car elle était bien incapable de se tuer elle-même), tu aurais en même temps voulu réaliser inconsciemment ton propre désir d'autodestruction à travers la mort de la personne qui croyait le plus en toi, pour être bien assuré de n'être que ce personnage d'artifices et d'impostures qui t'a toujours hanté. La meilleure preuve qu'on puisse en effet se donner de ne pas exister, est bien de se détruire soi-même en détruisant celle qui vous aime et par-dessus tout croit à votre *existence*.

« Je sais qu'il se trouvera toujours des gens, et même des amis, pour dire : Hélène était sa maladie, il a tué sa maladie. Il l'a tuée parce qu'elle lui rendait la vie impossible. Il l'a tuée parce qu'il la haïssait, etc. Ou, plus élaboré, il l'a tuée parce qu'il vivait dans le fantasme de sa propre autodestruction, et que cette autodestruction passait " logiquement " par la destruction de son œuvre, de sa notoriété, de son analyste, et finalement d'Helène qui résumait toute sa vie.

« Or ce qui est très gênant dans ce type de raisonnement (très répandu parce que très rassurant – on y tient en effet une " cause " indubitable), c'est le " *parce que* " qui y introduit une nécessité sans appel, sans tenir aucun compte de l'accumulation des éléments aléatoires objectifs.

« Or nous avons tous, tous, des fantasmes inconscients agressifs, voire d'homicide, et de meurtre. Si tous ceux qui nourrissent en eux ces fantasmes devaient passer aux actes, nous devrions tous devenir nécessairement, entends-tu, tous des meurtriers. Or l'immense majorité des gens peuvent parfaitement vivre avec leurs fantasmes même homicides, sans jamais passer aux actes pour les réaliser.

« Ceux qui disent : il l'a tuée *parce qu'*il ne pouvait plus la supporter, *parce que*, même inconsciemment, il désirait se débarrasser d'elle, ne comprennent rien à la chose, ou ne se rendent pas compte de ce qu'ils disent. S'ils s'appliquaient à eux-mêmes cette logique, eux qui nourrissent cette logique aussi en eux des fantasmes d'agression et de meurtre (qui n'en nourrit pas?), qui en fin de compte est celle de la *préméditation de l'inconscient*, ils seraient tous non en hôpital psychiatrique, mais en prison depuis longtemps.

« Tu sais, dans l'histoire d'un individu comme dans l'histoire d'un peuple, Sophocle l'a bien dit, il n'y a de vérité définitive que dans l'après coup de la mort, c'est-à-dire d'une fin irrémédiable, à laquelle plus personne, en premier lieu le mort, ne peut plus rien changer. Et c'est ce coup d'arrêt de la mort qui fait l'après coup à partir duquel on peut décider (cas de Sophocle) si le personnage mort a été heureux ou pas, et, dans le cas d'Hélène, ce qui a " causé " sa mort.

« Or, dans la vie, les choses ne se passent pas ainsi. On peut mourir d'un simple accident, sans qu'aucun " désir s'y réalise ". Mais quand il y a " désir " ou qu'on le soupçonne, on trouve des quantités de gens qui, *après coup* – et il le faut bien pour eux car ils ont besoin non seulement de comprendre mais de défendre l'idée qu'ils s'en font pour se protéger eux-mêmes, protéger leur ami, ou accuser un tiers, en l'espèce tel médecin qui n'aurait pas fait tout ce qui s'imposait du dehors, d'un dehors " supposé objectif ", " à l'évidence " – quantités de gens qui " après coup ", l'après coup du fait accompli et irrésistible, se fabriquent un " après coup " du fantasme meurtrier dont ils font alors la " cause " du meurtre, voire sa *préméditation* inconsciente : préméditation, le mot est lourd de sens, car il signifie en somme *prévision et mise en ordre inconsciente du dispositif du meurtre* dans la vue inconsciente du passage à l'acte meurtrier.

« Or ils confondent, ces amis trop bien intentionnés à l'égard de leur ami et – ou – d'eux-mêmes, *l'après coup factuel* et irréversible de la vie tout court, et *l'après coup de la vie psychique*, celui du *sens*. Dans le premier cas, il est vrai que pour tous les gens et pour tous les amis, il leur faut bien se composer leur après coup personnel qui les arrange (je ne prononce nullement ce mot dans une acception péjorative) et leur permet et de supporter le choc du drame et d'y faire publiquement face. Mais chacun ou presque a son interprétation, ce qui ne manque pas de détériorer leurs rapports avec leur ami meurtrier et même leurs rapports entre eux. Et ils tiennent dur comme fer à leur *après coup personnel*, autour duquel ils se construisent la figure d'un personnage meurtrier et appréhendent plus ou moins sourdement que ledit personnage ne vienne un jour démentir ou corriger leur propre interprétation par la sienne. C'est en ce sens que ton médecin avait raison de te dire que tes explications elles-mêmes pouvaient, tout comme tes absences d'explications, risquer aussi d'éloigner de toi de très proches amis. De tout mon cœur, j'espère qu'il n'en sera rien, mais là non plus on ne peut rien prédire à coup sûr.

« Dans l'après coup de l'interprétation interne, il n'en va pas du

277

tout ainsi. D'abord parce qu'elle s'exerce dans la vie même du patient. Mais aussi et surtout parce qu'il n'existe jamais de fantasme " univoque ", mais des fantasmes toujours *ambivalents*. Le désir de tuer par exemple, ou de se détruire et de tout détruire autour de soi, est toujours doublé d'un immense désir d'aimer et d'être aimé malgré tout, d'un immense désir de fusion avec l'autre et donc du salut de l'autre. Il me semble à te lire que c'est extrêmement net dans ton cas. Comment alors prétendre seulement pouvoir parler de la détermination " *causale* " d'un fantasme, sans invoquer en même temps l'autre détermination " causale ", celle de l'ambivalence, celle qui se donne dans le fantasme même comme le désir radicalement opposé au désir meurtrier du fantasme, le désir de vie, d'amour et de salut? En vérité, il ne s'agit pas alors de détermination *causale*, mais de surgissement d'un *sens ambivalent* dans l'unité déchirée du désir, qui ne se réalise alors, dans la totale ambivalence de son ambiguïté, que dans l' " occasion " extérieure qui lui permet de " prendre ", comme tu le dis de Machiavel. Mais cette prise elle-même, qui dépend terriblement de circonstances aléatoires (la lettre de ton analyste qui n'a pu parvenir à Hélène, l'absence totale de défense d'Hélène, votre solitude à deux aussi – si tu avais eu quelqu'un d'autre sous la main, que serait-il bien advenu? que sais-je?), ne peut avoir lieu dans la réalité objective que sous des conditions hautement aléatoires. Ceux qui prétendent détenir l'explication *causale* n'entendent rien à l'ambivalence des fantasmes et au *sens* interne, *dans la vie et non dans l'après coup définitif de la mort*, ils n'entendent rien non plus au rôle des circonstances extérieures objectives aléatoires qui permettent ou bien la " prise " fatale, ou bien (et c'est la très grande, l'immense majorité statistique des cas) d'y échapper.

« En vérité, pour comprendre l'incompréhensible, il faut donc à la fois tenir compte des impondérables aléatoires (très nombreux dans ton cas) mais aussi de l'ambivalence des fantasmes, qui ouvre la voie à tous les contraires possibles.

« Je crois qu'ainsi toutes les cartes sont sur la table. Il suffisait de quelques-unes d'entre elles, les plus obvies à tout observateur, pour te déclarer non responsable de ton acte, dans le moment où tu l'as commis.

« Cela dit, tu ne peux empêcher personne de penser autrement. Mais l'essentiel est que tu te sois expliqué clairement et publiquement pour ton propre compte. A chacun, mieux instruit s'il se peut, de se faire, s'il le veut encore, une religion.

« En tout cas, j'interprète ton explication publique comme une reprise de toi-même en ton deuil et ta vie. Comme disaient nos anciens, c'est un *actus essendi* : un acte d'être. »

Un seul mot : que ceux qui pensent en savoir et dire plus ne craignent pas de le dire. Ils ne peuvent plus que m'aider à vivre.

L. A.

Les faits

1976

Comme c'est moi qui ai tout organisé, autant que je me présente tout de suite.

Je m'appelle Pierre Berger. Ce n'est pas vrai. C'est le nom de mon grand-père maternel, qui est mort d'épuisement en 1938, après avoir bousillé sa vie dans les montagnes d'Algérie, en pleine brousse, seul avec sa femme et ses deux filles, comme garde forestier appointé par l'administration des Eaux et Forêts de l'époque.

Je suis né à l'âge de quatre ans dans la maison forestière du Bois de Boulogne, sur les hauteurs d'Alger. Il y avait, outre les chevaux et des chiens, un grand bassin avec des poissons, des pins, de gigantesques eucalyptus dont je ramassais, l'hiver venu, les grands pans d'écorce tombés, des citronniers, des amandiers, des orangers, des mandariniers, et surtout des néfliers, dont je me régalais. Ma tante, alors jeune fille, montait sur les arbres comme une chèvre, et me tendait les meilleurs des fruits. J'en étais un peu amoureux. Un jour, il y eut une grande peur. Car nous avions aussi des abeilles, élevées par un vieil homme qui les approchait sans voile, et leur parlait. Or, pour une raison inconnue, peut-être parce qu'il bougonnait, elles se jetèrent sur mon grand-père, qui courut se précipiter dans le bassin, à la grande frayeur des poissons. Mais la vie était paisible sur les hauteurs. On voyait la mer très loin au large, et je regardais les bateaux qui arrivaient de France. L'un d'entre eux s'appelait le *Charles-Roux*. Je m'étonnai longuement qu'on ne pût voir ses roues.

Mon grand-père était fils de petits paysans pauvres du Morvan. Il chantait à la messe le dimanche, avec un groupe de garçons réputés pour leur voix, dans la stalle du fond de l'église, d'où il pouvait voir tout le peuple de Dieu, et ma grand-mère qui priait dans la foule, frêle jeune fille instruite à l'école des sœurs. Quand vint le temps de la marier, les sœurs décidèrent que le Pierre Berger avait assez de moralité et était assez pauvre pour en faire son mari. L'affaire fut conclue avec les familles, malgré les grognements de mon arrière-grand-mère qu'on ne parvenait pas à arracher à la garde de sa vache, et qui parlait aussi peu qu'elle. Mais avant le mariage, ce fut une sorte de drame. Car mon grand-père, qui n'avait pas un sou ni une terre, s'était mis en tête, en ce temps d'impérialisme français à la Jules Ferry, de partir dans les colonies comme garde, et il avait, Dieu sait pourquoi, la conquête – Ranavalo, ou la presse catholique – décidé que ce serait Madagascar. Ma grand-mère mit le holà, et posa ses conditions : pas question de Madagascar, à la rigueur l'Algérie, sinon elle n'épouserait pas le Pierre Berger. Il dut y consentir, la Madeleine était trop belle.

C'est ainsi que commença dans les forêts les plus reculées d'Algérie, dans des pays dont j'ai retrouvé le nom dans les communiqués de la guerre de Libération, une carrière épuisante. Mon grand-père était complètement seul, dans des maisons coupées de tout, loin des villages, en pleine forêt, à surveiller des étendues démentielles pour les protéger contre les incendies et les petites exactions des Arabes et des Berbères. Il construisit aussi des routes et des tranchées antifeu, qui faisaient aussi usage de voies de communication. Et pour tout ce travail, qui supposait des compétences multiples et imposait des responsabilités énormes, il avait des appointements d'instituteur, même pas. Il y laissa sa santé car, tendu comme il était, il ne savait se ménager, toujours sur la brèche, de nuit comme de jour, crevant sous lui son cheval, en alerte au moindre signe, dormant quelques heures à peine, et secoué par une toux qu'il avait prise à trop fumer des cigarettes qu'il roulait entre ses doigts. De temps en temps, des directeurs ou inspecteurs « descendaient » sur le terrain. Il y avait dans la maison forestière une chambre pour eux, et des chevaux de réserve. Mon grand-père les traitait avec distance, mais il les respectait de venir sur place, gardant son mépris pour ceux qui restent dans les bureaux. Il avait du respect pour un de Peyrimoff, qui venait dans les montagnes, et discutait de choses sérieuses. Il en parlait encore dans le Morvan, plus tard, quand il prit sa retraite : c'était un homme qui faisait son métier.

Mon grand-père et ma grand-mère avaient tous les deux les mêmes yeux : bleus, et l'entêtement. Pour le reste... Mon grand-père était petit et ramassé, il passait son temps à pester contre tout et à tousser. Personne n'y attachait d'importance. Ma grand-mère était grande et svelte (j'ai toujours cru, de loin, une jeune fille), elle se taisait, elle pensait, elle avait de la compassion (je me rappelle son mot quand je lui lisais un jour *L'Espoir* de Malraux, où sont racontées les épreuves des républicains espagnols : « les pauvres enfants! ») et, quand il fallait, elle avait de la détermination. Vers le début du siècle, quand éclata en Algérie l'insurrection populaire armée dite de Margueritte, ça se passait dans des montagnes qui n'étaient pas très loin de la maison forestière. Mon grand-père n'était pas là, cette nuit : comme toujours en tournée. Ma grand-mère était seule dans la maison avec ses deux filles, dans les trois et cinq ans. Elle était très aimée des Arabes de l'endroit. Mais elle ne se faisait pas d'illusions, elle savait qu'une insurrection est une insurrection, et qu'il peut s'y passer le pire. Elle veillait, avec un fusil et trois cartouches : ce n'était pas pour les Arabes. La nuit passa, l'aube vint, enfin. Mon grand-père rentra peu après, maugréant contre les insurgés qu'il avait rencontrés : les malheureux, ils vont se faire tuer.

Je suis donc né là, sur les hauteurs d'Alger, dans la maison forestière de fin de carrière : un peu de paix. Ce fut une nuit d'octobre 1918, vers cinq heures du matin, mon grand-père partit à cheval vers la ville et en ramena une doctoresse russe dont j'ai oublié le nom, mais qui dit, paraît-il, « vu la grosseur de la tête », que j'avais la chance d'avoir un jour des choses dedans, allez savoir, en tout cas des sottises. Mon père était alors sur le front de Verdun, dans l'artillerie lourde, lieutenant. Il avait regagné le front après une permission au cours de laquelle il avait fait visite à ma mère, alors fiancée à son propre frère, Louis, qui venait de tomber au-dessus de Verdun, dans l'avion qui le portait comme observateur. Mon père avait pensé de son devoir de remplacer son frère auprès de ma mère, qui dit le oui qui s'imposait. Il faut comprendre. Les mariages se faisaient de toute façon entre les familles, l'avis des enfants ne pesait pas lourd. Tout avait été arrangé par la mère de mon père qui, étant mariée elle aussi à un homme des Eaux et Forêts, de rien mais des bureaux, avait distingué dans ma mère la jeune fille modeste, pure et travailleuse qu'il fallait à son premier fils, chéri et préféré, et déjà reçu à l'École normale supérieure de Saint-Cloud. Louis était le préféré, pour une raison simple, c'est qu'on n'avait pas le moyen de payer des études à deux garçons, il avait donc fallu choisir, et ç'avait été lui, pour des raisons tenant à l'idée que ma grand-mère paternelle se faisait des Écoles. Mais, par contrecoup, mon père avait dû travailler dès treize ans : coursier dans une banque pour commencer, puis il avait gravi des échelons, étant intelligent bien que sans connaissances scolaires. Il me rappelait souvent, comme exemple de la rigueur sèche de sa mère, qui ne perdait de vue ni un sou ni l'avenir, l'épisode de Fachoda : sitôt connue la menace de guerre, elle l'avait envoyé de toute urgence acheter des kilos de haricots secs, suprême ressource contre la pénurie alimentaire, où elle retrouvait ainsi, peut-être sans le savoir, la plus vieille tradition des peuples misérables d'Amérique latine, d'Espagne et de Sicile. Les haricots, pourvu qu'on les protège des insectes, ça se conserve indéfiniment, même en temps de guerre. La même grand-mère, je ne l'ai pas oublié, se fendit un jour d'une raquette pour moi, tandis que nous regardions de son balcon le défilé des troupes du 14 Juillet le long des quais d'Alger.

Mon père m'emmenait souvent au stade de football, où se jouaient alors des parties épiques, entre Français, ou entre Français et Arabes. Et cela chauffait dur. C'est là que j'entendis tirer le premier coup de feu de ma vie. Il y eut une panique, mais le jeu continua, l'arbitre n'ayant pas été blessé. Mon père m'emmenait, mais avec ma mère, aux courses de chevaux où il avait ses entrées, connaissant par la banque où il travaillait un contrôleur qui le laissait passer mine de rien. Il jouait. Naturellement presque rien, et perdait toujours, mais il était content, nous aussi, et on voyait de belles dames, que mon père contemplait un peu trop complaisamment si j'en crois les silences de ma mère, car elle en avait d'autres. Mon père m'emmena une seule fois, mais seul, au tir au fusil, dans un grand stand de guerre, qui retentissait des coups multipliés sur des cibles lointaines. C'était autre chose que le tir à la carabine des foires, à quoi j'étais rompu, ayant trouvé le truc pour accrocher l'œuf qui danse au bout de l'eau, et empocher la tablette de chocolat. Ici, c'était autrement compliqué et effrayant. Quand j'eus le fusil de guerre à l'épaule et appuyai sur la détente, je reçus un coup violent, comme si j'avais tiré en arrière, et pourtant la balle était partie par-devant, à en juger par des drapeaux qui s'élevèrent au-dessus d'une tranchée, pour signifier que j'avais raté la cible. Bon début, dit mon père, qui se mit à me distribuer un véritable cours d'artillerie : réglage par coup fusant haut, ou comment atteindre un but sans le voir, [ce] qui m'a donné une première idée des principes de Machiavel, dont je devais faire la connaissance seulement plus tard. Nous allions aussi, mais en famille, au tennis et à la plage. Mon père avait un excellent service, dans le style Tilden, et ma mère de redoutables revers liftés. Je m'escrimais de mon mieux. Pour la nage – que mon père pratiquait naturellement sur le dos, en prenant soin de ne pas se mouiller les orteils qu'il gardait toujours hors de l'eau pour les surveiller – je fus instruit par ma mère, dont la nage était moins personnelle, la brasse. Je ne me mis au crawl que beaucoup plus tard, et pour mon compte. Ça se voit toujours.

J'étais naturellement un bon élève à l'école, fils d'une bonne élève, devenue bonne institutrice, amie de bons maîtres qui me demandaient, avant que la classe ne commence, comment s'appelle le fruit du hêtre, et quand je répondais la faîne, j'étais un bon enfant. Je fréquentais une école primaire mixte (entendons-nous : pas de filles, mais des petits Français et des petits Arabes du même âge), où une femme de ménage me conduisait en cérémonie, ce qui me rendait honteux, car j'avais droit, outre l'accompagnement, à l'introduction prématurée dans la cour intérieure, avant tous les autres, et c'est là que je rencontrais le bon maître qui me demandait le nom du fruit du hêtre.

Deux épisodes dramatiques ont marqué cette première période scolaire. Un jour que j'étais en classe, un élève, derrière moi, eut l'idée de faire un pet. Le maître me regarda d'un long reproche : « Toi, Louis... » Je n'eus pas le cœur de lui dire « Ce n'est pas moi » : il ne m'aurait pas cru. L'autre fois, c'était dans la cour où nous jouions aux billes, jeu auquel j'excellais. Nous échangions aussi nos billes et nos agates. Et je ne sais pourquoi, je me pris de querelle avec un enfant, que soudain je giflai. Cette gifle m'inspira une terreur panique, je courus après l'enfant pour lui offrir en échange de son silence tout ce que j'avais sur moi. Il se tut. J'avoue que j'en tremble encore.

A côté de cet incident, l'affaire du Bois, qui pourtant me surprit comme la gifle, n'était pas grand-chose. Nous prenions l'air et l'herbe, ma mère, ma sœur, moi, et une amie de ma mère accompagnée de ses deux enfants, un garçon et une petite fille. Là aussi, pour je ne sais quelle broutille, je m'entendis soudain traiter la petite fille de « Tortecuisse », expression que j'avais lue dans un livre comme désobligeante, et que je lui infligeai sans raison apparente. L'affaire se régla par des excuses entre mères. Je demeurais étonné qu'on puisse avoir des idées qu'on n'a pas.

En revanche, ce qui me frappa à vie, c'est un incident survenu plus tard, à Marseille, lorsque avec ma mère, empruntant une rue lépreuse mais large près de la place Garibaldi, nous vîmes une femme à terre qu'une autre femme traînait par les cheveux en la couvrant d'injures violentes. Un homme était là, immobile, goûtant la scène, et répétant : attention, elle a un revolver. Ma mère et moi fîmes semblant de n'avoir rien vu ni rien entendu. C'était déjà bien assez d'emporter chacun de son côté cette image et de se débrouiller avec. Je ne m'en suis pas bien débrouillé.

Après l'école primaire, je fis ma sixième au lycée d'Alger, dont je ne garde qu'un souvenir : celui d'une magnifique Voisin blanche décapotable qui attendait, le chauffeur sous la casquette, un de mes condisciples qui ne me parlait pas. Je me souviens aussi d'une visite chez un propriétaire arabe que mon père connaissait, et qui nous fit manger, avant le thé, des confiseries de courge que je n'ai jamais retrouvées. Mon père nous faisait aussi monter dans la vieille Citroën d'un ami à lui, qui nous emmenait dans les montagnes, là où, bien des années avant, mon grand-père avait sauvé de la mort une équipe suédoise, je crois, aventurée dans une tourmente de neige à faire perdre tout sens de l'orientation. Mon grand-père qui détestait (tout comme mon père d'ailleurs) les décorations, avait hérité pour ce fait d'armes de la croix de guerre, citation et palmes à l'appui. J'ai conservé tout le matériel après la mort de ma grand-mère.

Cette maison forestière du Bois de Boulogne est restée dans ma mémoire pour sa situation exceptionnelle : elle dominait tout Alger, la baie et la mer, qu'on voyait à l'infini. Il y avait un endroit, sous les caroubiers, où je restais seul longtemps, à contempler le large, tout en froissant sous mes doigts les feuilles odorantes des arbres. Quand nous venions en fin de semaine avec mes parents passer deux jours dans la maison, on regardait au printemps les anémones dans la partie du jardin qui côtoyait un laboratoire médical et une autre maison bourgeoise où habitait un ancien militaire marié et père de deux enfants. Il y avait des drames dans cette famille. La petite fille, silencieuse sous ses cheveux, m'intéressait, mais je n'osais pas lui parler. Le fils, qui était presque adulte, se révoltait contre son père, qui prenait de violentes colères et l'enfermait à clé dans une chambre du premier. Un jour, nous entendîmes de grands coups frappés contre la porte, qui céda, et le jeune homme s'enfuit dans le bois. Le père prit sa carabine et le poursuivit, alors que la mère pleurait. Mais c'était du théâtre et tout rentra dans l'ordre.

Quand nous partions, régulièrement, mon père faisait un grand bouquet de glaïeuls, qu'il offrait à une certaine dame mystérieuse, qui habitait près du square de Galland. Ma mère faisait semblant de ne rien voir, mais je vis un jour cette dame, qui avait sur elle du parfum, comme de la glycine, du moins c'est ce que je crus, et des yeux langoureux, qui attendait qu'on lui parle. Mon père, comme toujours, avait le mot pour rire, ce qui ne devait tromper personne.

Mon père, qui avait eu une liaison avant son mariage avec une jeune fille pauvre qui s'appelait Louise, et qui avait rompu avec elle aussitôt qu'il fut marié avec ma mère (et il ne revit jamais Louise, ayant des principes, même lorsqu'elle tomba malade et mourut), n'avouait pas beaucoup d'amis. Sauf un qui travaillait avec lui dans sa banque, un homme doux et sans esprit d'entreprise, qu'il fallait toujours soutenir, et qui était marié avec une Suzanne débordante d'attributs et d'activité. Mon père les voyait souvent et faisait sa cour à la Suzanne à sa manière, toujours plaisantant, et se moquant de ses formes, ce qui la remplissait de plaisir. Je me souviens qu'une fois, quand ma sœur fut atteinte de scarlatine et qu'il fallut nous séparer, je fus hébergé chez ces amis, et y demeurai une bonne semaine. Le matin, tôt, comme je me levai et allai dans la cuisine où je soupçonnai que Suzy se trouvait (on a de ces intuitions à cet âge), j'entrouvris la porte et la vis nue, en train de préparer le café. Elle dit : oh, Louis... et je refermai la porte, me demandant pourquoi tant de manières. Elle avait une façon de m'embrasser, me serrant contre ses seins qu'elle ne me disputait pas, qui me faisait penser que la voir nue était moins grave que d'être ainsi serré contre elle. C'est dans cette maison que je fis, je m'en souviens encore, un rêve étrange. Je rêvai que, du haut du placard du fond de la pièce, qui s'ouvrait lentement, sortait une énorme bête informe, une sorte de ver gigantesque qui n'avait pas de fin, et qui me terrifiait. Je compris beaucoup plus tard le sens que pouvait avoir ce rêve informe, auprès de cette femme qui manifestement avait envie de coucher avec moi, mais s'y refusait par convention, alors que je le désirais et en avais peur. Le mari, pendant ce temps, ne se doutait de rien, il fumait dans une longue pipe de tabac doux, et avait un petit chien qu'il promenait le samedi après-midi dans le parc de Galland, où on prit un jour une photo de moi : j'étais un enfant mince, dominé par une haute et lourde tête disproportionnée à mes épaules frêles, et poussé comme une asperge pâle dans une cave. J'avais au sol une ombre mince comme moi, mais plus courte, le soleil étant haut dans le ciel. J'étais tout seul, avec le chien, au bout de sa laisse. Seul.

Entre mon père et ma mère, les choses se passaient d'une manière singulière. Mon père avait, une fois pour toutes, fait un partage dans sa vie : d'un côté le travail, qui l'occupait tout entier, de l'autre la famille qu'il abandonnait à ma mère. Je ne me souviens pas qu'il soit jamais intervenu dans l'éducation de ses enfants, faisant confiance à ma mère pour cela. Ce qui nous livra, ma sœur et moi, à toutes les fantaisies de ma mère, et à ses craintes. Elle nous fit apprendre, ma sœur le piano, moi le violon, pour que nous puissions jouer à quatre mains, cela faisait à ses yeux partie d'une bonne éducation culturelle. Un jour, s'étant entichée d'un médecin d'avant-garde, elle décida de mettre la famille au régime végétarien. Pendant six ou sept ans, nous mangeâmes ainsi des produits naturels, sans aucune viande ni graisse d'origine animale, sans beurre, ni œufs; seul le miel trouva grâce à ses yeux. Mon père refusa de s'aligner. On lui faisait ostensiblement cuire son bifteck à lui, on le lui apportait solennellement en manière de démonstration, et pendant ce temps nous mangions des carottes râpées, des amandes et des marrons au chou mijoté. C'était un beau spectacle, mon père mangeait en silence, sûr de sa force, et nous faisions des commentaires sur les mérites comparés et inégaux des régimes carnés et végétariens, à la cantonade et à bon entendeur salut. Mais mon père ne voulait rien entendre, et il coupait sa viande saignante d'un vaillant couteau.

Mon père avait des violences, qui m'effrayaient. Un soir que les voisins de palier chantaient, il prit un chaudron et une louche, partit sur le balcon et déclencha un boucan terrible, qui nous effraya tous, mais mit fin aux chansons. Mon père faisait aussi, la nuit, des cauchemars, qui se terminaient par de longs hurlements atroces. Il ne s'en rendait pas compte, et quand il se réveillait, il disait ne se souvenir de rien. Ma mère le secouait pour qu'il s'arrête. Ils ne se disaient rien entre eux, rien qui puisse donner à penser qu'ils s'aimaient. Mais je me souviens qu'une nuit j'entendis mon père, qui devait serrer ma mère dans ses bras, dans le lit de leur chambre, lui murmurer : « mon mien... », ce qui me fit un coup au cœur. Je me souviens aussi de deux autres épisodes qui me surprirent. Un jour que nous étions revenus dans l'appartement d'Alger, après avoir quitté le bateau qui nous ramenait de France, sur le balcon, mon père eut un malaise. Il était assis sur une chaise, et s'affaissa. Ma mère prit peur, et lui parla. Elle ne lui parlait jamais. Je me souviens aussi d'une nuit dans le train, quand nous étions sur la route du Morvan, ce fut cette fois ma mère qui eut un malaise. Mon père nous fit descendre dans la nuit en gare de Châlons, et nous cherchâmes à faire ouvrir un hôtel qui consentit à nous accueillir. Ma mère était très mal. Mon père lui parlait, très inquiet. Il ne lui parlait jamais. Il y a comme une odeur de mort dans ces deux souvenirs. Ils s'aimaient sans doute sans jamais se parler, comme on se tait au bord de la mort et de la mer. Avec pourtant, entre eux, quelques mots à tâtons pour vérifier qu'ils étaient bien là. C'était leur affaire. Mais ma sœur et moi l'avons payée terriblement cher. Je ne l'ai compris que bien plus tard.

Puisque je parle de ma sœur, je me souviens aussi d'un incident sur les hauteurs d'Alger, où l'on trouvait, en les cherchant, de petits cyclamens sous les buissons. Nous étions alors sur un chemin de terre, et marchions tranquillement, quand survint un jeune homme sur une bicyclette. Je ne sais comment il manœuvra, mais il renversa ma sœur. Mon père se précipita sur lui, et je crus qu'il allait l'étrangler. Ma mère s'interposa. Ma sœur était blessée, nous rentrâmes en hâte, je gardai quand même quelques cyclamens entre les doigts, mais le cœur n'y était plus. Cette violence de mon père, à laquelle ma mère était, apparemment du moins, complètement indifférente, alors qu'elle passait par ailleurs son temps à se plaindre du martyre de sa vie, et du sacrifice qu'elle avait dû, contrainte par lui, consentir à mon père, d'abandonner un métier d'institutrice qui la rendait heureuse, me paraissait étrange : lui si assuré de sa conduite, s'emportait soudain sans pouvoir contrôler sa violence, mais je dois dire que tout se passait comme s'il la contrôlait aussi, car elle lui réussissait toujours. Il avait la « baraka », tous les événements tournant à son avantage. Il savait s'abstenir quand il le fallait, il fut le seul directeur de banque de Lyon à ne pas adhérer à la Légion de Pétain entre 1940 et 1942, tant qu'il fut là. Il ne fut pas des partisans du général Juin, quand il entreprit de « faire manger de la paille » aux Marocains et, même déchiré dans ses sentiments de « pied-noir », il ne fut pas opposé à de Gaulle quand il prit le grand tournant de l'indépendance algérienne, il maugréa tant qu'il put, mais s'en tint là.

J'ai su par ses employés, depuis sa mort, que mon père avait une façon très particulière de diriger la banque, quand il en devint le directeur. Il avait, sinon un principe, du moins une pratique : c'était de se taire ou de proférer des propos absolument inintelligibles. Ses subordonnés n'osaient pas lui dire qu'ils n'avaient rien compris, ils partaient et se débrouillaient, en général fort bien, par eux-mêmes, mais toujours en se demandant s'ils ne s'étaient pas trompés, ce qui les tenait sur le qui-vive. Je n'ai jamais su si mon père pratiquait cette méthode délibérément ou non, car il en usait à peu près de même avec nous, mais, en revanche, quand il était avec ses clients ou des amis, il était intarissable, et parfaitement intelligible. Il était toujours en train de plaisanter, ce qui mettait ses interlocuteurs dans une position d'infériorité et d'enchantement, et les déconcertait. Il m'a peut-être passé quelque chose de ce goût de la provocation. Mon père avait des méthodes bancaires un peu spéciales. Il lui arrivait souvent, surtout au Maroc, de prêter d'importantes sommes d'argent, au nom de la banque, sans intérêts, ce qui déconcertait ses concurrents et les mettait dans une position difficile. Mais il arrivait presque toujours que les clients versaient d'eux-mêmes les intérêts qui n'avaient pas été demandés, mon père disant que c'était la preuve que les Marocains avaient le sens de l'honneur, et qu'on pouvait leur faire confiance. Mais jamais mon père n'accepta le moindre don que ce fût, sauf des fleurs pour ma mère, ou une invitation à visiter la ferme, ce qui donnait lieu au thé à la menthe et aux confiseries du lieu. Il était très sévère pour ses supérieurs qui se laissaient plus ou moins acheter, et ne le leur cachait pas, leur opposant un silence méprisant qui valait tous les discours. Je me souviens de l'un d'entre eux, à Marseille, qui avait une jolie propriété près d'Allauch, et un tennis, où sa jeune femme, que je trouvais attrayante, prévenait, avant de servir : « Vous allez voir, c'est les Folies-Bergère », et de fait, quand elle pivotait sur sa jambe droite, la petite jupe volait au vent, et on voyait une aimable paire de fesses, d'ailleurs recouvertes d'une culotte rose qui me laissait rêveur. J'aurais aimé qu'elle parle moins et vienne avec moi dans les lauriers, qui étaient eux aussi roses. Ce directeur justement a mal fini, ayant eu la faiblesse d'accepter trop de choses, devant trop de témoins, dont mon père, qui ne dit jamais rien. Ce silence, mon père devait le payer plus tard quand la direction générale de sa banque le mit du jour au lendemain à la retraite, alors que la tradition voulait qu'un employé de sa qualité passe au siège central. Non, on l'écarta, pour prendre un polytechnicien qui ne le valait pas, mais qui avait épousé, comme c'est de règle et à Polytechnique et dans cette banque, une fille de la famille protestante qui possédait l'affaire. Mon père se retira et m'expliqua que c'était parfaitement normal, puisque cette affaire était de famille, et que son tort avait été d'épouser une femme qui n'était pas leur fille. On ne commande pas au cœur. Mais, au fond, il n'était pas fâché de cette conclusion, qui lui était une sorte d'honneur involontaire. Il y a des gens qu'on ne décore pas, disait-il férocement. De fait, il avait refusé toutes les décorations.

Je poursuivis mes études secondaires à Marseille, dans le haut et beau lycée Saint-Charles, où trônait un proviseur peintre amateur, et régnaient amicalement des professeurs distingués, dont un vieil homme qui pleurait devant nous en anglais parce que sa fille était morte. Nous étions tous très tristes. Nous prenions notre revanche avec le professeur d'éducation physique et avec le concierge. Le premier nous faisait uniquement jouer au football, méthode alors très appréciée. Le second montait une garde farouche autour de la sortie, et poursuivait les filles qui s'aventuraient dans les parages. C'est là que, contre l'avis de mon père, qui pensait à Polytechnique, un professeur de lettres distingué commença à m'orienter vers l'idée de présenter le concours de Normale. Et, pour commencer, il me fit inscrire à toutes les épreuves du Concours général. Je les présentai toutes et ne recueillis pas le moindre accessit. Il faut dire que j'avais inventé et des citations et des traductions, ce qui est déplacé.

Déplacé, bien que jouant toujours au tennis et fréquentant aussi l'Opéra, où on voit de bien belles dames, mon père fut muté à Lyon par sa banque. Je le suivis, et entrai en hypokhâgne au lycée du Parc. J'y connus Jean Guitton, toujours préoccupé des preuves de l'immortalité de l'âme, puis Jean Lacroix (« Vous verrez, nous avait dit Guitton, l'homme qui va me succéder dans ma chaire, mais est peu connu, s'appelle M. Labannière »). A la différence de Jean Guitton, qui enseignait en nous tournant le dos, et courbé, en se prenant le front dans la main droite, l'autre se consacrant au bout de craie qui lui pendait négligemment entre les doigts, Jean Lacroix nous parlait toujours de face, mais en scandant son discours de coups de la main droite sur la malheureuse oreille du même bord, et d'explosions phonétiques, que nous identifiâmes péniblement comme étant les équivalents de « beuhl », nom qui lui fut aussitôt donné, sans son accord. Il y avait aussi Henri Guillemin, qui nous fit une scène hystérique sur Chateaubriand, avant de rejoindre son poste au Caire et de nous envoyer une superbe photo où il était debout sous un fès rouge. Nous lui répondîmes par un télégramme : « Le travail change, mais le chapeau demeure. » Mais il y avait surtout le « père Hours », Lyonnais râblé, le sosie de Pierre Laval, gallican et jacobin farouche, qui passait son temps à dire du mal du pape et de Georges Bidault, et surveillait sur fiches nominatives la carrière des hommes politiques français. Il en tirait alors des conclusions politiques surprenantes (pour 1936-1937), selon lesquelles la bourgeoisie française trahirait la France, ayant plus peur du Front populaire que de Hitler, se rendrait aux nazis après une fausse guerre, moyennant quoi, si elle avait encore un avenir, la France ne le devrait qu'à son peuple, réveillé à la résistance politique par la gauche, communistes en tête. Les rapports entre le « père Hours » d'une part, Jean Guitton et Jean Lacroix d'autre part, étaient assez singuliers. Hours ne pouvait sentir Guitton, qu'il accusait d'être resté attaché au sein de sa mère, il était politiquement d'accord avec Lacroix, mais tolérait mal son « pathos » philosophique et religieux. Pourtant Jean Lacroix avait un grand mérite à défendre ses idées, et à écrire, aux côtés de Mounier, dans la revue *Esprit*. Issu de la moyenne bourgeoisie lyonnaise, il avait épousé une jeune femme qui appartenait à la caste la plus fermée de la haute bourgeoisie locale. Lacroix y était mis à l'index, et dénoncé comme le diable. Et quand il se rendait à l'une de ces assemblées de famille qui regroupent des centaines de personnes alliées, il lui fallait un certain courage placide pour affronter les outrages dont on le couvrait. Jean Lacroix s'est toujours tenu dans la même ligne, fidèle à Mounier, alors même que ses successeurs entraînaient la revue *Esprit* dans des eaux faciles et troubles. Hours, au contraire, connut après la guerre un destin personnel que rien ne laissait prévoir. Persuadé par un de ses enfants jésuite ayant résidé de nombreuses années en Algérie, que les peuples islamiques sont à jamais incapables, à cause de leur religion et de leur écriture (*sic*), de s'élever dans l'ordre intellectuel à la connaissance scientifique (alors que les Arabes furent les héritiers d'Archimède et inventèrent une médecine révolutionnaire tout en traduisant et interprétant Aristote), il en vint à l'idée que les Français ne devaient pas quitter l'Algérie, et devint ainsi un farouche défenseur de l'Algérie française, au moment où de Gaulle s'apprêtait à céder aux revendications d'indépendance politique de notre ancienne colonie. Hours mourut tout d'un coup dans la fureur et la consternation, peu de jours après sa propre femme.

La khâgne comportait, outre les élèves, un autre personnage de haut relief, qui faisait mine d'enseigner la langue anglaise, tout en portant haut sa tête et ses souvenirs d'interprète auprès des troupes anglo-saxonnes pendant la guerre de 14. Il parlait un pur anglais d'Oxford, et entrait en fureur quand j'ouvrais la bouche, prétendant que j'avais ramassé, pour le faire hurler, un horrible accent américain sur les quais. Il adorait être chahuté, et on ne lui en refusait pas le plaisir. Cela se passait, fort britanniquement, dans les règles. Chaque fois, un élève, désigné d'avance, s'installait derrière le bureau du maître, lequel s'asseyait sur une chaise à quelques mètres, et entreprenait de commenter en anglais un texte quelconque, généralement britannique. Nous étions d'avance convenus entre nous de placer, au meilleur moment de l'explication, un vers de Béranger : « Dieu, mes enfants, vous donne un beau trépas » ou « Dans un grenier qu'on est bien à vingt ans ». L'effet ne ratait jamais. Chaque fois que le commentateur approchait de l'instant critique et se mettait à dire : « Ce passage ne peut manquer de nous rappeler irrésistiblement la formule de Béranger... », notre maître se levait, comme projeté par un ressort, et entrait dans la plus belle fureur de théâtre que j'aie jamais vue. Cela durait dix minutes, il foutait l'élève à la porte et reprenait lui-même l'explication, en évitant de parler de Béranger. Il était extrêmement heureux, cela se voyait à son cheveu dru, et à ses mains qui tremblaient.

Un jour, quelqu'un lui fit une surprise. Il s'agissait de commenter trois vers de John Donne. L'élève, un magnifique garçon blond, poète à ses heures et constamment amoureux d'une fille de la classe dont je vais dire un mot, commença par une traduction de sa manière :

> *Je t'ai aimée trois jours durant*
> *Je t'aimerai trois jours encore*
> *S'il fait beau.*

Il pleuvait ce jour-là à verse sur le parc. Qu'importe. Il prit le texte de ces quelques mots pour « associer ». Il dit : « Je t'ai aimée... cela rappelle irrésistiblement la chanson de Tino Rossi... » et d'entamer je ne sais plus quelle rangaine. Défilèrent ainsi toutes les chansons à la mode, chacune d'entre elles accrochée à un mot du poème. Le maître ne pipa mot, jusqu'à ce que Béranger parût à l'horizon. Il fit alors sa colère réglementaire.

Un autre jour un autre élève, devenu depuis oratorien célèbre, et que tout le monde appelait Fanfouet, car il était savoyard, avec un père chef d'une gare qu'on avait supprimée (vous imaginez les plaisanteries sur la location de la gare), entreprit d'expliquer un autre texte, toujours en anglais, mais avec une méthode de dissection inédite. Il distingua exactement quarante-trois points de vue, commençant par les plus classiques, le point de vue historique, le point de vue géographique, pour finir dans les disciplines peu pratiquées, comme l'ornithologie (qui eut un gros succès auprès du maître amateur d'oiseaux de mer), la cuisine, la « fragologie » (on verra dans un instant pourquoi) et autres babioles. Béranger rappliqua évidemment sous le chapitre de la poésie, déclenchant la fureur classique.

Pour moi, quand je dus « plancher », je pris un autre parti. Je cherchai dans les livres et la mémoire d'un ami hispanisant une citation d'un moine du XVIᵉ siècle, inquisiteur chevronné, Dom Gueranger, et je l'introduisis en retenant ma respiration au juste moment. Croyant entendre parler de Béranger, le maître s'apprêtait à entrer dans sa fureur coutumière, et j'eus toutes les peines du monde à le faire revenir sur son erreur, et lui garantir que Dom Gueranger n'avait rien à voir avec Béranger, étant né deux ou trois siècles plus tôt et n'ayant jamais fait dans la poésie. Il nous paya une tournée à la fin de l'année, c'était sous les arbres du parc, à la buvette, il y avait des barques sur le lac, et des filles dedans, dont se demandait ce qu'elles pouvaient bien y faire, par cette chaleur.

Avec le « père Hours » également, nous entretenions des relations de défi. Il avait coutume, lorsqu'il avait à prononcer un mot en anglais, par exemple Wellington, de s'arrêter de parler, de s'approcher du tableau noir et, tout en s'excusant de « ne pas prononcer la langue anglaise », il écrivait le mot en question au tableau noir, en le soulignant, pour que chacun comprenne. Il parlait d'abondance, appuyé d'une main sur son bureau, consultant de l'autre, pour l'apparence, quelques vagues feuillets qui ne contenaient vraisemblablement aucune note, et impossible de l'arrêter... Il disait : « Vous ai-je dit que l'Angleterre était une île? » et il attendait la réponse, qui ne venait pas. Il tirait toutes sortes de conclusions. Après la guerre, il me dit un jour devant Hélène, qui avait milité dans la Résistance, qu'elle aurait été proprement impossible en Angleterre, non parce qu'elle était une île, mais parce que les Anglais logeant tous dans ces cottages, la clandestinité des militants aurait été impossible, faute de « traboules » comme à Lyon. Je lui jouai cependant un tour de ma façon, un jour que j'eus à faire devant la classe un exposé sur le Premier consul et sa politique étrangère. Je m'arrangeai pour que le dernier mot de mon exposé fût le nom d'une bataille célèbre. Au moment de le prononcer, je me levai lentement, pris un morceau de craie blanche dans la main droite et m'approchai du tableau, en disant : « Excusez-moi, mais je prononce très mal l'italien. » Et j'écrivis simplement : Rivoli. Le « père Hours » prit très bien la chose, en connaisseur. Il avait donc coutume de parler, mais il y avait dans la classe un garçon d'une taille gigantesque, à en faire un joueur de rugby ou de tennis de classe mondiale, mais trop flemmard pour rien faire, et qui est devenu, pour contrarier tout le monde, un des journalistes les plus célèbres de la presse française. Hours avait à peine commencé à parler qu'il s'affalait sur son pupitre, et s'endormait, à notre grande joie, car il ronflait haut. Toute la question pour nous était alors : combien de temps? car le « père Hours » finissait toujours par s'en apercevoir. Il s'approchait alors à pas de loup du dormeur et le secouait comme un prunier en criant : « Eh! Charpy! On est arrivé, tout le monde descend! » Charpy ouvrait un œil, gardant l'autre, on ne sait jamais, clos, et se rendormait. Le « père Hours », considérant qu'il avait fait plus que son devoir, recommençait à nous expliquer que l'Angleterre était une île.

Nous étions plus ou moins (sauf le poète, et un garçon qui, sans prévenir personne, partit un jour en Espagne, dans les Brigades internationales, se faire tuer comme tout le monde), tous royalistes dans ce temps-là. C'était la faute à Chambrillon, un brillant esthète, et à Parain, dont le père fabriquait des rubans de chapeau à Saint-Étienne, qui jouait admirablement du piano et était amoureux d'une femme qu'il n'avait pas encore rencontrée, mais ça se sentait, vu les idées qu'il avait dans le cœur et la tête. C'était un royalisme de circonstance, pour le comte de Paris, bien sûr, dû sans doute au passage fulgurant de Boutang dans la khâgne quelques années auparavant, mais ça n'allait pas loin, pour nous du moins. On se contentait de quelques sarcasmes bien sentis, dont faisaient les frais quelques ennemis imaginaires, et le Front populaire, qui livrait la France à la populace et aux Juifs.

Le Front populaire, j'en vis quelque chose, un jour que défila dans la rue de la République un immense cortège d'ouvriers que j'observai, la rage au cœur, d'une petite fenêtre de l'appartement qu'occupaient alors mes parents, rue de l'Arbre-Sec, nom qui était tout un programme. Mais je fis quand même le rapprochement avec ce que le « père Hours » nous racontait sur la bourgeoisie française et le peuple, et cela suffit à me détacher de mes amis royalistes.

Le poète, lui, avait l'esprit ailleurs. Il passait son temps à faire la cour à une des deux filles qui fréquentaient notre classe, Mlle Molino. C'était une jeune femme noire comme le jour, et sous une apparente tranquillité, elle était feu, et le crachait pour peu qu'on la touche. Il y eut des orages et des drames publics pendant les trois ans que je passai au lycée. Le poète lui faisait des déclarations d'amour devant tous, même en anglais, et elle ne voulait rien entendre. Un jour ils disparurent tous les deux, nous les crûmes morts, mais ils reparurent quelques jours plus tard, apparemment en bonne santé. Ils n'en reprirent pas moins leur défi et leurs ruptures dans les heures qui suivirent. C'était du sport, et cela valait mieux que la piètre équipe de football locale, qui ne parvenait pas à marquer de buts, mais en encaissait à la pelle. Il faut dire que le maire de Lyon était Édouard Herriot, qui passait son temps à régner sur le Parti radical, à polir quelque formule sur la culture (il paraît qu'il y mit dix ans) et à se préparer à mourir en paix avec l'Église. J'étais un peu au fait de ces dispositions posthumes par un jésuite grand et maigre, au plus bel appendice nasal que j'aie vue de ma vie, qui d'ailleurs ne l'empêchait pas de vivre, et que j'allai chercher, un jour que j'avais besoin de lui pour fonder en khâgne une section de la Jeunesse étudiante chrétienne, dans son séminaire de résidence, sur les hauteurs de Fourvière. Il me fit bon accueil, un peu étonné qu'on vienne ainsi le chercher en passant par-dessus la tête des autorités municipales, universitaires et ecclésiastiques, mais enfin il accepta. C'est ainsi que, grâce à son accord, je formai ma première cellule politique : je n'ai pas eu besoin d'en fonder d'autre. On recruta. Nous tînmes des réunions irrégulières, j'appris ainsi que l'Église s'occupait de la « question sociale » à sa manière, ce qui, venant du Vatican, faisait naturellement maugréer le « père Hours », et un jour nous partîmes, même nos royalistes, pour une « retraite » dans un monastère des Dombes, où les étangs sont nombreux. Nous trouvâmes des pères onctueux, détendus et obligatoirement silencieux. Ils travaillaient la terre le jour et la nuit, se levaient cinq fois pour prier à haute voix. La maison avait une incroyable senteur de cire, de savon, d'huile et de sandale crasseuse. C'était excellent pour apprendre le détachement du monde et la concentration spirituelle. D'ailleurs il y avait à chaque étage une énorme pendule qui sonnait tous les quarts d'heure, ce qui tenait tout le monde éveillé, surtout la nuit. Je tentai de me pénétrer de ces circonstances, et priai, à genoux, persuadé que Pascal viendrait à bout, par ses arguments matérialistes, de mon matérialisme spontané. Je fis même un soir une sorte d'homélie sur le « recueillement », qui me valut une estime sans partage de la part de Parain, à qui je dis que je n'y avais nul mérite, puisque mon texte était écrit d'avance. Enfin, c'est de ce temps que je garde le souvenir d'une vocation religieuse possible, mais ratée, et d'une certaine disposition pour l'éloquence ecclésiastique.

Cela ne pouvait rien changer à l'affaire, mais enfin, dans les Dombes, il n'y avait pas de fille, alors qu'on en rencontrait partout. Pas seulement sous les espèces de Mlle Molino, qu'il n'était pas question de disputer à Bernard (le nom de notre poète), mais dans le parc, les jardins, les rues, et aussi le fameux café où je dus, comme tout « conscrit », payer mon écot en bière et en discours. Le discours que je fis est resté dans la mémoire de quelques camarades. Ils nous terrifiaient, étant là pour ça, et nous tremblions à leur donner tout le plaisir désiré. Enfin l'heure vint. Je me rappelle avoir commencé ainsi : « Chiot chiot chiot chiot, disait le petit garçon. Et sa mère : pourquoi n'as-tu pas fait pipi avant d'entrer ? » Après cette entrée décisive, le reste n'avait plus d'importance, c'était, je crois, un pastiche de Valéry où je disais entre autres : « Je n'ai pas suspendu mon glaive pour des prunes », mais sans dire pourquoi, ni quel était ce glaive, ni quelles étaient ces prunes. De toute façon, le sens n'était pas perdu pour tout le monde, on me le fit bien comprendre en me soumettant aussi sec à un questionnaire serré sur mes rapports amoureux, cela faisait partie des obligations. Je m'en tirai comme je pus, en disant la vérité : que je n'avais connu, mais de loin, qu'une petite fille blonde quand j'étais dans le Morvan, elle rentrait seule par les bois et j'aurais aimé l'accompagner et la prendre dans mes bras ; que j'avais connu de beaucoup plus près une jeune fille, sur une plage du Midi, quand nous y passions les mois d'été dans la maison d'un collègue de mon père, alors à Marseille, mais que les choses n'étaient pas allées bien loin, puisque, si j'excepte un après-midi merveilleux dans les dunes où je fis glisser du sable entre ses seins, pour le recueillir au creux du ventre, je ne pus la revoir, ma mère s'étant élevée contre cette relation avec une fille qu'elle jugeait trop jeune pour moi puisqu'elle avait un an de plus et l'œil noir, au point qu'un jour que je voulais la rejoindre en bicyclette sur une plage où elle était dangereusement seule, ma mère dit non, et je partis en pleurant et à fond de train dans la direction opposée, jusqu'à La Ciotat, où je me payai un grand verre d'alcool, songeant que j'aurais pu la soutenir dans la mer, comme j'aimais à le faire, une main sous les seins, et l'autre contre le sexe, ce qui ne lui déplaisait pas du tout et ne risquait pas de lui faire un enfant. Ils écoutèrent tout cela sans la moindre moquerie et, quand je me tus, il y eut un grand silence, qu'on se mit soudain à noyer dans la bière.

C'est ainsi que, sans le savoir, malgré les horreurs d'Espagne, nous nous approchions de la guerre. Elle me surprit à Saint-Honoré, où je faisais alors une cure thermale, qui me donnait du moins le plaisir de plonger en courant dans la piscine et de me promener sous les hauts arbres du parc, à l'ombre. C'était en septembre 1939, Munich, et je ne recevai toujours pas la convocation attendue. J'avais alors à l'épaule gauche un rhumatisme très douloureux, qui m'abandonna dès que je reçus mon ordre de mobilisation. Il est connu que les guerres guérissent la plupart des maux des hommes. Mon père fut envoyé sur le front des Alpes, en attendant que les Italiens se décident à tirer quelques coups de canon pour se donner la preuve qu'ils étaient bien entrés en guerre ; ma mère se replia dans le Morvan où elle connut la période la plus heureuse de sa vie, sans époux, sans enfants, avec pour toute charge les fonctions du secrétariat de la mairie locale, où affluèrent les refugiés de la débâcle, une fois mai 1940 atteint. Pour moi, je fus envoyé avec d'autres étudiants au Centre de formation des élèves officiers de réserve (EOR) d'Issoire. Il y avait là, dans une ville encore provinciale, une grande concentration d'hommes de tous âges, de femmes idem, de chevaux et de canons âgés, à cause de l'artillerie alors hippomobile. Nous étions instruits dans l'art dela guerre par un adjudant amateur, Courbon de Castelbouillon, qui était tout rond et, comme Napoléon III, court de jambes, mais fort bel homme à cheval blanc, et qui jurait comme un pompier dans le sable où tournaient les chevaux résignés qui n'avaient même pas besoin qu'on les guide pour avancer ni surtout pour rester sur place, en lâchant de temps en temps une belle portion de crottin ou un jet de pisse qui surprenaient tout le monde. Les cavalcades sur le champ de manœuvre, dont l'adjudant prétendait qu'on avait perdu la clé du temps de Louis XIV, nous enchantaient, et surtout leur désordre, car personne n'était en état de faire ni avancer, ni reculer, ni sauter, ni se coucher la moindre de nos montures. Mais nous riions beaucoup, malgré les fureurs de Courbon, qui n'était pas fâché d'avoir affaire à des recrues aussi navrantes. Il disait que dans ces conditions nous allions perdre la guerre, et que ce serait bien fait pour nos pieds, et pour le Front populaire. La réjouissance nous venait de nos promenades, sur les hautes crêtes qui bordent la vallée de l'Allier, boisées d'épines noires dont les fruits, pourris en hiver, faisaient notre délectation, surtout quand nous les cueillions en plein ciel ou près d'une chapelle abandonnée. Nous revenions rompus mais contents. Il y avait là plusieurs amis qui s'entendaient comme larrons en foire, avec ce qu'il faut de citations à la bouche pour rendre la conversation plaisante. Il y avait Poumarat, que j'ai retrouvé, qui a maintenant une barbe, une femme qui lui va, et plusieurs enfants qui sont d'accord, il fait du vol à voile, et prend un torticolis à regarder le ciel, pour voir si les courants sont bons. Il écrit des romans qui sont bons, mais parlent de choses trop anciennes pour qu'un éditeur les accepte. Il y avait là Béchard, un camarade de khâgne, avec un accent morvandiau, de grands cheveux, escogriffe qui avait toujours une ombre plus longue que lui à traîner, qui jouait du violon et parlait anglais quand il était content. Il est mort vers 1942, en même temps que sa femme, d'une tuberculose conjugale, en plein Maroc; je ne sais ce qu'il est allé faire là-bas, sans doute fuir Pétain. Il y avait enfin un personnage râblé, qui ne jurait que par les femmes. Il en avait trouvé une, qui couchait avec les chevaux et faisait l'amour dans la paille, et il prétendait que ça valait tout l'or du monde, car elle ne faisait pas de manières, en redemandait sans cesse, il est même allé jusqu'à lui louer une chambre d'hôtel, c'était cher mais plus pratique, à ceci près que quand il en revint ce fut pour nous dire qu'elle était une garce parce qu'elle lui avait refilé une chaudepisse. A l'époque, ce n'était pas si facile que cela à soigner. Cet épisode me renforça dans l'idée qu'il fallait quand même se méfier des femmes, surtout quand elles couchent dans la paille des chevaux.

Comme le temps passait, et que la guerre durait sans avancer, on nous demanda si nous étions volontaires pour l'aviation. Béchard et les autres dirent oui. Je pris peur et tombai malade, juste le temps qu'il fallait pour échapper au choix. J'eus assez de fièvre pour ça, et je crois même que je frottai consciencieusement le thermomètre pour obtenir le résultat désiré. Le toubib passa, consulta ma courbe et n'insista pas. Les autres, pendant ce temps, étaient partis. Je restai seul, avec Courbon, qui préférait l'équitation à l'aviation. Mais ce n'était plus drôle.

Ce qui resta de nous fut envoyé en Bretagne, à Vannes, pour parfaire notre formation. Je trouvai là une nouvelle compagnie, moins homogène et moins divertissante. C'était alors du travail sérieux : sorties de nuit, à la recherche des espions (nous trouvâmes un jour, déchirés, des papiers appartenant à des Espagnols en fuite), tirs fictifs sur des espaces balisés, marches forcées, examens écrits, etc.

Pendant ce temps, les réfugiés affluaient, dans leur équipage lamentable. Et bientôt les troupes allemandes s'approchèrent, alors que nous nous apprêtions à défendre le « réduit breton » de Paul Reynaud, qui filait pour son compte à Bordeaux avec le gouvernement en débandade. Vannes fut proclamée « ville ouverte », et nous attendîmes de pied ferme les Allemands, en montant la garde autour de notre quartier pour empêcher les soldats réfugiés de rentrer chez eux comme déserteurs. C'était la consigne du général Lebleu, qui appliquait ainsi un plan très réfléchi, destiné à nous livrer à l'armée allemande, en vertu du principe : il vaut mieux, c'est plus sûr politiquement, que les hommes partent en captivité en Allemagne qu'en France du Sud où ils pourront faire Dieu sait quoi, suivre de Gaulle. Raisonnement irréprochable et efficace.

Les Allemands arrivèrent en side-cars, nous firent les honneurs de notre défaite, furent courtois, nous promirent de nous libérer sous deux jours et nous avertirent charitablement que si nous partions, il y aurait des représailles sur les nôtres, car ils avaient le bras long. Certains firent la sourde oreille et prirent le large, sans scrupule. Il suffisait d'un simple costume civil et de quelques francs. C'est ce que fit d'ailleurs mon oncle, ancien prisonnier de 14, qui connaissait la musique et ne s'en laissa pas conter. Il prit, je ne sais comme, un costume civil, vola un vélo, et partit son petit bonhomme de chemin, en se payant même de traverser la Loire, sous prétexte d'aller pisser sur l'autre rive (« je suis gaucher, monsieur l'officier »), et il parut un jour devant sa femme méduseé : « mais tu vas nous faire avoir des histoires ». Mon oncle avait le caractère assez mauvais pour avoir la paix. Il est mort plus tard, ayant élevé sa famille et ayant bien emmerdé sa femme, mais ça n'a pas de rapport.

Pour nous, les Allemands nous transportèrent soigneusement, pour nous les faire visiter avant le départ, en plusieurs lieux, baptisés camps mais pleins de courants d'air, de Bretagne. Je me souviens d'un de ces camps où il suffisait d'emprunter l'ambulance pour être dehors ; d'un autre où il suffisait de descendre de wagon et de s'égarer dans le village derrière la petite gare pour être libre. Mais il y avait la désertion et la promesse de tout faire dans les règles. Les Allemands m'avaient d'ailleurs pris un petit Kodak, qui me venait de mon père ; mais naturellement pour le mettre en sécurité avant de me le rendre. Nous pouvions écrire. Tout se présentait bien. Il n'était que d'attendre.

Pendant ce temps, nous avions passé les examens écrits règlementaires pour les EOR. Le premier fut le père Dubarle. Comme au concours général (mais à la différence du concours de l'École normale, où j'avais été reçu sixième, je crois, en juillet 1939, après avoir eu 19 en latin, rien de moins, et 3 en grec, j'en demande pardon à Flacelière, après avoir fait un exposé philosophique sur la causalité efficiente que je n'avais pas l'honneur de connaître, qui plut au doux melon qu'était Schuhl et déplut à Lachièze-Rey qui me dit très justement qu'il « n'avait rien compris »), je ratai toutes mes épreuves, je ne sais même pas si je fus classé, car on n'eut pas le temps de publier les résultats, la faute aux Allemands. Les Allemands considérèrent d'ailleurs que nous étions des soldats de deuxième classe, et nous envoyèrent en conséquence dans un stalag pour hommes de troupe. Non sans un séjour dans un grand camp de regroupement près de Nantes, où on se battit pour de l'eau et où Dubarle, qui voyait loin, organisa la surveillance des convois militaires qui passaient près de là sur des rails, afin de refiler le renseignement au-dehors. Je rappelle que c'était juin 1940, avant l'appel de De Gaulle.

Les choses sérieuses commencèrent quand nous fûmes dans le train avec un wagon de queue bourré de soldats armés de mitraillettes, soixante personnes par wagon, il fallait pisser dans des bouteilles, et rien à boire que notre urine, rien à ronger que notre frein. Cela dura quatre jours et quatre nuits interminables. On s'arrêtait dans des gares en plein jour, des gens nous tendaient à manger. On s'arrêtait en pleine campagne, on voyait des paysans faucher leur foin à dix mètres. Des camarades finirent par faire sauter des lattes du plancher, ils se glissèrent sur les boggies, mais les autres râlaient, « tu vas nous faire fusiller », ils continuaient et finissaient par sauter dans la nuit et les ronces. On entendait quelques coups de feu, et un chien qui aboyait, mais le chien, c'était bon signe. On a tous rêvé de s'évader de la sorte, mais on avait peur, et il n'y avait pas le temps, et si les Allemands avaient trouvé les wagons vides, alors! On donnait des adresses et des messages à ceux qui partaient, avec toutes sortes de recommandations, et à Dieu vat.

Quand nous franchîmes la frontière allemande, nous en fûmes avertis par la pluie. L'Allemagne est un pays où il pleut. Comme disait Goethe à son monarque : mieux vaut du mauvais temps que pas de temps du tout. Il n'avait pas tort. Mais la pluie, ça mouille. Les Allemands que nous voyions, blêmes, dans les gares, étaient trempés. Ils ne nous donnaient pas à manger. Ils avaient l'air d'être sous le coup de leur victoire, qui les avait surpris au petit lever, avant le café noir, et ils ne s'en étaient pas encore remis. Ils ne savaient manifestement rien des camps de concentration, mais nous non plus, en tout cas, ils étaient mieux placés que nous au cas où.

Nous finîmes par arriver à une gare sans nom, dans des landes toujours balayées de pluie et de vents. On nous fit descendre et on nous mit en marche, sous la menace des fouets et des fusils, pendant quarante kilomètres. Nombre de camarades restèrent en route, mais les Allemands, en général, ne les achevèrent pas. Ils envoyèrent des chevaux pour les traîner. Je me rappelle qu'à tout hasard, et connaissant le mot de Goethe, j'avais fauché une sorte d'imperméable britannique en toile caoutchoutée que j'avais revêtu sous ma chemise, pour que les Allemands ne me le confisquent pas. Je fis mes quarante kilomètres avec cette chose sur la peau, autant vous dire que je transpirais un brin, et pris peur, une fois sous la tente, de m'enrhumer au moins, mais non, et d'ailleurs dès le lendemain les Allemands me confisquèrent ma fausse chemise, en prétendant que ça leur rendrait service. Je veux bien. Depuis, je me suis fait à la pluie, et j'ai appris qu'on pouvait se faire mouiller sans attraper de rhume.

La nuit sous cette tente fut incroyable. On avait faim, soif, mais surtout on était crevés, et on tomba dans le sommeil, il fallut nous tirer par les pieds le lendemain pour nous en arracher, afin de passer tous les examens de contrôle de la captivité allemande. Mais j'avais appris que les hommes se tiennent chaud, surtout quand ils sont malheureux et fatigués, et que, l'un dans l'autre, les choses finissent par s'arranger.

Elles ne s'arrangeaient pas pour tout le monde. Notre camp touchait à un autre camp, où on voyait errer des êtres faméliques, qui devaient venir de Pologne de l'Est, car ils parlaient russe, n'osaient s'approcher des barbelés électrifiés, alors on leur jetait un peu de pain, quelques habits, et quelques mots dont on savait bien qu'ils ne seraient pas compris, ça ne fait rien, ça leur faisait un peu de bien et à nous aussi, on se sentait moins seuls dans la misère.

Après, on nous distribua dans des commandos séparés. J'eus droit, avec quelques étudiants et trois cents paysans et petits-bourgeois, à un camp spécial, puisqu'il s'agissait de creuser des réservoirs souterrains pour la Luftwaffe, et d'abord de tout démolir sur le chantier, vieilles maisons, forêts, de combler les mares, et tout entourer de fils de fer barbelés. Mon incompétence me voua à cette dernière spécialité : creuser, planter des poteaux, fixer les barbelés : nous nous enfermions nous-mêmes. Nous avions au dos une sentinelle, ancien combattant de la guerre de 14, qui en avait assez des tueries et ne cessait de nous le dire. De temps en temps, il nous donnait un morceau de son casse-croûte, car le nôtre ne pesait pas lourd. Je me souviens qu'un jour, muni de *Lagergeld* (argent qui n'avait cours que dans le camp, pour s'acheter des brosses à dents et du cigare), je me mis en tête d'aller rendre visite à une boulangère à trois cents mètres de là. Il y avait du beau pain blanc allemand, et aussi du pain noir, et même une tarte aux prunes. Rien à faire : mon argent ne valait rien, et elle voulait de l'argent vrai pour son pain. Comme disait notre sentinelle : « C'est la guerre! » et il crachait par terre pour ponctuer son sentiment.

J'ai connu là surtout des paysans pleins de leurs souvenirs : de leurs terres, de leurs bêtes, de leurs travaux, de leur femme et de leurs enfants. Surtout pleins du sentiment de leur supériorité : les « Chleuhs » (les Allemands), ça ne sait pas travailler, ils vont voir ce qu'ils vont voir. Et ils se jetaient au travail, pour la beauté du geste. Mais il y avait deux ou trois étudiants qui n'étaient pas d'accord et le faisaient savoir : il faut travailler le moins possible, même si on crève de faim, et même si on pouvait saboter! Une minorité et des mauvais esprits. Il y avait aussi un ouvrier agricole normand, qui s'appelait Colombin, avait de grandes moustaches, un large béret plat et des convictions silencieuses. Lui n'en foutait pas lourd, et de temps en temps, il crachait dans ses mains, s'appuyait sur sa pelle et disait : je m'en vas faire un sacré colombin. Et il allait chier ostensiblement dans le voisinage, au vu des Allemands éberlués. Il m'a raconté beaucoup d'histoires.

Pas autant il est vrai que d'autres prisonniers. Je pense en particulier à un jeune Normand, qui avait pu conserver sa montre en or, cadeau de sa femme, et qui la montrait à tout le monde, en jurant qu'il ne la vendrait pas pour une bouchée de pain. Sa grande surprise fut un jour de ne pas la retrouver sous sa paillasse. Il accusa les Allemands, qui répondirent qu'ils n'avaient pas besoin de sa montre, qu'ils avaient confisqué toutes les autres — une de plus, une de moins! Elle était partie au ciel toute seule. Le fait est que le gars la retrouva au retour entre les mains de sa femme, qui l'avait reçue d'un officier américain. Les choses sont drôles. Mais il y avait aussi un autre homme, cultivé, journaliste dans un quotidien de l'Est, russe d'origine, ce qui lui donnait des arguments sur le pacte germano-soviétique et la suite, et aussi pas mal de souvenirs de femmes qu'il racontait, vu la pénurie, avec beaucoup d'aisance et de succès. En particulier que c'était facile comme bonjour de les posséder, à preuve celle qu'il avait caressée sous la nappe au cours d'un banquet officiel, au vu de tous, et la même qu'il avait raccompagnée chez elle dans le soir, le pressant contre sa porte close, jusqu'à lui ouvrir les jambes et toucher aux positions stratégiques avec le consentement de l'adversaire qui était, tenait-il à préciser, entièrement nue sous sa robe. Cela nous faisait tous rêver, même Colombin qui crachait alors par terre.

Le même journaliste entreprit de faire l'éducation sexuelle de nos sentinelles. Mince mérite à vrai dire. Mais il leur apprit que les femmes noires « l'avaient en travers », ce qui produisit une manière de révolution chez nos gardiens, ils firent venir un officier médecin qui les écouta soigneusement, acheta une encyclopédie où il ne trouva rien de convaincant, transmit à l'autorité supérieure où on lui dit que c'était vrai de toutes les races qui mangent de l'ail, mais que les Noirs n'en mangeant pas, à la différence des Juifs et des Français, ça ne devait pas être leur cas. L'affaire en resta là, mais notre camarade eut droit à une ration supplémentaire de pain, qu'il partagea.

C'est alors que je fus nommé balayeur, car j'avais attrapé une mauvaise hernie à soulever les troncs d'arbres de la mare. Je restai donc au camp toute la journée, pendant l'absence de mes camarades, et je maniai le balai. Le balai se compose d'un manche et du reste. L'important est le manche, et le coup de main. La poussière est secondaire. Elle est comme l'intendance : elle suit. J'avais trouvé le bon tour de main, et je m'acquittai en deux heures d'une tâche qui aurait dû en durer douze. Il me restait donc du temps. J'entrepris d'écrire une tragédie sur cette jeune personne grecque que son général de père voulait tuer pour que le vent se lève. Moi je voulais qu'elle vive, et je m'arrangeai pour que la chose fût possible, si elle était d'accord. On s'enfuirait tous les deux dans une barque, la nuit venue, et on ferait l'amour sur la haute mer, à condition qu'il n'y ait pas de vent, mais juste un peu de brise pour la fraîcheur et le plaisir.

Je n'eus pas le temps de terminer ce chef-d'œuvre, où le Giraudoux des hérissons avait sa part, car je tombai sérieusement malade : des reins paraît-il, au dire du médecin français du camp, un homme du Nord fier et compétent, qui fit entendre aux Allemands que pas question de barguiner, il fallait de toute urgence m'envoyer à l'hôpital central du camp. Une ambulance blanche vint, et pour la première fois on me transporta, lentement, durant des kilomètres de campagne désolée, vers le camp de Schleswig. J'entrai à l'hôpital, où je fus bien soigné par un médecin allemand las qui, au bout de quinze jours, me déclara guéri et me renvoya au camp. Mais c'était le camp central. Un monde. Les prisonniers polonais, arrivés les premiers, y occupaient tous les postes clés, et une petite guerre opposait les Français, les Belges, les Serbes auxdits Polonais, qui finirent pas céder quelques places. Je fus bon pour des travaux extérieurs, déchargement de charbon, creusement de tranchées, jardinage, avant de pénétrer dans les emplois du camp : à l'infirmerie où régnaient le médecin qui m'avait envoyé à l'hôpital, et un officier dentiste salace, qui passait son temps à envoyer des tablettes de chocolat aux femmes ukrainiennes du camp d'en face pour qu'elles ouvrent de loin leurs cuisses. Je devins ainsi « infirmier » sans l'avoir jamais été, et soignai toutes sortes de malades. Je vis ainsi mourir un malheureux chansonnier parisien d'une gangrène gazeuse provoquée par une opération à champ ouvert pratiquée par un jeune médecin allemand nazi qui voulait se faire la main. La plupart des malades étaient de feinte. Ils maigrissaient par le jeûne afin de se faire déclarer atteints d'un ulcère à l'estomac pour une radio fabriquée après avoir avalé au bout d'une ficelle, qui réglait à la hauteur voulue une petite boule de papier d'aluminium. Ça ne marchait pas toujours. J'ai essayé, mais en vain. J'ai essayé de me faire réformer comme infirmier, en me faisant envoyer des papiers que, comme par hasard, j'aurais découverts sous les yeux du gardien dans un colis. Ça n'a pas marché, parce que j'avais oublié de retirer de mon livret militaire des attestations prouvant que j'avais été élève officier de réserve.

Cette expérience forcée du travail manuel m'apprit beaucoup de choses. D'abord qu'il y faut tout un apprentissage. Ensuite qu'il faut y savoir traiter le temps, entretenir avec lui des rapports calculés, où intervient le rythme du souffle, de l'effort et de la fatigue, et que la lenteur est nécessaire pour que dure l'effort. Enfin que ce travail qui dure et fatigue est finalement moins difficile que le travail intellectuel, le « père Hours » nous l'avait dit et redit à longueur de cours, en tout cas moins éprouvant pour les nerfs. J'appris aussi que ces hommes qui travaillent toute leur vie (notez que je n'ai fréquenté que des paysans durant toute cette période, les Allemands ayant expédié les ouvriers prisonniers dans des usines où ils pouvaient rendre des services qualifiés) y acquièrent une véritable culture, silencieuse, mais extrêmement riche, et pas seulement une culture technique, mais marchande, comptable, morale et politique. J'appris qu'un paysan est un vrai polytechnicien, bien qu'il ne le sache pas, ayant à maîtriser un nombre incroyable de variables, depuis le temps et les saisons jusqu'aux indécisions du marché, en passant par la technique, la technologie, la chimie, l'agrobiologie, le droit et la lutte syndicale et politique − qu'il y participe activement ou les subisse. Hélène devait me l'apprendre plus tard. Et je ne parle pas des prévisions de culture à moyen terme, des endettements pour achat des machines-outils, des investissements aux effets aléatoires selon les humeurs du marché etc. J'appris aussi qu'il existait, en France même, qu'on pouvait croire préservée de ce fléau, des paysans pauvres, vivant d'une vache sur un petit pré, de châtaignes et de seigle ou, comme dans le Morvan, de l'élevage de quelques porcs et d'un enfant de l'Assistance publique. Je me fis ainsi peu à peu une idée, que je n'avais guère soupçonnée, de l'existence d'une véritable culture populaire, en tout cas paysanne, qui n'a rien à voir avec le folklore, qui ne se voit guère, mais qui est déterminante pour comprendre le comportement et les réactions des paysans, en particulier ces actions de jacqueries, qui leur viennent du Moyen Age, et qui déconcertent même le Parti communiste. Je me souvenais du mot de Marx dans *Le 18 Brumaire* : Napoléon III a été plébiscité par les paysans français, ce ne sont pas une classe sociale, mais un sac de pommes de terre. De fait, je pouvais prendre la mesure de leur solitude : chacun pour soi sur sa terre, séparé des autres, mais dominé par les gros, jusque dans les coopératives et les syndicats paysans. Ce n'est pas ce qui s'est passé depuis la guerre avec les jeunes agriculteurs, noyautés par les organisations catholiques, qui y a changé quoi que ce soit : ce sont toujours les gros qui dominent et font la loi sur les moyens, les petits et les pauvres. Les paysans n'ont pas été éduqués par le capitalisme industriel comme l'ont été les ouvriers d'usine, concentrés sur le lieu de travail, soumis à la discipline de la division et de l'organisation du travail, exploités au plus raide, et contraints de s'organiser en plein jour pour se défendre. Ils restent isolés, chacun pour soi, et ne parviennent pas à reconnaître leurs intérêts communs. Ils sont une proie toute trouvée pour l'État bourgeois, qui les ménage (fiscalité quasi inexistante, emprunts, etc.) et les tient ainsi à sa merci pour en faire une clientèle électorale docile. Ils sont un des éléments de ce « butoir » tenace qu'a reconnu un jour un secrétaire de fédération du Parti communiste aux environs de 1973, à la suite du « plafonnage » électoral du Parti. Mais je n'avais pas connu d'ouvriers. Des petits-bourgeois, oui, soit sous-officiers de carrière, soit fonctionnaires, soit employés, soit commerçants, soit universitaires. Un autre monde, bavard celui-là, pressé, anxieux, avide de retrouver femme, enfants et emploi, prêt à gober toutes les nouvelles, surtout les femmes, ayant peur des Russes, plus peur des Russes que des Allemands, retors, [gens] prêts à tout pour se faire rapatrier, pestant contre de Gaulle sans dire du bien de Pétain, car de Gaulle faisait durer la guerre, se faisant envoyer de somptueux colis de France, qu'ils partageaient d'ailleurs volontiers avec tous, soucieux de leur coquetterie, et parlant d'histoires de femmes à longueur de journée. Je me souviens d'un Corse qu'on força de s'allonger sur son lit de planches, déculotta et masturba malgré lui. C'était dans une baraque où chaque soir un professeur de Clermont nommé Ferrier tenait une « émission » de radio. Toutes les baraques y envoyaient des représentants, et Ferrier donnait des nouvelles militaires et politiques du jour qu'il avait écoutées sur un poste allemand, dans un bureau où il travaillait et avait acquis la confiance de son gardien, communiste allemand. Ferrier entretenait le moral de tout le camp. Il suffit parfois qu'un simple individu prenne une initiative pour changer l'atmosphère.

Je me résignai donc à rester au camp, où j'avais de nombreux amis : de Mailly, qui n'était pas encore prix de Rome, Hameau, jeune architecte sans le sou, Clerc, l'ancien capitaine de l'équipe de Cannes qui avait remporté la Coupe de France de football dans un match historique (cet homme minuscule était un prodigieux joueur, il s'était évadé quatre fois dans des conditions incroyables et s'était fait prendre sur la frontière suisse alors que, l'ayant déjà passée, il était revenu par inadvertance en territoire allemand), l'abbé Poirier, et surtout Robert Daël.

Il y avait dans les camps un homme de confiance par nationalité en vertu de la Convention de Genève. Le premier avait été chez nous un jeune garçon nommé Cerrutti, qui était représentant en automobiles. Il avait eu l'accord des Allemands et avait été installé dans le poste sans élections. Lorsque, pour le récompenser, les Allemands le firent rapatrier, il y eut de l'agitation dans le camp. Les Allemands avaient leur candidat, mais on n'en voulait pas, il était pétainiste. On se mit d'accord pour élire Daël, qui l'emporta haut la main, soutenu par tout le monde et même par les dentistes, à l'étonnement des Allemands. Le premier acte de Daël, que personne ne comprit, fut de prendre dans son bureau le candidat des Allemands, le pétainiste. Les Allemands en furent contents. Un mois plus tard, Daël obtenait des Allemands qu'ils rapatrient son adjoint, et il le remplaça par moi. Je n'ai pas oublié cette lumineuse et simple leçon de politique. Daël était très fort, il faisait ce qu'il voulait de l'état-major allemand du camp, il fit muter deux officiers qui le gênaient, prit enfin le contrôle sur tous les envois de France, alimentation, colis, courrier, et réorganisa l'ensemble des rapports entre le camp central et les commandos dispersés, souvent abandonnés à eux-mêmes. Il ne fallait pas le contrarier. Il parlait un allemand très personnel, où ses difficultés de prononciation lui servaient à laisser venir l'interlocuteur, il ne fit jamais aucune faute, et tout le monde l'appréciait, bien qu'il fût peu bavard. Je me rappelle un incident survenu dans le théâtre du camp, où on se battait toujours pour occuper les meilleures places, dont beaucoup étaient réservées aux Allemands et aux notables du camp. Un jour Daël afficha la décision suivante : « A partir d'aujourd'hui, toutes les places réservées au théâtre sont supprimées, à une seule exception : la mienne. » Il n'y eut pas d'objection, et les Allemands firent la queue comme tout le monde, pour voir jouer des pièces de boulevard avec des hommes travestis en femmes.

Une fois pourtant une femme vint dans le camp : une Française, chanteuse, très belle, et tout le monde en fut bouleversé. Elle chanta dans le théâtre, puis Daël l'invita à sa popote personnelle, en un tête à tête qui dut bien finir. Il aimait les femmes lui aussi, et en parlait volontiers. Il racontait ses parties de jeunesse, le jeu de « poker déshabillé » avec des jeunes femmes, dont la fille de l'ambassadeur de Chine, et comment il s'arrangeait toujours pour perdre, ce qui lui

311

permettait de gagner ce qu'il voulait. Comme il s'était acquis au camp la sympathie de l'officier chargé de l'accompagner dans la tournée des commandos dans un camion conduit par le nommé Toto, jeune ouvrier parisien à l'accent déclaré, Daël parvint même un jour à se faire conduire par ledit officier à Hambourg, dans une chambre où l'attendait une très belle Polonaise qui sut prendre soin attentivement de lui, ce qui n'allait pourtant pas sans risque pour les intéressés. A ma connaissance, Daël n'alla pas plus loin. Au retour de captivité, il convainquit une jeune femme, inconnue de lui jusque-là, qu'ils pourraient s'entendre, construire une vie, et avoir des enfants. Il m'écrivait : Tu ne peux savoir, le bruit des talons sur le trottoir à ma droite... Il tint sa parole, sans le moindre accroc au contrat, réduit à vendre des films pour les autres, quelle misère quand on pense quel homme c'était. Il a du moins élevé de beaux enfants. Sa femme lui survit, sur les bords de la Manche. Je crois que nombre d'hommes en France (il n'avait cherché à revoir personne) pensent encore, et penseront longtemps à lui, comme un personnage miraculeux et à demi fabuleux.

Je dois ici raconter un autre épisode, qui s'est joué entre Daël et moi d'une part, et l'adversité d'autre part. Quand Daël, fatigué, eut abandonné son poste d'homme de confiance, quand nous eûmes longuement réfléchi à l'impasse de la situation, nous nous demandâmes pourquoi ne pas tenter une évasion. La difficulté résidait dans le fait que pendant les trois semaines qui suivaient chaque évasion, toutes les forces de l'armée de la gendarmerie et de la police allemande étaient mobilisées à la recherche des évadés, qui n'avaient alors pratiquement plus aucune chance. Il s'agissait donc de tourner cette difficulté. Nous imaginâmes donc la solution suivante : il suffisait de laisser passer le délai de trois semaines et, pour ne pas provoquer le déclenchement des mesures de contrôle, de ne pas nous évader pendant les mêmes trois semaines. Ce qui n'était possible qu'à une seule condition : attendre dans le camp, tout en étant considérés officiellement comme évadés, les trois semaines nécessaires. Pour cela il suffisait de se cacher quelque part, et d'attendre, à condition que la cachette fût sûre.

Or rien n'était plus facile que de trouver dans ce camp central une cachette sûre. Nous nous y installâmes avec la complicité de quelques amis éprouvés, qui nous ravitaillaient en aliments et en informations réjouissantes sur le remue-ménage des Allemands, et nous laissâmes passer les trois semaines. Puis nous prîmes aisément le large, Daël se permettant de saluer au passage, comme à l'accoutumée, la sentinelle éberluée. Les choses se passèrent très bien, comme prévu, sauf ce petit imprévu que fut la rencontre avec un petit fonctionnaire des PTT qui nous demanda dans un bourg l'adresse exacte d'un destinataire qui nous était inconnu. Ce qui le mit sur la piste, et lui valut une récompense, comme prévu.

J'ajoute, pour dire toute la vérité, que cette histoire a bien été préparée par nous comme je l'ai racontée, mais que nous ne sommes pas sortis du camp, nous jugeant suffisamment payés par notre effort d'imagination et la découverte de principe de la solution. Je ne l'ai pas oubliée, depuis que j'ai dû me remettre à la philosophie, car c'est au fond le problème de tous les problèmes philosophiques (et politiques et militaires) que de savoir comment on peut bien sortir d'un cercle tout en y restant.

Lorsque les troupes anglaises furent à cent cinquante kilomètres du camp, la débâcle allemande s'accélérant, Daël mit en œuvre d'autres principes stratégiques. Il alla trouver les Allemands pour leur offrir un marché : vous partez, nous prenons votre place, moyennant quoi je vous donne des certificats de bonne conduite. Ils acceptèrent et laissèrent, dans le cours d'une nuit, toutes les choses en l'état. Il nous suffit ensuite de nous y installer. Ce fut une grande révolution dans notre existence. Toto d'abord y trouva l'avantage de pouvoir coucher avec la femme allemande qu'il avait repérée, pour son parfum, de loin, dans un bureau. Des couples se formèrent, que l'abbé Poirier bénit plus ou moins. On organisa en grand le ravitaillement, par des battues qui rapportèrent chacune leur cargaison de daims, de biches, aussi de lièvres et autres bestioles, légumes ou alcools subséquents. On détourna une rivière pour avoir de l'eau. On fit enfin du pain français. On réunit la population pour lui donner des informations et une formation politiques. On apprit le maniement d'armes, l'anglais et le russe aux jeunes Allemands et aux jeunes Allemandes, d'abord terrifiés, puis rassurés. On fit du football et du théâtre avec de vraies femmes. C'était tous les jours dimanche, c'est-à-dire le communisme.

Mais ces sacrés Anglais n'arrivaient toujours pas. Daël et moi conçûmes le projet d'aller à leur rencontre pour les informer de la

313

situation. On s'empara d'une voiture, d'un chauffeur (un peu louche) et on prit la route jusqu'à Hambourg, où les Anglais nous accueillirent si fraîchement que nous préférâmes (par un coup de main du chauffeur) leur fausser compagnie et revenir au camp, où nous fûmes très mal accueillis, nos camarades s'étant persuadés que nous les avions « abandonnés », même l'abbé Poirier, qui avait de la moralité (il y a des choses qui ne se font pas). Nous nous consolâmes avec un bon civet de daim, et attendîmes la suite.

Les Anglais finirent quand même par arriver et nous embarquèrent à condition que nous laissions sur place tous nos trésors personnels : en avion, d'abord pour Bruxelles, puis pour Paris, et pour moi ensuite pour le Maroc, où vivaient alors mes parents, et où mon père jouait toujours au tennis, tout en parcourant l'empire chérifien à deux cents à l'heure, sauf quand des chameaux, qui ne cèdent jamais le pas sur une route, lui barraient le chemin. Il avait un chauffeur espagnol qui disait : « Madame, il a peur des chameaux, Monsieur elle en a pas peur. »

Ces retrouvailles furent très éprouvantes. J'avais l'impression d'être vieux, d'avoir raté le train, et de n'avoir plus rien ni dans le ventre ni dans la tête. Je ne pensais plus pouvoir jamais rentrer à l'École, qui m'avait pourtant envoyé des livres, et me restait ouverte. C'est alors que je connus la première de mes dépressions. J'en ai tellement connu, et de si graves, de si dramatiques depuis trente ans (j'ai bien dû rester quinze ans en tout soit dans des hôpitaux soit dans des cliniques psychiatriques, et j'y serais certainement encore sans l'analyse), qu'on me permettra de ne pas en parler. Comment d'ailleurs parler de l'angoisse qui est proprement intolérable, touche l'enfer, et du vide qui est insondable et effrayant ?

J'avais peur d'être impuissant sexuellement. Je consultai un médecin militaire qui me traita par bourrades et m'assura que j'allais bien. Je visitai le Maroc avec mon père, je jouai aussi au tennis, je me baignai, je ne connus pas de filles (évidemment), j'entendis raconter des quantités d'histoires sur Sidna et sa cour, ses amis, ses médecins, sur le gouverneur général et ses colères, bref j'eus quelque vent de la lutte de classes au Maroc, où l'arrestation, dans des conditions suspectes, de Mehdi Ben Seddik me frappa.

Il fallait quand même rejoindre Paris. Mon père, qui avait trouvé quelques bouteilles de bourbon demeurées plusieurs années sous la mer dans un cargo naufragé, me les confia ; il me confia ma sœur, et on embarqua le tout dans un autre cargo, qui avait la particularité de ne pouvoir avancer que selon une ligne courbe, que le capitaine devait sans cesse redresser, et il y parvint. Mais l'atmosphère à bord était épouvantable : chaleur, promiscuité, rats, tout ce qu'il fallait. On arriva finalement à Port-Vendres, où je retrouvai enfin la terre ferme. Paris n'était pas loin.

Je fus accueilli à l'École normale par des inconnus. Effectivement, j'étais le seul prisonnier de ma promotion, tous les autres avaient suivi, au prix de quelques difficultés, dont les traces restaient dans la mémoire, le cours normal de leurs études. Tout le monde était jeune, mais certains d'entre eux avaient connu ma « légende » lyonnaise, entretenue par Lacroix, et étaient entrés dans la Résistance active. C'est par l'un d'entre eux, Georges Lesèvre, communiste, que j'ai connu Hélène.

Et puisque je parle de communistes, je voudrais rappeler que le premier que j'aie connu, ce fut en captivité, à la fin, après le départ des Allemands, alors que Daël n'était plus homme de confiance, et qu'un certain « désordre » régnait tout de même dans notre petite société communiste. Courrèges survint alors : il sortait d'un camp disciplinaire, était maigre et triste. Il s'avisa très vite de ce qui n'allait pas, et prit les choses en main. Ce fut fulgurant. En quelques jours, il se révéla un homme de masse avisé et sûr, capable de faire entendre raison aux quelques récalcitrants qui essayaient de profiter de la situation pour fausser les règles de l'équité. Tout le monde le suivit. Je n'ai jamais oublié cet exemple, que j'ai retrouvé chez Hélène et d'autres. Les communistes, ça existe.

Je connus Hélène dans des conditions particulières. Lesèvre m'ayant invité à aller rendre visite à sa mère, rue Lepic, où elle soignait comme elle pouvait la grave maladie qu'elle avait contractée en déportation, il me dit : je vais te présenter Hélène, elle est un peu folle, mais ça vaut la peine. C'est ainsi que je la rencontrai au sortir d'un métro, dans la neige qui couvrait Paris. Pour lui éviter de glisser, je lui pris le bras, puis la main, et nous montâmes de conserve la rue Lepic.

Je sais que je portais un chandail et un costume minables, don de la Croix-Rouge aux rapatriés. Il fut question de la guerre d'Espagne chez Élizabeth Lesèvre. Nous parlions tous, mais dans le silence, quelque chose commençait entre Hélène et moi. Je la revis, je me souviens qu'un jour, dans son hôtel de la place Saint-Sulpice, elle fit le geste, dont j'eus peur, de m'embrasser sur les cheveux. Elle vint me voir à l'École, nous fîmes l'amour dans une petite chambre de l'infirmerie, et je me hâtai (ce ne fut pas la dernière fois) de tomber malade, d'une dépression tellement carabinée que le meilleur psychiatre de la place de Paris, consulté, diagnostiqua une « démence précoce ». Et j'eus droit à l'enfer d'Esquirol, où j'appris ce que peut être, de nos jours, un hôpital psychiatrique. Dieu merci, Hélène, qui en avait vu d'autres, obtint qu'Ajuria [1] pénètre dans l'asile et m'examine. Il diagnostiqua une forte dépression qu'il fit soigner par une vingtaine de chocs. On faisait alors les chocs à peau nue, sans narcose ni curare. Nous étions tous rassemblés dans une grande salle claire, lit contre lit, et le préposé, trapu et porteur d'une moustache qui l'avait fait baptiser Staline par les malades, promenait d'un client à l'autre sa boîte électrique et le casque dont il coiffait successivement tous les consommateurs. On voyait le voisin se cabrer dans une crise d'épilepsie réglementaire, on avait le temps de se préparer, et de glisser entre les dents la fameuse serviette remâchée et qui finissait par sentir le courant. Un beau spectacle collectif fort édifiant.

Comme on finit toujours par sortir d'une dépression, je sortis aussi de celle-là, pour retrouver Hélène dans un hôtel misérable, ayant vendu ses exemplaires originaux de Malraux et Aragon pour vivre, et ayant elle aussi été hospitalisée, mais pour avorter car elle savait que je n'aurais pas supporté l'enfant qu'elle avait de moi. Nous partîmes dans le Midi, les Alpilles je crois, camper, car nous n'avions pas un sou, dans un cabanon où des jeunes faisaient du feu, près de Saint-Rémy, et où je préparai un jour la meilleure bouillabaisse de ma vie, à l'algéroise (les poissons frits d'abord dans les oignons). De là je filai, car je devais me remettre, dans un coin des Alpes qui abritait des étudiants convalescents. J'y connus Assathiany et sa femme, et Simone que je traitai comme une chienne, et qui me le rendit bien. Mais il fallait que je rédige mon « mémoire » de diplôme : sur Hegel, le contenu chez Hegel. Je connaissais alors, depuis mon retour de captivité, Jacques Martin, à qui j'ai dédicacé mon premier livre en 1965. C'était l'esprit le plus aigu qu'il m'ait jamais été

1. Diminutif du psychiatre Julian de Ajuriaguerra. (N.d.E.)

donné de rencontrer, implacable comme un juriste, méticuleux comme une addition, et doué d'un humour macabre qui le faisait redouter de tous les curés. En tout cas, il m'apprit à penser, et surtout qu'on pouvait penser autrement que ne le prétendaient nos maîtres. Sans lui, je n'aurais jamais aligné deux idées, en tout cas du genre sur lequel nous étions d'accord. Je rédigeai donc ce diplôme dans le Morvan, chez ma grand-mère qui faisait la cuisine et invita sur ma demande Hélène, qui tapait mon texte le soir. Hélène devait rester là plusieurs mois, faute d'autre maison, dans un village où elle n'avait qu'une seule amie, la vieille femme d'en face, la Francine, qui lui donnait des œufs et lui faisait la conversation. Ma grand-mère devait mourir quelques années plus tard, d'une attaque, dans le froid glacial d'un matin d'église, à même son banc de messe. On l'enterra près du cercueil du père Berger, dans le haut cimetière balayé de vents, et ma tante vint cultiver à l'occasion quelques fleurs sur la terre. J'ai conservé de ce village du Morvan, où mon grand-père en retraite avait vécu ses dernières années, et où nous venions en famille, mon père excepté qui restait à Alger, puis à Marseille pour son travail, passer les vacances d'été, mes souvenirs les plus marquants. Il y avait un jardin qui dévalait de la maison, un puits que j'avais vu creuser dans le granit, des arbres fruitiers que mon grand-père avait plantés ou greffés, et qui avaient grandi sous nos yeux, des fraises extraordinaires, des fleurs, des lapins et des poules, donc des œufs, des chats qui répondaient à leur nom, ce qui est rare, mais pas de chiens. Il y avait deux grandes caves, une pour le bois d'hiver, l'autre pour le vin, et mon grand-père s'y installait l'été, au frais pour lire *La Tribune du fonctionnaire* sur un tout petit banc de bois. Il y avait aussi une citerne haute, d'où par deux fois je sauvai un de nos chats qui y était tombé, et c'était un spectacle assez terrible que de voir la bête hoqueter. La même se prit un jour la tête dans une boîte de conserve vide, il fallut aussi que je l'en tire, je ne sais encore par quel miracle : le chat poussa un miaulement de terreur et s'enfuit plusieurs jours de la maison. En revanche, on m'épargnait la tuerie des poules et des lapins. J'avais un faible pour ces bêtes idiotes et bien incapables de se défendre. J'avais même fabriqué, pour leur démontrer mon amitié, une seringue en bois de sureau vidé de sa moelle, et je les arrosai de loin, ce qui provoquait toujours des réflexes inattendus, gloussements de surprise chez les poules distinguées, considérant la tête haute et l'œil rond l'événement qui attentait à leur dignité, fuite en éclair des lapins qui ne s'arrêtaient plus de tourner en rond dans leur cage. Mais quand venait l'heure de vérité, on me priait de m'éloigner. Je sais que mon grand-père assenait alors un coup de poing sur la nuque du lapin, et que ma grand-mère ferraillait avec une paire de ciseaux rouillés dans la gorge des poules. Quand il s'agissait d'un canard, on lui tranchait simplement d'un coup de serpe la tête, et le canard courait encore quelques secondes par terre.

Les pommes de terre et l'oseille jouaient le rôle principal dans notre alimentation, avec les châtaignes l'hiver (le Morvan vivait alors de trois élevages : les cochons, les bovins, et les enfants de l'Assistance publique). J'allais à l'école publique, dont les hauts murs était proches du puits, derrière un très grand poirier qui donnait de petits fruits durs, dont ma grand-mère tirait une confiture rouge que je n'ai pas retrouvée depuis. Là, une vingtaine d'enfants du pays dont huit ou neuf de l'Assistance publique étudiaient, sous la garde d'un instituteur socialiste, M. Boucher, qui était bel et bon. Je fus accueilli par les brimades d'usage, qui durèrent bien un mois, les enfants ayant une prédilection pour la poursuite de l'un d'entre eux, qu'ils couchaient par terre et déculottaient, pour voir son sexe, après quoi ils s'enfuyaient en hurlant. J'ai su plus tard que cette pratique était proche de ce qui se fait dans certaines sociétés primitives. Je dus y passer, puis on me laissa la paix. Je jouai aux barres dans la cour, et y étais assez fort, ce qui me valut quelque considération. Comme le maître me tenait pour un bon élève, ça allait. Il me fit passer un jour le concours des bourses à Nevers. Ce jour-là, mon grand-père revêtit son costume de ville, une nouvelle casquette, et nous prîmes le train. Il choisit soigneusement un hôtel, et j'eus l'occasion de connaître la merveilleuse église de Saint-Étienne qui a les plus belles teintes de jour et d'ombre du monde. Je fus reçu 6e au concours, ce qui me valut, sur ma demande, le cadeau paternel d'une carabine. Il m'est arrivé avec cette carabine une chose bien étrange. Mon père avait en effet acquis, à six kilomètres de notre village, une terre de six hectares avec une vieille maison, manière de ferme. C'était sur une hauteur au-delà de la ligne de chemin de fer, à peu près inaccessible, tant les châtaigniers et les fougères, surabondants, y faisaient la loi. Mon grand-père partait presque tous les matins libres, vers cinq heures, pour les Fougères, à pied naturellement (il n'y avait alors pas d'automobile dans le pays) et, vieux forestier aguerri, il se taillait un chemin pour accéder à la maison. Il y avait là des ruches. Il faut dire que c'était une passion de mes parents, depuis l'expérience de la maison forestière d'Alger où M. Quéruet en élevait, que d'avoir des abeilles.

Il y en avait aussi au Bois-de-Velle, où mon grand-père avait un champ qu'il m'apprit à cultiver, il y faisait pousser toutes sortes de choses mais avant tout du blé, que j'appris à faucher, et à lier, et des pommes de terre que j'appris à arracher sans les couper. On allait donc aussi en famille aux Fougères, et je me promenai dans les sentiers des bois avec ma carabine à l'affût, armée. Je me rappelle qu'un jour, où je ne tirai pas à la cible, allongé, comme à Alger avec le fusil de guerre, je remarquai une tourterelle, que je visai et manquai. Je rechargeai mon arme, et continuai ma promenade. Il me vint alors l'idée folle de la retourner contre mon ventre, pour voir ce qui se passerait. J'étais persuadé qu'il n'y avait pas de balle dans le canon. A la dernière seconde j'hésitai et ouvris le canon : il y avait une balle dedans. Je fus couvert de sueur, mais ne me vantai pas de l'incident.

Nous allions souvent aux Fougères dans une carriole conduite par un jeune paysan placide, qui devint maire du pays pendant le Front populaire, et une grasse jument, qui ramait paisiblement. J'étais assis au côté du conducteur, et je voyais les grosses fesses de la jument travailler pour tirer la carriole. Il y avait au milieu une belle fente humide qui m'intéressait, je ne savais pas pourquoi alors. Mais ma mère s'en doutait pour moi, puisqu'elle me fit asseoir sur le banc arrière, d'où je ne voyais plus la jument, mais, sur les côtés de la route, des coqs enfourchaient des poules. Je les montrai à ma mère en riant, c'était comique, elle ne trouva pas ça drôle et me morigéna : ne ris donc pas devant M. Faucheux. Il va croire que tu es ignorant. De quoi? Je ne le sus jamais.

L'intérêt du pays, c'étaient les fromages de chèvre et le lait des vaches, et aussi la neige, l'hiver, qui couvrait le paysage de son silence. Je le dessinai une fois, et le maître me félicita. La neige, tout comme la pluie, dont j'aimai le bruit régulier sur les ardoises du toit, me donnait une sécurité profonde, personne ne m'entendait marcher dans la campagne, où je retrouvai les traces des pattes des animaux. C'était le silence, plus calme que celui de la mer et du sommeil, plus sûr aussi, car la neige étant tombée, on ne risquait plus rien : comme dans le ventre de ma mère.

Le village avait aussi un curé et un château. On voyait le curé à l'église, où il faisait le catéchisme, très tôt le matin, dans la nuit encore, avant l'école, autour d'un petit poêle rougi, et il nous apprenait des choses très simples, ayant été lui-même à Verdun et étant revenu de bien des complications de la vie, avec son béret d'ancien combattant sur la tête et sa bouffarde à la bouche. C'était un homme bon. Je le consultai plus tard, quand mon jésuite de Lyon m'avait laissé dans l'impasse au sujet d'un bas-relief alexandrin, qui représentait une joueuse de flûte nue qui m'intéressait un peu trop, et il me dit que les choses étaient plus simples que cela, que les docteurs de l'Église avaient tout embrouillé, que d'ailleurs il avait lui-même une bonne qui lui servait aussi de bonne amie, et que Dieu ne s'était pas fait homme pour rien, sinon il n'aurait rien compris aux besoins des hommes. L'affaire fut ainsi réglée une fois pour toutes, bien mieux que par ma mère avec ses juments et ses coqs. Le curé avait un harmonium dont j'appris vaille que vaille à jouer, et quand il y avait des cérémonies à musique, je tournais quelques airs de ma façon qui ne lui déplaisaient pas. Il prétendait que je devais apprendre la musique. Je lui rétorquai que c'était déjà fait, avec le violon. Ma mère en effet nous avait mis à Alger, ma sœur au piano, et moi au violon, à l'école d'un couple, frère et sœur, de ses amis, qui nous enseignèrent les principes, et à jouer ensemble. Mais ça ne marchait guère, et ce ne furent pas les Concerts classiques de tous les dimanches marseillais, où mon père nous conduisait pour aller à ses propres affaires, qui arrangèrent les choses. Nous nous y sommes consciencieusement emmerdés, à voir de dos le chef d'orchestre tenter de mettre de l'ordre dans tous les bruits qui sortaient de la cage, jusqu'à ce que, pour une raison inconnue mais bien compréhensible, tout le monde s'arrête, car ils avaient joué la dernière page, et on applaudissait.

Toute cette vie continua de se passer alors que j'étais déjà élève de l'École normale, jusqu'à la mort de ma grand-mère, vers 1961. A l'École, une fois passé mon mémoire avec Bachelard, qui me demanda très prudemment « Mais pourquoi avez-vous mis deux exergues à votre texte, d'abord la musique de René Clair : " le concept est obligatoire car le concept est la liberté ", ensuite ce mot de Béranger : " un contenu vaut mieux que deux tu l'auras? " » Je répondis : « C'est pour résumer le contenu. » Il se tut et insista : « Mais pourquoi parlez-vous de cercle chez Hegel, ne vaudrait-il pas mieux parler de circulation du concept? » Je lui répondis : « La circulation c'est un concept de Malebranche, avec la reproduction, la preuve c'est que Malebranche est le philosophe des physiocrates, dont Marx a dit qu'ils étaient les premiers théoriciens de la circulation dans la reproduction. » Il me fit un sourire et me donna 18. C'était en octobre 1947, j'avais passé l'été, après la terrible dépression du printemps, à rédiger en hâte ce texte que je me suis hâté d'abandonner à « la critique rongeuse des souris ». Martin avait fait, avec le même Bachelard, et des dessins obscènes en exergue, un diplôme très fort sur l'individu chez Hegel. Il y parlait de questions que je ne comprenais qu'à demi mot, malgré ses explications. Tout y était dominé par le concept de problématique, qui me fit penser, et c'était une philosophie matérialiste, qui cherchait à donner une juste idée de la dialectique. Il y était question de Freud, il y avait (déjà!) une critique pondérée de Lacan, et cela se terminait sur le communisme, je me rappelle encore : « où il n'y a plus de personne humaine, mais seulement des individus ».

A l'École, je connus Tran Duc Thao, qui s'était rendu célèbre en publiant très tôt son mémoire sur la phénoménologie et le matérialisme dialectique : très husserlien, il l'est resté, si j'en juge par des articles qu'il a envoyés de Hanoi, où il réside depuis 1956, à *La Pensée*. Thao nous donnait des cours privés, il nous expliquait : « Vous êtes tous des egos transcendantaux, et vous êtes tous égaux comme egos. » Et il se jetait alors dans une théorie de la connaissance assez fidèle à Husserl, et que je devais retrouver dans la bouche de Jean-Toussaint Desanti plus tard, avec le même souci de marier Husserl et Marx, ce qui était contraire à ce que soutenait Martin. Thao connaissait alors très bien Domarchi, brillant théoricien de l'économie politique, qu'on fit venir à l'École. Il fit un cours fulgurant et incompréhensible sur Wicksell, et disparut, pris par la passion d'une femme qu'il n'a cessé de poursuivre de ses assiduités, mais qu'il n'a pu épouser. Thao et Desanti portaient alors les espoirs de notre génération, comme Desanti ensuite. Mais ils ne les ont pas tenus, la faute à Husserl. Faut-il dire un mot de Gusdorf, qui faisait alors régner la terreur sur les agrégatifs de philosophie de l'École? Il

321

avait fait sa thèse en captivité en collationnant tous les journaux intimes de sa connaissance, et lui avait donné pour titre *La Découverte de soi.* Il reçut un jour une lettre du directeur du palais de la Découverte qui lui disait en substance : rien de ce qui concerne la découverte de soi n'étant étranger au palais de la Découverte, je vous serais reconnaissant de... Gusdorf alla au palais, il en revint avec des compliments, un prospectus, et l'impression d'avoir été floué. Mais depuis son livre figure dans les rayons de la bibliothèque du palais. Gusdorf avait la manie de répondre à toute question un peu embarrassante par la réplique : « et ta sœur ! », et quand on le quittait dans son bureau, où il avait un faux secrétaire Louis XV, il disait : « excusez-moi si je ne vous raccompagne pas », phrase qu'il prononçait également au téléphone, avec « restez couvert ». C'est un homme qui disposait de très peu d'expressions, mais il en usait toujours très bien. Il s'entendait mal avec Pauphilet, nommé directeur de l'École pour fait de Résistance à la place de Carcopino qui avait, paraît-il, plus ou moins collaboré. Pauphilet était célèbre pour une flemme confirmée, la vulgarité affectée de son langage, son ignorance de sa propre spécialité (le Moyen Age littéraire) et sa prédilection pour les « bals de barrière » où il recrutait avec assiduité des disciples d'un genre spécial, à qui il récitait par cœur du François Villon. On l'a enterré derrière la loge du concierge de l'École, pour ne pas le déplacer. Personne ne le sait, ou tout le monde l'a oublié sauf de très belles roses qui poussent là par hasard, et que le concierge arrose régulièrement, jusqu'à ce qu'elles fanent. J'ai toujours pensé que Pauphilet, qui aimait les femmes et les fleurs, appréciait cette attention.

Gusdorf avait une méthode, qui se révéla excellente, très personnelle, de nous préparer à l'agrégation. Il ne faisait pas de cours, il ne nous faisait pas faire d'exercices. Il se contentait de nous lire sans les commenter des extraits de sa thèse sur les journaux intimes. J'en ai tiré la leçon, profitable, que la meilleure manière de préparer l'agrégation est de ne pas suivre de cours, donc de ne pas en faire, mais de lire quelques extraits de n'importe quoi. Car il fallut bien passer cette agrégation. Je me payai une nouvelle dépression, et à la fin de l'année je fus fin prêt. J'étais premier à l'écrit (Alquié m'ayant dit de ma première dissertation sur « une science des faits humains est-elle possible ? », que j'avais faite avec Leibniz et Marx, qu'à ma première partie c'était 19, à la seconde 16, mais à la troisième, avec tout ce que je racontais sur Hegel et Marx, il regrettait, mais ç'avait été 14). Je fus second à l'oral, pour un contresens sur un passage de Spinoza où je pris la solitude pour le soleil, ce qui était un peu trop aristotélicien. Hélène m'attendait au bas de la rue Victor-Cousin, et elle me prit dans ses bras. Elle avait eu très peur que je ne sois pas sorti de ma dépression. La malheureuse, je n'ai cessé de lui faire peur avec mes dépressions.

La vie philosophique à l'École n'était pas particulièrement intense. La mode était d'affecter de mépriser Sartre, qui était à la mode, et semblait régner de haut sur toute pensée possible, du moins en France, cette « poche de Royan » d'un monde philosophique libéré de notre spiritualisme traditionnel et adonné au néopositivisme. On reconnaissait à Sartre des qualités de publiciste et de mauvais romancier, et de la bonne volonté politique, une grande honnêteté et indépendance, cela va sans dire : « notre Rousseau », du moins un Rousseau à la taille de notre temps. On tenait Merleau-Ponty en plus grande estime philosophique, bien qu'il fût idéaliste transcendantal, cette manie religieuse de laïc, mais il faisait terriblement universitaire, au point que pour réussir une dissertation d'agrégation, on était sûr de son affaire si on l'écrivait dans le style et avec la componction de la *Phénoménologie de la perception*. Merleau vint faire à l'École de beaux cours sur Malebranche (il excellait à montrer que le *cogito* y éait obscur, et le corps opaque, à preuve la théorie du jugement naturel), et il nous enseigna que tout l'art de l'agrégation tenait dans la communication (mettez-vous à la place du jury, c'est l'été, il fait très chaud, ils n'ont pas de temps, il faut se mettre à leur portée, et penser pour eux, naturellement en leur laissant croire qu'ils pensent tout seuls). Il lâcha quelques remarques sur la peinture, l'espace et le silence, quelques sentences sur Machiavel et Maine de Biran, puis repartit, toujours aussi discret. En Sorbonne, Bachelard faisait des cours qui étaient des conversations non directives, égayées de remarques sur les violettes et le camembert. On ne savait jamais à l'avance ce qu'il dirait, lui non plus, ce qui permettait de prendre son cours en route n'importe quand, et de le quitter quand on avait un rendez-vous galant ou médical. Personne ne le prenait au sérieux, lui non plus, mais tout le monde était content, et il recevait tout le monde, aux examens et aux diplômes, à toute heure du jour et de la nuit, ce qui avait ses avantages, quand il ne s'occupait pas de sa fille, qui lui donnait du souci, ou de ses clochards, qui lui donnaient du plaisir. Alquié régnait sur Descartes et tous les cartésiens, y compris Kant qu'il tenait pour un cartésien légèrement hérétique car allemand, et il administrait magistralement à ses auditeurs les variations immuables d'un bégaiement presque aussi bien maîtrisé que celui de Jouvet. C'était un grand professeur qui savait des choses, et avec lui au moins, car il était au jury de l'agrégation, on savait d'avance, et avec sûreté, quelle note il mettait à tel devoir, ce qui est précieux. Schuhl, doux comme un melon d'eau affublé de légères lunettes et d'une faible moustache intermittente, commentait Platon avec précaution, et une discontinuité qui empêchait de le suivre. Il s'est rapidement réfugié dans un séminaire de recherches sur l'Antiquité grecque où il atteint à la plus haute érudition. Jean Wahl, aussi timide et effrayé qu'une pâle souris de Pavlov hissant son museau au-dessus de sa chaire, commentait mot à mot le *Parménide*, répétant imperturbablement pour la énième fois son propre livre dont il avait oublié l'existence, et, après chaque commentaire, qu'il faisait bref, disait « on peut d'ailleurs aussi bien dire le contraire », ce qui laissait rêveurs ses auditeurs, venus chercher le pour ou le contre, et munis au départ et du pour et du contre. Il avait épousé une de ses étudiantes, qui lui donna quelques enfants et le prit rapidement en main, car il était souverainement distrait en tout, y compris en femmes et enfants. Il eut pourtant l'oreille plus tard, à l'exposé que je fis à la Société française de philosophie, qu'il présidait, sur Lénine, quand je citai le dur mot de Dietzgen sur les professeurs de philosophie « presque tous des valets diplômés de la bourgeoisie », pour protester au nom de la corporation, manifestement moins offensée que lui. Mais présidence oblige. Lévi-Strauss n'était alors que fort mal connu de nous, et encore moins Canguilhem, qui devait jouer un rôle essentiel dans ma formation et celle de mes amis. Il n'était pas d'ailleurs alors en Sorbonne, mais répandait la terreur dans le secondaire, où il avait accepté le poste d'inspecteur général dans l'illusion qu'il pourrait, en les engueulant, réformer l'entendement philosophique des professeurs. Il dut bientôt renoncer à cette expérience amère, présenter en hâte sa thèse sur le réflexe, pour être nommé en Sorbonne où il réserva ses colères à ses collègues, pas aux étudiants qui savaient discerner sous son caractère bourru des trésors de générosité et d'intelligence. Il fit plus tard à l'École un cours, demeuré célèbre, sur le fétichisme chez Auguste Comte, et suivit d'un œil ironique mais attendri nos premières armes. Il m'expliqua un jour que c'était la lecture de Nietzsche qui l'avait introduit à ses recherches sur l'histoire de la biologie et de la médecine. Lacan commençait alors, du fond de son séminaire de l'institut de Sainte-Anne, à se faire connaître. Je suis allé une fois l'entendre : il parlait alors de la cybernétique et de l'analyse. Je ne compris rien à son discours contourné, baroque et faussement imité de la belle langue de Breton : manifestement fait pour que terreur règne. Elle régnait, provoquant des effets contradictoires, de fascination et de haine. Pourtant je fus séduit, Martin m'aidant à le comprendre, par quelques-unes de ses phrases. J'y fis allusion dans un petit article de la *Revue de l'Enseignement philosophique,* où je dis à peu près : tout comme Marx a critiqué l'homo œconomicus, Lacan a le grand mérite de critiquer l'homo psychologicus. J'eus sous huit jours un mot de Lacan qui voulait me voir. Je fus reçu par lui dans un petit restaurant luxueux. Il portait une chemise tuyautée repassée à Londres, une sorte de veste négligée, un nœud papillon rose, et derrière des lunettes sans monture des yeux voilés nonchalants et attentifs par éclairs. Il parlait un langage intelligible, et se contenta de me rapporter d'épouvantables ragots sur certains de ses anciens disciples, leurs femmes et leurs grandes propriétés terriennes, et sur le rapport entre ces conditions sociales et l'analyse interminable. Nous nous mîmes aisément d'accord sur ces thèmes qui touchaient au matérialisme historique. Je le quittai et me dis que ce serait bien de l'inviter à transporter à l'École son séminaire de Sainte-Anne, qui menaçait d'être chassé de son siège. Hyppolite en fut aisément d'accord, lui qui avait « apporté l'enfant d'une nuit d'Idumée » à une séance de traduction du texte de Freud sur la dénégation-négation. C'est ainsi que, pendant plusieurs années, Lacan vint tenir son séminaire à l'École. Tous les mercredis à midi, les trottoirs de la rue d'Ulm étaient envahis de toutes les voitures de luxe à la mode, et on se pressait à mourir dans la salle Dussane enfumée. Ce fut la fumée qui mit fin au séminaire car elle filtrait — Lacan ayant été incapable d'empêcher ses auditeurs de fumer — dans les salles de la bibliothèque situées juste au-dessus, ce qui provoqua des réclamations pendant des mois et des mois, jusqu'à ce que Flacelière priât le

« Docteur » de chercher un autre asile. Il fit une scène épouvantable, se présentant en victime d'une répression déguisée (Flacelière prisant peu les affaires de phallus, et Lacan ayant eu l'imprudence de l'inviter à une séance, où il ne fut question que de ça), on signa des pétitions, bref, une affaire. J'étais alors en clinique, Lacan téléphona à Hélène qu'il ne reconnut pas ou reconnut, je ne sais, mais n'obtint rien d'elle malgré toute une cérémonie de séduction, que l'affirmation que je n'étais malheureusement pas là, et donc n'y pouvais rien. Lacan se résigna, et s'installa par la suite dans la faculté de droit. Certains normaliens avaient été passablement impressionnés par lui, dont Jacques-Alain Miller, à qui on avait volé le fameux concept de sa vie, et qui courtisait Judith Lacan, et Milner, toujours accompagné de son parapluie et devenu linguiste par la suite. Lacan parti, sa cote baissa à l'École, et comme il n'avait plus besoin de moi, je ne le revis plus. Mais je sus, par intermédiaire, qu'il tournait à la logique mathématique, après son anneau de Moebius, et aux mathématiques, ce qui ne me parut pas bon signe. Il avait eu sur moi une influence indéniable, comme sur beaucoup de philosophes et de psychanalystes de notre temps. Je retournais à Marx, il retournait à Freud : raison de s'entendre. Il luttait contre le psychologisme, je luttais contre l'historicisme : autre raison de se comprendre. Je le suivais moins dans sa tentation structuraliste, et surtout dans sa prétention de donner une théorie scientifique de Freud, qui me paraissait prématurée. Mais enfin, il était philosophe avant tout et nous n'avions pas tant de philosophes à suivre en France, même si la philosophie de la psychanalyse qu'il élaborait en la donnant pour une théorie scientifique de l'inconscient pouvait paraître aventurée. Pas plus qu'on ne choisit son temps, on ne choisit ses maîtres. J'en avais pourtant, outre Marx, peu philosophe, un autre : Spinoza. Malheureusement, il n'enseignait nulle part.

Je garde de l'École un curieux souvenir de Georges Snyders. Il était par miracle, étant très faible, et Juif reconnaissable à cent mètres, revenu de Dachau, mais avait survécu. C'était un pianiste extraordinaire, et il m'enrôla un jour avec Lesèvre, qui tenait avec talent la partie de violoncelle, pour jouer du Bach. Snyders jouait avec passion, en donnant l'impression de ne pas écouter les autres. A la fin du morceau, il laissa tomber : il n'y a pas de fausse note, mais ton jeu n'a pas d'âme. Je ne repris plus jamais le violon. Snyders adorait manger de la très bonne cuisine, il allait au Grand Véfour mais au lieu de commencer par les hors-d'œuvre classiques, il commandait une crème sucrée, et terminait par du cervelas à la poire cassée, sans groseilles, ce qui heurtait le sentiment traditionnel de la maison, attachée à l'ordre des plats. Il s'en moquait, et ne prenait jamais qu'un verre de vin blanc, ou de lait aigre. Cela lui coûtait toujours très cher, mais maintenant qu'il est professeur en titre, décoré, père de famille d'une femme mathématicienne, père d'un normalien (« il avait de l'esprit ce petit »), il continue, volontiers, mais auprès du grand trou des Halles, où il a trouvé un restaurant à son pied qui lui fournit du pied de cochon à la confiture de cassis. Snyders avait un grand projet, auquel il dut malheureusement renoncer : créer un CNRC, Centre national de la recherche culinaire. Il prétendait qu'on pouvait tirer des effets intéressants du buvard frit, et de la confiture de paille. C'est à voir.

Pauphilet ayant, avant de mourir, fait nommer à l'École Prigent, qui venait des Bretagnes, et limogé Gusdorf, je fus nommé à sa suite, grâce à l'amitié de la « mère Porée », cette femme qui fit marcher l'École, malgré tous ses directeurs, pendant près de quarante ans, comme lingère d'abord, puis comme secrétaire du directeur ensuite. Elle avait du caractère, des idées sur la correspondance et la pédagogie, et sut traiter comme il fallait les Allemands quand ils débarquèrent un beau matin pour arrêter Bruhat. Je lui dois beaucoup, et ne suis pas le seul. Elle est morte dans la solitude d'une horrible maison de vieux, en plein bois, à cent kilomètres de Paris, presque sans visites. Des choses pareilles seront interdites quand on aura changé la société.

Une fois agrégé, nommé répétiteur, je dus m'occuper de mes jeunes camarades agrégatifs. Il y avait Gréco, Lucien Sève et une bonne dizaine d'autres. J'eus la faiblesse de croire, malgré les avertissements de Gusdorf, que je devais leur faire un cours : ce fut sur Platon, où je racontai des salades sur la théorie des idées et la réminiscence comme théorie-souvenir-écran pour masquer les problèmes de la lutte des classes. Je tirai quelques beaux effets de Socrate comme oubli, et du corps comme oubli, donc du corps de Socrate comme oubli, du corps de Ménon comme souvenir, et me dépêtrai comme je pus dans l'impossible *Cratyle*, où Platon prétend et dénie qu'on puisse appeler un chat un chat. Ce qui me fascinait chez Platon, c'est qu'on pût être à ce point intelligent et conservateur, voire réactionnaire, avoir cultivé les rois et les jeunes garçons, parlé aussi bien du désir et de l'amour, et de tous les métiers de la vie, jusque de la boue, qui a aussi quelque part dans le ciel son idée, avec les chaussures et le Bien. C'était aussi un homme du mélange, il savait faire des confitures, ce que je confiai un jour à Snyders qui me regarda comme un fou. De fait, je continuai à être fou, me payant ma dépression annuelle ou presque, ce qui résolvait le problème des cours. Mais les normaliens ayant pris l'habitude de réussir à l'agrégation, sauf quand ils partaient pour les Indes ou une grande aventure d'amour, sur quoi veillait Mme Porée (attendez donc d'être agrégé, jeune homme, vous aurez tout le temps voulu), ça n'avait finalement pas d'importance. D'ailleurs le père Étard, bibliothécaire de l'École, leur donnait, en tant que successeur de Lucien Herr, toutes les indications bibliographiques utiles. Le seul ennui est que, lorsqu'on rencontrait ce brave homme, il fallait d'avance avoir décommandé tous ses rendez-vous pendant une bonne semaine. Il n'en finissait pas de parler de l'histoire des religions, citant en cela une thèse d'État qu'il avait en tête, mais n'avait pas eu le temps de mettre sur le papier. Il parlait d'ailleurs de tout le monde, de Herriot comme de Soustelle. Soustelle n'avait pas encore fait sa grande carrière d'Alger. Mais Étard disait de lui : il est incapable de rien faire seul, il sera toujours en second. Il a eu raison. Soustelle avait géré sous Bouglé, avant la guerre, un Centre de documentation, auquel participèrent Aron et quelques Allemands fuyant le nazisme, que l'École hébergea. Il y avait là je crois Horkheimer, Borkenau et quelques autres. Borkenau a malheureusement mal fini, au service du Pentagone je crois, mais la guerre explique beaucoup de choses. Bouglé mort, le Centre avait disparu. Il fallut attendre Jean Hyppolite pour le restaurer sous d'autres formes, plus adaptées aux besoins modernes de l'économie politique et de l'informatique.

Dupont, chimiste spécialisé dans la résine de pin, succéda à Pauphilet. Il disait : « Je suis désolé, mais on m'a pris parce que les meilleurs sont morts pendant la guerre. » C'était malheureusement vrai. Il fut un directeur indécis, pris parfois de brèves et inoffensives colères, que Raymond Weil, alors caïman de grec, résumait en esprit et en vérité : « Il faut absolument... que quelqu'un prenne mes responsabilités. » Dupont était doublé par les lettres par le doux

Chapouthier, qui s'étonnait, candidement, que « d'aussi jeunes et beaux garçons se marient aussi vite », ce qui l'offusquait. Quand il restait l'été à l'École, avec les élèves, en attente des résultats de l'agrégation, il mangeait avec eux, et se faisait la plupart du temps inviter, car sa femme ne lui laissait pas un sou. Il s'étonna un jour de voir Michel Foucault malade, je lui dis que ce n'était pas grave, il s'étonna quand même que Foucault, qu'il avait rencontré hagard dans les couloirs, ne lui ait pas adressé la parole. Foucault fut, la même année, reçu à l'agrégation. Il devait finir, comme on sait, ou commencer, au Collège de France, où il avait des amis.

Enfin Hyppolite vint, après la mort de Chapouthier, comme directeur adjoint, avant de prendre la direction de l'École. C'était un homme râblé, ramassé sur lui-même, chargé d'une énorme tête pensante, fumant sans cesse, dormant trois heures par nuit, toujours en train de penser, et de rechercher l'amitié des scientifiques, où Yves Rocard, génial organisateur, faisait la loi. Hyppolite annonça la couleur dès son discours d'entrée : « J'ai toujours su que je serais un jour directeur de l'École... l'École doit être une maison de tolérance, vous me comprenez. » Et il se mit à mettre en place des séminaires, dont il avait toujours le mot à la bouche. La chose se sut, et il reçut un jour une longue lettre manuscrite d'une main tremblante, et signée d'un colonel de cavalerie en retraite, retiré à Cahors, qui lui disait tout son intérêt pour ses initiatives, lui confiait ses propres expériences pédagogiques dans l'armée, où il avait depuis longtemps organisé lui aussi des séminaires, et proposait un échange d'expérience. Il y avait une lettre jointe, signée de sa fille, disant papa s'intéresse vraiment beaucoup à la chose, si vous pouviez lui répondre. Hyppolite lui répondit, et une longue correspondance, qui devait durer des années, s'établit entre eux. Le colonel vint voir, malgré ses blessures de guerre, Hyppolite à Paris, et il fit à l'École une conférence qui plut, malgré son vocabulaire un peu trop militaire. Ce colonel s'appelait C. Minner.

Hyppolite avait une façon bien à lui d'administrer l'École : l'intendance suit. En fait, elle prenait les devants, sous la houlette de Letellier, qui avait des airs de seigneurs et ne regardait pas à la dépense. C'est de ce temps que datent les nouveaux bâtiments du 46, rue d'Ulm, où devaient s'engouffrer des laboratoires anciens et nouveaux, plus le nouveau Centre de sciences humaines après la mort d'Hyppolite, et des élèves logés en chambres. Il y eut, par la suite, un violent conflit pour le partage des immenses locaux de la biologie, mais le directeur de laboratoire eut le dessus, au grand dam de la physique qui ne demandait que quelques dizaines de mètres carrés.

Lorsque Hyppolite quitta l'École pour rejoindre le Collège de France, il reprit mélancoliquement la parole pour dire : « Je croyais que j'aurais eu une influence intellectuelle dans cette maison, en réalité je resterai comme le directeur qui aura institué le système des tickets (réglementant l'accès au réfectoire et mettant fin à d'irritants conflits, où Prigent mettait parfois en jeu, mais sans succès car il avait trop d'amis, son autorité, tout en maugréant en public − c'était son habitude − contre le directeur, « ce souriceau » incapable de rien foutre), et aura fait construire les bâtiments du 46. »

Hyppolite avait pourtant, à sa manière, discrète, réussi autre chose d'important. Il était parvenu à réconcilier Sartre et Merleau-Ponty, brouillés depuis sept ans pour des raisons politiques. Hyppolite invita Sartre à prononcer une conférence dans la salle des Actes, devant les élèves. Mais à y bien voir, on y reconnaissait aussi des personnages célèbres, Canguilhem, et Merleau. Sartre parla pendant une heure et demie de la notion de « possible » : une vraie leçon d'agrégation, que personne n'attendait, et qui surprit tout le monde. Mais elle finissait par l'évocation des grandes révoltes d'esclaves en Amérique du Sud au XVIe siècle, et sur la valeur de la révolte humaine. Personne ne posa de question. Nous partîmes tous chez Piron (bistro du coin tenu par un ancien résistant), où la conversation commença à se délier. Sartre ne répondit jamais qu'en approuvant toutes les questions. Mais Merleau était là, qui ne disait rien. Dans le tard de la nuit nous sortîmes, nous nous saluâmes, et je partis de mon côté avec Merleau, qui se mit à commenter les questions que j'avais posées à Sartre sur la guerre d'Algérie, alors en cours. Puis nous parlâmes de Husserl, de Heidegger, et de l'œuvre de Merleau lui-même. Je lui reprochai sa philosophie transcendantale et sa théorie du corps propre. Il me répondit par une question que je n'ai pas oubliée : mais vous avez bien aussi un corps, non? Huit jours après le corps de Merleau le trahissait soudain : le cœur.

Une fois Hyppolite mort, nous organisâmes une commémoration dans la salle de théâtre. Il y avait là les plus hautes autorités universitaires, dont Wolf, administrateur du Collège. On entendit des éloges du défunt. Comme on m'avait demandé de prendre la parole, j'avais préparé un petit discours, que j'avais préventivement soumis au jugement de Canguilhem, qui l'avait approuvé. On trouvera en annexe ce texte [1] qui provoqua un violent scandale, pour des raisons d'ailleurs dérisoires, puisque je ne faisais que rapporter le jugement que Merleau avait lui-même prononcé devant moi sur son œuvre philosophique.

Flacelière succéda à Hyppolite et prit en charge l'École dans la période qui a peut-être été la plus rude de son histoire, Kirmmann, encore un chimiste, l'assistant pour l'École scientifique. Flacelière était un homme de caractère, haut en couleur, nourri de Plutarque, sujet à de violents emportements (il alla jusqu'à gifler un élève en 1969, mais pour s'en excuser sur-le-champ). Il était homme de tradition, et ne voulait rien connaître des innovations de l'École, se fiant à ses jeunes collègues dont il avait la confiance. C'est alors que se déchaînèrent les « événements » de mai 68. La vague des barricades atteignit l'École, mais les normaliens restèrent en dehors du coup, se contentant d'accueillir les blessés et de réconforter les combattants à coups de tasses de thé. Flacelière se tenait debout devant la loge, comme il l'avait fait en d'autres lieux pendant la guerre de 14, impassible. Il interdit plusieurs fois aux CRS de poursuivre les étudiants réfugiés dans l'École. Il avait le moral et le donnait. Il ne sut pas conserver le même flegme par la suite quand, dans les séquelles de mai 68, l'École devint le siège de réunions diurnes et nocturnes ininterrompues, quand elle fut couverte de graffiti injurieux pour Flacelière lui-même et sa femme, et enfin quand l'École connut, avec le retard obligé, sa fameuse « nuit » de 1970, où une « fête de la Commune » fut organisée par les gauchistes qui promettaient pour tout mot d'ordre « du vin à volonté ». Six mille jeunes gens envahirent la vieille maison, et derrière eux des casseurs qui défoncèrent au pic les caves de l'École, pillant tout, enfonçant même les portes de la bibliothèque défendue avec courage par Petitmengin, où quelques livres furent brûlés, répandant de l'essence sur le sol et les toits (ce fut miracle si l'École ne brûla pas) et se livrant à toutes sortes d'exactions ou d'imaginations (on faisait l'amour en plein air au son

1. Ce texte n'a pas été retrouvé dans les archives de Louis Althusser. (N.d.E.)

des guitares). Le lendemain un silence de mort régnait sur l'École. Flacelière donna sa démission, qui fut acceptée (le ministère le jugeait responsable des incidents). Flacelière se retira, puis publia un petit livre pour raconter l'affaire, où il voyait (à tort) le présage de la décadence de l'École. On repeignit les murs, on répara les dégâts, le ministère donna un coup de main, tout rentra peu à peu dans l'ordre.

Mandouze et Bousquet se disputèrent la succession de Flacelière. Ce fut le dernier qui l'emporta pour des raisons apparemment politiques, car il était notoirement lié avec Pompidou. En fait, c'est un homme tranquille, qui a fait de la résistance à Bordeaux, catholique avec des sympathies à gauche, et qui professe une sorte de philosophie britannique pleine d'humour et de patience. C'était sans doute le directeur qu'il fallait à l'École, auprès d'un mathématicien rigoureux, précis et volontaire, Michel Hervé, et d'un nouvel intendant discret mais efficace.

Pendant tout ce temps, nous fîmes naturellement de la politique. Tous mes anciens condisciples de Lyon, que j'avais retrouvés à l'École, étaient plus ou moins membres du Parti. Hélène l'avait été jusqu'à la guerre, mais je raconterai pourquoi dans un instant elle ne l'était plus depuis 1939. C'était dans l'air, en 1945, après la défaite allemande, la victoire de Stalingrad, les expériences et les espoirs de la Résistance. Je restai cependant pour un temps sur la réserve, me contentant de militer au « Cercle Tala » (catholique) de l'École, d'où je parvins à faire chasser l'aumônier, un certain abbé Charles, qui est maintenant à Montmartre après avoir régné pendant des années sur les étudiants catholiques de la Sorbonne : je ne pouvais supporter la vulgarité de son langage et de ses arguments. Je militais aussi au « syndicat des élèves », qui était illégal et se battait pour décrocher sa reconnaissance officielle. C'est là que j'obtins, si je puis dire, mon premier succès politique de masse, en obtenant la démission du bureau entièrement tenu par les socialistes, avec le concours de Maurice Caveing.

Je garde aussi le souvenir d'un vif incident qui m'opposa à Astre, du SNES, un jour que les agents de l'École, en grève, voulaient aller manifester au ministère : Astre s'y opposait, mais j'obtins que nous y allions tous, agents et professeurs réunis. Astre me traita de « coco ».

Les choses sérieuses commencèrent avec mon adhésion au Parti en octobre 1948. La cellule était dirigée à l'École par un jeune biologiste déchiré par les questions du lyssenkisme. Il se jeta du haut des toits de l'École, et on emmena sur une civière un corps démantelé qu'on ne put réanimer. Terrible leçon de choses. Mais je devais apprendre plus tard qu'il s'était sans doute suicidé aussi pour un chagrin d'amour.

C'était le temps où Jean-Toussaint Desanti faisait des cours à l'École. Des cours sur l'histoire des mathématiques ou de la logique, qui présentaient cette particularité de commencer, de s'attarder aux commencements, mais de ne jamais parvenir à les dépasser. Touki était passablement husserlien, ayant été formé à cette école, qu'il n'a au fond, tout en se disant marxiste, jamais entièrement désavouée. Mais il était membre du Parti, et s'était rendu célèbre à l'École en tirant, avant la guerre, des coups de revolver dans les plafonds, en observant un profond silence sur ses pensées, en se battant aux côtés de Victor Leduc contre les fascistes du Quartier latin, et en affichant une liaison tapageuse avec Annia, dite Dominique. Mais surtout il était corse, fils de berger disait-il, ce qui expliquait le reste, et aussi sa liaison avec Laurent Casanova, alors Grand Inquisiteur au service de l'idéologie du Parti. Touki nourrissait pour Casa une tendresse et une prédilection inexpliquées, tenant peut-être à des liens de clan, ou à des goûts communs pour le fromage de chèvre et le rosé. Le fait est : il le suivait en tout comme un petit chien, et son mot était : cheminons avec combativité. Cette combativité, j'en pris le goût un jour de décembre 1948, quand Touki m'emmena voir Casa. Nous attendîmes une bonne heure dans un couloir du siège du parti, et à travers la porte j'eus droit à une horrible séance de torture morale. Casa s'occupait de la conscience scientifique et politique de Marcel Prenant, alors membre du Comité central et biologiste éminent, qui n'accordait pas foi aux découvertes de Lyssenko. Casa traitait Prenant de tous les noms orduriers possibles, et de temps en temps le sommait de reconnaître que 2 + 2 = 4 était une vérité de l'idéologie bourgeoise. Nous vîmes sortir Prenant blême. Casa nous reçut alors très décontracté : c'était apparemment monnaie courante pour lui. Et il m'écouta lui exposer le projet que nous avions formé en cellule de créer à l'École un Cercle Politzer, pour y inviter des dirigeants syndicaux et politiques à exposer devant les élèves de l'École des éléments de l'histoire du Mouvement ouvrier. C'est ainsi que vinrent parler et

Racamond, et Frachon, et Marty (deux fois, avec beaucoup d'autorité professorale).

C'était alors le temps de la guerre froide et de l'Appel de Stockholm. Je fis du porte à porte dans le quartier de la gare d'Austerlitz, et ne recueillis guère d'adhésions, sauf d'un éboueur, que nous recrutâmes pour le Conseil communal, et d'une jeune femme qui, par pitié, signa. Nous avions installé un panneau d'affichage rue Poliveau, où chaque jour je venais mettre à jour la documentation sur la menace de guerre et les progrès de la risposte populaire. On me laissait faire, mais les gens ne lisaient guère nos panneaux.

Tout cela prit fin par une horrible histoire. J'ai parlé du Conseil communal du Ve arrondissement : il n'était pas identique à la section du parti du Ve, bien que certains militants fissent partie des deux organisations. Or, un jour qu'Hélène allait chercher des affiches rue des Pyramides, elle fut reconnue par un ancien responsable des Jeunesses communistes à Lyon, qui aussitôt la dénonça comme étant une provocatrice bien connue sous le nom de Sabine. Et la machine répressive du Conseil communal se mit en train, malgré un appel à Yves Farge, qui garda le silence, alors qu'il eût suffi d'un geste.

Pour comprendre toute cette affaire, il faut évidemment un retour en arrière. Hélène, qui avait été une des rares à ne pas mettre en question le pacte germano-soviétique, elle qui avait dès les années trente milité dans le XVe aux côtés de Michels, Timbaud et autres qu'elle aimait beaucoup, s'était trouvée, comme beaucoup, coupée du Parti dès 1939. Elle n'en avait pas moins milité dans une organisation non communiste de la Résistance, tout en recherchant toujours la liaison avec le Parti, mais en vain. Elle avait pourtant très bien connu Aragon et Elsa, ainsi qu'Éluard et quelques autres communistes dans la Résistance, mais ils n'avaient pas non plus la liaison. Tous ces amis et bien d'autres se rencontraient aux *Cahiers du Sud*, chez Jean et Marcou Ballard. C'est à l'occasion d'une histoire stupide, connue sous le nom des « bas d'Elsa », qu'Aragon rompit avec Hélène. Il voulait une couleur de bas, et Hélène n'avait pu se la procurer. De la même manière ou presque, Lacan, qu'elle avait connu à Nice, avait rompu avec Hélène parce qu'elle n'avait pas su trouver pour sa femme, juive, la maison de refuge dont elle avait besoin. Le fait est que la rupture avec les Aragon prit un tour très grave, quand Hélène, chargée au moment de la libération de

Lyon d'importantes responsabilités, où le sort juridique de prisonniers nazis et français collabos était en jeu, fut l'objet d'une violente attaque menée par le cardinal Gerlier et tout le corps des collaborateurs locaux, Berliet en tête. On l'accusa de crimes imaginaires, d'avoir protégé des criminels de guerre, qu'en vérité elle voulait conserver en vie pour tirer d'eux des renseignements précieux ou les échanger contre des résistants emprisonnés à Montluc (tel le père Larue, qui devait mourir sous les balles allemandes à la veille de la libération de la ville). Effectivement, elle portait alors le pseudo de Sabine, mais aussi un autre pseudo : Legotien. Elle avait en somme trois noms, ce qui lui fut reproché comme un indice suspect. De là à l'accuser d'être un agent de la Gestapo, il n'y avait qu'un pas que les procureurs du Conseil communal se hâtèrent de franchir. Aragon l'avait bien accusée, dès Lyon, d'être membre de l'Intelligence Service.

C'est dans ces conditions que je dus assister aux séances de ce Conseil. Hélène eut beau invoquer le témoignage de résistants qui la connaissaient très bien, et qui étaient au fait de son action à Lyon, rien n'y fit. Elle fut accusée de tous les crimes, et de s'en être cachée. Parmi les membres du Conseil, quelques hommes se turent, dignement, incertains sur le jugement à prononcer. Mais ils ne firent pas le poids contre les autres, qui avaient le pouvoir de condamner.

Hélène fut donc exclue du Conseil communal dans ces conditions infamantes. Les membres du Parti s'alignèrent. Je me rappelle qu'ainsi le souci primordial des membres de ma cellule, ainsi que des Desanti, était de « sauver Althusser ». Ils firent pression sur moi je ne sais trop dans quelle fin, mais je ne leur prêtai aucune attention.

Hélène et moi, nous partîmes pour Cassis, prendre un peu de recul devant cette horrible histoire. C'était proprement hallucinant de voir la mer, impassible, continuer de jeter ses vagues sur le rivage, sous un soleil implacable. Nous nous remîmes, je ne sais trop comment, et quinze jours plus tard reprîmes le chemin de Paris.

Le Parti prit alors la relève. Gaston Auguet convoqua longuement Hélène, et ressortit tous les arguments de l'accusation. Il ressortit de sombres histoires d'un certain Gayman, exclu du Parti, qu'on ne pouvait donc entendre, et qui aurait détenu la vérité sur l'appartenance ou non d'Hélène au Parti en 1939, au moment du pacte. Impossible donc de savoir si Hélène était encore ou non membre du

Parti. Auguet la laissa sur cette information, en lui disant qu'elle pouvait faire appel. Mais en même temps, il m'informa que j'avais à quitter Hélène sur-le-champ. Je ne la quittai pas.

Cette histoire affreuse, qui me jeta derechef dans la maladie (et je faillis à cette occasion me suicider), rapprochée du suicide de mon premier secrétaire de cellule, m'ouvrit les yeux sur la triste réalité des pratiques staliniennes dans le parti français. Je n'avais pas alors la sérénité d'Hélène qui, sûre de son fait, ne se laissa guère entamer, considérant que cette affaire la regardait avant tout autre, alors que je la ressentais comme une épreuve personnelle atroce. Elle mit fin en tout cas à un certain nombre de nos relations. Nous dûmes, comme ce fut le cas de tous les exclus, vivre dans une solitude presque complète, le Parti ne faisant ni quartier, ni les choses à moitié. Desanti prit ses distances, en bon ami de Casanova, tout en me gardant une sorte d'amitié. Mes camarades de cellule, Le Roy Ladurie en tête, ne voulurent plus me connaître. Il me restait la plupart des agrégatifs, et quelques camarades de cœur, comme Lucien Sève toujours fidèle, et Michel Verret, qui comprenait. Mais ils étaient très rares, et ce fut une vraie traversée du désert.

Je travaillai quand même de mon côté, et peu à peu, réussis à écrire quelques articles. Je militais alors dans l'Association des professeurs de philosophie, et nous entreprîmes un jour, sous la suggestion de Maurice Caveing, alors auteur avec Besse d'un *Manuel de philosophie* qui joua, en ces temps terribles, un certain rôle hélas négatif, de prendre d'assaut le Bureau de l'association nationale. Il suffisait d'organiser le vote alors déserté par la plupart des adhérents. Nous l'emportâmes aisément, mais ce fut pour voir se dresser contre nous la majorité des mêmes adhérents, qui firent annuler le vote, et le firent recommencer, pour notre perte. C'étaient alors les méthodes du temps, qui n'avaient rien de démocratique.

Je travaillais alors à une commission de critique de la philosophie auprès du Comité central. Nous nous réunissions toutes les semaines, et finîmes par produire un article où nous déclarions que « la question de Hegel est depuis longtemps résolue » (Jdanov), sauf ses résurgences chez des gens comme Hyppolite, où elle prend un tour nettement belliciste. C'étaient les pensées du temps.

J'ai raconté ailleurs comment je parvins à écrire quelques articles récents, contre le cours du temps, et à les publier à *La Nouvelle Cri-*

tique (grâce à Jacques Arnault) et à *La Pensée* (grâce à Marcel Cornu). Ce ne fut pas sans mal. Mais les Éditions sociales m'étaient fermées, par un interdit dont je n'ai jamais su exactement d'où il venait, Krasucki, Garaudy ou Aragon, ou peut-être même de personne. Enfin, tout cela appartient désormais au passé. Ce qui me reste en mémoire concerne le Comité central d'Argenteuil. Le lendemain même de sa session, j'eus la surprise de recevoir un pneu de Garaudy : « tu as été battu hier, viens me voir ». Je n'allai pas le voir. Mais, trois mois plus tard, je reçus un mot de Waldeck, alors secrétaire général du Parti, qui m'invitait aimablement à un entretien. Je le vis pendant trois heures d'une belle matinée de printemps. Il parlait lentement, c'était un homme honnête et chaleureux. Il me dit : « On t'a critiqué à Argenteuil, mais la question n'est pas là. Il fallait te critiquer pour pouvoir critiquer aussi Garaudy, qui nous gêne avec ses positions. Pour toi, tu as écrit des choses qui nous intéressent. » Je lui posai des questions : « Mais toi, qui connais les ouvriers, penses-tu qu'ils s'intéressent à l'humanisme ? — Pas du tout, dit-il, ils s'en moquent bien. — Et les paysans ? — Même chose, dit-il. — Alors pourquoi cet accent sur l'humanisme » ? Je cite textuellement la réponse de Waldeck : « Tu comprends, tous ces universitaires, tous ces socialistes, il faut bien parler leur langage... ». Et comme je l'interrogeai sur la politique du Parti, il me répondit (textuel) : « Il faut bien faire quelque chose pour eux, sinon ils vont tous s'en aller ». Je n'ai jamais su qui étaient ces « tous », soit les membres du Parti (probable), soit les intellectuels, soit les travailleurs. Je le quittai perplexe.

J'ai eu l'occasion, avant et depuis, de rencontrer des dirigeants du Parti. Ils n'avaient pas sa taille. Mais il était intéressant de les entendre. Je ne parle pas de Guy Besse, qui était la modestie même (« on m'a mis au Bureau politique pour équilibrer Garaudy, je ne me fais pas d'illusions » : il s'en est peut-être forgé depuis), mais de Roland Leroy. Je le vis bien quatre ou cinq fois entre 1967 et 1972. Homme fin, soucieux de son maintien, attaché à une sorte d'élégance florentine légèrement décadente, au demeurant très vif et aigu, mais d'une belle « intelligence limitée par la volonté » lui aussi, Roland Leroy me fit part de ses difficultés (comment donc tenir le front philosophique), de ses assurances (les socialistes, sous le programme commun, ce sera la guerre au couteau, tu verras. Les Soviétiques, ils ont un seul avantage sur nous, la mobilité sociale. Jacques Chambaz était là, qui approuvait). Je vis aussi René Andrieu, un des dirigeants les plus populaires pour sa combativité à la télé. Il me confia son souci d'ouvrir dans *l'Humanité*, dont l'avenir le préoccupait, une rubrique des lecteurs où chacun pourrait exprimer, comme dans *France-Nouvelle*, sa libre opinion. Mais c'était prématuré. J'aperçus au cours d'un Congrès Georges Séguy, dont j'ai toujours admiré le sens du langage populaire, sans aucune démagogie. Il me parla de la grève des PTT, pour en dire qu'elle allait cesser, car les chômeurs étant nombreux, une grève ainsi isolée ne pourrait tenir longtemps. J'en vis quelques autres. Plus ils étaient haut dans la hiérarchie, plus ils étaient libres dans leurs propos. Au niveau du simple rédacteur de *l'Huma* ou de *France-Nouvelle*, c'était le silence total. Pas d'explications.

Et, puisque j'ai ici l'occasion de tout dire, je dois avouer que parmi les hommes célèbres que je pus rencontrer, figurent Jean XXIII et de Gaulle.

J'avais par mon ami Jean Guitton mes antennes à Rome. Je vis Jean XXIII, qui n'aimait pas séjourner au Vatican hors du palais, dans des jardins. C'était le printemps, il y avait des enfants et des fleurs qui enchantaient l'âme pure du pape. C'était, sous ses dehors de fort Bourguignon aimant le vin rouge, un homme d'une grande ingénuité et d'une profonde générosité, teintée d'utopisme, comme on va le voir. Il s'intéressait en effet en moi au membre du Parti communiste français et m'expliqua longuement que son vœu était de réconcilier l'Église catholique avec l'Église orthodoxe. Il avait besoin d'intermédiaires pour obtenir de Brejnev les bases d'un accord unitaire. Il ne s'en cachait pas. Je lui objectai les difficultés idéologiques et politiques de pareille entreprise, la situation de Mindszenty, pour qui il professait un parfait mépris (il est bien là où il est : qu'il y reste), et tout simplement la tension internationale et l'anticommunisme régnant dans l'Église. Il me déclara qu'il faisait son affaire de cette dernière question si les communistes voulaient bien faire un geste. J'eus beau lui objecter que ce geste était très difficile à obtenir, que même le Parti italien ne le ferait pas, que le Parti français était encore plus mal placé, c'est tout juste s'il ne me reprit pas vertement, me disant que l'Église française était gallicane et que cela devait au moins servir à quelque chose, que l'alliance franco-russe était de vieille tradition, etc. Je le quittai désolé de mon impuissance, n'étant pas parvenu à le convaincre qu'il ne s'agissait pas en l'espèce que de moi. Je le revis en deux occasions, toujours aussi résolu, et aussi irrité par cette question qui lui tenait à cœur.

Je rencontrai de Gaulle dans des conditions étonnantes, car je ne le connaissais pas personnellement. Ce fut dans une rue du VIIe arrondissement. Un grand homme qui avait au bec une cigarette pendante me demanda du feu. Je lui en donnai. Il me demanda sans attendre : qui êtes-vous? que faites-vous? Je lui répondis : j'enseigne à l'École normale. Et lui : le sel de la terre. Moi : de la mer, la terre n'est pas salée. Voulez-vous dire qu'elle est salace? Non : elle est sale. Il me répondit : vous avez du vocabulaire. Moi : c'est mon métier. Lui : les militaires n'en ont pas autant. Moi : que faites-vous? Lui : je suis le général de Gaulle. Effectivement. Huit jours plus tard le standard de l'École affolé me transmettait un appel de la Présidence de la République, où on me priait de venir dîner. De Gaulle me posa questions sur questions, sur moi, ma vie, la captivité, la politique, le Parti communiste, mais sans dire un mot de lui. Trois heures. Puis je pris congé. Je le revis pendant la traversée du désert, et cette fois, ce fut lui qui parla. Il me dit tout ce qu'on sait qu'il disait : pis que pendre des militaires, beaucoup de bien de Staline et de Thorez (des hommes d'État), beaucoup de mal de la bourgeoisie française (elle n'est pas foutue de produire des hommes d'État, la preuve, elle est obligée de s'adresser à des militaires qui ont tout de même autre chose à faire). Il était préoccupé lui aussi par le Parti communiste : « Vous croyez qu'ils sont capables de comprendre que je suis le seul à pouvoir tenir l'Amérique en respect? et à installer en France quelque chose qui ressemble au socialisme dont ils parlent? Des nationalisations, tant qu'on voudra, et des ministres communistes, d'accord, je ne suis pas comme les socialistes qui les ont foutus dehors sur l'ordre des Américains. La Russie? J'en fais mon affaire. La grande question, c'est le tiers monde, j'ai libéré presque tous les territoires, reste l'Algérie, vous verrez que cette putain de bourgeoisie française m'appellera quand les choses tourneront mal pour elle, Guy Mollet est son homme mais c'est un incapable, et Lacoste est encore pire. Je suis seul? Oui, je l'ai toujours été, mais Machiavel l'a écrit, il faut toujours être seul quand on commence une grande chose, mais le peuple français est gaulliste, et j'ai quelques amis fidèles, voyez Debré, voyez Buis, je leur ai donné un peu de ciel ». Quand je lis les récits de Malraux, qui fait son beurre de quelques mots du grand homme et les assaisonne à sa sauce littéraire, je pense à ces simples propos, à leur grandeur et à leur raideur : la corde raide. C'était un équilibriste politique de génie. Il était très dur sur les paysans : ils ne pensent qu'au fisc, et d'ailleurs le fisc les épargne, et sur l'Église, ils bêlent pour apprivoiser le loup, ils ne savent pas qu'il faut être plus loup que le loup, mais il avait du respect pour certains catholiques comme Mandouze : ceux-là, ils savent ce que c'est que d'être seuls. J'en tirai la leçon qu'une certaine solitude est parfois nécessaire pour se faire entendre.

La solitude, je la connaissais dans les cliniques psychiatriques où je séjournais régulièrement. Je la connaissais aussi dans les très rares moments où, relevant de ces dépressions, je remontais à la surface, et, porté par je ne sais quelle vague, je montais plus haut que moi, dans une sorte d'exaltation où tout me devenait facile, où je ramassais immanquablement une nouvelle fille qui me devenait la femme de ma vie, à qui je portais à cinq heures du matin les premiers croissants chauds de Paris, avec des groseilles du printemps (car curieusement, quand je remontais, c'était toujours mai ou juin, comme me le disait malicieusement mon analyste, tous les mois ne se valent pas, ceux des vacances sont un peu particuliers, et surtout ceux de la veille des vacances). Dans ces temps-là j'inventais toutes sortes de folies, qui faisaient frémir Hélène, car elle était naturellement aux premières loges de ma rage, et inquiétaient aussi mon entourage, pourtant rompu à mes fantaisies incontrôlables.

J'avais une prédilection pour les couteaux de cuisine qui rouillent, j'en volai plusieurs dans un magasin, et je les rapportai le lendemain, sous le prétexte qu'ils ne me convenaient pas, et je les revendis à la même employée étonnée. Je décidai aussi de voler un sous-marin atomique, affaire qui a naturellement été étouffée par la presse. Je téléphonai au commandant d'un de nos sous-marins atomiques à Brest, en prétendant être le ministre de la Marine, pour lui annoncer un important avancement, et lui dire que son successeur allait incessamment se présenter à lui, pour prendre sur-le-champ sa relève. Effectivement un officier galonné se présenta, échangea avec l'ancien commandant les documents réglementaires, prit en charge le

340

commandement, et l'autre s'en alla. Le second réunit alors l'équipage, et lui annonça que, à l'occasion de la promotion de leur ancien commandant, il leur accordait huit jours de congé exceptionnel. Son allocution fut accueillie par des vivats. Tout le monde quitta le bord, sauf le cuistot qui faillit faire tout rater sous prétexte d'une ratatouille qu'il mijotait à petit feu. Mais lui-même finit par partir. Je retirai ma casquette d'emprunt, et téléphonai à un gangster qui avait besoin d'un sous-marin atomique pour faire du chantage sur des otages internationaux, ou sur Brejnev, pour lui dire qu'il pouvait prendre livraison. C'est à cette même époque que je fis le fameux hold-up non sanglant de la banque de Paris et des Pays-Bas pour gagner un pari avec mon ami et ancien condisciple Pierre Moussa, qui en était le directeur. Je pris un coffre à la banque, me fis accompagner jusqu'à lui, l'ouvris, et y déposai ostensiblement un nombre considérable de faux billets (il suffisait à vrai dire de paquets ayant la forme de billets de cinq cents francs) devant le gardien du coffre. Je montai alors chez Moussa et lui dis que je voulais faire une déclaration sur l'honneur de la valeur de mon dépôt : un milliard de nouveaux francs. Moussa, qui connaissait mes relations avec Moscou, ne cilla pas. Le lendemain, je revins, me fis ouvrir le coffre, et constatai avec stupeur qu'il était complètement vide : des gangsters très malins, ayant ouvert toutes les portes, étaient passés par là dans la nuit. Le plus extraordinaire est qu'ils devaient être instruits du montant du dépôt qui se trouvait dans mon coffre, car ils ne s'attaquèrent pas (façon de parler puisqu'ils avaient les clés) à d'autres coffres. Le gardien, convoqué, constata lui aussi que le coffre, qu'il avait vu plein la veille, était vide. Moussa aussi, qui fit payer les Lloyds en l'espace de huit jours. Mais Moussa n'était pas dupe. Il me demanda une petite contribution pour la caisse de solidarité des anciens directeurs de la banque, et pour la société des anciens élèves de l'École normale. On peut trouver trace de ses versements dans les annuaires de ces associations. Le préfet de police de l'époque se conduisit, je dois le dire, fort correctement : comme quoi, on a des manières dans la Haute Administration. Je mis au courant mon père, qui rit doucement : il connaissait bien Moussa, qui était venu un jour le visiter au Maroc pour lui expliquer la situation locale. Mon père avait écouté sans un mot, et avait serré la main de Moussa en lui donnant quelques bonnes adresses où rencontrer de belles Finlandaises (Moussa était alors porté sur ce genre de filles) et du bourbon ayant séjourné sous l'eau de mer. Je volai bien d'autres choses, y compris une grand-mère et un adjudant de cavalerie en retraite, mais ce n'est pas le lieu d'en parler, car cela m'attirerait des ennuis avec le Vatican, l'adjudant faisant partie de la garde suisse. J'avais de bons rapports avec le Vatican, ayant eu la faveur d'être reçu (parmi cent quatre-vingt-douze autres étudiants parisiens, conduits à Rome par l'abbé Charles en 1946) par Pie XII, qui me parut malade du foie, mais très capable de s'exprimer dans un français contourné de phonèmes italiens comme un piano d'un violoncelle douteux, et qui me demanda si j'étais élève de l'École, si j'étais dans la section des lettres ou des sciences, si j'étais philosophe : oui. Alors il souhaitait que je lise saint Thomas et saint Augustin dans l'ordre, que je sois « un bon chrétien, un bon père et un bon citoyen ». J'ai fait de mon mieux depuis pour respecter ces recommandations qui partaient d'un bon sentiment. Je n'ai connu ni Jean XXIII, cet homme fabuleux, qui était comme le chanoine Kir mais saint, ni Paul VI, cette douce vieille femme inquiète toujours en vadrouille et qui n'a qu'un rêve dans sa vie : rencontrer Brejnev. Mais Jean Guitton les connaissait pour moi, puisque ses livres étaient leurs œuvres de chevet, qu'il correspondait avec eux, et c'est ainsi que je fus tenu au courant des petites affaires de Rome et que je pus monter le coup de l'adjudant suisse qui voulait rejoindre sa bien-aimée dans les Grisons, une fois défroqué.

Naturellement ce vent de folie, où je tombai par-dessus le marché amoureux d'une Arménienne séjournant à Paris, belle comme un tissu de toile, avec des cheveux d'une autre couleur et des yeux qui bougeaient doucement dans la nuit, ne dura pas. Je retournai dans une de mes maisons de santé. J'avais fait des progrès depuis Esquirol. J'allai à Soisy, où on ne faisait pas de chocs, mais des cures de sommeil fictives, qui me donnaient l'impression de guérir. J'ai retenu de Soisy une expérience assez étonnante, qui devait ouvrir les voies à l'antipsychiatrie. On réunissait tout le monde, sauf les médecins et le concierge, dans une grande salle à chaises : malades, infirmiers, infirmières, etc. Et tout le monde se regardait avant de se taire. Cela durait des heures. Tantôt un malade se levait pour aller pisser, tantôt un autre allumait une cigarette, tantôt une infirmière piquait une crise de larmes, et quand on avait fini de parler, tout le monde allait soit manger, soit se coucher pour sa cure de sommeil. J'ai toujours conçu une haute admiration pour les médecins : ils trouvaient le moyen de ne jamais venir, on ne pouvait même pas les voir en privé, ils prétendaient que leur absence faisait partie du traitement, ce qui ne les empêchait pas d'être très occupés à soigner hors de l'hôpital une autre clientèle privée qui avait besoin de leurs soins : ou bien ils faisaient la cour à leurs infirmières qu'ils épousaient, quand ils ne leur faisaient pas des enfants. A quel point les cures de sommeil peuvent être dangereuses, contrairement à une opinion couramment établie qui ne tient pas compte du somnambulisme, j'en fus convaincu par un incident qui m'advint en plein hiver, alors que vingt centimètres de neige glacée recouvraient le sol de la région. On me retrouva vers trois heures du matin, complètement nu dans la neige, à deux cents mètres de mon pavillon, et je m'étais blessé au pied sur une pierre. Les infirmières eurent très peur, me firent un petit pansement, me donnèrent un bain chaud, et me remirent au lit. Je ne vis, cette fois non plus, aucun médecin. Ils n'étaient pas spécialisés dans le somnambulisme. Dieu merci, il y avait là Béquart, que je voyais en compagnie de sa charmante femme, et qui s'intéressait à la philosophie, et Paumelle qui avait monté toute l'affaire, non sans inquiétude, et qui remâchait son souci en buvant du whisky, et en bavardant à l'occasion avec Domenach, mon ancien condisciple de Lyon ; Derrida, Poulantzas, Macherey venaient me voir. On allait manger des éclairs au chocolat dans une pâtisserie, et on partait dans les champs, en devisant. Derrida me racontait sa dépression, survenue après son mariage, avec un tact infini, Nikos me parlait de ses histoires de filles (celui-là !) et des disputes entre le Parti de l'intérieur et le Parti de l'extérieur, Macherey de philosophie et de ses problèmes de logement. Moi, j'essayais de faire passer le temps, ce qui est bien la chose la plus difficile du monde, quand on est torturé par l'angoisse au creux du ventre. Mais la dépression finissait toujours par rendre les armes, et je rentrai à l'École, où les agrégatifs passaient tout seuls leurs concours, où Hyppolite et sa femme m'accueillaient avec amitié, et où la politique suivait son chemin. La seule à en souffrir vraiment, la seule, était Hélène car comme elle avait un caractère de cochon, tout le monde pensait que si je tombais malade c'était sa faute, et quand j'avais disparu tout le monde la laissait tomber, ce qui fait qu'elle avait sur le dos et ma maladie, et la culpabilité d'en être responsable, et l'absence des amis qui n'osaient même pas lui faire signe pour lui payer à boire et l'inviter au cinéma. Les proches des malades sont ainsi des pestiférés publics, tant est grande la peur que les gens conçoivent, surtout les proches, de tomber malades pour leur propre compte. Pas une seule fois pendant trente ans, pour prendre un autre exemple, ni ma mère ni mon père ne vinrent me rendre visite à l'une de mes cliniques, dont ils connaissaient pourtant fort bien l'adresse. Hélène a toujours traîné ainsi avec elle une sorte de malédiction, et la crainte terrifiante d'être une marâtre, ce qu'elle n'est en rien, elle est au contraire d'une merveilleuse gentillesse avec les gens, qu'elle rudoie certes à l'occasion, mais sans méchanceté, quand ils lui parlent trop tôt le matin à son petit déjeuner, où qu'ils disent du mal devant elle de Stendhal, de Proust ou de Tintoret, ou du bien de Camus (qu'elle a bien connu dans la Résistance), etc. Des broutilles : mais comme avec des brindilles on peut allumer un grand feu, avec des broutilles on peut aussi faire un grand mal.

Donc la politique continuait. Les choses avaient commencé au printemps 1964, quand je reçus dans mon bureau de la rue d'Ulm la visite de Balibar, Macherey et Establet, alors élèves de l'École. Ils venaient me demander de les aider à travailler sur Marx. Je leur dis oui, repris leurs commentaires, et m'aperçus que je savais plus de choses que je ne pensais. Toujours sur leur demande, nous organisâmes un séminaire sur *Le Capital* pendant l'année scolaire 1964-1965. Il fut ouvert par Rancière qui essuya les plâtres, et y eut un grand mérite, car personne n'osait se jeter à l'eau le premier, et il parla trois fois deux heures. C'était un exposé magistral, qui a paru chez Maspero, un peu formaliste et lacanien peut-être (la « cause absente » y fonctionnait à la diable) mais non sans génie. Je parlai à mon tour, après Macherey, qui enseignait alors à La Flèche, Establet et Balibar. Je n'avais pas de mérite puisque les autres avaient fait tout le travail. Duroux, le plus fort de nous tous, s'était malheureusement tu, comme toujours, quoique plein d'idées dont il n'était pas avare. Quant à Jacques-Alain Miller, qui courtisait déjà Judith Lacan, il s'était fait remarquer par une grande capacité d'initiative en octobre 1964, puis avait complètement disparu (il s'était réfugié dans la forêt de Fontainebleau, avec une jeune fille à qui il apprenait à produire des concepts théoriques), avant de se présenter devant nous sans crier gare en juin 1965, pour découvrir à la stupeur générale qu'on lui avait « volé un concept ». Comme je n'étais plus fou à ce moment-là, ce n'était pas mon fait. Miller prétendit que c'était la faute de Rancière, qui lui avait volé le concept de « causalité métonymique » qu'il avait inventé dans un instant de distraction mais auquel il tenait d'autant plus. Rancière se défendit comme un beau diable et finit par avouer en octobre 1965 que c'était ma faute. Miller me fit alors une scène épouvantable, qui devait rétrospectivement impressionner Régis Debray, une fois libéré de Camiri (il en parle dans son dernier livre comme du symptôme du dérèglement des esprits à l'École en général et en particulier). Mais c'était vraiment une exception. Les concepts circulaient dans la génération, sans mesure de contingentement.

Ils circulaient si bien que les membres de l'Union des étudiants communistes (UEC) les mirent bientôt en brochures, pour leurs fameuses écoles de formation théorique. Ces écoles étaient nées de la conviction, fort théoriciste, qui régnait alors parmi nous que, devant l'impossibilité de faire de la politique dans le parti, il fallait adopter le point de vue de Lénine dans *Que faire ?* et se battre sur le seul terrain ouvert : celui de la formation théorique. Ce projet connut, toutes proportions gardées, un succès considérable, en tout cas inattendu. Il s'ouvrit un peu partout dans les universités parisiennes des écoles de formation théorique, animées par un petit groupe de philosophes dont Robert Linhart était certainement le plus actif et le plus fort. Cette action eut, comme on pouvait le prévoir, des conséquences politiques. Les normaliens mirent pratiquement, à partir de leur cercle d'Ulm, et de la faiblesse de l'UEC alors minée par la tendance « italienne » et les « psychosociologues » de la Sorbonne Lettres, la main sur la direction de l'UEC. Le Parti, qui y était très faible, toléra la chose, jusqu'au jour où le Cercle d'Ulm et ses amis prirent l'initiative de rompre avec le Parti par une scission qui leur donna manifestement beaucoup de contentement. Je les engueulai vertement, leur disant que ce n'était pas de la politique, mais un jeu d'enfants. Mais le pas était franchi. Ils fondèrent alors l'Union des jeunesses communistes (marxistes-léninistes), UJC m-l, qui devait se rendre fameuse par son activisme et ses initiatives très réfléchies : avant tout poursuite de la formation théorique, création d'une revue (les *Cahiers marxistes-léninistes* où je donnai, on va le voir, deux mauvais articles que le Parti fit semblant de ne pas connaître) et surtout lancement des comités Vietnam de base qui connurent un succès qui finit par inquiéter le Parti. Ces jeunes garçons avaient, dans leur intelligence théorique de la politique, dans leur fougue et dans leur imagination, compris malgré tout quelques principes essentiels de l'agitation et de l'action de masse, et ils étaient passés aux actes. Les *Cahiers marxistes-léninistes*, après un début difficile, se vendaient très bien. Je leur avais donné, dès le premier numéro, consacré à la Révolution culturelle, qui venait d'éclater, un article non signé (dont je reconnais ici, après Rancière, l'authenticité) où je mettais en œuvre une théorie simple et fausse reposant sur le principe : il y a trois formes de la lutte de classe, l'économique, la politique et l'idéologique. Il faut donc trois organisations distinctes pour la mener. Nous en connaissons deux : le syndicat, et le Parti. Les Chinois viennent d'inventer la troisième : les gardes rouges. CQFD. La chose était un peu simple, mais elle plut. Je me fendis d'un autre article, très long celui-là, et signé, sur « matérialisme dialectique et matérialisme historique », où je défendais l'idée juste que la philosophie marxiste ne devait pas être confondue avec la science marxiste de l'histoire, mais mes arguments étaient pour le moins schématiques. Je me rappelle qu'une bonne année après la fondation de l'UJC m-l je reçus une invitation de Paul Laurent à le visiter, mais j'étais alors sur le point de partir en hôpital psychiatrique, et je ne pus lui donner suite. Je l'ai toujours regretté, car, de loin, Paul Laurent m'a toujours paru un homme intéressant, en tout cas calme et lucide. C'était à la veille même de mai 68. Comme je partais en voiture pour l'hôpital, je vis des groupes défilant sous un drapeau rouge. Les choses avaient commencé.

Pendant mai 68, où le Parti avait complètement perdu le contact avec les masses étudiantes en révolte, les garçons de l'UJC m-l, en bons léninistes, se rendirent à la porte des usines, où les ouvriers français avaient déclenché la plus grande grève de toute l'histoire du mouvement ouvrier. Cela les perdit. Car les ouvriers n'avaient pas besoin du secours des étudiants, même « établis », et l'affaire se passait ailleurs qu'aux portes des usines, dans le Quartier latin, où pendant un mois on se battit à jets de pavés et de grenades lacrymogènes, mais sans qu'un seul coup de feu fût tiré, les CRS ayant pour consigne évidente, sous un préfet de police dont la fille était dans les rangs des manifestants, de ménager les étudiants qui, après tout, étaient pour la plupart les fils de la grande bourgeoisie française. Ils furent moins cléments chez Peugeot, où trois ouvriers furent tués par balles.

On sait comment de Gaulle sut venir à bout de cette révolte spectaculaire, en montant un autre spectacle : celui de sa disparition imprévue, pour aller, non à la porte des usines, ni à la Sorbonne occupée, mais en Allemagne, au QG de Massu (c'est du moins la vérité officielle) pour en revenir deux jours après et prononcer son fameux discours haletant, qui devait ouvrir la voie aux négociations de Grenelle avec Pompidou face à Frachon et Séguy, et aux élections qui devaient lui donner, après la manifestation des Champs-Élysées, une majorité introuvable.

Le mouvement de mai, où les ouvriers en grève et les étudiants en révolte s'étaient un instant frôlés (le 13 dans le grand cortège qui traversa Paris), s'éteignit peu à peu. Les ouvriers, une fois conquises leurs revendications essentielles à Grenelle, reprirent peu à peu, parfois avec réticence, le travail. Les étudiants furent plus longs à accepter l'idée de leur défaite : mais ils finirent, l'Odéon et la Sorbonne évacués, par baisser les bras. C'était un grand rêve avorté. Pourtant il ne disparut pas des mémoires. On garda, on gardera longtemps le souvenir de ce mois de mai, où tout le monde était dans la rue, où y régnait une véritable fraternité, où n'importe qui pouvait parler à n'importe qui, comme s'il le connaissait de toute éternité, où tout était soudain devenu naturel, où chacun croyait que « l'imagination était au pouvoir » et que sous les pavés, on trouvait la douceur du sable.

Après mai, le mouvement étudiant prit la forme de sectes, ou de groupuscules. L'UJC m-l se scinda, Robert Linhart, Jacques Broyelle et autres la quittant, et ce qui en resta suivit Benny Lévy qui fonda avec Alain Geismar, du Mouvement du 22 mars, la Gauche prolétarienne. Cette organisation se donna un journal et un hebdomadaire, mais malgré la protection et le soutien financier de Sartre, qui avait cru reconnaître en mai sa théorie de la sérialité (la CGT) et du groupe (les manifestants étudiants), elle végéta, puis disparut. Nombre de ses dirigeants, ou des militants proches, comme André Glucksmann, finirent dans l'antimarxisme, qui guette tout mouvement idéologique antiautoritaire et anarchisant. Ce fut une triste fin, malgré l'immense manifestation de protestation contre l'assassinat d'Overney, dont j'avais dit : c'est un enterrement, mais pas tant celui d'Overney que du gauchisme étudiant. Il y avait naturellement tous les gauchistes pour assister à l'enterrement du gauchisme. Et bien d'autres encore, ce qui fit illusion pendant deux ou trois mois. Mais la vérité prit rapidement le dessus, sans inspirer d'ailleurs, tant les esprits étaient frappés de confusion, la moindre analyse, Lévy continuant imperturbablement à lancer des mots d'ordre que personne ne suivait, avant de publier ses conversations avec Sartre qui l'avait pris comme secrétaire particulier.

Le vrai gauchisme, le gauchisme ouvrier, anarcho-syndicaliste et populiste, trouva refuge ailleurs : dans une partie du PSU, et dans la CFDT. Mais c'est une vérité que les étudiants français ne voulaient pas reconnaître : qu'il y a deux gauchismes, l'un très ancien, le gauchisme ouvrier, et l'autre très récent, le gauchisme étudiant, et que l'ancien faisant partie du mouvement ouvrier, a des chances d'avenir, alors que le second ne peut, dans son principe, que s'éloigner du mouvement ouvrier. La situation est différente en Italie et en Espagne, pour des raisons historiques, puisqu'on peut y voir, à gauche du Parti communiste, des formations politiques ayant une base non seulement étudiante mais ouvrière, ce qui est actuellement impossible et impensable en France, la direction du Parti français le sait bien, et elle en a donné la preuve par sa tactique en mai 68 et ensuite. Il lui a suffi de se renfermer dans sa « forteresse ouvrière », la CGT et le Parti, pour laisser se décomposer tout seul, malgré ses imprécations, le gauchisme étudiant, maoïste ou non.

Je dois ici parler d'une initiative que nous prîmes à quelques-uns au printemps 1967 : celle de fonder un groupe de travail auquel nous donnâmes le nom, transparent, de Spinoza. La plupart de mes amis y participèrent, membres du Parti ou non. Cette expérience fut intéressante, car prophétique. Nous étions alors convaincus que les choses allaient se déclencher dans l'Université. Il devait en sortir un livre, signé seulement par Baudelot et Establet pour des raisons de divergence politique, sur *L'École capitaliste en France*. Et un autre grand ouvrage de Bettelheim sur les luttes de classes en Urss.

Nous avions aussi entrepris une étude des rapports de lutte de classe en France mais, faute de moyens et de temps, elle ne put aboutir. Le groupe finit par se dissoudre tout seul (à l'occasion d'une de mes dépressions et de la conjoncture, et du départ d'Alain

Badiou, un de nos plus brillants collaborateurs, qui décida qu'il fallait préparer la réunification des groupes maoïstes en France pour rénover le Parti). Badiou publie actuellement chez Maspero des fascicules intéressants, où l'on retrouve curieusement la philosophie sartrienne de la révolte, qu'il n'a jamais désavouée, au service de l'interprétation des textes de Mao, sur un fond de volontarisme, de pragmatisme, et d'idéalisme typique de la pensée du grand dirigeant communiste chinois.

J'ajoute, pour ne rien oublier de mes turpitudes théoriques, que j'avais publié au printemps 1966, dans le même temps où parut, dans *La Pensée*, le mauvais article sur le « travail théorique », un grand texte sur la formation théorique, que les Cubains traduisirent, et qui m'a été demandé de différents côtés. J'écrivis aussi un autre texte, plus ambitieux, sur le socialisme idéologique *(sic)* et le socialisme scientifique, qui ne fut pas publié, celui-là, heureusement. On pourra, en lisant ces essais, juger à quel point j'ai pu céder, dans l'air du temps, en fonction du succès réel des écoles de formation théorique de l'UJC m-l, à la tentation que j'ai critiquée plus tard sous la forme de « théoricisme ». Cette tentation, ou cette déviation, n'est pas demeurée à l'état de paroles verbales, puisqu'elle a en fait nourri, bien que corrigée par sa pratique effective, la politique de l'UJC m-l. Tout n'était pas détestable dans cette théorie, l'expérience l'a prouvé, puisqu'elle a au moins donné à ceux qui l'ont épousée le sens de l'importance de la théorie. Mais ce qu'elle n'a pu leur donner, c'est le sens de l'impact de la pratique sur la même théorie, autrement dit la leçon qui enseigne à « pratiquer la théorie » en tenant compte de la pratique, c'est-à-dire de l'état du rapport des forces de lutte des classes, de la charge sémantique des mots, et de l'évaluation des effets et de la théorie et de la pratique. Pourtant, ces garçons ont fait une expérience intéressante, dont plusieurs, qui ne se sont pas perdus dans l'antimarxisme, tirent maintenant les fruits, dont certains sont déjà très prometteurs, à en juger par exemple au livre de Linhart sur *Lénine, Taylor et les paysans*.

J'avais en effet buté, à propos de la fameuse « coupure épistémologique » empruntée à Bachelard, sur ces formations étranges, qui, comme l'économie politique classique, sont à la fois préscientifiques et théoriques, et sont théoriques sans être proprement philosophiques, et de surcroît sont bourgeoises. Cette dernière détermination était évidemment de loin la plus importante. Il fallait donc penser et accepter la nature idéologique de classe du substrat de la théorie bourgeoise de l'économie politique. Mais il fallait en même temps accepter de reconnaître que cette formation de l'idéologie bourgeoise se présentait sous la forme d'une théorie, abstraite, rigoureuse et même, en un certain sens formel, scientifique. C'est ainsi que Marx a traité la pensée de Ricardo, et même de Smith, en se donnant l'illusion que ces théories avaient pu être scientifiques, parce que la lutte de classe connaissait un répit en Angleterre *(sic)*, thèse que toute l'œuvre de Marx dément. C'est dans cette illusion qu'il m'apparaît maintenant indispensable de rechercher, dans Marx même, et non seulement dans les œuvres de jeunesse mais dans *Le Capital*, l'origine de nombreux malentendus, qui ont porté à une mésinterprétation du marxisme, voire à sa falsification intéressée. Pourtant cette idée simple que, si Marx a bien fondé une science, cette science, comme toute science, doit être, sinon révisée, du moins reprise, ses principes mieux assis et, ses conclusions mieux précisées, peut être féconde. Il en résultera une très grande simplification d'une œuvre dont Marx a cru, dans la même illusion, que le « commencement » devait être « ardu », comme en toute science, ce qui est faux : une révision de la 1re section du Livre I du *Capital* sur quoi j'ai attiré il y a plusieurs années l'attention, et surtout la distinction soigneuse entre ce que Marx a écrit dans *Le Capital* et dans ses brouillons de lecture, comme les « Théories de la plus-value », où il se contente souvent de recopier purement et simplement les textes de Smith sur le travailleur productif par exemple, théorie, distincte de celle du travail productif, qui disparaît du *Capital*. Il y aurait bien d'autres choses à dire, et je tenterai de les dire, sur tous ces malentendus soigneusement entretenus par des gens trop intéressés à la falsification de l'œuvre de Marx.

Je me contenterai pour l'instant de quelques mots sur la question de la philosophie marxiste. Après avoir longtemps pensé qu'elle existait, mais que Marx n'avait pas eu le temps de la formuler, puis pas les moyens, après avoir longtemps pensé que tout compte fait, et malgré *Matérialisme et Empiriocriticisme*, Lénine non plus n'avait pas eu le temps puis pas les moyens de la formuler, j'en vins péniblement à une double idée. D'abord que, contrairement à ce que j'avais cru et affirmé, Marx n'avait pas découvert une philosophie nouvelle, dans le style de sa découverte des lois de la lutte des classes – mais avait adopté une nouvelle position en philosophie, donc dans une réalité (la philosophie) qui existait avant lui et qui continue d'exister après lui. Ensuite que cette position nouvelle tenait en dernier ressort à sa position théorique de classe. Mais si cette dernière proposition était vraie, cela impliquait que toute philosophie (au moins toute grande, et peut-être même jusqu'aux petites philosophies) était déterminée en dernière instance par sa position de classe, et donc que la philosophie, prise dans son ensemble, n'était rien d'autre, en dernière instance, que « lutte de classe dans la théorie », lutte de classe continuée, comme l'avait bien vu Engels, dans la théorie. Naturellement, cette thèse posait de redoutables problèmes, non seulement quant aux commencements de la philosophie, mais quant aux formes de cette lutte de classe, et quant aux rapports évidents entre la philosophie et les sciences. Il fallait donc convenir que la philosophie n'est pas le propre des philosophes de profession, leur propriété privée, mais est le propre de tout homme (« tout homme est philosophe », Gramsci). Il fallait pourtant reconnaître à la philosophie des philosophes une forme particulière, celle de l'abstraction systématique et rigoureuse, à la différence des idéologies (religieuse, morale, etc.), et reconnaître que dans le *laboratoire de la philosophie des philosophes* quelque chose s'élabore qui n'est pas rien, mais a des retombées dans le domaine des idéologies qui sont l'enjeu proche des luttes de classe philosophiques. Quel pouvait être ce quelque chose qui s'élabore ainsi dans le laboratoire de la philosophie des philosophes ? J'ai longtemps cru que c'était une sorte de compromis, de « ravaudage », pour réparer dans le tissu philosophique les dommages faits par l'irruption des sciences (les coupures épistémologiques entraînant des ruptures philosophiques) dans l'unité philosophique antérieure. Mais je me suis avisé que les choses étaient moins mécaniques, et que la philosophie avait, comme toute l'histoire en témoigne, un rapport avec l'État, avec le pouvoir de l'appareil d'État, très précisément avec la constitution, c'est-à-dire avec l'unification, la systématisation de l'idéologie dominante, pièce maîtresse de l'hégémonie idéologique de la classe au pouvoir. Il m'est alors apparu que la philosophie des philosophes assumait ce rôle, de contribuer à unifier en idéologie dominante, à l'usage de la classe dominante comme à l'usage de la classe dominée, les éléments contradictoires d'idéologie que toute classe dominante trouve en arrivant au pouvoir devant elle, ou contre elle.

A partir de cette vue, les choses devenaient relativement claires, en tout cas intelligibles. On comprenait que tout homme fût philosophe, puisqu'il vivait sous une idéologie imprégnée des retombées philosophiques, effet du travail philosophique pour unifier l'idéologie en idéologie dominante. On comprenait aussi qu'il fût nécessaire à la classe dominante qu'il existât des philosophes de profession, travaillant à cette unification. On comprenait enfin que des catégories philosophiques fussent à l'œuvre dans la pratique scientifique, puisque aucune science au monde ne se développe, et les mathématiques elles-mêmes, en dehors et des idéologies régnantes, et de la lutte philosophique, qui a pour enjeu la constitution de l'idéologie dominante en idéologie unifiée. Les choses remarquées auparavant se mettaient ainsi en place, et on commençait à comprendre le singulier silence de Marx et de Lénine, comme les échecs des philosophes (comme Lukács) qui avaient tenté en vain de constituer une philosophie marxiste, ou à plus forte raison de ceux qui avaient rabaissé (comme Staline et ses émules) la philosophie au rang d'une simple idéologie de justification pragmatique. Marx et Lénine avaient pu se taire sur la philosophie, puisqu'il leur suffisait d'adopter une position de classe prolétarienne pour traiter en conséquence les catégories philosophiques dont ils avaient besoin, soit pour la science de la lutte des classes (le matérialisme historique), soit pour la pratique politique. Cela ne veut naturellement pas dire qu'il ne faille élaborer plus avant les effets philosophiques de cette position de classe prolétarienne, mais cette tâche prenait un tout autre aspect : il ne s'agissait pas de fabriquer une nouvelle philosophie dans la forme classique de la philosophie, mais de remanier, sur ces nouvelles positions, les catégories existantes, et existant dans toute l'histoire de la philosophie. Le mot de Marx dans *L'Idéologie allemande* : la philosophie n'a pas d'histoire, prenait alors un sens tout nouveau, inattendu, puisque c'est dans toute l'histoire de la philosophie que se répète la même lutte, ce que j'appelais naguère encore le même tracé de démarcation, le même « vide d'une distance prise ». Et alors nous pouvions partir à la recherche, dans toute l'histoire de la philosophie, des meilleurs tracés, qui ne sont pas forcément les derniers en date. Alors nous pouvions donner un sens matérialiste à la vieille intuition spiritualiste de la *philosophia perennis*, à cette différence que pour nous cette « éternité » n'était rien que la répétition de la lutte des classes. Non, la philosophie n'est pas, comme le voulait encore le jeune Marx, sur ce point fidèle disciple de Hegel, la « conscience de soi d'une époque historique », elle est le lieu d'une lutte de classe qui se répète et qui n'atteint ses formes les plus approchées qu'à certains moments de l'histoire, chez certains penseurs : pour nous, avant tout, Épicure, Machiavel, Spinoza, Rousseau et Hegel, authentiques précurseurs de Marx. Il y avait longtemps que je soupçonnais les vertus philosophiques de Spinoza, et ce n'est pas un hasard si j'ai fait le détour de Spinoza, pour tenter de comprendre « la philosophie » de Marx. Mais c'est en travaillant Machiavel que, d'une manière tout à fait inattendue, je me suis avisé de l'existence de ce lien singulier et éclairant. Je m'en expliquerai un jour.

Entre-temps, Jacques Martin s'était suicidé. On l'avait découvert, au plus chaud des jours d'août 1963, inanimé dans une chambre qu'il occupait alors, loin de tous, dans le XVIe arrondissement. Sur son corps, il avait disposé une longue rose rouge. Il connaissait comme nous la phrase de Thorez : du pain et des roses, le communisme. On ne put le réanimer.

Martin avait été soigné pendant plus de quinze ans par un médecin qui se disait analyste, mais qui pratiquait la narcose. Il avait reçu l'adresse de ce médecin, dans son désarroi dans l'après-guerre, de jeunes étudiants névrosés qui cherchaient à qui s'adresser. Je suivis pour mon compte les soins du même médecin pendant douze ans, et grâce à lui me rapprochai peu à peu de l'analyse et de ses problèmes. S. me faisait allonger, me faisait une piqûre de penthotal, juste de quoi m'enivrer, et je me mettais à parler. Il était soucieux avant tout de rêves, qu'il interprétait soigneusement, en soulignant leur signification positive ou négative. Mes dépressions reprenaient, S. m'assistait en bon secouriste dévoué, mais il avait aussi des idées sur la vie. Je me souviens de sa réplique, dans l'été 1963, quand une amie italienne que je venais de connaître pendant les vacances précédentes, lui demanda ce qu'il pensait de mon état et de mes propres sentiments : ce n'est qu'un amour de vacances ! Il lui manquait apparemment le sens du temps, il était d'ailleurs toujours très en retard, et ne s'inquiétait pas de la durée de ses cures.

L'analyste que je vis ensuite avait un autre sens des choses. Il prit le temps de réfléchir avant de m'admettre à ses séances, et j'entrai dans le rythme des conventions. Les choses avaient un tour très différent. Cet homme se moquait complètement du fait que je puisse rêver ou non, il n'usait pas de narcose, il ne se prononçait jamais sur le sens positif ou négatif de tel symptôme, il me voyait venir. Ce travail dura quinze ans, mais il est à peu près terminé maintenant, et je puis en parler un peu. J'y ai retrouvé par moi-même ce que Freud a décrit dans ses livres, l'existence des fantasmes inconscients, leur extrême pauvreté de principe, et l'extrême difficulté à négocier leur effacement progressif. Tout se passait en face à face, et pour accroître la difficulté, cet homme vit aussi Hélène mais bien plus tard, et seulement une fois la semaine, une demi-heure. Il y eut des épisodes dramatiques, une quinzaine de dépressions, et aussi des moments peu durables d'exaltation maniaque où je faisais n'importe quoi. Je me mis par exemple à voler, non pour posséder, mais pour la démonstration.

Il faut que je dise ici quelques mots de mon analyse. J'appartiens à une génération, en tout cas à une couche sociale, qui ne savait pas que l'analyse existait, et qu'elle pouvait guérir des névroses et même des psychoses. Entre 1945 et maintenant, bien des choses ont changé en France à cet égard. J'ai dit par quelle voie je me trouvai en rapport avec un médecin qui traitait par narcose, et comment une amie très chère me convainquit un jour d'aller voir D. « qui a les épaules assez solides pour toi ». De fait, il fallait qu'il eût les épaules solides pour me tirer d'affaire, car les choses durèrent quinze ans : de dépressions, c'est-à-dire en fait de résistance. Rien n'est aussi simple que les éléments inconscients sur lesquels travaille l'analyse, mais rien n'est aussi compliqué que leurs combinaisons individuelles. Comme me le dit un jour un ami, l'inconscient, c'est comme le tricot, il suffit de laine, mais on peut varier les points à l'infini. Pour moi, ce qui apparut bientôt, ce fut, comme toujours, des fantasmes-écrans, et avant tout le double thème de l'artifice, et du père du père. Tout ce que j'avais réussi dans la vie, j'avais l'impression de l'avoir réussi par imposture : mes succès scolaires avant tout, puisque j'avais recopié des copies, et inventé des citations pour réussir. Et comme je ne suivais mes maîtres que pour leur démontrer que j'étais plus fort qu'eux, l'imposture et cette victoire ne faisaient qu'un. Je piétinai longtemps sur ces thèmes, quand s'en découvrirent d'autres.

Avant tout la peur du sexe féminin, abîme où se perdre sans retour, la peur des femmes, la peur de la mère, cette mère qui ne cessait de geindre sur sa vie, et qui avait toujours en tête un homme pur à qui se fier — ce fiancé mort à la guerre à qui elle ne cessait de penser inconsciemment —, fût-il médecin naturiste, un homme avec qui échanger des idées, mais sans aucun commerce sexuel : une mère ayant peur du sexe de l'homme, peur de la sexualité. Je saisis alors que ma mère m'avait aimé sous cette forme, la forme d'un homme pur esprit et sans sexe, et même quand elle avait fouaillé, pour ma plus grande fureur et mon plus grand dégoût dans mes draps pour y trouver la trace de ce qu'elle croyait ma première éjaculation nocturne (te voilà un homme, mon fils), et pour mettre littéralement la main sur mon sexe, c'était pour me le dérober, afin que je n'en aie pas. C'est ainsi qu'elle avait aimé mon père, subissant sa sexualité passivement, l'esprit ailleurs, dans le ciel de Verdun. Mon père l'avait aimée autrement, de toute sa virilité, et j'avais encore dans la tête le redoublement de ce mot d'amour « mon mien » qu'il prononçait, pour se prouver que ma mère était bien à lui, et pas à un autre, pas à son frère. Par là s'éclairait mon besoin d'imposture et d'être « le père du père », puisque étant aimé par-dessus ma tête, comme un être non sexué que je n'étais pas, il me fallait bien me débrouiller, et me bricoler un personnage d'artifice, qui soit, à défaut d'être simplement un homme, capable d'en remontrer et à mon père et à tout autre père possible, en rajoutant pour me prouver, sur le dos des autres hommes, que j'étais bien un homme, doté d'un sexe, et non cet être a-sexué que voulait ma mère. Qu'il fallut quinze ans dans l'état actuel de l'analyse pour venir à bout de ces effets d'inconscient, cela s'explique certes par mes dépressions, mais ces dépressions sont sans doute intervenues pour résister aux progrès de l'analyse, et il fallait tout ce travail, tout ce *Durcharbeit,* pour venir à bout de ces simples fantasmes.

Tout cela se passa dans le temps que je travaillai sur Marx, et je fus toujours frappé par l'extraordinaire affinité qui existe entre la pensée et la pratique des deux auteurs. Dans les deux cas, le primat non tant de la pratique que d'un certain rapport à la pratique. Dans les deux cas, un sens profond de la dialectique lié au *Wiederholungszwang,* à l' « instinct de répétition », que je retrouvai dans la théorie de la lutte des classes. Dans les deux cas, et presque dans la même expression, l'indication que les effets observables ne sont que le résultat de combinaisons extrêmement complexes d'éléments très pauvres (cf. dans Marx les éléments du procès de travail et du procès de production), sans que ces combinaisons aient rien à voir avec le structuralisme formaliste d'une combinatoire à la Lévi-Strauss ou même à la Lacan. J'en tirai la conclusion que le matérialisme historique devait quelque part affleurer à la théorie analytique, et je pensai même pouvoir avancer la proposition, à vrai dire difficilement soutenable sous cette forme, quoique non fausse, que « l'inconscient fonctionne à l'idéologie ». Depuis des travaux intéressants (Godelier) sont venus apporter d'importantes précisions sur ces questions, très loin de l'univers de Reich évidemment, qui ne connaissait pas bien Marx...

Table

Cet ouvrage a été réalisé par la
SOCIÉTÉ NOUVELLE FIRMIN-DIDOT
Mesnil-sur-l'Estrée
pour le compte des Éditions Stock
en mai 1992

Imprimé en France
Dépôt légal : Mai 1992
Nº d'édition : 7714 – Nº d'impression : 20996
54-07-4114-04
ISBN : 2-234-02473-0